Сьюзен Элизабет ФИЛЛИПС

Блестящая девочка

Страсть

ИЗДАТЕЛЬСТВО
Москва
1999

ББК 84 (7США)
Ф51

Серия основана в 1996 году

Susan Elizabeth Phillips

GLITTER BABY

1978

Перевод с английского В.В. Копейко, Н.К. Рамазановой

Серийное оформление А.А. Кудрявцева

*В оформлении обложки использована работа,
предоставленная агентством Fort Ross Inc., New York.*

Печатается с разрешения автора и литературных агентств
The Axelrod Agency и Andrew Nurnberg Associates Limited.

Филлипс С.Э.

Ф51   Блестящая девочка: Роман/Пер. с англ. В.В. Копейко, Н.К. Рамазановой. – М.: ООО "Фирма "Издательство АСТ", 1999. – 448 с. – (Страсть).

ISBN 5-237-02990-6

Великолепная супермодель, «блестящая девочка» Флер Савагар
с детства жила точно в сказке, без малейших усилий получая все,
чего только могла пожелать. Сказку разрушило появление Джейка
Коранды – талантливого, знаменитого, неотразимого. Впервые
красавице не удалось добиться своего – покорить мужчину,
которого она полюбила всем сердцем. Охваченная страстью Флер
решает бороться за сердце Джейка – и победить любой ценой...

Глава 1

Блестящая Девочка вернулась. Она задержалась под аркой, что вела в галерею, давая время пришедшим на премьеру узнать ее. Шум, доносившийся с улицы, перекрывал гул голосов, обсуждавших достоинства новой коллекции африканских примитивных безделушек, развешенных на оштукатуренных стенах престижной галереи Орлани. Пахло модными в этом сезоне духами «Джой», легкими закусками и деньгами. Шесть лет назад ее лицо было одним из самых известных в Америке. Вспомнят ли ее сейчас, спрашивала себя Блестящая Девочка. А если нет, то как ей быть?

Она смотрела прямо перед собой с деланным выражением скуки на лице, слегка приоткрыв рот, опустив вдоль туловища руки без всяких колец или браслетов. В черных босоножках на шпильках, с ремешками вокруг щиколоток, высокая — шесть футов ростом, это была красивая амазонка с густой гривой волос, ниспадавшей на плечи. Нью-йоркские парикмахеры забавлялись своеобразной игрой: она заключалась в том, чтобы определить цвет ее волос одним словом. Предлагали разное: «шампанское», «ириски», «тоффи»*, — но все в конце концов сходились на том, что нет точного слова, а поскольку каждый из них считал себя гениальной творческой личностью, то обычное «блондинка» даже не обсуждалось.

На самом-то деле все они были по-своему правы: цвет ее волос менялся в зависимости от освещения, и можно было уловить каж-

---

* Конфеты из сахара и масла, напоминающие сливочную помадку. — *Здесь и далее примеч. пер.*

дый из перечисленных оттенков. Но не только волосы придавали ей
вдохновляющий и волнующий облик — все в ней было в превосход-
ной степени. Говорили, что одна известная редактриса, занимающа-
яся модой, уволила свою помощницу, назвавшую эти знаменитые
глаза карими. Возмущенная подобной непростительной ошибкой, она
сама переписала статью, где определила радужную оболочку глаз
Флер Савагар вот так: «удивительной чистоты изумруды с золотыми крапинками и черепаховыми тенями».

В этот сентябрьский вечер 1982 года, то есть шесть лет спустя,
Блестящая Девочка, смотревшая на толпу, была еще красивее, чем
прежде. Она казалась немного скучающей, словно сделала одолже-
ние, явившись сюда сегодня. В ее удивительных не совсем карего
цвета глазах читалась надменность, точеный подбородок был слегка
вздернут. Но это была поза, всего лишь поза, именно поза. Потому что
внутри Флер Савагар все дрожало от страха. Больше всего на свете ей
хотелось развернуться и убежать. Но вместо этого девушка поглубже
вдохнула и сказала себе: о бегстве не может быть и речи. Она и так
убегала шесть лет подряд, хватит. Ей уже не девятнадцать. Девочка
выросла, и больше никто из них не сможет причинить ей боль.

Несколько минут она разглядывала толпу; кое-кого она хорошо
знала, других встречала раз-другой. Диана Врилэнд, безупречно одетая
Ив Сен-Лораном в плащ-пелерину поверх черных шелковых брюк,
изучала бронзовую головку из Бенина, а Михаил Барышников, лицо
которого, казалось, было вылеплено из одних щек и ямочек, стоял в
окружении женщин, интересовавшихся очаровательным русским гораздо больше, чем африканскими изделиями. В углу известный те-
лежурналист и его жена, принадлежавшие к высшему свету, болтали с
сорокалетней актрисой-француженкой, впервые появившейся на публике после подтяжки лица, которую ей не очень-то удалось сохранить в
секрете. Неподалеку от них стояла хорошенькая жена для выходов
одного известного гомосексуалиста, режиссера с Бродвея, — стояла в
одиночестве, одетая в платье от Молли Парнис, расстегнутое до пояса.
Это было не слишком мудро с ее стороны, и Флер почувствовала
внезапный укол жалости. Если верить Кисси, бизнесом которой стали
светские сплетни, эта жена для выхода проиграла схватку с восьми-
сотдолларовой ежедневной порцией кокаина.

Здесь было также несколько женщин в туфлях на высоких каблуках без пятки и в платьях в стиле диско, модных в прошлом сезоне, однако Флер обратила внимание, что большинство гостей были одеты в женский вариант фрака. Ее дизайнер назвал этот последний писк моды извращением. Хотя, конечно, все дамы, пришедшие в галерею Орлани в таких фраках, не забыли надеть жакеты из русской рыси и взять с собой позолоченные вечерние сумочки от Перетти.

Платье Флер было совершенно другим. Дизайнер позаботился об этом.

— Ты должна быть элегантной, Флер. Элегантность, элегантность и еще раз элегантность в эту унылую эру мрачного однообразия.

Он взял черный бархат, разрезал по косой и сконструировал платье, состоящее из четких линий, с вырезом под горло, без рукавов. От середины бедер он разрезал юбку по диагонали и вставил каскад воздушных оборок. Флер вспомнила, как она смеялась над этими оборками, а он говорил, что только так ему удастся скрыть десятый размер ее ноги*.

А потом она забыла о платье и о ногах, потому что все головы стали медленно поворачиваться в ее сторону. Во взглядах светилось любопытство, ее узнавали. По толпе пробежал шумок; бородатый фотограф мгновенно перевел свой «хассельблад» с француженки на Флер и сделал снимок, который наверняка пойдет на первую полосу «Женской моды».

Аделаида Абрамс, самая известная «светская сплетница» Нью-Йорка, протискивалась с другого конца зала. Не может быть! Неужели эта девочка так вознеслась? Боже мой, если она ошибается, она сама себя прикончит!

Аделаида быстро двинулась вперед, расталкивая толпу и проклиная на все лады окулиста, не сумевшего правильно подобрать ей линзы, свою давно покойную мать, наградившую ее ужасным зрением, бестолкового мужа из «гоев», плоскую грудь и всех этих тупиц, загородивших ей дорогу...

Она наткнулась на мультимиллионера и, не извиняясь, устремилась дальше, дико озираясь в поисках своего фотографа. Где он? Она убьет

---

* Десятый номер ноги по американскому стандарту соответствует 41-му размеру по российскому.

его в ту же секунду, как найдет! Она убьет его, а потом себя. Сукин
сын! Эта свинья из «Харперс базар»* уже пробирается туда же.

Аделаида Абрамс, сделав глубокий вдох, протиснулась между
двумя известными представителями высшего света. Еще одно усилие, и она оказалась возле Флер Савагар.

Флер наблюдала за соревнованием между девицей из «Харперс» и Аделаидой и теперь не знала, чувствовать ли ей облегчение
от победы Аделаиды. От этой хитрой старой совы нелегко было
отделаться уклончивыми ответами и полуправдой. Особенно после
всех слухов, которые ходили вокруг исчезновения Флер.

— Флер-Боже-мой-не-могу-поверить-своим-глазам-Боже-мой—
как-ты-прекрасно-выглядишь! — выпалила Аделаида одним духом.

— Здравствуй, Аделаида. — Голос Флер звучал мелодично, в
интонации было что-то от Среднего Запада, но никто ни за что на
свете не догадался бы, что английский не ее родной язык.

Она наклонилась, и обе женщины прижались щеками друг к
другу. Потом, когда Флер выпрямилась, рыжая от хны макушка
Аделаиды оказалась на уровне ее подбородка.

Аделаида решительно оттащила Флер в дальний угол, отрезав
от всех журналистов, и с упреком поглядела на нее.

— Семьдесят шестой год был для меня ужасным, Флер. Мне
пришлось пережить климакс. Избави Бог тебя от того, что свали-
лось на мою бедную голову! Что за облегчение я испытала бы, если
бы ты рассказала мне свою историю. Ну хотя бы намекнула, что
случилось. Почему самая известная в мире модель, у которой впереди была вся жизнь, вдруг внезапно сбежала? Если бы я узнала, что
с тобой произошло, я бы не так мучилась во время приливов.

Флер, рассмеявшись, взяла бокал с шампанским у проходивше-
го мимо официанта. Сухое шампанское пузырилось; на долю секунды она задержала его во рту, потом проглотила.

— А ты не изменилась, Аделаида, нисколько, — сказала девушка. — Но оставь упорство еврейской матери, не пытайся выдавить из меня секреты.

— Какого черта, — пожала плечами Аделаида, — всегда стоит
попытаться. Ты бы удивилась, если бы узнала, скольких людей

* «Харперс базар» — современный модный женский журнал.

удается вот так обвести вокруг пальца! — Она тоже взяла бокал с подноса.

— Те дни, когда меня можно было обвести вокруг пальца, прошли.

Аделаида задумчиво посмотрела на Флер.

— А ты не дурочка, Флер. И никогда ею не была. Я помню первую статью, которую делала о тебе. Тогда Флер Савагар было семнадцать лет. На обложке «Вог» появилась твоя первая фотография. Доживи я даже до ста лет, никогда ее не забуду. Она вне времени. Твоя фигура... Огромные большие руки — ни колец, ни маникюра — поддерживают волосы... Тебя снимали в мехах, когда я вошла. Они как раз остановились, чтобы поправить свет, и ты побежала в угол — учить то ли геометрию, то ли биологию, что-то в этом роде. Никогда не забуду. Только семнадцать лет, а на тебе шуба из шиншиллы, о которой я мечтала всю жизнь. И бриллиантовое ожерелье от Гарри Уинстона в четверть миллиона долларов. Ты сидела с учебником на коленях и надувала пузырь из жвачки. Я помню и Белинду в тот день. Как только она увидела этот дурацкий пузырь, она кинулась прямо к твоим губам. Никогда не забуду.

Меньше всего Флер хотелось говорить о Белинде, но она знала, что это неизбежно. Единственное, что можно было сделать, — это оттянуть время.

— Большую часть времени я провела в Европе, Аделаида. Кое в чем следовало разобраться.

— Разобраться? Это я могу понять. Ты ведь была совсем молоденькая. Без нормального детства. И это был твой первый фильм. Народ в Голливуде не такой чуткий, как в Нью-Йорке. Но раз ты вернулась окончательно, не можешь же ты никому ничего не рассказать? Шесть лет, Флер. Что-то же было, в чем пришлось разбираться шесть лет!

— Вот в чем надо, в том и разбиралась.

Флер говорила легким тоном, но лицо ее закрылось, и опытная Аделаида сразу поняла, что оказалась в тупике. И быстро сменила тему разговора:

— Тогда, таинственная леди, раскрой свой секрет. Я могла бы поклясться, что тебе не приходилось работать над собой, ты и так была хороша, но сейчас ты выглядишь еще лучше, чем в девятнадцать. Всем бы нам так везло.

Флер улыбнулась, великодушно принимая комплимент. Он не доставил ей особого удовольствия, но заинтересовал. Иногда, рассматривая свои фотографии, она замечала собственную красоту, хотя давно научилась полагаться на мнение других. Она понимала: годы изменили ее лицо; теперь на нем были видны внутренняя сила и зрелость. Но пока Флер не услышала слова Аделаиды, она не была уверена, заметят ли другие перемену.

Флер не была тщеславной и никак не могла понять, из-за чего вокруг нее такая суета. Она сама считала, что в ее лице слишком много силы. Фигура, которой восторгались редакторы модных журналов, ей казалась мужской. А уж ее рост, большие руки и ноги... Совсем непонятно.

Аделаида вдруг ни с того ни с сего спросила:

— А ты уже виделась с Белиндой?

— Извини, Аделаида, я не хочу говорить о Белинде. То, что произошло между нами, очень личное. Думай что хочешь. Я не стану говорить о «Затмении в воскресное утро» или о чем-то еще, что произошло шесть лет назад. Я покончила с прошлым.

Аделаида шумно вздохнула.

— Ты была таким прелестным ребенком, Флер. Не знаю, что с тобой случилось. Хорошо, давай поговорим о чем-нибудь еще. Ну, например, о том, что ты собираешься делать. Откуда у тебя это платье? Много лет никто не надевал ничего похожего. Оно напоминает мне прежнюю моду. — Аделаида кивнула через плечо и презрительно фыркнула. — Женщины во фраках. До чего дошли! И Боже упаси кого-то покритиковать. Объявят старой дурой, у которой высохли все мозги и которая ничего не понимает.

Флер улыбнулась.

— Скорее ад замерзнет, чем Аделаида Абрамс перестанет понимать что к чему. Спасибо за комплимент моему платью. Оно действительно красивое, правда? Человек, который его придумал для меня, сегодня будет здесь, но позже. Может, ты захочешь с ним познакомиться. А теперь извини, мне надо кое с кем поговорить.

— Я думаю, тебе стоит начать с той, из «Харперс», а то она прожжет взглядом дырку у тебя в спине.

Флер уже собралась отойти, когда Аделаида внезапно схватила ее за руку. На этот раз в ее глазах светилась искренняя забота.

— Флер, подожди, не оборачивайся. Только что вошла Белинда.

Флер почувствовала головокружение, как будто она сидела, а потом резко вскочила на ноги. Этого она никак не ожидала. Как глупо! Черт побери, она не готова... Слишком быстро развиваются события. Флер медленно повернулась, прекрасно понимая, что большинство присутствующих не сводит с нее глаз.

Белинда развязывала шарфик под воротником из золотистого соболя, когда увидела Флер. Она замерла. Пальцы, словно парализованные, застыли на узле шарфа, рот слегка приоткрылся, а незабываемые гиацинтовые глаза расширились.

Белинда. Ей сорок пять, и она все еще хороша, хотя уже видно, что очень тщательно следит за собой. Светлые волосы уложены как всегда: опускаются чуть ниже линии подбородка и в стиле Грейс Келли* зачесаны набок, — эта прическа называется «В случае убийства набирайте "М"»**. Модная в пятидесятые, для Белинды она стала своей навсегда.

Белинда была закутана в меха, но Флер видела, какая она стройная. Никаких лишних складок под подбородком. Мягкая кожа сапог до колен плотно обтягивала икры, очень изящные, красивой формы.

Пальцы Белинды нервно затрепетали; не здороваясь, даже мимоходом, с теми, кто стоял рядом, она сразу направилась к Флер. Стащив перчатки, сунула их в карман; одна упала на пол, но Белинда не заметила. Подойдя, протянула руку:

— Флер.

Наступила звенящая тишина, какая внезапно возникает лишь при большом стечении народа.

— Здравствуй, Белинда, — сказала Флер, не шевельнув рукой.

Но Белинда была упряма. Она отказывалась отступать. Ее рука начала мелко-мелко дрожать, но она продолжала держать ее протянутой.

---

* Грейс Келли — американская кинозвезда, игравшая «холодных красавиц».
** Так называется фильм Альфреда Хичкока, снятый в середине 50-х гг. Главную роль в этом фильме вместе с Реем Милландом сыграла Грейс Келли.

— На нас смотрят, дорогая, — сказала она тихо. — По крайней мере... хоть для вида.

— Я больше не заигрываю с толпой, мама.

Флер повернулась и отошла.

Белинда осталась стоять с неловко протянутой рукой, даже не осознавая, что поставила себя в глупое положение. Единственное, о чем она могла сейчас думать, — это о своей дочери.

Блестящая Девочка.

Это имя она придумала. Как оно подходило красивой Флер. Творению, созданному ею. Творению, которое Алексей хотел разрушить. Но Флер не была дочерью Алексея, Флер была дочерью Флинна... Ее дочерью... И каким-то образом дочерью Джимми тоже.

Белинда просунула пальцы под мех и коснулась маленького амулета на цепочке, который снова стала носить под платьем. В золотые денечки, в «Саду Аллаха», ей подарил его Флинн. Но это еще не было началом.

Начало... Она вспомнила его так ясно, как сегодняшнюю утреннюю газету. Тот день, когда все началось.

Это было в сентябре, в четверг. Было жарко даже по меркам Южной Калифорнии. В этот день она встретила Джеймса Дина...

ДИТЯ БАРОНА

И вот он я, который не в состоянии понять самого себя. Все еще не знаю, кто я такой. Все еще охочусь за собственной душой.

Эррол Флинн*
Грехи мои тяжкие

Глава 2

1955 год. Джонас Солк** — самый любимый мужчина в Америке. Дети снова могут купаться в городских бассейнах, ездить в летние лагеря, и при этом родительские сердца не замирают от ужаса. Благослови Господь Джонаса Солка, освободившего Америку от страха.

Айк*** и Мами в Белом доме, Энтони Иден на Даунинг-стрит****, 10 (хотя большинство людей считает неправильным, что Черчилля там больше нет), Хуан Перон***** прячется в Парагвае.

Уолт Дисней являет миру своего ушастого мышонка, а на Мэдисон-авеню расхваливают достоинства шариковых дезодорантов и сигарет с фильтром. Америка чистит зубы пастой «Ипана», покупает фотоаппараты «Полароид»...

Это было не лучшее время для вступления в брак. Принцесса Маргарет решила не бросать все ради любимого мужчины, обрекая

---

* Эррол Флинн — американская кинозвезда, исполнитель роли Робин Гуда.

** Джонас Солк — американский врач, создавший вакцину против полиомиелита.

*** Айк — так называли президента США Дуайта Эйзенхауэра, управлявшего страной в 1953—1961 гг.

**** Даунинг-стрит, 10 — по этому адресу расположена резиденция премьер-министра Англии.

***** Хуан Перон — президент Аргентины.

таким образом полковника авиации Питера Таунсенда на мученическую жизнь...

Белинда Бриттон думала о Мэрилин, листая номер журнала «Современный экран», который взяла на полке в аптеке Шваба на Бульваре Заката. Она не могла дождаться, когда увидит новую картину с Мэрилин «Семь лет чесотки». Переворачивая страницу за страницей, она поймала себя на мысли, что ей не хотелось бы проделывать ничего подобного с Томом Юэллом. Он не слишком хорош собой. Она предпочла бы увидеть Мэрилин снова с Бобом Митчумом, как в фильме «Река не течет вспять». Или с Роком Хадсоном. Нет, лучше с Бертом Ланкастером.

Год назад Белинда по-детски, до ужаса влюбилась в Берта Ланкастера. Когда она смотрела «Отсюда и в вечность», ей казалось, это *ее* тело, а не Деборы Керр, обнимает он в набегающих волнах, и *ее* целует в губы. Белинда подумала: интересно, а Дебора Керр открывала рот, когда Берт целовал ее? Почему-то она в этом сомневалась. На ее взгляд, Дебора была не того типа. Вот если бы Белинда играла вместо нее, она совершенно точно открыла бы рот навстречу языку Берта Ланкастера, уж будьте покойны.

Несколько недель подряд она воображала съемочную площадку, камеру, которая крутилась без остановки, и Берта Ланкастера, который тоже не останавливался. Вот он опустил верх ее купального костюма, освободил груди, потом стал их гладить, называя ее Карен, потому что именно так звали по сценарию героиню фильма. Но оба, и она и Берт, знали: он не с Карен занимается любовью, а с Белиндой. И когда Берт Ланкастер наклонился к ее груди...

— Извините, мисс, не передадите ли номер «Ридерз дайджест»?

Фантазии Белинды смыло, словно волной из кино.

Она протянула номер, о котором ее просили, потом поменяла свой «Современный экран» на другой, с Ким Новак на обложке. Отправляясь платить за него, она вдруг поняла, как много воды утекло с тех пор, когда она мечтала о Берте Ланкастере, Тони Кертисе или о ком-то вроде них. А если сказать точнее, прошло шесть месяцев. Ровно шесть месяцев с тех пор, как она увидела магическое лицо, заставившее все остальные красивые лица потускнеть и стушеваться.

Белинда уехала из дома в Голливуд через две недели после того, как увидела это лицо. Она даже не побеспокоилась закончить учебный год, хотя это был третий год в школе второй ступени. К чему диплом, если с пеленок мечтаешь стать кинозвездой?

Стоя в очереди за женщиной, покупавшей «Ридерз дайджест», Белинда размышляла: интересно, ее родители скучают без нее или нет? Глупый вопрос. На публике, перед друзьями, они, конечно, изображают нечто подобное, но на самом деле рады-радешеньки, что она уехала. Хотя Белинде грех на них жаловаться. Каждый месяц они посылают сто долларов, чтобы девочка не работала на какой-нибудь лакейской должности и не опозорила их, если кто-то из знакомых вдруг увидит, чем она занимается.

Родителям ее было за сорок, когда она родилась. Доктор Бриттон владел процветающей практикой в Индианаполисе, миссис Бриттон занималась благотворительностью. Эдна Корнелия, так они назвали свою дочь, оказалась им обоим некстати. Их нельзя было назвать жестокими людьми. Они покупали ей красивые кукольные домики, детские сервизы, любые игры, которые она просила. Когда девочка подросла, они не считая тратили на нее деньги, позволяли ходить в кино всякий раз, когда она захочет. Кинотеатр находился всего в двух кварталах от их дома. Но родители почти не разговаривали с ней и никогда не играли.

Белинда росла со странным, пугающим чувством: она невидимка. От людей девочка слышала, что она очень хорошенькая, учителя твердили, что она яркая, заметная, но их комплименты ничего не значили для Белинды. Разве невидимка может быть особенной? В девять лет она сделала открытие. Все тревоги, сомнения, неприятные чувства исчезают бесследно, когда она усаживается в заднем ряду кинотеатра. Белинда воображала себя одной из волшебных женщин, сверкавших на экране, чьи лица и тела были не в два, а в сто раз больше, чем в реальной жизни. Они были так не похожи на обычных женщин. Ослепительные богини, избранные...

Белинда поклялась, что когда-нибудь это случится и с ней — она станет одной из самых красивых, обожаемых всеми женщин. Она займет свое место на таком же экране, увеличенная настолько, что ее уже не смогут не заметить: она перестанет быть невидимкой.

Конечно, мешало то, что она еще ребенок. А дети должны жить с родителями, пока не вырастут. Даже если эти родители не очень-то интересуются ими.

— Двадцать пять центов, красотка.

Блондин за кассой был похож на красавчика с плаката, рекламирующего жевательную резинку. Совершенно ясно, что это актер, оставшийся не у дел. Его взгляд оценивающе скользнул по фигуре Белинды, по модному, плотно облегающему стройную фигуру платью цвета морской волны с белой отделкой и с красным, как мак, кожаным плетеным ремнем. Это было одно из самых любимых платьев Белинды, напоминавшее ей что-то из гардероба Одри Хепберн, хотя она относила себя к типу Грейс Келли. Кстати, многие находили, что она похожа на Грейс. Чтобы усилить это сходство, Белинда стала стричься под Келли.

Отправляясь в аптекарский магазин Шваба, она не всегда одевалась как леди: иногда натягивала облегающие черные велосипедные штанишки до колен и шокирующий розовый топ, оставлявший совершенно голым живот. И при этом темные очки. И высокие каблуки. В таком наряде Белинда обязательно зачесывала волосы назад, а справа, над самым ухом, закалывала их маленькой розовой заколочкой. Режиссеры всегда и везде подыскивают разные типажи для картин, и ей хотелось быть готовой к возможной встрече. Ведь она может пригодиться именно такой.

У нее были мелкие черты лица, и с помощью макияжа Белинда старалась подчеркнуть их. Сегодня она нарисовала губы чуть больше, чем они были на самом деле. Потом несколько раз прошлась кисточкой с новейшими румянами фирмы «Ревлон» под линией скул, чтобы подчеркнуть их. Эту хитрость она почерпнула из статьи в «Зеркале кино», которую написал Бад Вестмор, делавший макияж звездам. Светлые ресницы Белинда подкрасила коричневой тушью, желая выделить лучшее, что было в ее лице, а именно изумительные, цвета синего гиацинта глаза. Глаза были невероятно синие и невероятно невинные; их нельзя было забыть, если заглянул в них хотя бы раз.

Рекламному блондину явно понравилось все увиденное, и он подался через прилавок.

— Через час я кончаю работу. Как насчет того, чтобы меня подождать? Я ведь не какой-нибудь незнакомец, заигрывающий с тобой на улице, правда?

— Нет, спасибо.

Белинда взяла плиточку баварского шоколада с ментолом из стопки лежавших на прилавке и подала парню доллар. С тех пор как она узнала, что такие шоколадки обожала Шейла Грэм, она тоже решила их полюбить.

Белинда дважды в неделю заходила в аптеку на Бульваре Заката и всегда покупала шоколадку вместе с журналом о кино, чтобы побаловать себя. Кое-кого она уже успела здесь увидеть: Ронду Флеминг у прилавка, где та покупала бутылочку шампуня, а с Виктором Мэтью столкнулась в дверях.

— А как насчет уик-энда? — не отступал молодой человек.

— Извините.

Белинда взяла сдачу и одарила парня печальной, полной сожаления улыбкой, которая не только не унижала мужское достоинство, но и словно обещала, что ее обладательница всегда будет вспоминать об этой встрече с горько-сладкой печалью. Белинда уже давно привыкла к тому, что производит впечатление на мужчин. Ей это нравилось. Хотя она не понимала, почему так происходит. Поглощенная своими фантазиями, девушка не интересовалась обычными мужчинами. Она объясняла их внимание к себе своим неординарным видом. Но на самом-то деле причина была совершенно в ином.

Белинда обладала способностью заставлять мужчину чувствовать себя значительнее и лучше, чем он есть на самом деле. Сильнее, умнее, мужественнее. Даже отвергнутые ею были уверены, что где-то в глубине души Белинда обожает их. Этот поразительный дар другие женщины наверняка уже давно обратили бы себе на пользу. Но не Белинда. И дело было не в отсутствии ума, а просто в том, что ее мало занимало использование столь редкостного дара в своих целях.

Белинда отвернулась от кассира, и ее взгляд упал на молодого человека, сидевшего за столиком в задней части аптеки, в закутке. Ссутулившись, он склонился над книгой, рядом стояла чашка кофе. Все перевернулось в груди Белинды. Все. Она с досадой отмахнулась от назойливого внутреннего голоса, предупреждавшего ее об очередном разочаровании.

Для нее уже стало обычным делом в каждом мужчине видеть его. Белинда слишком много о нем думала. Однажды она прошла за каким-то типом целую милю, чтобы потом обнаружить огромный отвратительный нос, который не мог быть на лице, грезившемся ей наяву и во сне.

Она медленно переставляла ноги, невероятно возбужденная и страшно боявшаяся разочарования. Его пальцы с ногтями, обкусанными до мяса, потянулись за пачкой «Честерфилда» и заученным движением вытряхнули сигарету. Белинда задержала дыхание, ожидая, когда он на нее посмотрит. Сердце стучало так громко, что, казалось, заглушило все звуки мира. Ничего больше не существовало на свете, кроме мужчины, которого она видела перед собой.

Он перевернул страницу. Сигарета в зубах повисла в уголке рта, указательным пальцем он открыл коробку спичек. Белинда почти вплотную подошла к нему, когда мужчина отодвинул книгу, выпрямился и чиркнул спичкой. Прикуривая, он поднял глаза, и Белинда сквозь клубы серого дыма посмотрела в холодные голубые глаза Джеймса Дина.

В это мгновение она как бы снова вернулась в кинотеатр в Индианаполисе, на фильм «К востоку от Эдема». Она сидела в последнем ряду, когда вот это же лицо с высоким лбом и беспокойным взглядом умных глаз вдруг возникло на экране. Джеймс Дин ворвался в ее жизнь, вытеснив все другие лица, увеличенные тем же экраном, на который она смотрела несколько последних лет. Внутри Белинды вспыхнул фейерверк, закрутились огненные колеса, и она почувствовала себя так, будто из нее выпустили весь воздух.

Дрянной парень Джимми Дин с тлеющими глазами и кривой усмешкой. Дрянной парень Джимми, который щелкал пальцами и хохотал, посылая мир ко всем чертям. С того момента, когда Белинда увидела его на экране, он стал для нее всем. Горящий во тьме маяк, мятежная душа, открытый вызов, невероятное вдохновение. Посадкой головы, сутулостью плеч он как бы заявлял: мужчина сам отвечает за себя. Белинда приняла это послание, переварила его и вышла из кинотеатра с собственным выводом: женщина отвечает сама за себя. Через две недели она потеряла девственность на заднем сиденье «Олдса-88» с мальчишкой, чей надутый пухлый рот напоминал экранного Джимми. Потом она уехала из дома в Голливуд, по дороге поменяв имя на Белинду, чтобы навсегда расстаться с Эдной Корнелией.

Она стояла перед ним, не помня, как очутилась здесь. Ее сердце прыгало в сумасшедшем танце, ей невыносимо хотелось оказаться сейчас в черных велосипедных штанишках и в розовом топике с голым животом, а не в элегантном строгом платье цвета морской волны.

— Я... я полюбила ваш фильм, Джимми, — тихо сказала Белинда; ее голос задрожал, как туго натянутая скрипичная струна. — «К востоку от Эдема». Мне очень понравился этот фильм. — *И еще мне очень нравитесь вы. Больше, чем вы можете себе представить.*

Глаза с тяжелыми веками смотрели сквозь сигаретный дым, с пухлых губ сорвалось:

— Да?

Боже, он заговорил! Она едва могла поверить.

— Я самая большая ваша поклонница, — призналась она. — Не знаю, я потеряла счет, сколько раз я смотрела «К востоку от Эдема». — *О, Джимми, вы для меня все. Вы все, что у меня есть.* — Это было прекрасно. Вы были замечательны.

Белинда смотрела на него с обожанием, ее гиацинтовые глаза излучали бесконечную любовь.

Дин пожал узкими плечами, все еще не отрываясь от книги.

— Не могу дождаться «Мятежника поневоле». Он ведь выйдет в следующем месяце, да? — *Ну вставай же, возьми меня с собой. Возьми к себе домой и займись со мной любовью.*

— Да.

Ее сердце забилось еще быстрее, голова закружилась. Никто не понимал его так, как она.

— Я слышала, «Великан» всех потрясет, и очень скоро. — *Люби меня, Джимми. Я отдам тебе все.*

Он хмыкнул и снова уставился в книгу. Успех сделал его нечувствительным к блондинкам с гиацинтовыми глазами, на чьих хорошеньких личиках начертано подобное обожание.

Белинда медленно отошла. Она не заметила, что он вел себя с ней грубо и нелюбезно. Для нее он был Великаном, Божеством. Правила, писанные для всех, его не касались.

— Спасибо, — пробормотала она и почти одними губами добавила: — Я люблю тебя, Джимми.

Дин ничего не услышал. А если и услышал, эти слова для него давно превратились в пустой звук. Он слышал их бессчетное количество раз.

Остаток недели Белинда провела, перебирая в памяти подробности этой волшебной, неожиданной встречи. Что она сказала. Что могла бы сказать. Что скажет ему в следующий раз. А он, следующий раз, будет наверняка. Съемки в Техасе кончились, и он снова появится в аптеке Шваба. А она будет ходить туда каждый день, пока не увидит его. И когда наконец это произойдет, она проскользнет прямо к нему в закуток. И больше не станет заикаться, как идиотка, она придумает что-нибудь пооригинальнее, чтобы сказать ему. Она же всегда нравилась мужчинам. Джимми не станет исключением. Белинда знала, что в тот день на ней будет что-то невероятно сексапильное.

Но в следующую пятницу, вечером, когда она открыла дверь маленькой обшарпанной квартирки, которую снимала вместе с еще двумя девушками, она была как раз в своем элегантном синем платье. Собираясь на свидание, Белинда решила надеть его не потому, что оно особенно шло ей, а по другой причине: на спине платье застегивалось на длинный ряд маленьких неудобных пуговок. А она собиралась создать трудности тому, с кем ей предстояло иметь дело.

Месяц назад Белинда и десятки других девочек пришли на пробу к помощнику режиссера в «Парамаунт»*. Нескольких из них, и Белинду в том числе, попросили прочесть короткую сценку о молодой девушке, покинутой любимым. Теперь, после пробы, девушка металась между огромными надеждами и ужасным, убийственным отчаянием. Безусловно, она была одной из самых красивых, но так и не смогла понять, понравилась ли помощнику режиссера. Ответив на вопросы, заданные после пробы, она встретилась с Билли Гринуэем.

Билли работал главным посыльным в отделе распределения ролей в «Парамаунт», и Белинда согласилась пойти с ним куда-нибудь, несмотря на то что он казался ей не очень красивым. Конечно, Билли был не уродом, его светло-каштановые волосы были хорошо вымыты, аккуратно причесаны; несколько шрамов, розовевших на щеке, не только не портили, но и придавали его облику мужественности. Но он был какой-то обычный по сравнению с Джимми, а со своим кумиром она сравнивала абсолютно всех. Белинда ходила с ним на свидания три раза, и один раз даже разрешила забраться к

* Одна из голливудских киностудий.

ней под блузку. Билли, в свою очередь, пообещал ей достать копию протокола с результатами пробы. Вчера он ей позвонил и сказал, что у него есть то, что она хочет.

— Привет, детка.

Он зашел в квартирку, притянул девушку к себе и уже привычно впился в нее губами. Отталкивая его, Белинда услышала шорох бумажки, лежавшей в кармане клетчатой спортивной рубашки.

— Это *оно* в кармане, да, Билли?

Он снова притиснул ее к себе и поцеловал в щеку, шумно и тяжело дыша в ухо, как все мальчишки, которых она оставила в Индиане.

— Я же сказал, что принесу, разве нет? Сегодня твои соседки дома?

— Да, они на кухне. Ну дай мне посмотреть, Билли.

— Потом, детка. — И он провел руками по ее спине от шеи до бедер.

На этот раз она еще дальше отошла от Билли и посмотрела на него самым холодным взглядом.

— Мне это не нравится. Не советую забывать, что ты имеешь дело с приличной девушкой.

Она почувствовала некоторое удовлетворение, увидев на лице Билли виноватое выражение. Он был из бедной семьи, и для него Белинда олицетворяла совсем другую жизнь. Девушка понимала, что у нее нет шанса заполучить желанную бумагу, не заплатив. Она подошла к оклеенному фанерой кофейному столику и взяла сумочку.

— Куда мы идем сегодня вечером? Ты не сказал.

— Я хотел сделать сюрприз. Ты не против, если мы немножко выпьем в «Саду Аллаха»?

— В «Саду Аллаха»? — Белинда вся обратилась во внимание. В сороковые годы «Сад» был одним из самых известных отелей Голливуда. И сегодня там останавливались звезды. — Как же ты получил приглашение на вечеринку в такое место?

— Да у меня полно способов. Кстати, я взял у приятеля колеса. Здоровенная тачка с мягкими сиденьями. Улавливаешь?

— Это зависит...

— От чего?

— От того, что у тебя в кармане, Билли.

Парень хитро улыбнулся.

— А я покажу тебе бумажку только после того, как мы ненадолго остановимся в Каньоне.

Одной рукой он держался за руль, обтянутый плюшем, а другой обнимал Белинду за плечи, направляя машину в извилистые улочки Лаврового Каньона. Он нашел пустынное место и выключил двигатель. Из приемника полилась музыка. Перес-Прадо играл «Розовые вишни и белые яблони в цвету».

— Белинда, я просто без ума от тебя. — Билли ткнулся лицом ей в шею.

Как бы ей хотелось, чтобы он просто отдал лист бумаги, а потом отвез на вечеринку в «Сад», не заставляя ее проходить через все это. Но она понимала — не выйдет. Билли, конечно, отдаст бумагу, но сначала он должен получить хоть немного того, чего ему хочется. Впрочем, в прошлый раз все было не так уж плохо. Она закрыла глаза и вообразила, что сейчас с ней Джимми, а не Билли.

— Детка, я без ума от тебя, — бормотал он ей в шею. — Просто без ума.

Он обцеловал подбородок девушки, а потом засунул язык ей в рот, прежде чем Белинда успела вздохнуть.

Вообразив лицо Джимми, она немного расслабилась. Дрянной парень Джимми берет то, что ему надо, не спрашивая.

Она слегка застонала, почувствовав грубый, наглый язык. *Дрянной парень Джимми, у тебя такой сладкий язык. Давай, Джимми, давай.*

Его горячие руки сквозь платье тискали грудь, обжигая кожу через ткань и белый хлопчатобумажный лифчик. Потом он потянулся к пуговицам.

— Черт, Белинда...

— Ш-ш... Молчи, только, пожалуйста, молчи.

Он принялся расстегивать пуговицы, все глубже засовывая язык ей в рот. Холодок пробежал по спине и плечам Белинды, когда Билли принялся стягивать ее платье до талии. Потом он спустил лифчик.

Она знала, что он смотрит на нее, и еще крепче закрыла глаза. *Как тебе моя грудь, Джимми? Красивая? Мне нравится, когда ты на нее смотришь. Мне нравится, когда ты ее касаешься.*

Горячее дыхание парня обжигало кожу; Белинда почувствовала
его жадные губы на своих сосках. Рука Билли отпустила колено
Белинды и поползла вверх по чулку, добралась до пояса, к которому
они цеплялись, и коснулась голой кожи. Белинда слегка развела
ноги. Он пальцем гладил нейлон трусиков, водя им вверх-вниз, рас-
паляя ее, а потом медленно пролез под пояс. *Да!*

*Гладь меня, Джимми. Гладь меня там, мой красавец Джим-
ми. О да...*

Билли схватил девушку за руку и потащил к себе на колени.
Глаза ее широко распахнулись.

— Нет!

Билли застонал.

— Да давай, Белинда... Ну хотя бы потрогай.

— Нет! — Она оттолкнула его и стала поправлять платье. —
Неужели ты думаешь, что я могу зайти настолько далеко? Я не
такая, как те девчонки, с которыми ты развлекаешься. — Белинда
завела руки за спину, чтобы застегнуть пуговицы на платье.

— Я понимаю, детка, — сказал Билли напряженным голосом. —
Ты такая классная. Но мне не нравится, когда ты меня заводишь, а
потом даешь задний ход.

— Ты сам себя заводишь, Билли. А если тебе так не нравится,
можешь больше не встречаться со мной.

Билли это не понравилось. Он завел машину и выехал на темную улицу. Музыка по радио кончилась, пошли новости. Он сердито крутанул ручку приемника. Но Белинда не обращала ни малейшего
внимания на его недовольный вид. Наведя на себя зеркальце в машине, она провела помадой по губам.

Билли угрюмо молчал, пока они ехали по Лавровому Каньону, и
продолжал дуться, даже вырулив на Бульвар Заката. Только при-
парковавшись возле отеля «Сад Аллаха», он посмотрел на девушку.
Потянувшись к карману, вынул бумагу, которой она так жаждала, и
развернул.

— Вряд ли ты обрадуешься, детка.

Белинда почувствовала, как в животе образуется странная, без-
донная пустота. Она выхватила лист, пробежала глазами список
имен сверху вниз, спотыкаясь взглядом о карандашные пометки возле
некоторых фамилий.

Она дважды прочитала листок, прежде чем отыскала свое имя в самом конце страницы. Понадобилось несколько минут, чтобы смысл слов дошел до нее.

«Белинда Бриттон, — прочитала она. — Большие глаза, большие сиськи, ни капли таланта».

Глава 3

«Сад Аллаха» когда-то был любимым местом звезд Голливуда. Построенный как дом Аллы Назимовой, великой русской киноактрисы, в конце двадцатых годов он стал отелем. В отличие от Беверли-Хиллз или Бель-Эйр* это место никогда не воспринималось как безусловно респектабельное с самого момента открытия. Было в нем что-то чуть жалкое, но двадцать пять испанских бунгало, в которых царила атмосфера нескончаемой вечеринки, притягивали звезд кино как магнитом.

Голый Таллула Бэнкхед прыгал вокруг бассейна, повторявшего очертания родного для Назимовой Черного моря. В одном из бунгало у Скотта Фицджеральда было свидание с Шейлой Грэм. Обычно мужчины поселялись здесь между браками... Рональд Рейган — расставшись с Джейн Уимэн, Фернандо Ламас — после Арлены Дал. В золотые денечки в «Саду» можно было нос к носу столкнуться с Богартом** и его Бэби, с Тай Пауэр, Авой Гарднер. Бывали здесь Синатра, Джинджер Роджерс. Братья Марксы***. Дороти Паркер и Роберт Бэнчли. Сценаристы, усевшись на стулья, сколоченные из узких белых планок, поближе ко входу, целыми днями горбились над пишущими машинками. Звучала музыка. В одном из бунгало репетировал Рахманинов, в другом — Бенни Гудман****. Проводили там свои дни и ночи Вуди Герман, Стравинс-

---

* Престижные богатые районы около Голливуда.

** Дирк Богарт — американский актер кино.

*** Известные американские комедийные актеры.

**** Бенни Гудман — американский джазовый дирижер и композитор, создавший известный биг-бэнд.

кий и Леопольд Стоковский. Вечеринка, нескончаемая веселая вечеринка...

К сентябрьскому вечеру 1955 года, о котором идет речь, «Сад» был уже совсем другим. Можно сказать, он корчился в смертных муках. Грязная, облезлая штукатурка на стенах, давно не чищенные и проржавевшие литые подставки для ламп, потертая, обтрепанная мебель. Накануне в бассейне обнаружили дохлую мышь. Но как ни смешно, снять бунгало в «Саду» было ничуть не дешевле, чем дом на Беверли-Хиллз. Кстати, через четыре года «Сад Аллаха» был стерт с лица земли, когда чугунная баба со всего размаха ударила по его стенам. Но тогда, в тот сентябрьский вечер, «Сад» был все еще жив и на его небосводе по-прежнему сияли звезды.

Билли открыл дверцу машины, выпуская Белинду.

— Давай, детка. Вечеринка поднимет тебе настроение. Здесь будет кое-кто из «Парамаунта». Может, и из других студий тоже. Я тебя познакомлю.

Белинда положила руки на колени и стиснула кулаки.

— Оставь меня ненадолго, Билли, ладно? Встретимся внутри.

— Хорошо, детка. — Он захлопнул дверцу и, наклонившись к окну, сказал: — Слушай, золотце, на свете полно других студий. Ты можешь великолепно показать себя.

Под туфлями Билли зашуршал гравий, а когда шаги стихли, Белинда сердито скомкала бумажку. Он прав. Есть другие студии. «Парамаунт» давно считается второсортной забегаловкой. Она им еще покажет! Да как они могли решить, что у нее нет таланта? Белинда откинулась на спинку сиденья. А если правда? Мечтая стать кинозвездой, она никогда не думала о том, что придется играть. И уж если не врать самой себе, эта часть кинокарьеры ее мало интересовала. Она воображала, что стоит взять несколько уроков актерского мастерства — и все будет в порядке.

Рядом припарковался автомобиль, в котором истошно орало радио. Белинда посмотрела на подъехавших. Парочка, даже не выключив зажигание, кинулась целоваться. Наверное, старшеклассники решили спрятаться от посторонних глаз и подкатили к отелю.

Музыка закончилась, стали передавать новости.

Первое сообщение диктор прочел так спокойно, будто не случилось ничего из ряда вон выходящего, будто его слова не означали конец жизни Белинды и вообще всего на свете. У нее не вырвалось ни звука, хотя душа кричала и, казалось, рвалась из тела.

Умер Джеймс Дин.

Не помня себя, Белинда побежала через парковку куда глаза глядят. Продравшись сквозь заросли кустов, она выскочила на дорожку, пытаясь убежать от душившей ее тоски. Она пролетела мимо бассейна, повторяющего очертания Черного моря, мимо большого дуба, на котором висел телефон с табличкой «Только для служащих». Она бежала до тех пор, пока не уткнулась в оштукатуренную стену какого-то бунгало. Было темно, вдалеке играла музыка. Белинда прислонилась к стене и зарыдала еще громче. Сердце рвалось на части. Она оплакивала смерть своей мечты.

Умер Джимми. Погиб по дороге в Салинас за рулем своего серебристого «порше», который он называл «маленьким ублюдком». Как могло это случиться? Джимми был тоже из Индианы. Он говорил, что все бывает, и вот теперь он умер. Мужчина сам отвечает за себя, женщина сама за себя. Без Джимми ее мечтам уже не сбыться.

— Дорогуша, от тебя столько шума. Не можешь ли ты выплакаться где-нибудь в другом месте? Ты, конечно, очень хорошенькая, можешь войти и выпить со мной. Я приглашаю. — Над Белиндой раздался глубокий голос с британским акцентом.

Белинда резко подняла голову:

— Вы кто?

— Интересный вопрос.

Тишину нарушали редкие всплески в бассейне.

— Ну, давай скажем так: я человек контрастов, любитель приключений, женщин и водки. Порядок можно изменить.

Что-то было в его голосе... Белинда вытерла ладонью слезы и посмотрела вдоль стены, чтобы разглядеть вход. Она с трудом увидела его в дюжине шагов от себя и без колебаний направилась на голос, надеясь отвлечься от ужасной боли.

Центр внутреннего дворика был залит желтым светом, падавшим из открытой двери бунгало. Белинда остановилась посередине дворика и посмотрела на темную фигуру мужчины, расчерченную вечерними тенями.

— Умер Джеймс Дин. Он погиб в автокатастрофе.

— Дин? — Кубик льда стукнулся о стекло, когда мужчина поднял руку. — Ах да, Дин. Конечно, паинькой его не назовешь, парень все время устраивал скандалы. Я ничего не имею против него, я и сам не без греха. Ну садись, дорогая, выпей.

Белинда не двигалась.

— Я любила его.

Он хмыкнул.

— Любовь — преходящее чувство, и, как я обнаружил за многие годы, оно лучше всего утоляется хорошим траханьем.

Белинда потрясенно затихла. Никто и никогда не произносил при ней таких слов. Она сказала первое, что пришло в голову:

— У меня ничего такого не было.

Он рассмеялся.

— О, моя дорогая, тогда это самая настоящая трагедия.

Заскрипел стул, мужчина поднялся и пошел к Белинде. Судя по силуэту, он был высокий, выше шести футов, немного оплывший в талии, с широкими плечами и прямой спиной. На нем были белые парусиновые брюки, бледно-желтая рубашка и галстук с ослабленным узлом и широкими, как у шарфа, концами. Белинда по привычке отмечала детали. Парусиновые туфли, часы на кожаном ремешке, плетеный ремень цвета хаки. Потом она посмотрела выше и увидела глаза. Это были глаза разочарованного человека, Эррола Флинна.

К моменту знакомства с ним Белинды Флинн расстался с тремя женами и распростился с несколькими состояниями. Ему было сорок шесть, хотя он казался на двадцать лет старше. В его знаменитых усах уже сверкала седина, красивое лицо с четко очерченными скулами и точеным носом опухло от перебора водки, наркотиков и от цинизма. На его лице без труда читалась прожитая жизнь. Он протянет еще четыре года, хотя большинство людей уже отошло бы в мир иной от любой из длинного списка болезней Эррола Флинна. Но большинство людей не были Флиннами.

Два десятилетия он носился по экранам, борясь с негодяями, побеждая в сражениях, спасая девушек. Капитан Блад, Робин Гуд, Дон Жуан — всех их играл Флинн. Иногда, когда он был в настроении, у него получалось очень даже неплохо.

Задолго до появления в Голливуде Эррол Флинн участвовал в разных авантюрах, очень походивших на те, что ему довелось играть на экране. Он был разведчиком, моряком, мыл золото, торговал рабами в Новой Гвинее. На пятке Флинна сохранился шрам — его оставили охотники за головами. Еще один шрам был у Флинна на животе — от драки с индийским рикшей, по крайней мере так он говорил. Но Флинн на то и Флинн, что с ним никогда и ни в чем нельзя быть уверенным.

В его жизни женщины были всегда. Казалось, они не могли насытиться им, впрочем, как и Флинн ими. Особенно ему нравились молоденькие. Чем моложе, тем лучше. Смотреть в юное лицо, погружаться в свежее молодое тело значило для него вернуть хотя бы частицу своей давно утраченной невинности. Конечно, страстность Флинна доставляла ему немало хлопот.

В 1942 году его даже арестовали за установленное законом изнасилование и он предстал перед судом. Ключевым понятием в деле было именно «установленное законом». По мере разбирательства в суде выяснилось, что девицы сами вешались на него. Но в Калифорнии тех лет считалось незаконным заниматься сексом с девушками моложе восемнадцати, не важно, происходило ли это по их желанию или без оного. В суд явилось девять женщин, но Флинна оправдали. Этот парень всегда был мишенью шуток на тему секса. Но он терпеть их не мог; его самолюбие ничуть не тешили россказни о его небывалой удали.

Несмотря на суд, на запреты, Флинн не разлюбил юных. Просто стал осторожнее. Девчонки по-прежнему находили его неотразимым, не обращая внимания на его сорок шесть лет, алкоголизм и образ жизни кутилы.

— Ну иди сюда, дорогуша. Посиди со мной.

Он коснулся ее руки, и Белинде показалось, что весь мир замер. Она с благодарностью опустилась в кресло, к которому Флинн ее подвел, хорошо понимая, что, если задержится на ногах еще хоть секунду, колени подогнутся. Он протянул ей стакан, который Белинда взяла дрожащей рукой. Это не мечта, реальность. Это происходит с ней, сейчас. Она и Эррол Флинн наедине. Белинда посмотрела на него снизу вверх, желая убедиться, что не грезит.

Он криво усмехнулся и жуликовато, но с учтивой вежливостью посмотрел на девушку. Левая бровь слегка поднялась выше правой в знаменитой гримасе.

— А сколько тебе лет, дорогая?

Белинда не сразу обрела голос.

— Восемнадцать.

— А, восемнадцать. Понятно. — Бровь поползла еще выше. — Я не думаю... Нет, конечно, нет.

— Что?

Он потянул себя за кончик усов и, как бы извиняясь, поцокал языком, мило и обезоруживающе.

— А у тебя, случайно, нет с собой свидетельства о рождении?

— Свидетельства о рождении? — Белинда озадаченно посмотрела на Флинна. Вопрос показался довольно странным. Но потом на память пришли старые истории, рассказы о суде над Флинном из-за его связей с малолетками, и она рассмеялась.

— Нет, у меня с собой нет свидетельства о рождении, мистер Флинн, но мне правда восемнадцать. — Смеялась она очаровательно и весело. — А это важно? Это имеет какое-то значение?

Улыбнувшись обычной флинновской улыбкой, он сказал:

— Да конечно, нет.

Целый час они обменивались любезностями в таком же духе. Флинн рассказал ей о Джоне Бэрриморе и рассмешил несколькими анекдотами о партнершах по фильмам. Она рассказала ему о «Парамаунте». Потом он попросил Белинду называть его не «мистер Флинн», а любимым прозвищем — Барон. Белинда пообещала, но с языка само собой срывалось «мистер Флинн». К концу часа Флинн взял ее за руку и повел в бунгало. С некоторым смущением Белинда спросила, нельзя ли ей сходить в туалет.

Спустив воду в бачке и помыв руки, она украдкой просмотрела содержимое его аптечки. Зубная щетка Эррола Флинна. Бритва Эррола Флинна. Крем для бритья Эррола Флинна. Она пробежалась взглядом по лекарствам. Свечи Эррола Флинна. Потом в зеркале, вделанном в дверцу аптечки, Белинда увидела свое лицо: оно пылало, глаза светились от возбуждения. Она наедине с великой звездой! Два года назад она видела Флинна в фильме «Господин Баллантре», а потом в «Скрещенных мечах», где он играл с Джиной Лоллобриджидой. Никому не дано так носить костюмы, как это делает Эррол Флинн.

Он ждал ее в спальне, одетый в халат цвета бургундского вина, и курил сигарету, вставленную в короткий янтарный мундштук. Непочатая бутылка водки стояла на столике возле кровати. Белинда робко улыбнулась ему, не зная, что делать дальше. Казалось, он развлекается, и она не могла сказать с полной уверенностью, доволен он ею или нет.

— В противоположность тому, что ты читала про меня, я не занимаюсь растлением малолетних.

— Да я и не думала, что вы такой, мистер Флинн... Барон.

— Ну а если так, ты совершенно уверена, что понимаешь, что делаешь?

— О да.

— Хорошо. — Он затянулся в последний раз, потом затушил сигарету в пепельнице. — Может, тогда разденешься?

Белинда с трудом проглотила слюну. Еще никогда в жизни она не раздевалась перед мужчиной догола. На ней оставались трусики, когда она любезничала с мальчиками, или, как сегодня с Билли, было расстегнуто платье. Сама она никогда ни для кого не раздевалась. Но конечно, Эррол Флинн — это не «кто-то». Он звезда экрана.

Заведя руки за спину, Белинда принялась сражаться с длинным рядом пуговиц. Наконец, расстегнув последнюю, она спустила с бедер платье, не смея глядеть на Флинна. Вместо этого она думала о его замечательных картинах. «Утренний патруль», «Цель — Бирма!», «Дело огненной бригады» с Оливией де Хэвиленд. Она смотрела его по телевизору. Белинда внезапно поймала себя на том, что держит в руке собственное платье. Она нервно огляделась, отыскивая, куда бы его положить. У дальней стены комнаты стоял шкаф, и она пошла к нему, открыла и достала вешалку. Аккуратно повесив платье, сняла туфли.

Белинда пыталась придумать, что делать дальше. Бросив на Флинна быстрый взгляд, она ощутила, как по спине пробежала дрожь удовольствия. Он напряженно смотрел на нее. Девушке казалось, что лицо Флинна расправилось и стало таким, как на экране. Она вспомнила красавца, британского морского офицера, в фильме «Против всех флагов». Морин О'Хара изображала пирата по имени Спитфайер. Засунув руку под кружевную оборку нижней юбки, она стала расстегивать пояс. Потом сняла чулки и аккуратно положила их на стул рядом со шкафом. Сняла пояс для чулок. «Путешествие в Санта-Фе» показывали по телевизору совсем недавно. Там он исполнял главную роль вместе с Оливией де Хэвиленд. Прекрасная пара. Он мужественный, а Оливия, как всегда, совершенная леди.

Тут до Белинды дошло, что она почти голая. На ней остались только нижняя юбка, лифчик и трусики. И браслет. Она с трудом расстегнула маленькую золотую застежку, потому что руки дрожали и пальцы не слушались. Справившись наконец с браслетом, девушка положила его на чулки.

— Ты нервничаешь, моя дорогая?

— Немного. — Ей хотелось, чтобы он подошел к ней и сам снял с нее все остальное, но у него, казалось, не было ни малейшего желания сдвинуться с места.

Медленно, через голову она сняла юбку. Потом вспомнила, что он все еще женат. Белинда видела в кинотеатре «Скалистые горы» — фильм, в котором он встретил Патрисию Ваймор, свою нынешнюю жену. Какая она хорошенькая, и как ей повезло выйти замуж за такого мужчину, как Эррол Флинн. Конечно, если сейчас он здесь, с ней, а не с Патрисией, значит, сплетни, что они расстались, вовсе не сплетни. Она читала журналы о кино и знала, как трудно сохранить брак в Голливуде.

Сначала Белинда решила снять трусики, а не лифчик. Может быть, потому, что считала грудь самой красивой частью своего тела и припасла ее на потом. Когда она сняла с себя все и посмотрела на Флинна, по выражению на его лице стало ясно: ему понравилось.

— Ну, иди сюда, дорогая.

Смущенная, возбужденная, Белинда пошла к нему. Он взял ее за подбородок. Это прикосновение было как электрический разряд, и она вскрикнула от возбуждения. Белинда ожидала, что он ее поцелует, но вместо этого Флинн положил ей руки на плечи. Сначала она почувствовала разочарование. Ей хотелось, чтобы он ее целовал, так же как целовал Оливию де Хэвиленд, Морин О'Хару и всех остальных блистательных женщин, которых любил на экране. Потом Флинн раздвинул полы халата, и она увидела, что под ним ничего нет. Девушка невольно отвела глаза, не желая смотреть на стареющую загорелую кожу и дряблую грудь.

— Боюсь, тебе придется немного мне помочь. Водка и занятия любовью не лучшие компаньоны.

Белинда подняла на него глаза.

— Конечно. — Это же удовольствие — помочь ему. Правда, она не знала, чего именно он от нее хочет.

Поскольку Флинн не относился к числу тех, кто не знаком с поведением молоденьких девушек, он понял ее колебания и объяснил. Она была потрясена и восхищена. Так вот, оказывается, как знаменитые мужчины занимаются любовью! Довольно странно, но, значит, так надо.

И Белинда медленно опустилась на колени.

Она долго трудилась и устала, когда наконец он поднял ее и положил в постель. Матрас осел, когда Флинн взгромоздился сверху. Она снова ждала, когда он поцелует ее, но Флинн опять разочаровал девушку, не сделав даже попытки. Белинда решила, что, наверное, сама виновата, и не осудила его.

Что-то ткнулось ей между ног, она посмотрела на Флинна. Его глаза были закрыты, но сама она не опускала ресницы, желая насладиться каждым моментом. Итак, Эррол Флинн собирался заняться с ней вот этим. Эррол Флинн. В ее сердце запел небесный хор. Она почувствовала, как он сделал еще попытку. Толчок. Это на самом деле Эррол Флинн!

Тело Белинды взорвалось.

Позднее, ночью, он спросил, как ее зовут. Потом предложил сигарету. Она не курила, но взяла. Это было так волнующе и романтично: прислониться спиной к изголовью кровати рядом с ним и курить. Она старалась затягиваться не сильно, боясь задохнуться. Впервые за несколько часов ей вспомнился Джимми. Бедный Джимми. Умереть таким молодым. Пока она жива, она его не забудет. Жизнь, вероятно, очень жестока. Ей повезло, она сейчас здесь, живая и такая счастливая. Белинда вдруг подумала: интересно, а что стал делать Билли после ее внезапного исчезновения? Но девушка быстро выбросила эти мысли из головы. Да что ей за дело до Билли? Очень хорошо, пускай проищет ее хоть целый вечер. Все равно не найдет.

Флинн рассказал ей о своей яхте «Зака» и о недавнем путешествии. Белинда не собиралась совать нос в его дела, но любопытство снедало ее, ей ужасно хотелось узнать о его жене.

— Патрис, — неуверенно проговорила Белинда. — Она очень красивая.

Флинн кивнул.

— Замечательная женщина. Но я плохо с ней обошелся. — Он осушил стакан и, перегнувшись через Белинду, потянулся к столику, чтобы снова налить; при этом его плечо больно впилось ей в грудь. — Но у меня всегда так получается с женщинами. Я ведь не нарочно, просто по-другому не могу. Я не гожусь для брака. Знаешь ли, верность не по мне.

— Так ты разведешься? — спросила Белинда, аккуратно стряхивая пепел с сигареты.

— Кто его знает, как сложится. Хотя, видит Бог, я не могу себе этого позволить. Финансовые службы горят желанием содрать с меня почти миллион, а у меня и так столько неуплаченных алиментов, что я счет им потерял.

На глаза Белинды навернулись слезы сочувствия.

— Но это же несправедливо, чтобы такой человек, как ты, беспокоился о подобных вещах. Ты ведь столько лет доставляешь удовольствие миллионам людей.

Флинн потрепал Белинду по колену.

— Ты хорошая девочка, Белинда. Красивая. Когда я смотрю в твои глаза, что-то в них заставляет меня забыть о моем возрасте, о том, что я старею.

Она прижалась щекой к его плечу.

— Не говори так. Ты не старый.

Он улыбнулся и поцеловал ее в макушку.

— Хорошая девочка.

К концу недели Белинда переехала в «Сад Аллаха», в бунгало к Флинну. Он сказал, что рядом с ней чувствует себя молодым. В конце октября он подарил ей золотой амулет, по случаю завершения первого совместно прожитого месяца. Это был маленький диск, на одной стороне которого было выгравировано: «ЛЮБ», а на другой «Я» вверху и первая буква слова «Ты» в самом низу. Стоило прикоснуться к амулету подушечкой пальца, как он начинал крутиться и возникала фраза, о смысле которой нетрудно догадаться. Белинда понимала, что Флинн на самом деле так не думал, но ей понравился амулет, и она носила его с гордостью, считая себя девушкой Эррола Флинна.

С ним она больше не чувствовала себя невидимкой и расцветала в отражении лучей славы Эррола Флинна. Никогда в жизни она не ощущала себя такой красивой, яркой, значительной. Они засыпали поздно, дни проводили на яхте или на бортике бассейна, а вечера — в клубах и ресторанах. Она научилась курить и пить, перестала пялиться на знаменитостей, даже если испытывала сильное возбуждение при их появлении. Белинда поняла, что большинству из них она нравится. Актер, друг Флинна, объяснил ей причину: она никого не берется судить, а только обожает. Такое замечание немного смутило Белинду. А разве она может судить? Обыкновенные люди не вправе судить о знаменитостях.

Иногда по ночам они с Флинном занимались любовью, но чаще всего просто разговаривали. Белинде было больно видеть, какая печаль и взволнованность таятся под его маской легкомысленного отношения к миру и к жизни. Она решила посвятить себя Эрролу Флинну, сделать его счастливым.

Она посмотрела фильм «Мятежник поневоле» и снова вспомнила о Джимми. Ее мечта не должна умереть, как он. Впереди у нее целая жизнь. Еще все возможно. Теперь Белинда знакомилась с руководителями студий, а не с какими-то помощниками начальников отдела по подбору кадров. Она могла бы воспользоваться этими контактами, подготовить себя к тому, что Флинн, конечно же, уйдет от нее к другой женщине. На этот счет она не заблуждалась и не строила иллюзий. Она не сможет слишком долго удерживать его рядом с собой.

Флинн купил Белинде очень смелое бикини цвета ярко-красной французской губной помады. Он сидел в плавках у бассейна, потягивая водку и наблюдая, как Белинда плещется. Ни у одной из обитательниц «Сада Аллаха» не хватило бы смелости облачиться в такое бикини, но Белинда ничуть не смущалась. Ей нравилось, как

Флинн смотрит на нее. Нравилось выходить из воды и ждать, когда он возьмет большое полотенце и завернет ее: в эти минуты она чувствовала себя защищенной и обожаемой.

Однажды утром, когда Флинн еще спал, хотя уже было довольно поздно, Белинда надела красное бикини и пошла в бассейн. Кроме нескольких детей, игравших возле бортиков, около бассейна никого не было. Она переплыла его сначала вдоль, потом поперек, потом нырнула, открыла под водой глаза и увидела инициалы Аллы Назимовой, выбитые в бетоне. А когда выплыла на поверхность, то уткнулась взглядом в пару начищенных до блеска кожаных туфель.

— О Боже, оказывается, в бассейне «Сада Аллаха» водится русалка. Русалка с глазами синее неба.

Шлепая руками по воде, Белинда сощурилась, стараясь сквозь ослепительно яркие лучи утреннего солнца разглядеть внезапно возникшего мужчину. Он был явно европеец. Белый шелковый костюм блестел и был безупречно отглажен; такие костюмы может носить только мужчина, имеющий возможность держать специального человека, занимающегося гардеробом. Он был среднего роста, изящный, аристократичной внешности, темноволосый, искусно подстриженный, несмотря на явно редеющую шевелюру. Глаза были маленькие, слегка раскосые, а нос довольно широкий, едва заметно загнутый вниз. Не красивый, но, безусловно, импозантный. От мужчины исходил запах денег, власти и дорогого одеколона. Белинда решила, что ему под сорок, и скорее всего он француз. Хотя что-то в нем было такое, что расходилось с ее представлениями о французах. Европейский киношник? И Белинда довольно дерзко улыбнулась незнакомцу.

— Нет, не русалка, месье. Обыкновенная девушка.

— Обыкновенная? Да нет, я бы не сказал. Совершенно необыкновенная, — добавил он по-французски.

Белинда благосклонно отнеслась к его комплименту и, стараясь как можно правильнее составить фразу на французском, который учила в школе, ответила:

— Большое спасибо, месье, вы очень великодушны.

— Скажи мне, моя маленькая русалочка, а есть ли у тебя хвостик под этим очаровательным красненьким бикини? — спросил он, мешая английские и французские слова.

Глаза его светились весельем, но Белинда заметила в них что-то еще. Похоже, этот мужчина ничего не делает и не говорит просто так.

— Нет, месье, — ровным голосом по-французски ответила девушка. — Только две обычные ноги.

Он поднял бровь.

— Может быть, мадемуазель, вы позволите мне самому оценить...

Она долгим взглядом посмотрела на него, выигрывая время, а потом нырнула и поплыла грациозным кролем к лестнице на другом конце бассейна. Когда она вышла из воды, его уже не было. Но через полтора часа, открыв дверь бунгало, она ничуть не удивилась: незнакомец беседовал с Флинном; оба пили «Кровавую Мери».

Утро было не самым лучшим временем суток для Флинна, а рядом с отутюженным, вылизанным до блеска незнакомцем он казался лохматым и старым, хотя Белинда догадалась, что разница в возрасте у них меньше десяти лет. Но даже несмотря на свой разобранный вид, Флинн казался Белинде гораздо красивее. Она подошла, уселась на подлокотник его кресла и положила руку ему на плечо. Флинн обнял ее за талию.

— Доброе утро, дорогая. Насколько я понимаю, вы уже виделись.

Она кивнула, желая призвать на помощь все свое мужество и поцеловать его в щеку как ни в чем не бывало. Но ночные игры, случавшиеся у них время от времени, не позволяли ей чувствовать, что она имеет право на такую фамильярность.

— Мы виделись у бассейна.

Незнакомец скользнул взглядом по загорелым длинным ногам Белинды, торчавшим из-под махрового полотенца, в которое она завернулась.

— Да, хвостика нет, — сказал он и грациозно поднялся. — Алексей Савагар, мадемуазель.

— Здравствуйте.

— Он скромничает, дорогая. Наш гость на самом-то деле граф Алексей Николаевич Савагарин. Правильно я произнес, старина?

— Ну, моя семья оставила свой титул в далекой стране, в России, а точнее в Петербурге, мой милый, насколько тебе известно. — Он говорил, словно желая упрекнуть Флинна, но Белинда почувствовала совсем другое: он был доволен Флинном, назвавшим его титул. — Сейчас мы безнадежно офранцузились.

— И страшно разбогатели. Твоя семья не оставила свои рубли в России-матушке. Так, старина? Не-ет, не оставила. — Флинн повернулся к Белинде. — Алексей в Калифорнии скупает кое-какое автомобильное старье, чтобы отправить его морем в Париж для пополнения своей коллекции.

— Да ты просто деревенщина, мой милый. «Альфа-ромео» 1927 года едва ли можно назвать старьем. Кроме того, у меня здесь дела.

— Алексей приумножил семейное состояние на электронике. Какими выдумками ты забивал мне голову? Дай-ка вспомнить. — Флинн нахмурил брови. — По-моему, что-то связанное с пылесосами?

— С транзисторами.

— Транзисторы. Ага, правильно. И если на них можно делать деньги, то не сомневайся, он уже сидит на огромной золотой куче. Думаешь, он одолжит мне денег на картину? — Хотя Флинн смотрел на нее, Белинда знала, он говорит это Алексею.

Алексея явно забавляла ситуация.

— Я сделал свое состояние, потому что не бросал денег на ветер. Вот если ты наконец захочешь расстаться со своей «Закой», тогда другое дело.

— Ты получишь яхту только через мой труп, — ответил Флинт с легким раздражением в голосе.

— Ну, судя по тому, как обстоят твои дела, милый, долго ждать не придется.

— Избавь меня от своих лекций. Белинда, не сделаешь ли ты нам еще две «Кровавых»?

— Конечно.

Она взяла стаканы и отправилась на маленькую кухоньку. Никто из мужчин не удосужился понизить голос, и она ясно слышала разговор, споласкивая бокалы и доливая к уже налитой водке томатный сок из новой банки. Сперва они обсудили транзисторы и бизнес Алексея, а потом перешли на более личные темы.

— Белинда гораздо лучше твоей последней, милый, — донеслось до нее. — Эти глаза, конечно, нечто. Хотя немного старовата, не так ли? Чуть больше шестнадцати?

— Хочешь соблазнить? — улыбнулся Флинн. — Выбрось из головы. Зря потратишь время. Белинда — моя радость. Она как комнатная собачка, преданная, красивая. Белинда умеет только обожать. Не зудит, не читает лекций о вреде пьянства. Терпит мое настроение. Удивительно сообразительная. Эх, было бы больше таких женщин, как Белинда, сколько прибавилось бы счастливых мужчин.

— Боже мой. Ты говоришь так, будто собрался в очередной раз прогуляться к алтарю. Ты уверен, что можешь себе это позволить?

— Да нет, она просто забава для меня, — ответил Флинн с некоторым вызовом, — но довольно, черт побери, приятная.

Щеки Белинды заалели, когда она подавала бокалы. Ей не слишком понравилось замечание насчет комнатной собачки, но она напомнила себе, что он-то хотел сделать ей комплимент. Кроме того, он сказал столько хорошего про нее.

— А вот и ты, дорогая. Я только что рассказывал Алексею о тебе.

Еще войдя в бунгало, Белинда почувствовала легкое, еле заметное напряжение между мужчинами. Сейчас, когда Флинн явно подтянулся, оно усилилось и стало заметно даже в позах двух приятелей.

— Вы просто безукоризненны, само совершенство, мадемуазель. Если верить словам Барона, конечно. — Алексей секунду помолчал, потом принялся перечислять: — Сообразительная, обожающая, красивая. Впрочем, из ваших красот я видел далеко не все. Очень может быть, что он лжет.

Флинн взял у Белинды свой бокал и отпил глоток.

— А я думал, ты разглядел ее в бассейне.

— Так она же была тогда под водой, а сейчас, как ты понимаешь... — Алексей покрутил рукой, явно указывая на полотенце, в которое она была завернута.

Мужчины обменялись долгими взглядами. Неужели в глазах Алексея блеснул вызов? Белинде показалось, что она стала свидетельницей какой-то старой игры, смысла и правил которой она не знала.

— Белинда, дорогая, сними это, а? — попросил Флинн, скомкав пустую коробку из-под сигарет.

— Что?

— Полотенце. Сними его. Будь хорошей девочкой.

Она перевела взгляд с одного на другого. Флинн сосредоточенно вставлял новую сигарету в янтарный мундштук, а Алексей не спускал с нее глаз. Белинде показалось, что он не только забавляется, но и испытывает к ней какую-то симпатию.

— Ты смущаешь ее, дорогой, — заметил Алексей.

— Да чепуха. Белинда ничего не имеет против. — Флинн встал из кресла, подошел к ней, приподнял подбородок точно таким жестом, как в кино, играя вместе с Оливией де Хэвиленд. — Она сделает все, что ни попросишь, не так ли, дорогая? — Губы Флинна легонько коснулись ее губ.

Белинда кивнула и после секундного колебания стала развязывать узел на полотенце. Флинн коснулся ладонью ее щеки, и она медленно отвела край полотенца в сторону. Потом, повернувшись к Флинну, позволила махровой ткани скользнуть на пол.

— Пускай Алексей посмотрит на тебя, дорогая, если ты не против. Я хочу, чтобы он хорошенько рассмотрел то, чего не купишь за деньги.

Белинда подняла на Флинна печальные глаза, но тот не смотрел на нее. Его глаза не отрывались от лица Алексея, в них горело выражение неподдельного триумфа.

Медленно поворачиваясь к французу, Белинда ощущала прикосновение прохладного воздуха к оголенной коже; крошечные полоски ткани прилипли к телу. Она твердила себе, что смущаться — это так по-детски. Какая в конце концов разница — стоять здесь или на краю бассейна? Но что бы она ни пыталась себе внушить, разница, конечно, была. Поэтому Белинда не могла заставить себя встретиться взглядом с чуть раскосыми глазами Алексея Савагара.

— У нее очень милое тело, мой дорогой, — заявил он. — Поздравляю тебя. В общем-то я думаю, вы зря тратите время на этого полинявшего кумира, мадемуазель, пожалуй, я вас все-таки украду, — сказал он легким, небрежным тоном. Но когда Белинда еще раз посмотрела на него, она почувствовала беспокойство от его слов.

— Я думаю, нет.

Она пыталась говорить холодно и разумно, как Грейс Келли в фильме «Поймать вора», но у нее вышло не слишком хорошо. Что-то в этом мужчине ее пугало. Может быть, аура власти и силы, которую он носил на себе, как белый шелковый костюм. Белинда наклонилась за полотенцем, собираясь снова завернуться в него, но, выпрямившись, почувствовала руку Флинна на своем голом плече.

— Можешь не обращать внимания на Алексея, Белинда. Мы старые соперники, с юности. — Он провел ладонью по ее руке от плеча до запястья, потом властным жестом обнял за талию, уперевшись при этом мизинцем ей в пупок. — Он не выносит, когда видит меня с женщиной, которую сам не может иметь. Это началось с тех пор, как я стал красть их у него. Мой друг — неудачник.

— Но ты не всех украл. Я помню нескольких, которых мой кошелек привлекал больше, чем твоя смазливая физиономия.

Теплая рука Флинна по-хозяйски легла на промежность девушки, едва прикрытую крошечным, цвета губной помады бикини.

— Ну, те были совсем старые и не в нашем вкусе.

Белинда затаила дыхание. Против своей воли она подняла глаза и увидела, что Алексей откинулся в кресле, положив ногу на ногу в безукоризненно облегающих брюках. Ни дать ни взять — портрет беспечного аристократа. Он тоже посмотрел на нее, и на какую-то долю секунды она забыла о том, что Флинн в комнате.

Глава 4

Весь следующий месяц они часто виделись с Алексеем. Он катался с ними на «Заке», водил ужинать в самые лучшие рестораны Южной Калифорнии и вообще стал частью жизни Белинды. Иногда он дарил ей украшения, изысканные и дорогие. Она хранила их в футлярах, а носила только маленький амулет Флинна на шее. Алексей ругал Флинна за этот талисман.

— Что за вульгарная безделушка. Белинда заслуживает лучшего.

— Да, гораздо лучшего. Но я не мог себе позволить, старина. Не все же родились с серебряной ложкой во рту.

Мужчины познакомились на личной яхте иранского шаха, лет десять назад. На Флинна сразу же произвели впечатление воспитанность и аристократичность Алексея Савагара, и он стал добиваться дружбы с этим молодым человеком. Но с годами привязанность

Флинна переросла в раздражение. Во многих смыслах этот француз был тем, кем Флинн хотел быть сам. Поэтому, когда они сходились вместе, Флинн неустанно корил себя за совершенные в прошлом ошибки и упущенные возможности. Он все равно обожал Алексея и надеялся, что когда-нибудь благополучие чудесным образом снизойдет и на него, однако дух соперничества брал свое.

Под внешним обаянием и легким характером Алексея Савагара скрывалось серьезное отношение к жизни. Он являл собой опасную комбинацию аристократа и бизнесмена. Обе личности, уживавшиеся в одном человеке, были достаточно жестокими и имели все основания не любить Эррола Флинна. Аристократ смотрел сверху вниз на Флинна из-за его низкого происхождения и недостатка образования, а бизнесмен презрительно относился к образу жизни плейбоя, к отсутствию всякой дисциплины. Тем не менее мужчины продолжали видеться, хотя всякий раз Алексей говорил себе: это в последний раз. Но время шло, и он обреченно признавался сам себе, что у него нет желания покончить с их дружбой. В тридцать восемь лет, имея состояние, позволяющее вести любой образ жизни, обладая властью, ни у кого не вызывающей сомнений, Алексей обнаружил, что товар, который труднее всего купить, — это радость жизни. К тому же Флинн не представлял для него серьезной опасности. Никогда. Во всяком случае, до того момента, пока случайный взгляд Алексея не упал на бассейн в «Саду Аллаха».

И соперничество между ними вспыхнуло с новой силой. Их вкусы совпадали: юные девушки в расцвете невинности, еще способные краснеть. На первый взгляд внешность Флинна и его сексуальная привлекательность давали ему преимущества. Но богатство Алексея было замечательным средством, усиливающим половое влечение, а его безупречные манеры заставляли потускнеть даже внешнюю привлекательность других мужчин. Чаще, чем Флинну хотелось бы, женщина, за которой он ухаживал, оказывалась в постели соперника. Теперь Белинде суждено было стать новой пешкой в игре. Флинну и в голову не приходило, что Алексей мог отнестись к ней по-другому.

Смешно, сказал себе Алексей Савагар в конце первой недели. Собственная реакция на Белинду Бриттон удивляла его. Кто она? Глупый ребенок, дурочка, до абсурда одержимая кинозвездами. Кроме цветущей юности, которая его, кстати, возможно, радовала бы больше, чем Флинна, она мало что могла предложить. Конечно, ей нельзя было отказать в смышлености, но ни образованием, ни культурой Белинда не обладала. Без сомнения, хорошенькая, да мало ли красавиц он знал? Но странное дело, более утонченные подруги стали казаться по сравнению с ней старыми развалинами, потрепанными жизнью и другими мужчинами.

Сначала Алексей пытался убедить себя, что влечение к Белинде — не более чем продолжение соперничества с Флинном. Но шли дни, его чувства становились сильнее, он понимал: дело в другом. Он не мог противостоять ауре порочной невинности. Белинда была совершенным сплавом проститутки и ребенка. Тело роскошное и опытное, а ум чист и невинен. Однако Алексей чувствовал, что его тяга к девушке гораздо серьезнее обычного полового влечения. Она была словно ребенок с горящими глазами — страстно любящая жизнь, в которую вступила, полная уверенности в собственном успехе. Ему хотелось стать тем, кто введет ее в открытый огромный мир. Тем, кто станет для нее опорой и защитой, кто сделает из нее идеальную женщину в конце концов. Он смотрел на Белинду, и ему казалось, что цинизм, накопившийся за годы жизни, улетучивается без следа. С ней, при ней Алексей Савагар снова становился мальчишкой, у которого впереди была вся жизнь, полная обещаний.

Флинн объявил, что собирается на неделю в Мексику. В слепой уверенности, что Белинда обожает его, он попросил Алексея присмотреть за ней.

— Конечно, — ответил тот и, улыбаясь, медленно повернулся к Белинде. — Хотя на твоем месте я бы дважды подумал, прежде чем исчезать с арены.

Флинн рассмеялся:

— Белинда даже не носит безделушки, которые ты ей подарил. Так ведь, моя дорогая? Я думаю, мне особенно не о чем волноваться.

Белинда рассмеялась, словно Флинн очень удачно пошутил, но в глубине души почувствовала неловкость. До сих пор никто к ней не относился с такой почтительностью и вниманием, как Алексей Савагар. Его присутствие очень смущало ее. Интересно, почему? Да, он важный, солидный человек, но не кинозвезда. И уж конечно, не Эррол Флинн. Тогда зачем же так волноваться?

Всю следующую неделю Алексей был заботливым спутником Белинды. С головокружительной скоростью они носились в огненно-красном «феррари», который казался продолжением самого Алексея. Белинда ловила себя на том, что наблюдает за его руками, управляющими машиной, отмечая уверенность движений и силу пальцев. Интересно, каково это — быть таким уверенным в себе? Мчась по улицам Беверли-Хиллз, она чувствовала, как дрожь автомобиля отдается в бедрах, и ей казалось, она слышит удивленные вопросы окружающих. Кто эта блондинка, которой удалось подхватить двух столь важных мужчин?

По вечерам они ходили в «Сиро» или «Чейзен». Алексей, казалось, знал там всех. Он развлекал ее сплетнями о звездах и анекдотами. Переходя на французский, он старался говорить просто, чтобы Белинда понимала его. Алексей рассказал ей о своей коллекции машин, о красотах Парижа, а однажды вечером, когда они припарковались высоко на холме и огни города распростерлись у их ног, она услышала историю о его семье.

Отец Алексея встретился с его матерью Соланж в Париже, в 1911 году, очень скоро женился на ней и повез к себе в имение под Санкт-Петербургом. Через восемнадцать месяцев Соланж сумела убедить мужа, что положение в России может стать только хуже. Они, забрав с собой все большие деньги Савагариных, переселились в Париж; это произошло в канун Первой мировой войны. В награду за предвидение Николай Савагарин дал жене уговорить себя сократить фамилию до Савагар, чтобы легче вписаться во французское общество. Алексей родился в 1917-м, за год до окончания войны и за неделю до гибели отца от случайной пули. Но несмотря на это, наследство Николая перешло к сыну, которому его не суждено было увидеть. Хотя Алексей вырос человеком высокой культуры и безупречного вкуса, он оставался безнадежно русским. Под французским шармом Белинда чувствовала жестокость, восхищающую и пугающую одновременно. Она не знала, что почти каждая женщина, с которой он имел дело, согласилась бы с ней.

Белинда удивилась, вдруг поймав себя на том, что рассказывает о своих родителях, о собственном одиночестве в детстве и ранней юности. Алексей слушал ее с подкупающим вниманием, и она поделилась с ним мечтой всей своей жизни. Она хочет стать звездой. Белинда не узнавала себя: она ли рассказывает Алексею о том, о чем никогда никому не говорила? Но тут Алексей заговорил о Флинне:

— Он оставит тебя, моя дорогая. Ты должна это понимать.

— Я знаю, — ответила Белинда. — Я никогда не допускала мысли, что смогу его удержать. — Она попыталась объяснить: — Я благодарна ему за то, что он позволил мне побыть частью его жизни, жизни такого известного человека, как он. Пусть очень маленькой частью и недолго. Я думаю, он оставил меня с тобой ради других женщин или жены. — Она умоляюще посмотрела на Алексея. — Только, пожалуйста, не рассказывай, если знаешь. Я не хочу ничего слышать. Он не может быть другим. Я понимаю.

— Какое обожание! — Алексей слегка скривил губы. — Моему другу, как всегда, везет. А он этого не ценит. Что ж, может, тебе больше повезет со следующим компаньоном.

— Ты говоришь так, будто я какая-то распутная женщина, которая переходит от одного мужчины к другому, — резко ответила Белинда. — Мне это не нравится.

Странные, чуть раскосые глаза Алексея сверлили ее сквозь одежду, сквозь кожу, добираясь до самых секретных, но известных ему мест.

— Женщине вроде тебя, моя дорогая, всегда будет нужен мужчина. — Он взял ее за руку, поиграл кончиками пальцев, и по телу Белинды пробежала дрожь. — Ты совсем не современна, ты из тех, кого надо защищать, шлифовать, превращая в нечто драгоценное и прекрасное.

На миг ей показалось, что она увидела боль в глазах Алексея. Но потом все исчезло, и он хриплым голосом добавил:

— Ты продаешь себя слишком дешево.

Она выдернула руку. Как он смеет так говорить с ней? Он ничего не понимает. Совершенно. Он думает, что, отдавая себя Флинну, она становится дешевкой?

Алексей уехал в Сан-Франциско в тот же день, когда Флинн вернулся из Мексики. И Белинда удивилась, насколько сильно она скучала по Савагару. Ее даже охватывало чувство одиночества без него, разве не глупо? Одиночество рядом с Флинном! А когда через десять дней Алексей вернулся, ее поразила собственная беспричинная радость. Сидя между двумя мужчинами в лучших ресторанах города, Белинда казалась себе очень значительной. Самой значительной во всем мире.

Но очень скоро после Рождества все пришло к катастрофическому концу, когда Флинн почувствовал усталость от игры. Они втроем сидели на диване «У Романова», и Флинн, засовывая сигарету в янтарный мундштук, объявил, что оставляет их и отправляется на несколько месяцев в Европу. То, как он прятал глаза, сказало Белинде лучше всяких слов: он не собирался пригласить ее с собой.

Она почувствовала страшное стеснение в груди, ей стало душно. Случилось то, чего она ожидала. Но почему же она не подготовилась?

Обида, нанесенная ей Флинном, оказалась сильнее, чем она могла вынести. Соседние столики поплыли под помутившимся взглядом; Белинда почувствовала, что ей не справиться с собой, когда внезапно ощутила резкую боль в бедре. Она догадалась, что это рука Алексея стиснула ее под столом, запрещая унижать себя. Казалось, его сила перетекла в нее, и она выдержала остаток вечера. Через три дня Флинн уехал, а Алексей обнял ее и разрешил наконец выплакаться. Потом Белинда прочла в какой-то газете, что новой пассии Флинна, с которой он отбыл в Европу, всего пятнадцать лет.

Белинда догадалась, что Алексей давно закончил дела в Калифорнии, но не уезжал в Париж, за что она была ему благодарна. Бунгало оказалось оплаченным до конца января, и Белинда подозревала, что не Флинном. Она не задавала никаких вопросов. Они проводили вместе с Алексеем почти каждый вечер, потягивая шампанское во внутреннем дворике, потом он отпускал ее на ночь. Но однажды вечером он наклонился и поцеловал ее в губы.

— Нет, не трогай меня!

Она в ярости подскочила. Алексей — не Флинн, а она не потаскушка. Белинда бросилась через дворик к дверям гостиной, нервно выхватила сигарету из фарфоровой подставки на кофейном столике.

Годы железного контроля и самодисциплины Алексея Савагара вдруг полетели ко всем чертям. Он ворвался в комнату.

— Ты, глупая сучка!

Белинда резко повернулась, потрясенная злым голосом, а увидев лицо Алексея, отступила на шаг. Хорошо отполированная фран-
цузская маска слетела, обнажив истинное лицо, сотворенное не одним
поколением русских аристократов.

— Да как ты смеешь мне отказывать? — прорычал он. —
Знаешь, кто ты? Потаскуха. Настоящая потаскуха. Только вместо
того, чтобы заниматься этим за деньги мужчины, ты отдаешься за
его славу.

Алексей двинулся в ее сторону, Белинда придушенно вскрикнула. Он схватил ее за плечи и притиснул к стене. Вцепившись в
подбородок, он дернул лицо Белинды вверх и, прежде чем она успела
вскрикнуть, впился в нее губами, кусая ей рот, заставляя его открыться.
Она пыталась вытолкнуть его язык, но пальцы Алексея стиснули ее
горло, и стало ясно, что придется уступить. Он все-таки граф, этот
Алексей Николаевич Савагарин, всемогущий владыка крепостных, по
праву рождения получающий все, чего только не пожелает.

Потом он отпустил ее губы и откинул голову. Сквозь пелену
страха, заславшую ее взгляд, Белинда увидела кровь на нижней
губе Алексея и подумала: а чья это кровь? Его или ее?

— Я имею право на уважение, — прошипел он. — Флинн —
дурак, придворный шут. Он живет по-глупому, а потом хнычет,
когда дела идут ни к черту. Но ты слишком глупа, чтобы понять
это. Придется мне тебя учить.

Белинда сдавленно зарыдала, почувствовав его руку на юбке; он
задрал ей подол, и грубая рука полезла под ее нейлоновые трусики.

— Нет! — закричала она.

— Заткнись!

Он коленом развел ей ноги, а потом, не обращая внимания на
слезы Белинды, своими аристократическими пальцами принялся
шарить во всех местах, где, как он воображал, побывал Флинн.
Несмотря на ужас, она чувствовала его возбужденную плоть на
своем бедре, но все еще надеялась, что этим дело ограничится. Белинда не подозревала, как далеко его завела, не подозревала, что в
его страсти проявляется та самая властность, святое право королей и
царей, неопровержимое подтверждение социального порядка в обществе, разделенном на классы, в котором аристократия располага-
ется гораздо выше кинозвезд. Она плакала, когда Алексей разрывал

на ней блузку, и почти не заметила, что он стал нежнее: ткань больше не трещала, и не сыпались на пол пуговицы. Слезы Белинды градом падали ему на руки, когда он расстегивал лифчик и ласкал грудь, целуя ее с удивительной нежностью, что-то бормоча не то по-французски, не то по-русски: она не понимала слов. Медленно, постепенно Алексей успокоил ее.

— Извини, любовь моя, мне очень жаль, что я так сильно тебя напугал. — Алексей выключил свет, подхватил Белинду и уложил к себе на колени. — Я ужасно поступил с тобой, — говорил он, баюкая ее. — Ты должна меня простить ради себя и ради меня тоже. — Он коснулся губами ее волос. — Я твоя единственная надежда, милая. Без меня ты не станешь той женщиной, какой могла бы быть. Без меня ты будешь прозябать день за днем, пытаясь увидеть собственное отражение в глазах мужчин, недостойных тебя.

Он гладил ее по голове, и она постепенно расслабилась и заснула. Алексей смотрел в темноту ночи и размышлял: как он мог позволить себе так глупо влюбиться в женщину вдвое моложе себя? Белинда с обожающими гиацинтовыми глазами возбудила в нем чувства, которых он от себя не ожидал. Чувства настолько сильные, что они испугали его, поскольку он давно усвоил, как опасно быть незащищенным от чего-то. Впервые за многие годы Алексей Савагар не знал точно, что делать и как поступить. Он не сомневался, что завоевать любовь Белинды — дело простое, тем более что она проявляла к нему больше внимания, чем ей казалось. Просто она не признавалась себе в этом. Нет, это его не пугало. Его пугала власть, которую она брала над ним, вот что было по-настоящему ужасно.

Алексей проанализировал происшедшее. Как он мог позволить себе подобное? Он, который научился держать себя в руках раньше, чем научился считать? В голове вспыхнуло воспоминание об одном эпизоде, казалось, давно забытое. Он, мальчик, болен какой-то детской болезнью, лежит в горячке. В спальню входит мать, пальцами, унизанными кольцами, держа его тетрадь с сочинениями. Она смотрит на него тяжелым, обвиняющим взглядом.

— Неужели это правда, — спросила она, — что ты не закончил перевод с латыни?

Он объяснил, что заболел. Его тело горит, голова раскалывается.

— Тогда ты не мой сын, — заявила ему мать. — Только крестьянин, простолюдин может искать оправдания, дабы увильнуть от своих обязанностей.

Она вытащила его из кровати и усадила за стол. Глаза его горели, рука дрожала, но он писал до тех пор, пока не закончил перевод. Мать стояла у окна, рубиновые браслеты блестели на солнце; она курила одну папиросу за другой, бросая на него презрительные взгляды всякий раз, когда его голова клонилась к столешнице.

Вскоре после этого Алексея отправили в спартанскую школу, где наказания были суровыми, а похвалы редкими. Здесь богатые французские наследники превращались в мужчин, достойных носить гордые фамилии своих семей. Последние детские привычки у Алексея Савагара к двенадцати годам исчезли полностью. Уроки самодисциплины были самыми трудными, но они помогли ему выстоять потом, когда он вступил в борьбу за контроль над состоянием Савагаров с группой стареющих попечителей, разжиревших и разленившихся на его деньгах, и, наконец, с собственной матерью. Теперь никто не может оспорить его положение, сегодня он один из самых могущественных людей Франции. У него дом на двух континентах, бесценная коллекция европейских шедевров и вереница женщин, готовых выполнить любую его прихоть. До знакомства с Белиндой Бриттон, этой девушкой с ничем не замутненным оптимизмом и детским взглядом на мир, Алексей и не догадывался, что в его жизни чего-то не хватает.

На следующее утро Белинда проснулась в своей постели одетая, под тоненьким покрывалом. Она повернула голову, не зная, кого увидит рядом с собой. Флинна? Алексея? Она понятия не имела. Но вместо этого Белинда заметила на подушке листок бумаги с эмблемой отеля. Она быстро пробежала по строчкам, выведенным паучьим почерком.

«Милая, сегодня я улетаю в Нью-Йорк, я совсем забросил дела. Возможно, вернусь. Впрочем, может, и нет. Алексей».

Она смяла записку в комок и сердито швырнула на пол. К черту его! После того как он обошелся с ней вчера вечером, пускай убирается. Никогда больше она не увидит его. Противное, отвратительное чудовище. Белинда спустила ноги с кровати и почувствовала, как у нее скрутило живот. Она снова легла на подушку, закрыла глаза и призналась себе, как ей страшно. Алексей так долго заботился о ней, и она привыкла к этому незаметно для себя.

Белинда подняла руку, закрыла локтем глаза, пытаясь убедить себя, что ей нечего бояться. Жила же она одна до Алексея, до Флинна — и будет жить дальше. Она попыталась восстановить в памяти лицо Джеймса Дина. Его непослушные волосы, хмурый взгляд и рот бунтаря.

«Думай о Джимми», — приказала она себе.

Постепенно Белинда стала успокаиваться. Мужчина отвечает сам за себя, а женщина сама за себя. Она позволила своим честолюбивым мечтам отойти на второй план, пока была с Флинном, — теперь пришло время снова бросить вызов жизни.

Остаток месяца Белинда потратила на восстановление старых деловых связей. Звонила по телефону, написала записки в студии сотрудникам, с которыми познакомилась через Флинна, и снова начала поиски.

И опять ничего.

Срок, на который было оплачено бунгало, кончился, ей пришлось вернуться в свою старую квартиру. Теперь она окончательно порвала с Флинном, поскольку ее жизнь вернулась на круги своя. Каждая минута, проведенная в обшарпанной квартире, стала для нее настоящей мукой. Она сражалась с соседками по комнате, пока те не посоветовали ей убраться подальше, но она и бровью не повела. Глупые коровы, готовые довольствоваться крохами с роскошного стола жизни.

Беда явилась нежданно в бледно-голубом конверте. Письмо от матери, сообщавшей, что в интересах самой Белинды она прекращает финансировать ее глупости. В конверте лежал последний чек. Белинда пыталась найти работу, но не слишком усердно: она плохо себя чувствовала, голова болела, желудок вел себя ужасно, и она решила, что сильно простудилась. У Белинды не было никакой специальности, поэтому после трех унизительных бесед с работодателями она бросила всякие поиски. Девушка начала экономить деньги, старалась поменьше есть, что было совсем нетрудно — у нее совершенно пропал аппетит. Белинда больше не ходила в аптеку Шваба, она думала только об одном: как все ужасно. Она ведь женщина, которую любил Эррол Флинн. Неужели никто этого не понимает?

В отчаянной попытке переломить свою жизнь Белинда истратила двадцать драгоценных долларов на уроки актерского мастерства, которые давал толстячок, называвший себя «известным мистером Беласко». Он говорил о ритме, о позвоночнике, об эмоциональной памяти, о контролируемой энергии, но какое ей было дело до всего этого? Она посетила только два урока.

То, что она забеременела от Флинна, не потрясло Белинду. Смысл этого факта доходил до нее постепенно, по капле просачиваясь в разум, до тех пор, пока не настал день, когда она велела себе одеться и снова отправиться на поиски работы. Потом два дня она пролежала на дешевой голливудской койке, уставившись в грязный потолок и стараясь осмыслить происшедшее.

Она вспомнила ужасные рассказы об индианапольских девочках, зашедших слишком далеко и вынужденных поспешно выходить замуж или, что еще хуже, родивших ребенка вне брака. Но то были девочки с улицы, во всяком случае, не такие, как дочь доктора Бриттона, Эдна Корнелия. Подобное с хорошими девочками не случается. Они сначала выходят замуж, потом рожают детей. Делать это в обратном порядке невероятно стыдно.

Мысль об аборте не приходила Белинде в голову по той простой причине, что она вообще едва ли знала о существовании подобной операции. Подпольные аборты были из совершенно незнакомого ей мира. Она подумала, не связаться ли с Флинном, но потом отбросила глупую мысль. Она понятия не имела, где его искать, и к тому же он все еще женат, а в таком случае как он может помочь ей? Вместо этого Белинда поймала себя на мысли об Алексее Савагаре.

После того как она наконец приняла решение, на поиски Алексея у Белинды ушло два дня. Улучив момент, когда ее соседок по квартире не было, она сделала несколько звонков, которые ни за что не смогла бы оплатить. Она соединилась со всеми отелями в Нью-Йорк-Сити, названия которых вычитала в колонке светской хроники в разных газетах. На второй день Белинда знала, что Алексей Савагар неделю назад выехал из «Пьер», указав, где его следует искать. Она позвонила в отель «Беверли-Хиллз» и оставила послание: мисс Бриттон будет ждать мистера Савагара в «Поло Лонж» в пять вечера.

День был прохладный, и она тщательно оделась в бархатный костюм цвета ирисок и белую блузку, сквозь которую просвечивало кружевное белье. Она нацепила нитку выращенного жемчуга, который родители купили ей на выпускной вечер в школе, так и прошедший без нее, и жемчужные клипсы. Шляпку с лентой цвета ирисок Белинда надела немного набекрень, желая выглядеть весело и беззаботно. Пара хлопчатобумажных перчаток и не слишком подходящие к остальному наряду остроносые туфли на каблуках завершили туалет. Белинда нашла такси, желая подъехать ко входу отеля «Беверли-Хиллз» при полном параде.

Хотя Флинн водил ее несколько раз в «Поло Лонж», она почувствовала волнение, переступив порог заведения. Белинда назвала мэтру имя Алексея, и тот провел ее к одному из изогнутых диванов, обращенных к двери. Она сидела в самом знаменитом в мире зале для коктейлей.

Белинда не любила мартини, но заказала, поскольку этот напиток считался утонченным, а ей хотелось продемонстрировать Алексею свою осведомленность в подобных вещах. Ожидая его появления, Белинда пыталась отвлечься, рассматривая посетителей. Джордж Джессел был с маленькой блондинкой, пожалуй, моложе ее самой. Она заметила Грира Гарсона и Этель Мерман за отдельным столиком. На другом конце зала поднимал бокал один из сотрудников студии, с которым ее познакомил Флинн. Но мужчина не смотрел на Белинду.

Мимо нее прошел мальчик в форменной куртке с медными пуговицами.

— Звонят мистеру Джесселу. Звонят мистеру Джесселу.

Джордж Джессел поднял руку. Маленькая блондинка захихикала, когда мальчик поднес к столу розовый телефон.

Белинда играла длинной прохладной ножкой бокала, стараясь не замечать, что у нее дрожат пальцы. Алексей не придет в пять. Она была уверена. Она слишком задела его гордость в последний раз, когда они были вместе. Он этого не забудет. Вопрос в другом: придет ли он вообще. И что ей делать, если этого не произойдет.

В зал вошли Грегори Пек и его новая жена-француженка Вероник. Красивая темноволосая Вероник в прошлом была журналисткой, и Белинда ощутила зависть, змейкой свернувшуюся внутри. Когда их усадили, знаменитый муж нежно улыбнулся жене и сказал что-то, предназначенное только для ее ушей. Вероник рассмеялась, потом рукой накрыла его руку, ласковым, привычным жестом собственницы. В этот момент Белинда возненавидела Вероник Пек, как никогда и никого до сих пор.

В шесть часов Алексей вошел в «Поло Лонж», и сердце Белинды перевернулось. На миг он задержался в дверях, перекинулся парой слов с метрдотелем, потом направился к ней. Он был в жемчужно-сером костюме, как всегда безупречном. Некоторые приветствовали его, когда он проходил мимо столиков. Она забыла, что Алексей всегда привлекал к себе внимание окружающих. Флинн говорил, Алексей Савагар один из немногих, кто обладает даром делать деньги из денег.

Он молча сел на диван, и Белинда почувствовала знакомый запах дорогого одеколона, услышала шорох шелка. Алексей изучающе смотрел на нее, лицо его, как всегда, было непроницаемо. Рад ли он снова ее увидеть? Белинда ощутила легкую дрожь в теле. Ну почему она никогда не может отгадать его мысли?

— «Шато Хот-Брион», 1929, — сказал он подошедшему официанту. Потом указал на недопитый мартини: — А это уберите. Мадемуазель будет пить вино вместе со мной.

Когда официант удалился, Алексей поднес ее руку к губам и поцеловал. Белинда попыталась улыбнуться, но, невольно вспомнив последнюю встречу и его грубые варварские поцелуи, не смогла.

— Ты, кажется, нервничаешь, дорогая.

Но времени для сомнений и раздумий у Белинды не оставалось, поскольку внутри нее сошедшиеся вместе клетки неустанно и своенравно множились, и она вынуждена была заставить себя повести плечами и сказать:

— Немного. Я не видела тебя так давно... Я... я соскучилась. — Ощущение ужасной несправедливости внезапно вырвалось на поверхность. — Правда, Алексей, как ты мог просто взять и уехать? И даже не позвонил, и ничего...

Судя по всему, его это забавляло.

— Я дал тебе время подумать, дорогая. Посмотреть, хорошо ли оказаться одной.

— Мне совсем не понравилось, — резко ответила Белинда.

— Я так и думал, что тебе не понравится. — Он смотрел на девушку так сосредоточенно, что она почувствовала себя помещенной под стекло микроскопа. — Скажи мне, что ты поняла наедине с собой?

Белинда осторожно ответила:

— Я поняла, что привыкла зависеть от тебя. После твоего отъезда все пошло кувырком. Тебя не было рядом, и мне никто не мог помочь. Я оказалась не такой самостоятельной, как думала.

Официант принес бутылку, открыл ее, налил немного вина для пробы. Алексей отпил глоток и рассеянно кивнул, желая поскорее остаться с Белиндой наедине. Официант отошел от столика, а Алексей снова сосредоточился на лице девушки. Она рассказала ему о своей жизни в прошедшие два месяца. Об унизительном положении в актерском классе, о неудачах с продюсерами, которых она никак не могла заинтересовать собой, о том, что родители отказались ее поддерживать. Обо всем, кроме главного.

— Ясно, — сказал он. — Очень много всего за столь короткое время. Есть ли еще беды, которые ты хотела бы вывалить на меня?

Белинда с трудом проглотила слюну.

— Нет, больше ничего такого. Правда, у меня нет денег, Алексей. А я должна решить кое-какую проблему. Мне нужна твоя помощь.

— Моя помощь? — Впервые после того, как Алексей сел рядом с ней, его лицо стало угрюмым. — А почему ты не обратишься к своему бывшему любовнику, Белинда? Уж конечно, он бы тебе не отказал. Немедленно примчался бы на белом боевом коне, сверкая мечом и круша всех злодеев ради тебя. Что ж не пойдешь к Флинну, Белинда?

Она впилась зубами в щеку, чтобы сдержаться и не сказать ничего лишнего. Белинда ясно поняла: если она сейчас не успокоит Алексея, не уймет его странную боль, не поднимет ему настроение, он не придет ей на помощь. Алексей не понимал Флинна. Никогда не понимал.

— В те дни, в «Саду», — начала она медленно, — мне было так хорошо, как никогда раньше. Но каким-то странным образом вы с Флинном соединялись у меня в голове. Я заставляла себя думать, что все мои приятные ощущения исходят от Флинна, но после того, как ты уехал, я поняла, что ты тоже был их источником. — Белинда отрепетировала эту фразу, но сейчас ей было неловко ее произносить, потому что на самом деле в ней оказалось больше правды, чем ей бы хотелось. — Мне нужна помощь, — резко закончила она. — Я не знаю, к кому еще обратиться.

— Понятно.

Но Алексей не понимал. Во всяком случае, он понимал не все. Белинда, низко опустив голову, принялась теребить салфетку, избегая смотреть на него.

— Я... я без денег и не могу вернуться в Индианаполис. Я... я бы хотела, чтобы ты дал мне взаймы... Ну хотя бы на год или около того, до тех пор пока я смогу обратить на себя внимание студий... — Она отпила вина, которого не хотела. Но она хотела получить деньги. Потом она уедет куда-нибудь, где ее никто не знает, и родит ребенка. С деньгами она обдумает, как поступить дальше и что делать.

Алексей молчал, Белинда нервничала все сильнее.

— Я не знаю, к кому еще обратиться. Я умру, если вернусь в Индианаполис. Я знаю, что умру.

— Скорее смерть, чем Индианаполис. — В голосе Алексея звучали веселые нотки. У Белинды забрезжила надежда. — Как по-детски поэтично. И как похоже на тебя, моя дорогая Белинда. Скажи-ка, а что я получу взамен денег, данных тебе в долг?

Мимо столика прошел мальчик, сверкая медными пуговицами.

— Звонок мистеру Пеку. Звонок мистеру Пеку.

— Все, что ты захочешь, — сказала Белинда.

Алексей внезапно ощетинился, и она поняла, но слишком поздно, что совершила ужасную, непростительную ошибку.

— Я вижу, — прошипел он, — ты снова продаешь себя! Скажи мне, Белинда, что отличает тебя от разодетых молодых женщин, которых швейцар все время гонит от дверей? Ну чем ты отличаешься от тех шлюх?

Глаза ее подернулись пеленой слез от ужасных, несправедливых слов Алексея. Все бесполезно. Все напрасно. Он не собирается ей помогать. С чего она взяла, что он захочет? Но почему она чувствует себя так, будто ее предали? Она встала и потянулась через стол за сумочкой, готовая направиться к двери, прежде чем унизится до непростительного: заплачет в публичном месте, столь блистательном, как «Поло Лонж». Но прежде чем Белинда успела сделать шаг, Алексей схватил ее за руку и ласково потянул обратно на диван.

— Прости, дорогая, я снова тебя обидел. Но ты продолжаешь метать в меня острые ножи. Рано или поздно ты заставишь меня истекать кровью.

Она низко наклонилась, чтобы никто не видел слез, стекавших по щекам и падавших на юбку светлого бархатного костюма, оставляя на ней мокрые темные пятна.

— Может, ты умеешь что-то брать у людей, не давая им ничего взамен. Но я не могу, — сказала она, теребя замочек сумочки, чтобы вынуть платок. — Если это в твоих глазах делает меня шлюхой, я могу только пожалеть, что обратилась к тебе за помощью.

— Пожалуйста, дорогая, не плачь. Я начинаю чувствовать себя чудовищем.

Платок, сложенный точным прямоугольником, упал ей на колени. Белинда схватила его так, что виден был лишь один кончик. Как можно незаметнее для окружающих она поднесла платок к глазам и промокнула слезы. Уверенная, что Джордж Джессел наблюдает за ними, а вместе с ним маленькая блондинка и Вероник Пек, она наконец подняла голову и увидела, что вообще никто не смотрит в их сторону.

Алексей, откинувшись на диване, внимательно посмотрел на Белинду, и она снова опустила глаза.

— Для тебя все вот так просто, да? — сказал он. — Может, я тоже был таким, в детстве. Хотя нет, вряд ли. — Голос его вдруг стал хриплым. — Ты избавишься наконец от своих фантазий, дорогая? Ты будешь меня обожать?

Он спросил обыденным голосом, словно речь шла о простом деле, хотя Алексею стоило понимать, что это вовсе не так просто. Да, она восхищалась им, он защищал ее, даже волновал. Люди всегда обращали на них внимание, когда они были вместе, но... его лицо обычного размера, как и ее. Оно никогда не увеличивалось экраном до таких размеров, чтобы его мог видеть весь мир.

Алексей вынул сигарету из серебряного портсигара, закурил, и на долю секунды ей показалось, что его пальцы дрожат. Но когда огонь выровнялся, она решила, что ошиблась.

— Я помогу тебе, дорогая, — сказал он, — хотя что-то внутри предостерегает меня от этого шага. Когда я закончу дела, мы поедем в Вашингтон и поженимся во французском посольстве.

— Поженимся! — Белинда не верила своим ушам. Может, она не так расслышала? — Нет, я... я не верю тебе. В какую игру ты со мной играешь? — Она заставила себя взглянуть на него и испытала настоящее потрясение. Жесткие складки вокруг рта разгладились, в глазах светилась настоящая любовь. Впервые с момента знакомства он показался ей странно-беззащитным.

— Никаких игр, дорогая. Я хочу тебя в жены, а не в любовницы. Глупо с моей стороны, да?

— Но почему брак? Я всегда тебе говорила, что...

Он сказал по-французски:

— Хватит. — И по-английски продолжил: — Перестань предлагать себя снова.

Испуганная его раздражением, внезапно поняв, как далеко заходит дело, Белинда отпрянула от него.

— Как бизнесмен я никогда по-глупому не рискую, а с тобой ведь нет никакой гарантии, так ведь, дорогая? — Он провел пальцем по краю бокала. — Увы, я ко всему прочему еще и русский... А что касается тебя, то не карьеры в кино ты хочешь на самом деле, нет. Только ты сама этого пока не понимаешь. В Париже ты займешь свое место в качестве моей жены. У тебя будет совершенно другая жизнь. Незнакомая, я понимаю. Но я буду руководить тобой, вести. О тебе заговорят в городе. Какая юная жена у Алексея Савагара, жена-ребенок. — Он улыбнулся. — Тебе понравится такое внимание.

В голове ее пронеслась мысль, от которой она похолодела. Ребенок.

Она должна сказать о ребенке. Утаив правду, она совершит страшную ошибку. Белинда никак не могла представить себя женой Алексея. Оказаться под изучающим взглядом странных раскосых глаз. Стать предметом разговоров в Париже. Алексей такой богатый, он так известен в своем мире. Но могла ли Белинда расстаться со своими мечтами? Она собиралась стать звездой.

— Не знаю, Алексей. Я не думала... — Она почувствовала, как он закрылся от нее. Лицо снова стало угрюмым. Если она откажет ему сейчас, если будет колебаться хоть одну лишнюю минуту, гордость никогда не позволит ему простить ее. У нее один-единственный шанс. — Да! — крикнула она и напряженно рассмеялась. — Да. Ну конечно да, Алексей. Я выйду за тебя замуж. Я хочу за тебя замуж.

Он посидел некоторое время неподвижно. Потом поднес руку Белинды к губам. Улыбаясь, коснулся ими пульсирующей жилки на внутренней стороне ее запястья. Она улыбнулась в ответ, стараясь не обращать внимания на бешено бьющееся сердце, на страх, который понесся по крови. Что она наделала?

Алексей заказал бутылку «Дом Периньон».

— За конец фантазий. — Он поднял бокал навстречу ее бокалу.

— За нас, Алексей, — нервно ответила Белинда.

С соседнего дивана долетел нежный смех Вероник Пек, похожий на звон серебряных колокольчиков.

Глава 5

К удивлению Белинды, вышло так, что их первая брачная ночь, как и полагается, случилась после свадьбы, то есть через две недели после встречи в «Поло Лонж». Они обвенчались во французском посольстве в Вашингтоне и сразу поехали в дом посла, который был отдан в их распоряжение на уик-энд в качестве свадебного подарка.

Выйдя из горячей пенистой ванны в посольском доме и вытираясь полотенцем цвета мускатного ореха, Белинда ощутила тревогу. Она так и не набралась храбрости и не сказала Алексею о ребенке. Она решила: если повезет, ребенок родится маленький, и Алексей поверит, что он его, только недоношенный. Даже если не поверит, то сразу разведется с ней, но у ребенка будет имя, а ей не придется жить с позорным клеймом матери-одиночки. Она вернется в Калифорнию и начнет все сначала, только уже с деньгами Алексея.

Белинда должна была признаться: несмотря ни на что, последние недели оказались просто замечательными. Алексей относился к ней как к королеве, каждый день предъявляя все новые доказатель-

ства своих чувств. Он не только завалил ее подарками, но и на
редкость терпеливо относился к маленьким ошибкам, которые она
совершала, входя в его мир. Казалось, она ничем не могла его рас-
сердить. От этой мысли она ощущала прилив уверенности в себе.

Она посмотрела на коробку, обернутую серебристой бумагой,
лежавшую в ванной комнате. В ней то, в чем он хочет увидеть ее
сейчас. Белинда надеялась обнаружить там комплект с пеньюаром,
черный, кружевной, как у Ким Новак. Но что бы ни было в коробке, это, наверное, стоит очень дорого, поскольку Алексей покупал
лишь самое лучшее.

Сняв крышку, Белинда чуть не расплакалась от разочарования.
Длинная белая хлопчатобумажная рубашка в облаке тонкой оберточной бумаги выглядела как детская ночнушка. И хотя ткань была
замечательно тонкая, сама вещь оказалась ужасно простой: вырез
под горлышко, немного кружев, а спереди ряд крошечных розовых
бантиков, сохраняющих лиф скромно закрытым. Когда Белинда
вынула рубашку из коробки, к ногам что-то упало. Наклонившись,
она подняла подходящие к рубашке нежные хлопчатобумажные трусики, тоже с тонкой кружевной оборочкой на бедрах. Как это понимать? Неужели Алексей пытается сделать из нее дурочку? Но потом,
вспомнив о его невероятной гордыне и о том, что он берет ее не
девственницей, она смирилась.

Было за полночь. Занавески в спальне были опущены, комната,
задрапированная бледно-зеленой парчой, застланная толстыми ков-
рами цвета нефрита, отделанная полированным деревом, блестев-
шим в мягком свете, который проникал сквозь шелковые абажуры
кремового цвета, выглядела элегантно, но как-то безжизненно. Может, это лишь потому, что Белинда невольно, не давая себе отчета,
сравнивала эту со вкусом убранную комнату с кричащей безвкуси-
цей испанского интерьера бунгало «Сада Аллаха»?

Алексей в бледно-золотистом халате стоял возле окна. Белинда
подумала, что впервые видит его не в костюме. Алексей, с маленькими глазками и темными, редеющими волосами. На экране он мог
бы играть только злодеев и никогда — героев. Правда, злодеев
властных, хозяев целых империй, способных мановением руки изме-
нять судьбы бесчисленного множества людей.

Он повернулся, посмотрел на Белинду, и она снова занервничала в обжигающей тишине комнаты.

— Рубашка не совсем такая, как я ожидала, — сказала она первое, что пришло в голову. Она хотела снять напряжение.

Лицо Алексея было замкнутым, непроницаемым, как всегда.

— У тебя губная помада, дорогая?

— Да. Что-то не так?

Он вынул из кармана халата носовой платок.

— Подойди сюда, к свету.

Она шла босиком по ковру и совершенно не к месту думала о кружевном пеньюаре, о паре черных атласных домашних туфелек без задников на высоких каблуках и с розочками на пальцах.

Алексей взял жену за подбородок и мягко стер с губ помаду белоснежным льняным платком.

— Никакой губной помады в спальне, дорогая. Ты и так хороша, без нее.

Отступив на шаг, он медленно оглядел ее. Взгляд его замер на ярко накрашенных ногтях.

— Сядь на кровать.

Белинда подчинилась.

Он подошел к комоду, взял косметичку, выложил из нее все, выбрал один пузырек и вернулся к Белинде. Опустившись на одно колено, он положил на другое ее правую ногу и принялся стирать лак носовым платком. Потом перешел к левой ноге. Закончив, легонько куснул нежный свод стопы, а потом лизнул.

— Ты в трусиках, Белинда?

Она смущенно опустила глаза, уставившись на воротник его халата, и кивнула.

— Хорошо. Вот ты и моя жена, Белинда. Подойди ко мне. Милая, робкая, неопытная, наверное, немного испуганная. Все правильно, так и должно быть.

Она кивнула, потому что и впрямь была испугана. Алексей обращался с ней как с совершенно невинной. Ласковые слова, девственная ночная рубашка, никакой косметики. Неужели он не понимает, что нельзя изменить того, что было? Разве может она вычеркнуть из своей жизни время, проведенное с Флинном? Воспоминание о ночи, когда Алексей напал на нее, словно червь, извива-

лось в мозгу, хотя Белинда изо всех сил пыталась уверить себя, что
она сама держалась с ним глупо и дерзко. Тогда он просто погоря-
чился из-за ревности к Флинну. Но теперь она жена Алексея, и он
не обидит ее. Вдруг Белинда подумала: а не подозревает ли он, что
и Флинн не был у нее первым?

Он подошел к кровати, протянул руку.

— Иди ко мне, дорогая. Я так долго ждал, когда мы сможем
заняться любовью.

Она медленно пошла к нему, уговаривая себя представить, что
это Флинн, или закрыть глаза и вообразить Джимми. Алексей взял
ее за руку, осторожно усадил на постель. Потом, когда она легла, он
нежно коснулся губами ее рта.

— Обними меня, дорогая, — пробормотал он. — Я твой муж.

Она сделала, как он просил, и закрыла глаза, когда его лицо
приблизилось к ее лицу, пытаясь вообразить Флинна. Но это оказалось трудным делом. Во-первых, Белинда была сильно испугана, а
во-вторых, Флинн очень редко целовал ее и никогда так страстно,
как Алексей.

— Ты целуешься, как ребенок, — проговорил Алексей, шевеля
губами возле ее губ. — Открой рот и дай волю языку.

Белинда осторожно приоткрыла рот, твердя себе: это целует ее
Флинн, это губы Флинна прикасаются к ней. Но она понимала, что
это не Флинн, и, несмотря на страх, ощущала, как тело начинает
согреваться. Руки невольно притянули Алексея ближе, а язык стал
действовать смелее у него во рту. Она тихо застонала, когда он
отодвинулся от нее.

— Открой глаза, Белинда. Ты должна смотреть, как я занимаюсь с тобой любовью.

Она ощутила прикосновение прохладного воздуха к коже, там,
где он развязал бантики на груди. Потом раздвинул ткань рубашки.

— Смотри, как мои руки ласкают твою грудь, дорогая.

Она медленно подняла ресницы и встретила напряженный взгляд
Алексея. Его глаза, казалось, прожигали насквозь ее плоть, готовые
обнаружить мельчайшее семя обмана. В душе Белинды смешались
панический ужас и возбуждение, она попыталась снова прикрыться
тканью рубашки.

Глубоко в горле Алексея раздался смешок; она поняла, что он по ошибке принял ее страх за робость. Потом, прежде чем она догадалась, что происходит, он дернул ночную рубашку вниз, стащил ее через бедра, и она осталась в одних отделанных кружевами трусиках. Алексей взял ее руки и положил их вдоль тела.

— Дай-ка посмотреть. — Его пальцы потянулись к грудям Белинды и принялись ласкать их нежными легкими движениями. Соски ее быстро затвердели; он прикоснулся сначала к одному, потом к другому. — Сейчас я буду ласкать тебя, — прошептал он.

Волны жара окатили Белинду, когда он наклонился к ее груди. Перед глазами было его темя с редеющими волосами. Она крепко зажмурилась, когда он втянул один сосок глубоко в рот и стал лизать его, потом сосать и причмокивать, будто вбирая в себя жизненный нектар. Ее охватило возбуждение; оно предательски обожгло ее с новой силой, когда он начал гладить у нее между бедер. Пальцы Алексея двигались возле кружев точно так же, как давным-давно пальцы Билли Гринуэя. А потом ловким, привычным движением он проник внутрь, совсем не так, как делали неуклюжие мальчики в далеком прошлом.

— Ты напряжена, — прошептал он и стал снимать с нее трусики.

Потом раздвинул ноги Белинды и начал что-то делать ртом, что-то запретное, но ужасно возбуждающее. Она не могла поверить в происходящее и сначала пыталась сопротивляться, но Алексей не позволил. За унизительно короткое время ее тело стало повиноваться ему, да и она сама не пассивно подчинялась Алексею, а что-то выкрикивала, доведенная до такого состояния, что, казалось, могла вот-вот рассыпаться на куски, разлететься в клочья. После того как все кончилось, он лег рядом с Белиндой, но она не осмеливалась посмотреть на него. То, что он сделал, было грязно, такое не должен позволять себе уважаемый человек, и, уж конечно, на такое никогда бы не пошла кинозвезда...

— С тобой никогда раньше так не было, правда?

Она услышала удовлетворение в голосе Алексея и отвернулась.

— Какая маленькая сладкая скромница. Стыдишься того, чем так откровенно наслаждалась. — Он наклонился, чтобы ее поцеловать, но Белинда отвернулась. Ничто в мире не могло бы заставить ее поцеловать рот, который только что был там, где...

Он рассмеялся, сжав в ладонях ее голову. Потом поцелуем заставил раскрыть губы и коснулся ее языка.

— Смотри, смотри, какая ты сладкая, — и, целуя, стал глубоко засасывать ее язык. Наконец он, удовлетворенный, отпустил ее, но только для того, чтобы снять халат и сбросить его на пол. Его тело было гибким, загорелым, покрытым темными волосками. Алексей был возбужден. — Ну а теперь я доставлю себе удовольствие, — заявил он.

Он касался каждой частицы ее тела, не оставив нетронутой ни одной клеточки, как бы везде ставя метку Алексея Савагара. Он снова распалил ее до страстного желания. И когда вошел в нее, она обхватила его ногами и впилась пальцами ему в ягодицы, прося, умоляя двигаться быстрее. Перед тем как кончить, он прошептал ей в ухо:

— Ты моя, Белинда. Я собираюсь отдать тебе целый мир.

Утром на простыне было пятнышко крови. От царапины на ее бедре.

Париж оказался именно таким, каким представляла его себе Белинда, а Алексей — любящим, внимательным мужем. Он умудрялся сбегать из офиса, чтобы водить ее туда, куда водят всех туристов. На самом верху Эйфелевой башни, за час до заката солнца, он целовал ее так долго, что она думала, ее тело вот-вот воспарит над кружевными стальными опорами башни и потеряется в небесах. Они плавали на лодке в Люксембургском саду, бродили по Версалю в грозу. Он вовремя нашел там безлюдный уголок, где захотел сравнить ее грудь с грудью мадонн на полотне эпохи Ренессанса. Потом Алексей показывал ей Париж. Париж, который знал сам: извилистые аллеи с названиями вроде «улица Кота-рыболова», Сену на заре у моста Сен-Мишель — если смотреть с этого места, казалось, что, когда встает солнце и его лучи ударяют в окна старинных зданий, город охватывает пламя пожара. Он показывал ей Монмартр ночью и все эти полные порока, утонувшие в сигаретном дыму кафе Пигаль, где он ей возбуждающе нашептывал всякие слова, от которых ее бросало в жар, а грудь замирала. Они ели форель и трюфели в «Буа де Болонь», где стеклянные люстры свисали прямо с каштанов, и пили «Шато Лафит 29» в уединенных кафе с подсолнухами на окнах. С каждым днем Алексей становился все веселее, охотно смеялся и, казалось, снова стал мальчишкой.

По ночам он увлекал ее в большую спальню своего серого каменного дома на рю де ля Бьенфезанс и овладевал ею снова и снова; Белинде казалось, что ее тело уже не существует отдельно от его тела. Она поймала себя на том, что ненавидит работу Алексея, отнимающую его у нее каждое утро. Оставшись одна, Белинда чувствовала усталость, смущение и волнение...

Он водил ее в катакомбы под городскими холмами, где в старых могилах покоились миллионы скелетов тех, кто жил в этих местах в разные столетия. Он показывал ей, где стояли насмерть бойцы Сопротивления в судьбоносном августе 1944 года. Пробираясь по узким подземным ходам, Алексей рассказывал кое-что из своего военного прошлого, о том, как во время оккупации он помогал Сопротивлению тайно переправлять за границу врагов Третьего Рейха. А когда они наконец выбрались из подземелья в залитый солнцем день, он подвел ее к чугунной скамье.

— Никто из очевидцев тех событий не может забыть Париж в День освобождения. — Алексей вынул сигарету из серебряного портсигара и закурил. — Американские солдаты катили на джипах по улицам, усыпанным цветами, лица парней были перемазаны губной помадой: француженки зацеловали их. Везде звучала «Марсельеза», ей не было конца, она пропитала воздух Парижа. Тот день означал начало новой жизни, возможным казалось абсолютно все. Как и тот день, когда я встретил тебя.

По утрам Алексей уезжал по делам, а Белинда оставалась в постели и думала о ребенке, который рос внутри нее. Один день перетекал в другой, дитя переставало быть чем-то абстрактным. Оно превращалось в кусок живой плоти, которую надо любить и о которой надо заботиться. Ребенок Флинна рос в ней, ребенок, в котором текла ее кровь и его. Воображение Белинды разгоралось. Мечты могут стать реальностью. Она вернется с ребенком в Калифорнию, начнет совершенно новую жизнь. Белинда представляла себе, как она идет по бесконечному морскому берегу с маленьким мальчиком, таким же красивым, как его отец. Или с маленькой девочкой, самой красивой из всех девочек на свете. Иногда вообра-

жение играло с Белиндой странные шутки и в мужчине, шагавшем
рядом с ними, она удивленно узнавала Алексея... В общем, очень
скоро Белинда поняла, что дни на рю де ля Бьенфезанс без Алексея
почти невыносимы. Она расхаживала по толстым коврам спальни,
ожидая его возвращения домой. Она все-таки не готова была жить
в таком большом сером доме с салонами, комнатами, с обеденным
залом, в котором может поместиться полсотни гостей. Открытие,
что этот дом построен еще в восемнадцатом веке одним из архитек-
торов, возводивших резиденцию Бурбонов, поначалу приятно оше-
ломило Белинду. Ей предстоит жить в такой роскоши! Но очень
скоро огромный дом начал давить ее. Овальное фойе было выложе-
но слишком мрачным, «похоронным» мрамором. Гобелены, изобра-
жавшие библейские муки, казались ужасными. Потолок в главном
салоне, расписанный аллегорическими фигурами в плащах с мечами,
занесенными над гигантскими змеями, пугал. Фризы, нависающие
над окнами, задрапированными тяжелыми занавесями, заставляли ее
чувствовать себя маленькой и беззащитной. И всем этим мрачным
великолепием управляла мать Алексея, Соланж Савагар.

Хотя Белинда знала о существовании матери Алексея, она не
готова была встретиться с ней лицом к лицу. Соланж, высокая худо-
щавая женщина с тщательно выкрашенными в черный цвет и коротко подстриженными волосами, с крупным носом, морщинистыми, словно
мятая бумага, щеками, прозрачными настолько, что видны были голубые веточки сосудов, приступала к управлению домом и его обитателя-
ми каждое утро ровно в десять. В одном из бесчисленных белых
шерстяных костюмов от известного до войны дизайнера Норелля, в
рубинах, горящих огнем на утреннем солнце, она усаживалась в кресло
в стиле Людовика Пятнадцатого в центре главного салона.

Вероятность того, что Белинда, по праву жены Алексея, займет
место Соланж, даже не обсуждалась. Дом на рю де ля Бьенфезанс
был владением Соланж, и только ее смерть — ничто иное — могла
изменить раз и навсегда заведенный порядок. И уж конечно, не
появление непростительно юной американки, которая непонятно как
умудрилась соблазнить ее любимого сына.

Алексей ясно дал понять, что его мать следует уважать, и Белинда старалась держаться вежливо, хотя Соланж выводила ее из

себя. Она отказывалась говорить по-английски, разве что когда хотела покритиковать за что-то; она находила удовольствие в том, чтобы ловить Белинду на всякой неловкости, а потом рассказывать Алексею о промахах жены. Каждый вечер, в семь, они сходились в главном салоне, где Соланж маленькими глотками пила белый вермут и курила «Голуаз», фильтр которых всегда был испачкан помадой. Она говорила с сыном на отрывистом французском, полностью игнорируя невестку.

Все жалобы Белинды на его мать Алексей смывал поцелуями.

— Моя мать — несчастная старая женщина, которая слишком много потеряла в своей жизни, — говорил он, утыкаясь жене в шею. — Этот дом для нее — ее королевство. — Горячие поцелуи обжигали грудь Белинды. — Так что угождай ей, милая, ради меня.

А потом внезапно все резко изменилось.

Как-то ночью Белинда захотела удивить Алексея, нарядившись в прозрачное нижнее белье, купленное ею в тот день. Когда она, кружась и выделывая пируэты, приблизилась к кровати, его лицо вдруг окаменело и побелело. Ни слова не говоря, он выскочил из комнаты. Белинда ждала его в темноте, осыпая себя проклятиями. Она ведь знала, что он терпеть не мог ничего, кроме простых ночных рубашек, которые сам выбирал. Часы тянулись, Алексей не возвращался. Не вернулся он и утром. Она замочила слезами всю подушку.

Вечером она подошла к свекрови.

— Алексей исчез. Я хочу знать, где он.

Древние рубины на пальцах Соланж подмигивали дьявольскими глазами.

— Мой сын сообщает мне только то, что он хочет, чтобы я знала.

Алексей вернулся через две недели, в начале апреля. Белинда стояла на мраморной лестнице в платье от Бельмэн, утянутом в талии, и смотрела, как он отдает чемоданчик дворецкому. Он казался постаревшим лет на десять. Алексей шагнул, поднял глаза и увидел Белинду. Скривившись в циничной усмешке, которой она не видела у него на лице с момента первой их встречи, он сказал:

— Моя дорогая жена. Ты, как всегда, великолепно выглядишь.

Следующие несколько дней она пребывала в замешательстве. На людях все было как раньше. Алексей обращался с женой уважительно, даже подарил старинную нефритовую шкатулку для украшений с российским императорским орлом. Но когда супруги оставались наедине, все менялось. Он мучил Белинду своими домогательствами, брал ее без всякой нежности. И все время доводил до грани, за которой она могла бы испытать настоящее наслаждение... но не испытывала, потому что он ей не позволял. Это было так болезненно и унизительно — не испытать желанного удовольствия. А в конце недели Алексей объявил, что они отправляются путешествовать, но не сказал куда.

Вместо «даймлера» с шофером он взял «испана-сюизу» 1933 года из своей коллекции, и сам сел за руль. Он вел машину очень сосредоточенно, и Белинда радовалась, что не надо делать над собой усилие и поддерживать беседу. Она смотрела в окно, на длинные ряды тополей парижских предместий, тянувшихся вдоль Сены, потом они выехали на голые, мелового цвета холмы Шампани. Несмотря на прелесть пейзажа, Белинда никак не могла заставить себя успокоиться. По ее подсчетам, уже шел четвертый месяц беременности, и скрывать этот факт становилось все труднее. Она была на грани нервного истощения. Белинда изображала, что у нее продолжаются месячные, которых давным-давно не было, тайно перешивала пуговицы на новых юбках, обнаженная, старалась держаться в тени, а не на свету. Она делала все, чтобы оттянуть время, когда придется сказать Алексею о ребенке.

Во второй половине дня они доехали до Бургундии; виноградники на склонах холмов окрашивались сиреневыми вечерними тенями. Гостиница, где они предполагали провести ночь, была очаровательна, с красной крышей, геранями в горшках на окнах, но Белинда чувствовала невероятную усталость и не способна была наслаждаться простой, хорошо приготовленной едой, которую им принесли.

Наутро Алексей повез ее мимо женщин, стиравших белье на берегу Сены, дальше, на природу. Для ленча они расположились на вершине холма, покрытого дикими цветами. Алексей в соседней деревне купил кое-что из еды. Лук-латук, эстрагон, чеснок, большие куски свежеиспеченного хлеба, посыпанного маком, плавленый сыр. Единственным, к чему могла притронуться Белинда, было молодое виноградное вино. Но когда она отпила глоток, по телу ее пробежала дрожь. После еды Белинда накинула на плечи кардиган и пошла вперед, желая освободиться от давящего молчания Алексея.

— Наслаждаешься видом, любовь моя?

Она вздрогнула от неожиданности, когда он подошел сзади и положил ей руки на плечи.

— Да, здесь очень красиво.

— И тебе нравится быть наедине с мужем?

— Конечно, Алексей. Мне всегда радостно быть с тобой.

— Особенно в постели. Правда?

Она ничего не ответила, и, судя по всему, он не ждал от нее слов. Он показывал ей виноградники и постепенно стал казаться прежним Алексеем, тем, который водил ее по Парижу. Белинда стала расслабляться.

— Посмотри вон туда, дорогая. Видишь серые каменные здания? Это Куван де л'Анонсиасьон. Монашенки устроили там одну из лучших школ Франции.

— О! — Но Белинду больше интересовали виноградники. Хотя Алексей настоял на том, чтобы она приняла католичество перед венчанием, она себя католичкой не чувствовала. В Индианаполисе дети-католики считались не такими, как все, почему-то хуже других; в их домах пахло стряпней, на стенах висели распятия, украшенные пальмовыми ветками, побелевшими и ломкими от времени.

— Лучшие семьи в Европе посылают своих детей учиться к этим монашенкам. Сестры берут даже младенцев. Мальчиков, когда им исполнится пять, направляют к братьям, в местечко близ Лангре.

Белинда была потрясена.

— Но почему богатые семьи должны отсылать из дома своих детей?

— По необходимости. Допустим, дочь не вышла замуж, ей не смогли найти подходящего человека. Сестры держат у себя их малюток до тех пор, пока не найдутся приемные родители. Конечно, это все хранится в тайне.

Разговор о детях заставил Белинду нервничать, и она попыталась перевести разговор на другое. Но Алексей не собирался отклоняться от темы.

— Сестры хорошо относятся к детям. Прекрасно кормят, у них хорошие условия, не как в других местах, где дети живут в лачугах.

— Не могу представить себе мать, способную отдать своего ребенка на попечение кого-то другого. Если в этом нет отчаянной необходимости.

Становилось прохладно. Белинда надела кардиган как полагается, засунув руки в рукава.

— Пойдем, Алексей, мне холодно.

Он не двинулся с места.

— Это ты *сейчас* не можешь себе представить. Но тебе придется переменить свое мнение, поскольку ты моя жена, одна из Савагаров.

Белинда невольно стиснула руки на животе и медленно повернулась к нему.

— О чем ты говоришь, Алексей?

— Я говорю о том, что, как только твой ублюдок родится, он сразу отправится к сестрам в монастырь, на воспитание.

— Так ты знаешь, — прошептала Белинда.

— Конечно.

Солнце, казалось, ушло из этого дня, потухло. Все ночные кошмары разом набросились на нее.

— Живот твой раздувается, — продолжал он свинцовым голосом, полным презрения, — а вены на грудях просвечивают сквозь кожу. В тот вечер, когда я увидел тебя в спальне в прозрачном черном белье, с моих глаз будто сорвали повязку. Сколько еще времени ты могла бы меня обманывать?

— Нет! — Белинда почувствовала, что больше не может выносить этого ужаса, и сделала то, чего поклялась никогда не делать. — Ребенок не ублюдок! Это твой ребенок! Это твой...

Алексей с размаху ударил жену по лицу, крепко сжав ее руку, чтобы Белинда не отскочила и ощутила всю силу удара.

— Не унижай себя ложью, которой, как тебе известно, я никогда не поверю.

Она попыталась вырваться, но он держал крепко.

— Как ты, должно быть, смеялась надо мной в тот день в «Поло Лонж», вываливая свои глупые проблемы и не упомянув одной, единственно важной. Ты меня заманила в брак, как мальчишку, как неопытного школяра. Сделала из меня дурака.

— Извини, Алексей, — прорыдала Белинда. — Я знаю, я должна была тебе сказать. Но тогда бы ты не помог мне. А я не знала, что делать. Я уйду. После нашего развода ты никогда больше меня не увидишь.

— Нашего развода? О нет, малышка. Развода не будет. Ты не поняла, что я говорил тебе про монастырь? Теперь понимаешь, что ты в ловушке?

Вдруг его недавно сказанные слова обрушились на нее, словно опутав сетью страха.

— Я никогда не позволю тебе отнять у меня ребенка! — плакала она.

Лицо Алексея стало гневным и жестким. Глупые воздушные замки, выстроенные из нежности и иллюзий, рухнули.

— Не будет никакого развода. А если убежишь, не получишь от меня ни су. Без чужих денег ты не проживешь, не так ли, Белинда?

— Ты не можешь отобрать у меня ребенка. Он мой.

Алексей ответил убийственно спокойным голосом:

— Ты ошибаешься. По закону этот ублюдок будет моим. Французский закон дает отцу полное право распоряжаться судьбой его детей. И, Белинда, предупреждаю тебя: если ты когда-нибудь заикнешься кому-то об этой глупости, я тебя погублю. Ты меня понимаешь? Ты останешься ни с чем.

— Алексей, не поступай так со мной! — разрыдалась она.

Но он уже уходил прочь от нее.

Они поехали прямо в Париж; всю дорогу оба молчали. Въехав в ворота, Алексей остановил машину. Белинда посмотрела на дом, который она уже начинала ненавидеть. Он нависал над ней, как огромная серая гробница, как монумент, воздвигнутый в память о прошлом, которое для нее не имело никакого значения. Вслепую она нащупала ручку дверцы и выскочила из машины.

Алексей тут же оказался рядом.

— Войди в дом с достоинством, Белинда. Ради себя самой.

Глаза ее были полны слез.

— Почему ты женился на мне, Алексей?

Он посмотрел на нее долгим взглядом. Секунды шли одна за другой, и каждая словно уносила с собой все обещания жизни. Рот его изогнулся в напряженной и горькой гримасе.

— Потому что я любил тебя, — сказал он.

Она уставилась на него. Светлый локон упал на щеку.

— Ненавижу тебя за это. Ненавижу и всегда буду ненавидеть.

Отскочив от него, не глядя под ноги, Белинда побежала вниз по дорожке к рю де ля Бьенфезанс; ее несчастье особенно остро ощущалось на фоне солнечного весеннего дня.

Алексей повернулся и уставился ей вслед, пытаясь вспомнить, почему же он все-таки любил ее. За что? Но остатки нежности, застрявшие в уголках его сердца, пропали уже на склоне холма, когда они смотрели на монастырь.

Она выскочила за ворота, в тень старых каштанов, отягченных белыми мощными цветами; их лепестки падали, укрывая асфальт, словно пышные снежные сугробы. Когда она выбежала на улицу, порыв ветра подхватил упавшие лепестки с дорожки и окутал ее белым облаком. Алексей стоял не двигаясь и смотрел на Белинду в кружащемся цветочном облаке, упавшем не с неба, а поднявшемся с земли.

Эту картину он запомнит на всю жизнь. Белинда в цветах. Глупая, легкомысленная, отчаянно молодая. Разбившая ему сердце.

РЕБЕНОК БЕЛИНДЫ

За то, что другим достается само собой,
мне приходится драться.

Эррол Флинн
Грехи мои тяжкие

Глава 6

Он был безобразный, с немытой спутанной бородой и в грязной рясе. В монастырской столовой привычная утренняя болтовня на пяти языках мгновенно стихла. Все стали жаться друг к другу, горько жалея, что съели слишком большую порцию вареного мяса с овсянкой, потому что живот сразу же скрутило.

Одна из младших девочек пронзительно взвизгнула, когда старик поднял над головой руку с отвратительным черным прутом. Девочки постарше, еще вчера вечером внушавшие себе и друг другу, что им нечего бояться порки, почувствовали, как в горле у них пересохло.

«Пресвятая Дева, пожалуйста, пускай это буду не я. Это так оскорбительно, ну пожалуйста, пусть это буду не я».

Конечно, девочки знали, что это будут не они. Никогда ни одна из них не становилась его жертвой. Каждый год 4 декабря для порки выбирали самую плохую в монастыре. Все знали, кого выберут сегодня. Некоторые уже поглядывали в ее сторону: одни с сочувствием, другие снисходительно.

Она стояла чуть в стороне от всех, ближе к пластиковым рождественским венкам, прицепленным к стене вдоль бумажных гирлянд. До сих пор там же висела афиша Мика Джаггера, которую сестры еще не успели испортить. Она была одета так же, как все остальные, в форменную голубую шотландку с белой блузкой и темными гольфами, но все равно умудрялась выглядеть иначе. Отчасти из-за своего роста. Ей было только тринадцать, но она уже возвышалась над всеми. У нее были большие руки, а ноги — как лопасти пароходного винта. Лицо тоже казалось слишком большим. Прямые волосы были зачесаны назад и собраны в непокорный хвост, болтавшийся за плечами. Бледность кожи подчеркивали густые черные брови, почти сходившиеся на переносице, будто нарисованные тупым черным карандашом. Рот был большой, во все лицо, на зубах — полный набор серебряных скобок. Руки и ноги длинные и нескладные; вообще казалось, ее фигура составлена из одних острых углов: плечи, локти, колени. На одном была ссадина, залепленная куском грязного пластыря. В то время как остальные девочки носили изящные швейцарские часики, она нацепила мужской хронометр на черном кожаном ремешке. Часы болтались тяжелой гирькой, и, чтобы узнать время, приходилось другой рукой поднимать их с костлявого запястья.

Но не только фигурой отличалась она от остальных. Эта девочка даже стояла иначе — вздернув подбородок. В замечательных зеленых глазах сверкал вызов, по ним легко было прочесть, что ей не нравится. Сейчас ей не нравилась порка. Взглянув на эту ученицу, так и хотелось пройтись по ней розгами, но всем своим видом она показывала, что ей совершенно не важно, опустится ли на нее прут. Никто, кроме Флер Савагар, не смел вот так относиться к порке.

Зимой 1969 года порка во Франции была отменена, но жестокий обычай угрожать детям, которые вели себя не слишком хорошо, березовыми прутьями вместо подарков на Рождество сохранился в этом монастыре. Здесь никогда перемены не происходили легко, несмотря на то что в день появления экзекутора монашенки просто с ног сбивались. Монастырская больница была переполнена малышками, которые жаловались на головную боль и желудок. С годами в монастыре возник своего рода ритуал: самой непослушной преподносили пучок розог. Это было ужасно, все ожидали отмены дурной традиции, но, к несчастью, в тот день все происходило по-старому.

Во второй раз экзекутор щелкнул прутом у себя над головой, и снова Флер Савагар даже бровью не повела, хотя все понимали, что ей стоило бы поволноваться. В январе она стащила ключи от старого «ситроена» матушки, похвасталась, что умеет водить машину, и тут же врезалась в стену гаража. В марте сломала руку, занимаясь акробатикой на замызганном монастырском пони; у него на спине Флер пыталась сделать акробатический этюд, а потом упрямо отказывалась признаться, что ушиблась. Если бы рука не распухла настолько сильно, что не пролезала в рукав, никто бы никогда ничего не узнал. Потом случай с фейерверками. Потом, наконец, исчезновение на полдня шестилеток.

Экзекутор вытащил ненавистный пучок березовых розог из мешка на спине, обвел глазами ряды девочек и остановился на Флер. Подойдя к ней, он положил розги к носкам потрепанных коричневых полуботинок. Сестра Маргерит, считавшая этот обычай варварским, отвела взгляд, но другие монашенки зацокали языками и закачали головами. Они так старались научить Флер достойному поведению, но без всякого толку. Она, как ртуть, скользила и перекатывалась, не удерживаясь в дисциплинарных рамках, импульсивная, страстно ожидающая начала настоящей жизни. Но они очень любили ее, потому что эта девочка была с ними дольше всех. И потому что просто невозможно было ее не любить. Они очень беспокоились за Флер Савагар. Что будет с ней, когда она избавится от их жесткого контроля?

Монашенки смотрели на нее, ожидая заметить хотя бы тень раскаяния на лице девочки, когда она наклонялась и поднимала связку розог. Ей уже тринадцать, она не ребенок, и слишком большая, чтобы качаться на ветках клена с юбкой, задранной выше головы, открывая свои трусы взору бедного Пера Этьена, выбирающегося из машины. Пора уже все это понимать. Они любили Флер очень сильно, поэтому не могли позволить ей вести себя столь безрассудно.

Флер посмотрела на розги. Со стороны казалось, что она задумалась о своих проступках. Но вдруг девочка вскинула голову, одарила всех собравшихся лучезарной улыбкой, собрала розги и положила их на изгиб руки, как будто это были розы, преподнесенные королеве красоты. Она послала всем воздушные поцелуи, раскланялась. Девочки захихикали. Флер была совершенно невозможна. И невозможно было не любить ее.

Едва Флер убедилась, что все поняли ее отношение к экзекутору и его дурацким розгам, она выскользнула в боковую дверь столо-

вой и сорвала с крюка старое шерстяное пальто. Глупые суки! Как
она их всех ненавидит! Потом локтем сбила задвижку с двери и
выскочила на улицу.

Утро было холодное, изо рта вырывались облачка пара; Флер
бежала по плотно утоптанной земле, подальше от серых каменных
домов. На бегу она вытащила из кармана пальто поношенную синюю шапочку и напялила на голову. Шапка давила на хвост, но
Флер не обращала внимания. Ей она нравилась. Белинда купила ее
прошлым летом.

Флер позволяли встречаться с матерью два раза в год. Она
могла провести с ней август и рождественские каникулы. Ровно
через четырнадцать дней они будут вместе в розовом оштукатурен-
ном отеле близ Антиб, где проводят каждое Рождество. Флер делала пометки оранжевым карандашом на календаре с того августовского
дня, когда Белинда привезла ее обратно в монастырь. Она любила
проводить время с матерью больше всего на свете. Белинда никогда
не ругала ее за громкий голос, за неловкость, не сердилась, когда
девочка опрокидывала стакан с молоком и даже когда грубо ругалась. Никого Белинда не любила так, как ее.

Флер никогда не видела отца. Он привез ее в монастырь, когда
ей исполнилось всего несколько недель, и больше не появлялся. Она
никогда не бывала в доме на рю де ля Бьенфезанс, где все они жили
без нее: бабушка, отец, мать и брат Мишель. Но в этом нет ее
вины, сказала ей мать.

Она побежала медленнее и пронзительно свистнула возле изго-
роди, за которой начинались земли, уже не принадлежавшие монас-
тырю. Она лучше свистела до того, как ей поставили пластины на
зубы. Когда Флер была маленькой, она думала, что нет ничего на
свете, от чего она стала бы некрасивее, чем есть, но тогда она не
знала о существовании железяк для зубов.

Гнедой заржал, просунул голову через загородку и уткнулся
мордой в плечо девочки. Это была лошадь соседа-виноторговца;
обычно он ездил на ней верхом, в седле, и Флер считала ее самым
красивым животным в мире. Она провела рукой по лбу лошади,
потом прижалась щекой к теплой шее. Она бы все отдала, только
бы прокатиться на ней, но монашенки не позволяли, хотя сам вино-
торговец не имел ничего против. Вот бы взять и умчаться! Но Флер

боялась рискнуть — тогда ей вообще могут запретить подходить к лошади, а про это даже думать невыносимо.

Когда-нибудь она станет великой наездницей. Она будет выступать в шоу, выигрывать призы, трибуны примутся восторженно реветь и рукоплескать при одном ее появлении. Она уже самая лучшая спортсменка в школе. Флер Савагар быстрее всех бегала, плавала, никто так здорово не играл в хоккей, как она, за всю историю существования монастырской школы. Она могла дать фору любому мальчишке, и все это знали. А быть как мальчишка для нее очень важно. Отцы любят мальчиков. Вот если бы она была самой сильной, самой быстрой, как мальчик, тогда, может быть, отец разрешил бы ей приехать домой...

Дни перед рождественскими каникулами тянулись для Флер бесконечно. Когда наконец настал день приезда матери, она за несколько часов до ее появления собрала вещи. Одна за другой монашенки протискивались к ней.

— Не забудь, Флер, взять с собой свитер. Даже на юге в декабре бывает холодно.

— Да, сестра Доминик.

— Запомни, что ты не в Шатильон-сюр-Сен, где тебя все знают, ни в коем случае не заговаривай с незнакомцами.

— Да, сестра Маргерит.

— Пообещай мне, что будешь ходить к мессе каждый день.

Она скрестила пальцы в складках юбки.

— Обещаю, сестра.

Гораздо больше монашенок, чем было необходимо, собралось в момент появления Белинды. Сердце Флер бурно колотилось от гордости, когда ее красавица мать вошла под их мрачные своды; она словно райская птица приземлилась среди стаи черных стрижей. Под снежно-белой норковой шубой на Белинде была желтая шелковая блузка и брюки цвета индиго, затянутые в талии плетеным ремнем апельсинового цвета. Платиновые безделушки побрякивали на запястьях, из ушей свисали круглые диски серег. Все на ней было яркое, модное, стильное и дорогое.

В тридцать два года лицо Белинды утратило былую нежность, но вся она стала похожа на драгоценный камень, доведенный до совершенства шлифовкой Алексея Савагара и дорогими вещами. Она похудела, стала более нервной, у нее появились суетливые жесты, но глаза, потонувшие сейчас в лице дочери, остались прежними. Они были невинного оттенка синего гиацинта, как в тот день, когда Эррол Флинн впервые заглянул в них.

Флер прыгнула через комнату, как переросший щенок сенбернара, и бросилась в объятия матери. Она чуть не сбила ее с ног, но мать устояла.

— Давай скорее, — прошептала она на ухо Флер.

Флер махнула рукой, прощаясь, подхватила мать и потащила к двери, торопясь, чтобы сестры не вывалили на мать свои жалобы. Белинда не любила, когда они рассказывали ей о проделках дочери.

— Ты знаешь, что мне хочется им всем сказать? — призналась ей позже Белинда. — Мне хочется им сказать: вы старые вороны, вот вы кто. У моей дочери свободный, независимый дух, я не хочу, чтобы вы сделали ее другой.

Флер очень нравилось, когда мать так говорила. И еще про то, что необузданность у Флер в крови.

Серебристый «ламборгини» стоял возле нижней ступеньки лестницы. Флер скользнула внутрь, закрыла дверь и вдохнула знакомый сладкий запах материнских «Шалимар»*.

— Ну, привет, детка.

Тихо всхлипнув, девочка бросилась в объятия Белинды, зарываясь в ее норку, духи, во все, чем была ее мать. Она понимала, что уже слишком взрослая и не должна плакать, но ничего не могла с собой поделать. Так хорошо было снова почувствовать себя ребенком Белинды.

Белинда и Флер любили Лазурный берег. Главным образом потому, что он мало походил на всю остальную Францию. Это был самый дорогой в мире карнавал, он блестел от звезд кино, от привезенных пальм, от казино с неоновым светом. Здесь пахло нефтью и деньгами. Из своего розового отеля возле Антиб они поехали на машине в Монако, вдоль известного Корниш-дю-Литтораль. На извивающемся серпантине дороги, огибающей утесы каменистого берега, Флер всегда укачивало. Мать говорила, что ей лучше смот-

---

* «Шалимар» — известные духи от Жака Герлена. В переводе название духов означает «Сады любви».

реть прямо перед собой, а не глазеть по сторонам. Но вокруг было
так красиво, что Флер забывала о ее наставлениях.

Только приехав в Монте-Карло, они отправились к подножию
холма. Там Флер, у которой желудок уже успокоился, носилась от
одного продуктового прилавка к другому, указывая то на одно, то на
другое, и выбирала еду на ленч. День стоял теплый, она была в
шортах цвета хаки, в любимой майке с надписью «Настоящее пиво,
не для молокососов» и новой паре сандалий, купленных Белиндой
накануне.

Белинда относилась к одежде не как монашенки. Это очень
нравилось Флер.

— Носи все, в чем тебе хорошо, — сказала она. — Развивай
свой собственный стиль. А для высокой моды у тебя будет достаточно времени. Потом.

Сама Белинда была одета от Пуччи.

После того как Флер выбрала все, что хотела, она потянула
мать наверх, по склону холма, и когда Белинда отставала, дочь
танцевала вокруг нее, болтала с полным ртом ветчины и булочек с
маком. Она говорила на четырех языках, но больше всего гордилась
своим английским. У нее было совершенно американское произношение. Когда-нибудь они с Белиндой поедут жить в Калифорнию.
Ей хотелось приготовиться к этому счастливому моменту. У них в
монастыре всегда учились одна или две американки, дочери членов
правительства, банкиров или шефов отделов американских газет, и
она старалась подружиться с ними, даже с теми, кто на самом деле
не очень ей нравился. Флер перенимала их сленг, улавливала отношения между ними и переставала думать о себе как о француженке.
Когда придет время, она легко впишется в американское общество.
Ей хотелось поехать с Белиндой в Калифорнию прямо сейчас, но у
той не будет денег, если она разведется с Алексеем. К тому же
Алексей вовсе не собирался давать ей развод. Флер хотела поехать
в **Америку** больше всего в жизни.

— **Я** бы хотела, чтобы у меня было американское имя, —
сказала она, откусывая кусок сандвича, а другой рукой почесывая
бедро, укушенное каким-то насекомым. — Ненавижу свое имя, правда
ненавижу. Мне жаль, что ты не назвала меня Фрэнки, особенно

после того, как я прочитала «Гостя на свадьбе» Карсон Маккаллерс. Там девочку зовут Фрэнки и она похожа на меня ну просто до дрожи. А Флер — какое-то смешное имя для взрослой. Еще мне нравится Холден. Из-за Холдена Колфилда*, но это мальчишеское имя.

— Ой, остановись. — Белинда шлепнулась на скамейку и попыталась восстановить дыхание. — Фрэнки — совершенно отвратительное имя. Холден тоже. Флер было ближе всего к тому имени, какое мне хотелось для девочки, — Флер Диана. Красивое имя для красивой девочки.

Флер улыбнулась. Белинда считала ее красивой. Мать иногда говорила такое, чего не было на самом деле. Но ей это нравилось. Внезапно мысли Флер устремились совершенно в другом направлении.

— Ненавижу, когда у меня месячные. Ужасно.

— Ты становишься женщиной, детка, так должно быть.

Флер скорчила гримасу, желая выразить поточнее, что она думает насчет этого. Мать рассмеялась. Флер показала на дорожку, ведущую наверх.

— Интересно, а она счастлива?

Белинде не надо было спрашивать, о ком говорит дочь. Они хорошо понимали друг друга.

— Ну конечно, счастлива. Она принцесса**, одна из самых известных женщин в мире. — Белинда закурила сигарету и сдвинула на лоб солнечные очки. — Ты могла видеть ее в «Лебеде» с Алеком Гиннесом и Луисом Джорданом. Боже, как она хороша! Это ее самая красивая картина.

Флер развалилась на скамейке и вытянула ноги. Они были в бледных волосках и порозовели от солнца.

— А он староват, тебе не кажется?

— Вовсе нет. Люди вроде Рейнера*** не имеют возраста. Он замечательный, знаешь ли. Просто потрясающий.

— Ты с ним встречалась?

— Прошлой осенью. На ужине.

---

* Холден Колфилд — главный персонаж повести Дж. Сэлинджера «Над пропастью во ржи».

** Флер и Белинда разговаривают о принцессе Грейс (бывшей актрисе Грейс Келли), которая вышла замуж за принца Монако.

*** Муж принцессы Грейс, принц Ренье III Гримальди.

Она вдруг снова надела очки, и Флер поняла, что мать не очень хочет развивать эту тему.

Флер стукнула ногой, и задник сандалии вдавился в пыль.

— А *он?*

— Передай мне вон те оливки, дорогая. — Белинда указала на пакет. Пальцы с маникюром были совершенными, ногти по форме повторяли миндалины, а их цвет напоминал зрелую малину. Флер подала.

— Так он был там?

— У Алексея собственность в Монако. Конечно, он был.

— Я не про него. — Для Флер бутерброд потерял всякий вкус, она стала отщипывать от него кусочки и бросать на дорожку уткам. — Я имела в виду не Алексея, а Мишеля. — Обычно она произносила его имя на французский манер.

— Мишель тоже. У него были каникулы.

— Ненавижу его. Просто ненавижу.

Белинда отложила пакет с оливками, не открыв, и глубоко затянулась сигаретой.

— Мне даже плевать, если это грех, — продолжала Флер. — Я думаю, что ненавижу его сильнее, чем Алексея. У Мишеля есть все. Это нечестно.

— Но у него нет меня, дорогая. Не забывай про это.

— А у меня нет отца. Это, конечно, не одно и то же. Но по крайней мере Мишель может жить дома. Быть с тобой.

— Ну ладно, детка. Мы приехали сюда хорошо провести время. Давай не будем говорить о серьезном.

Флер упорствовала:

— Я не понимаю Алексея. Вообще никого, кто так ненавидит ребенка. Может, сейчас, когда я выросла, меня можно не любить. Но не тогда же, когда я была младенцем?

Белинда вздохнула.

— Мы с тобой это уже обсуждали. Дело не в тебе. Дело в нем. Боже мой, как бы я хотела выпить.

Белинда сто раз объясняла, но до Флер не доходило. Как мог отец настолько сильно хотеть сыновей, чтобы отослать единственную маленькую дочку из дома и никогда больше не желать даже взглянуть на нее? Она служила напоминанием о его поражении, объясняла Белинда. А Алексей подобного не выносит. Но даже после рождения Мишеля он не переменился. Белинда объясняла это тем, что у нее больше не может быть детей.

Флер вырезала из газет фотографии отца и хранила их в конверте из оберточной бумаги в дальнем углу шкафа. Иногда ночами, лежа в постели, она воображала, как кто-то из сестер зовет ее вниз, в контору, а там стоит Алексей. Он признается ей, что совершил ужасную ошибку и приехал за ней, чтобы забрать домой. Потом он обнимет ее и назовет «детка», как называет ее мать.

— Ненавижу его! — заявила Флер. — Ненавижу их обоих. — А потом, чтобы высказаться до конца, добавила: — Ненавижу свои железки на зубах! Никто из девочек не любит меня, потому что я такая страшная.

— Это неправда, дорогая. Просто ты сейчас мучаешься от жалости к себе. Вспомни, что я тебе постоянно твержу: через несколько лет все девочки захотят походить на тебя. Просто, детка, тебе надо немного вырасти.

Плохое настроение Флер улетучилось. Она любила мать, правда, очень любила.

Дворец семьи Гримальди* представлял собой длинное каменное оштукатуренное здание с бесчисленными квадратными башенками, из-за которых, по мнению Белинды, оно напоминало исправительный дом. Флер, мало что видевшая в своей жизни, не была так категорична. Увидев гвардейцев в форме и в тропических шлемах, с накидками в красно-белую полоску, она быстро забыла про свое дурное настроение.

Белинда наблюдала за дочерью, которая металась в толпе туристов, залезала на старинную пушку, чтобы получше разглядеть яхты в море. У нее подступил комок к горлу. Это истинное дитя Флинна. Та же необузданность, неугомонная жажда жизни, но в более мягком варианте.

Не раз Белинде хотелось выпалить Флер всю правду. Сказать, что ее отцом никак не мог быть Алексей Савагар, что ее настоящий отец — Эррол Флинн. Но страх заставлял молчать. Давно, еще на вершине холма, когда они с Алексеем смотрели на монастырь, Белинда поняла, что с ним нельзя спорить. Только однажды ей уда-

---

* Королевская семья Монако.

лось его победить. Только один раз он почувствовал себя беспомощным, а не она. Когда родился Мишель.

Они вернулись в отель, Белинда налила себе двойной скотч, потом пошла принять душ, пока Флер мыла ноги. После неспешного ужина и еще одного скотча Белинда раскрыла газету, чтобы посмотреть, какие идут фильмы. Сейчас была очередь Флер выбирать. Девочка остановилась на американском вестерне с французскими субтитрами. Белинда любила Пола Ньюмена*, так что ей фильм тоже подходил.

Флер посмотрела уже половину фильма, когда Белинда тоже села перед экраном. Вдруг Флер оглянулась на мать, и та догадалась, что, наверное, сама того не заметив, что-то произнесла.

— Да, мама?

— Нет, нет, — с трудом проговорила Белинда. — Просто... Этот мужчина...

Флер повернулась обратно к экрану, а потом снова оглянулась на мать, сощурившись.

Белинда изучала человека, только что вошедшего в салон, где Пол Ньюмен играл в покер. Казалось, это невозможно. Она понимала: этого не может быть. И все же...

Все последние годы, казалось, улетучились, растаяли как дым. Это был Джеймс Дин.

Высокий, гибкий мужчина, нервно перебиравший ногами, словно не в силах был хоть минуту постоять на одном месте, с длинным узким лицом, будто выстроганным упрямой, точной рукой. Черты лица неправильные, заостренные, в них читалась не только надменность, но и уверенность в себе, которая приходит к человеку не сразу, а после долгих усилий. Камера наехала на него и показала крупным планом. Молодой, не больше двадцати трех лет, не так красив, как положено звезде. У него прямые каштановые волосы, длинный нос, узкий с горбинкой, надутые губы. Передний зуб слегка кривоват, с щербинкой. Печально-голубые глаза смотрели на Белинду спокойно.

Она поняла, он не похож на Джимми. Да, было какое-то отдаленное сходство, но он выше и не так красив. А вот впечатление от него то же самое. Именно оно захватило Белинду. Она увидела еще

---

* Пол Ньюмен — известный американский актер.

одного мятежника, человека, живущего по своим собственным правилам. Она задрожала.

Фильм кончился, а Белинда сидела не двигаясь, сжимая нетерпеливую руку Флер, глядя на бегущие по экрану титры. Его имя мелькнуло на синем фоне, в возбуждении Белинда прочла: Джейк Коранда...

Она восприняла его появление на экране как сигнал, посланный Джимми. Он предупреждал Белинду: рано терять надежду. Словно сам факт существования кого-то вроде Джейка Коранды доказывал реальность ее мечты. Мужчина отвечает за себя, а женщина — за себя. Джейк Коранда. Вероятно, каким-то странным образом Белинда еще может осуществить свою мечту.

Глава 7

Флер было шестнадцать лет, когда мальчики Шатильон-сюр-Сен обратили на нее внимание.

Она вышла из булочной, слизывая шоколадную глазурь с эклера, таявшую на июльской жаре, и капнула на юбку.

— Проклятие! — прошептала она.

Смешно, эти монашенки заставляли девочек надевать платье, выходя в город. Особенно в такую жару. Даже в легком и коротком, намного выше колен, ей было слишком жарко. Шея тоже взмокла. Флер перестала завязывать хвост и теперь носила волосы распущенными, закалывая с боков маленькими коричневыми пластиковыми заколками. Но сегодня было слишком жарко, поэтому она снова завязала хвост.

— Салют, куколка!

Она подняла глаза и вздернула измазанный шоколадом подбородок.

Трое мальчишек прохлаждались перед входом в аптеку, покуривая и слушая переносной транзистор, из которого несся голос Элтона Джона. Он пел «Крокодилий рок». Один парнишка загасил сигарету, вдавив ее носком ботинка в землю.

— Эй, куколка, что-то мы тебя здесь раньше не видели. — И мотнул головой в ее сторону.

Флер оглянулась через плечо посмотреть, кто из одноклассниц стоит у нее за спиной, а мальчишки рассмеялись. Потом один из них ткнул приятеля в бок, указывая на ее ноги.

— Погляди-ка, какие ножки!

Флер посмотрела вниз, желая понять, что с ней не так. Капля шоколада упала на ремешок голубых кожаных туфель. Она снова подняла глаза на мальчишек, и тот, что повыше, подмигнул ей. Она поняла вдруг, что они *любовались* ее ногами. *Ее* ногами.

— Как насчет свидания, куколка? — спросил он по-французски.

Свидание! О Боже. Флер уронила пирожное и побежала по улице, потом через мост, туда, где должны были встретиться все девочки. Светлые волосы развевались на ветру, словно роскошная грива, а мальчишки смеялись и свистели ей вслед.

Вернувшись в монастырь, Флер кинулась к себе в комнату и прилипла к зеркалу. Сегодня ей встретились те же самые мальчишки, которые обычно дразнили ее огородным пугалом. Так что же случилось? Лицо показалось прежним, все как было: широкие брови, зеленые глаза и рот от уха до уха. Ах да, она уже не росла, но куда же больше? В ней и так пять футов и одиннадцать с половиной дюймов. Правда, с зубов сняли пластины. Может, поэтому?

Не зная что и думать, она решила выбросить из головы эту встречу с мальчишками, но во время следующего выхода в город произошло то же самое. И самое удивительное, вскоре после этого и девочки стали смотреть на нее иначе. Теперь Флер не убегала, когда мальчишки ее окликали, она просто не смотрела в их сторону.

Август они с Белиндой провели на Миконосе, их любимом греческом острове. В первое утро, гуляя по берегу моря и наслаждаясь слепящим белым солнечным светом, который бывает только здесь и больше нигде, Флер рассказала про это матери.

— Так странно, Белинда. Я думала, они смеются надо мной. Но когда я смотрю на них, у них такие лица... — Она пыталась найти слово поточнее, чтобы объяснить, но не находила.

Рассеянно Флер потянула вниз бикини цвета зеленого яблока, которое купила ей мать. Оно было до смешного маленькое, и девочка невольно старалась прикрыться старой выгоревшей оранжевой майкой. Белинда шагала рядом в полосатой тунике овсяного цвета. Обе были босиком, на ногах Белинды блестел яркий, как и на руках, лак, единственным украшением Флер служил пластырь на мизинце, натертом новыми босоножками.

Белинда отпила «Кровавой Мери», которую она прихватила с собой.

— Когда ты смотришь на их лица, ты понимаешь, что мальчики над тобой не смеются. Так?

— Да, пожалуй.

— Бедная детка. Как тяжело больше не быть гадким утенком. Да? Особенно если сама вбила себе в голову веру в это. — Белинда обняла Флер за талию, коснувшись бедром тела дочери. — Сколько лет я твержу тебе, что единственная твоя проблема — возраст. А ты никак не слушаешь. Ты очень упрямая. Веришь только в то, во что сама хочешь верить. И ничего не поделаешь, это у тебя в крови.

Интонация Белинды заставила Флер почувствовать, что, пожалуй, ей стоит гордиться своим упрямством. Девочка шлепнулась на песок и откинулась спиной на камень. Белинда осторожно села рядом. Флер спросила:

— Ты слышала когда-нибудь о книге «Любовь без страха»? У одной девочки она есть. Там есть глава, которая называется «Поцелуй любви». Ужасно. — Она пожала плечами. — Не представляю, как люди могут вытворять такое.

Белинда молчала.

Флер зарыла ноги в песок.

— Очень сомневаюсь, что мне когда-нибудь понравится секс. Правда, Белинда. Я вообще никогда не выйду замуж. Терпеть не могу мужчин.

— Но ты еще не знаешь мужчин, дорогая, — усмехнулась Белинда. — Поверь мне, ты будешь чувствовать себя совершенно иначе, когда наконец выйдешь из этого захолустного монастыря.

— Вряд ли. А можно я возьму сигарету?

— Нет. Мужчины, детка, — это замечательно. Хорошие мужчины, конечно. Властные, сильные. Мужчины, что-то представляющие собой. Когда идешь под руку с таким мужчиной в ресторан, на тебя все смотрят. Ты ловишь обожание во взглядах. Ты понимаешь, что все считают тебя особенной женщиной: ведь ты сумела привлечь к себе такого мужчину.

Флер ощутила неловкость. Это звучало, как если бы... Она потянулась и сорвала пластырь с пальца на ноге.

— Ты вот так себя чувствуешь с Алексеем? И поэтому ты не хочешь с ним разводиться?

Белинда вздохнула, а потом подставила лицо солнцу.

— Деньги, дорогая. Я всегда тебе говорила. Боюсь, я не слишком талантлива и не смогу содержать нас с тобой.

Флер встала. Ей многое хотелось сказать, но она промолчала.

— Пойдем лучше обратно. Пока не слишком жарко, я бы покаталась.

— Эти твои лошади, — Белинда с интересом посмотрела на нее, — монашенкам действительно удалось провести тебя с их помощью?

Флер скорчила гримасу. Несколько лет назад монашенки, воспользовавшись ее любовью к лошадям, обхитрили ее. Они сказали, что если она будет прилично учиться, то днем по субботам ей разрешат кататься на лошади. За три месяца из отстающих она стала второй в классе. Связка розог перекочевала к другой непослушной девочке.

Флер довольно быстро поняла, что молодые люди на пляжах Миконоса ничем не отличаются от мальчишек Шатильон-сюр-Сен. Она заявила Белинде, что не пойдет на пляж, пока он не опустеет. Потому что молодые люди раздражают ее и не дают радоваться новой маске для подводного плавания. Ну почему они так по-дурацки себя ведут?

Белинда объяснила ей, что из-за монастырского воспитания она еще совершенно незрелая. Большинство девочек радовалось бы такому вниманию.

Флер пожала плечами: что делать, если ее так воспитывали. Но на ее взгляд, это не она, а молодые люди незрелые.

Белинда посоветовала не обращать на них внимания, потому что они все равно ничего собой не представляют.

Несколько дней они провели в обществе парижской знакомой Белинды, неожиданно появившейся на острове, мадам Филипп Жак Дюверж. Белинда объяснила, что до замужества она была Банни Грубен, знаменитой нью-йоркской моделью начала шестидесятых. Она работала у Казимир. До сих пор Банни была хороша собой.

Она так пристально рассматривала Флер, что девочка испытывала неловкость под ее изучающим взглядом.

Недели на Миконосе пролетели слишком быстро. Прежде чем Флер это осознала, они уже стояли перед входом в монастырь, обнимаясь и плача. Когда Флер наблюдала, как отъезжает мать, она чувствовала, будто какая-то часть ее самой умерла. За столько лет можно было научиться иначе переносить расставания, но она не научилась. Девочка попыталась взбодриться, напомнив себе, что пошел последний год монастырской жизни, ей предстоит сдать самый важный экзамен, который определит, в какой из французских университетов она сможет поступить. Другое дело, что она не собиралась учиться во Франции. Флер взяла слово с Белинды поговорить с Алексеем насчет учебы в Штатах.

— Он должен быть счастлив отпустить меня, — сказала Флер, — избавиться от меня. Скажи ему, Белинда.

Белинда, казалось, сомневалась в успехе, но Флер была полна оптимизма. Она думала, что отец будет рад, когда их разделит океан. Флер запрещала себе думать о нем, она больше не тешилась детскими фантазиями, что он приедет за ней и заберет домой. Алексей Савагар никогда не станет любящим отцом, с этим надо смириться. Он ненавидит ее, ничего не поделаешь. Поэтому девочка никак не была готова получить письмо от Белинды, которое пришло через несколько недель.

«Детка, боюсь, у меня ничего не получилось. Алексей и слышать не хочет об американском университете, он уже зарегистрировал тебя в частный женский колледж в Швейцарии. По-моему, это еще посерьезнее монахинь.

Мне очень жаль, детка, я знаю, тебе туда не захочется, но это не самый ужасный вариант. Каникулы там гораздо чаще, и мы станем больше времени проводить вместе.

Пожалуйста, дорогая, не грусти. Когда-нибудь наши планы осуществятся. Вот увидишь.

С любовью, Белинда».

Флер скомкала письмо. Она не обладала терпением Белинды. Что значит «когда-нибудь»? Ублюдок!

Она убежала в ту же ночь. Это был глупый шаг, потому что через несколько часов ее нашли и она оказалась в полицейском участке в Дижоне.

* * *

Алексей Савагар был слишком умным человеком, чтобы надеяться много лет подряд сохранять в секрете существование Флер. Вместо этого при упоминании ее имени на его лице появлялось задумчивое выражение. Все стали думать, что его дочь украли или даже задержали. Такое случалось в лучших домах. Но большая фотография на четыре колонки на первой полосе «Монд» положила конец всяким догадкам. Увидев замечательно красивую молодую женщину с большим ртом и поразительными глазами, в обществе заговорили о какой-то семейной тайне Савагаров.

Алексей пришел в ярость. Он скомкал газету, бросил ее на постель, где Белинда пила кофе, и пригрозил, что никогда больше не позволит ей видеться с незаконной дочерью. Но было слишком поздно. Посыпались вопросы. Возможно, инцидент скоро забылся бы, но Соланж Савагар выбрала именно это время, чтобы умереть. В обычных обстоятельствах Алексей испытал бы даже некоторое облегчение от смерти матери. Боли мучили ее почти год, они становились все невыносимее, но она, конечно, умерла не вовремя. Он понимал, что, если его дочь, о которой теперь узнал Париж, не появится на похоронах бабушки, разговорам не будет конца. И приказал Белинде послать за ее ублюдком.

Когда лимузин проезжал сквозь большие железные ворота, обращенные к рю де ля Бьенфезанс, Флер думала только о том, как она одета. Конечно, смешно думать об этом сейчас, когда может измениться вся ее жизнь. Но тем не менее единственное, о чем она беспокоилась, — это об одежде. По крайней мере лучше думать о ней, чем о побеге, а именно убежать отсюда ей сейчас хотелось больше всего.

Она оделась в черное. Во-первых, это были похороны и Флер не собиралась давать кому-то повод заподозрить ее в бесчувственности. Во-вторых, монахини никогда бы не выпустили ее за дверь в одежде другого цвета. Но она не согласилась надеть платье или юбку с блузкой, которые вынула было из шкафа. Она должна показать ему, что вовсе не собирается производить на него впечатление. Хотя от этой мысли ей было не слишком уютно.

Флер выбрала хорошо сшитые шерстяные брюки, кашемировый свитер с капюшоном и старый твидовый блейзер с черным бархатным воротником. Потом для уверенности прицепила маленькую серебряную брошь в виде подковы. Подруги пытались убедить ее зачесать волосы наверх, но она отказалась. Флер просто убрала их с лица, и хотя заколки не очень подходили к наряду, они показались надежными. Девочка так нервничала, что не могла вспомнить, где лежат заколки получше.

Лимузин замер у парадной двери, шофер вышел. Флер с трудом проглотила слюну и пожалела, что она не настолько верующая, чтобы сейчас прочесть молитву. Она знала, что ей будет не по себе в огромном доме, оказавшемся точно таким, каким его описывала Белинда. Горничная повела Флер по бесконечному коридору в маленький салон, где ее ожидала мать. Она была очень элегантна в черном костюме от Диора со скромной алмазной брошкой на лацкане и в черных лакированных туфлях без каблука, с вырезами грушевидной формы на пальцах. Флер пожалела, что не надела платье.

— Детка! — И Белинда плеснула на стол ликер, торопясь поставить рюмку.

Они обнялись посреди комнаты, Флер вдохнула знакомый запах «Шалимар» Белинды и сразу почувствовала себя гораздо лучше. Мать обхватила ладонями ее щеки.

— Я так рада, что ты здесь. Но, детка, тебе придется нелегко. Алексей все еще в ярости от фотографии. Постарайся не попадаться ему на глаза, и будем надеяться на лучшее.

Флер увидела тени под глазами матери и почувствовала слабую дрожь ее руки.

— Мне жаль, что появилось это фото. Я правда не собиралась доставлять вам беспокойство.

— Я знаю, ты не хотела. Дело в том, что, когда заболела Соланж, он стал вообще невыносим. По правде говоря, я рада, что старая ворона умерла. Она становилась настоящим испытанием даже для него. Единственный, кто искренне жалеет о ее смерти, — это Мишель.

Мишель. Флер понимала, что он будет здесь. Конечно. Но запрещала себе думать о нем. Белинда стиснула руку дочери.

— Алексей вызвал его домой из школы две недели назад, когда стало ясно, что она при смерти. Мишель оставался с ней до конца.

Дверь позади них легонько щелкнула.

— Белинда, ты позвонила, как я просил, барону де Шамбрэ? Он особенно любил мать.

Голос был низкий и очень властный. Голос, который никогда не повышается, потому что в этом нет необходимости.

Он же со мной больше ничего не может сделать, думала Флер. Совсем ничего. Белинда напряглась, и у девочки возникло странное чувство, что ей надо защитить мать. Та выглядела сегодня особенно хрупкой, а Флер не хотела, чтобы мать казалась испуганной. Она медленно повернулась; сейчас она встретится лицом к лицу с отцом.

Фотографии в газетах и журналах не слишком выдавали его возраст, пятьдесят шесть лет. Он был словно отполирован: руки и ногти безупречны, редкие седые волосы идеально зачесаны. На нем был галстук цвета переспелой вишни и темный жилет из дорогой ткани от дорогого портного. Говорили, после Помпиду он самый влиятельный человек во Франции. Именно так он и выглядел. Как человек, обладающий богатством и положением, как глава промышленной империи и потомок древней русской крови.

— Итак, Белинда, это твоя дочь. — Он хмыкнул. — Одета как крестьянка.

Сукин сын. Флер вздернула подбородок.

— По крайней мере у меня не крестьянские манеры. — Она намеренно произнесла эту фразу на английском. На таком английском, на каком говорят в Индиане, на ясном, четком, презрительном.

Белинда задохнулась, но Алексей и бровью не повел. Медленно, не спеша он оглядел девочку с головы до ног, пытаясь найти недостатки или предательские признаки слабости. Она никогда не чувствовала себя крупнее и отвратительнее, чем сейчас. Но не сдавалась и смотрела ему прямо в глаза.

Белинда, стоя рядом с Флер, наблюдала за дуэлью, которая разворачивалась у нее на глазах. Внезапно ее охватила гордость. Это ее дочь. Сильная духом и удивительно красивая. Пусть Алексей сравнит ее со своим сыном.

Белинда ждала, что он увидит сходство, и абсолютно точно уловила нужный момент. Она все еще держала руки по бокам, в первый раз за долгое время почувствовав себя спокойно в его присутствии. Когда он наконец посмотрел в ее сторону, она послала ему короткую победную улыбку.

На Алексея смотрел Флинн, но юный, еще непорочный Флинн.
Только черты лица его были смягченными, преображенными, наде-
ляя его дочь особенной красотой. У нее был такой же крупный нос,
большой, но красиво очерченный рот, высокий лоб. Даже разрез
глаз его, и они были так же широко расставлены. Ее собственным
был их цвет: золотисто-зеленый. Ни слова не говоря, Алексей повернулся и вышел из комнаты.

Флер стояла у окна материнской спальни и наблюдала, как
Алексей уезжает на «роллс-ройсе» с шофером. Серебристый автомобиль ровно скользнул по дорожке, потом проехал через железные
ворота на рю де ля Бьенфезанс. Улица Благотворительности. Какое
глупое название! Никакой благотворительностью здесь не пахнет.
Здесь живет ужасный человек, ненавидящий свою собственную плоть
и кровь. Может быть, если бы она была маленькая и хорошенькая...
Но это смешно. Отцы должны любить дочерей, не важно, какие
они на вид. Она посмотрела на Белинду, задремавшую на кровати,
и подумала: может, пошуметь и разбудить ее? Чтобы не оставаться
в одиночестве с этим тяжелым грузом в душе, становившимся тяжелее с каждой минутой. Но Белинда, свернувшаяся на кровати, казалась такой хрупкой, а ей предстояло выдержать еще и ужин.

Пора прекратить думать об ужасном поведении отца, или она
снова расплачется, а ей уже семнадцать, стыдно лить слезы, она не
дитя. Надев удобные мокасины, Флер вышла из спальни через гостиную матери в коридор. Несколько минут постояла, пытаясь со-
риентироваться, потом нашла лестницу, ведущую в сад. Когда глаза
Флер привыкли к яркому солнечному свету, она заставила себя сосредоточиться на геометрически точно расположенных клумбах и кустах. В
общем-то ей повезло, что ее отослали в монастырь. Подумать только,
ее воспитывал бы человек, который в такой аккуратности содержит сад!
Монастырский сад гораздо лучше. Там и кошка может спать на клум-
бе. И не одна. Много кошек. Там растут сорняки, прыгают жабы и...

К черту, к черту, к черту. Она вытерла глаза рукавом свитера.
Ей же семнадцать, а она плачет как ребенок. Ну почему она такая
глупая? Почему она ждала, что его отношение к ней изменится?
Неужели надеялась, что он станет вести себя как мальчики из

Шатильон-сюр-Сен? Неужели думала, что стоит ему взглянуть на нее, и он сразу упадет на колени и станет просить прощения?

Флер глубоко вздохнула, пытаясь отвлечься, и огляделась вокруг. Длинное строение в форме буквы Т тянулось за садом. Серое, каменное, как и сам дом. Но одноэтажное, без окон. Оно походило на просторный гараж, но вокруг него росли такие же ухоженные кусты и цветы. В последний раз она вытерла глаза и пошла по дорожке к этому зданию. Она обнаружила незапертую дверь и вошла.

Флер почувствовала себя так, будто оказалась внутри гигантской шкатулки с украшениями. Ничего подобного она никогда раньше не видела. Ошеломленная, она замерла и стала озираться. Пол из черного мрамора блестел, стены покрывал черный муар, а с потолка свисали светильники, которые превращали его в звездное ночное небо, как на картинах Ван Гога. Эти светильники соединялись в созвездия, и каждое созвездие освещало один из нескольких дюжин несказанной красоты автомобилей.

Машины так сверкали, что были похожи на старинные драгоценные камни: рубины, изумруды, аметисты, сапфиры. Некоторые стояли прямо на мраморном полу, но большинство из них — на платформах разной высоты. Казалось, кто-то взял горстку камней, подбросил в ночь, но они еще не успели упасть и замерли на полпути к земле.

На каждой машине была серебряная табличка с гравировкой. Флер шла и шла, стуча каблуками по черному мрамору пола. «Изотта-фраскини», модель 8, 1932... «штутц-беркат», 1917... «роллс-ройс», Фантом-1, 1925... «мерседес-бенц-ССК», 1928... «испана-сюиза», модель 68, 1931... «бугатти-брешия», 1921... «бугатти», модель 13, 1912... «бугатти», модель 59, 1935... «бугатти», модель 35...

Она заметила, что у всех машин, собранных в центре этого строения, есть общий знак отличия: красный овал «Бугатти». Потом она заметила высокую, ярко освещенную платформу, ярче всех остальных. Но она пустовала. С любопытством Флер подошла прочесть табличку в углу платформы.

«Бугатти-роял», модель 41.

— А он знает, что ты здесь?

Флер резко повернулась и увидела очень красивого молодого человека, таких в своей жизни она никогда не встречала. Волосы мальчика блестели, словно прекрасный желтый шелк, а черты лица были мелкие и очень нежные. На нем был выцветший зеленый пуловер и мятые хлопчатобумажные брюки с широким ковбойским ремнем. Мальчик был маленького роста, его макушка едва доставала ей до подбородка; еще у него были тонкие, как у девочки, руки с длинными пальцами и ногтями, обкусанными до мяса. Даже со своего места Флер видела темные тени под его глазами, такими же синими, как первые весенние гиацинты.

— Ты кто? — спросила она, хотя сама знала ответ. Она узнала бы его где угодно, его лицо было слепком лица Белинды. Старая горечь желчью поднялась к горлу.

Он принялся грызть остаток ногтя.

— Я Мишель. Я не собирался шпионить за тобой. — Он печально, но мило улыбнулся ей. — Ты злишься на меня, да?

— Не люблю шпионов.

— Да я и не следил. Просто... Но я думаю, это не важно. Вообще-то никому из нас не разрешается сюда заходить. Он разозлится, если узнает.

Его английский был американским, как и ее.

— А мне плевать, — воинственно заявила она. — Я его совсем не боюсь.

— Потому что ты его не знаешь.

— Я думаю, кому-то из нас повезло больше. — Флер постаралась говорить самым противным тоном.

— Да, я тоже так думаю.

Мишель подошел к двери и стал выключать светильники на панели.

— Теперь тебе лучше уйти. Надо запереть, прежде чем он обнаружит, что мы сюда заходили.

Флер не спешила, желая показать брату, что его слова для нее пустой звук. Потом наконец подошла к двери и взглянула на него сверху вниз.

— Я думаю, ты делаешь абсолютно все, что он тебе скажет, да? Послушный трусливый маленький кролик.

Он ничего не ответил. Она отвернулась и вышла, пылая ненавистью к этому безупречному аккуратненькому мальчику, такому нежному и изящному, что его могло унести порывом ветра. А она-то все прошедшие годы упорно старалась стать самой мужественной, самой быстрой, самой сильной. Похоже, жизнь сыграла с ней злую шутку. Совсем не смешную.

Флер ушла, а Мишель словно врос в мраморный пол. Он не мог даже позволить себе надеяться, что они с сестрой станут друзьями. Но так хотелось, чтобы кто-то помог ему заполнить болезненную бездну, оставшуюся в душе после смерти бабушки.

Его воспитывала Соланж. Она говорила, что он для нее шанс, посланный Судьбой для исправления прошлых ошибок. Она пыталась объяснить мальчику, что происходит между его родителями. Однажды вечером она услышала, как Белинда кричала Алексею, что ненавидит его за свою беременность и не будет любить ребенка, которого носит от него, потому что он отдал ее малышку в монастырь. Бабушка рассказала, как отец смеялся над угрозами Белинды. Он ни секунды не верил, что мать сможет противиться зову своей собственной плоти и крови. Этот ребенок, говорил он, заставит ее забыть о первом.

Но отец Мишеля ошибся. Соланж присутствовала при том, как Мишеля впервые после родов принесли матери. Белинда отвернулась от него тогда и до сих пор не смотрела в его сторону...

Малыша взяла бабушка, именно она сумела установить нелегкое перемирие между его родителями. Чтобы не бросать тень на семейство Савагар, Белинда согласилась показываться на публике с сыном. За это ей разрешили навещать дочь дважды в год. Но это никак не повлияло на отношения между Белиндой и Мишелем. Она сказала ему, что он ребенок своего отца. С тех пор она не замечала его, словно он был невидимкой.

Еще очень маленьким Мишель понял, что все проблемы в семье связаны с его сестрой, таинственной Флер. Многие годы он пытался что-то выяснить про нее. Бабушка знала, почему ее отослали, но никогда не говорила ему. Теперь этот секрет она унесла с собой в могилу.

Он понимал, ему надо радоваться, что его бабушка наконец освободилась от боли, мучившей ее в последние дни. Но ему так хотелось, чтобы она вернулась. Чтобы она попыхивала «Голуазом», запачканным губной помадой, гладила его по голове, рассказывала, как много он для нее значит, какой он особенный, изливала бы на

него любовь, которой он не получал ни от кого больше в доме на рю
де ля Бьенфезанс.

Мишель с неприязнью оглядел автомобили, бывшие страстью
отца. Иногда он приходил сюда, пытаясь с их помощью обнаружить
хоть какую-то связь с отцом, но машины были безжизненными ос-
колками прошлого, такими же холодными, как сам Алексей. А
Мишеля занимали страсти совершенно иные.

Выйдя из гаража, он через сад направился к кухонной лестнице,
которая вела и в его комнаты в задней пристройке дома. Туда он
постепенно перенес все свои вещи, занимаясь этим несколько месяцев. Уже никто не помнил, как вышло, что наследник состояния
Савагаров оказался обитателем пристройки. Он добрался до своей
двери, порылся в карманах, отыскивая ключ, и, как всегда, открывая дверь, почувствовал себя дома.

Он сразу разделся. Комната была в еще большем порядке, чем
обычно, потому что в глубине души Мишель надеялся привести сюда
сестру. Он натянул шорты и рубашку без воротника фасона сороковых
годов, которую нашел в комиссионном магазине в Бостоне, недалеко от
дорогой школы, в которой учился. Застегнув две нижние пуговицы, он
улегся на кровать, закинул руки за голову и уставился на огромный
белый парашют, свисавший с потолка и служивший чем-то вроде полога
над маленькой железной кроватью. Стоило посмотреть на парашют, и
настроение поднималось, становилось легче на душе. Ему нравилось
наблюдать, как по тонкой ткани пробегает рябь от потоков воздуха в
комнате; казалось, он находился внутри большой шелковистой утробы.
Здесь, у себя, он становился самим собой, здесь он спасался от презрения отца и равнодушия матери.

Парашют скрывал от его глаз наклонную плоскость потолка,
им самим разрисованную в бледно-голубое небо с белыми облаками.
Края облаков он сильно размыл, и невозможно было уловить, где
кончается небо и начинается облако. Он добела оттер кирпичные
стены, превратив их в ненавязчивый фон для дюжин фотографий в
рамках.

Мишелю никогда не надоедало смотреть на фотографии, и
сейчас, обложившись безвкусными дешевыми атласными подуш-
ками, он принялся разглядывать свою коллекцию. Он чувствовал, как постепенно напряжение отпускает его. Прямо перед ним

была Лорен Бэколл в обтягивающем классическом красном платье от Хелен Роуз из «Женского дизайна». Настоящий чистый красный, без примеси оранжевого, не испорченный никакими добавками, — пронзительный красный цвет, как губная помада тридцатых годов. Рядом с ней Кэрол Бэйкер; она как бы свисала с люстры, одетая в наряд от Эдит Нэд, в нечто совершенно безвкусное, расшитое бисером и украшенное перьями страуса. Над столом была Рита Хейворт в знаменитом наряде от Жана Льюиса, а рядом с ней — Ширли Джоунс в кричащем розовом из «Элмер Гентри». Здесь были все, от Греты Гарбо до Сандры Ди, одетые в чудесные костюмы. Они очаровывали Мишеля, вызывая в нем ощущение чистоты и искренности.

Он взял альбом для набросков, лежавший на тумбочке у кровати, и открыл его. Несколькими штрихами карандаша он умел преображать людей. В детстве Мишель придумывал хорошенькие платьица для матери. Он часто рисовал ее в парке или рядом с крутящейся каруселью; на этих рисунках она всегда держала за руку очень маленького мальчика. Сейчас под его карандашом возникала другая женская фигура. Высокая, тонкая, с яркими бровями, большим ртом, изогнутым в улыбке. Когда он начал драпировать ее в тонкую ткань, зазвонил телефон. Мишель потянулся к трубке, расстегнутая рубашка открыла костлявую грудь шестнадцатилетнего юноши.

— Алло?

— Привет, дорогой.

Услышав голос, он почувствовал, как его пальцы, сжимавшие трубку, задрожали.

— Я только что узнал ужасную новость о твоей бабушке, мне так жаль. Тебе, наверное, очень тяжело.

Горло Мишеля перехватило от ноток искреннего сочувствия, звучавших в этом голосе.

— Спасибо, Андре.

На другом конце провода молчали.

— Ты не мог бы вырваться сегодня вечером? Я... я хотел бы увидеть тебя. Я хотел бы успокоить тебя, дорогой.

Мишель откинулся на подушке, на миг закрыл глаза, вспомнив умелые пальцы Андре и его легкие, успокаивающие ласки. До того как Андре вошел в его жизнь, он был пленником тайных опытов, которые мальчики его возраста проводят над собой, и эти попытки оставляли в нем чувство омерзения, чего-то уродливого и грязного. Андре научил его красоте, возможной красоте любви мужчин друг к другу, и освободил от стыда.

— Я бы хотел, — ласково сказал Мишель. — Я соскучился по тебе.

— Я тоже соскучился. В Англии все было ужасно. Даниель настаивала, чтобы мы остались на уик-энд, а я хотел вернуться. Бедный Эдуард простудился и слег; он был совершенно невозможен все это время.

Мишель поморщился. Он не любил напоминаний о семье Андре, о его жене Даниель и о сыне Эдуарде, который когда-то был лучшим другом Мишеля, а потом утонченность Мишеля и страсть Эдуарда к футболу их разделили. Как бы ему хотелось, чтобы Андре был один! Скоро так и будет. Скоро Андре оставит семью, расстанется с местом у Алексея Савагара, где он работал последние двадцать пять лет, где подорвал свои силы и нажил бессонницу. А потом все будет прекрасно.

Они с Мишелем собирались поселиться вместе, в маленькой рыбацкой хижине на юге Испании. Мишель несколько месяцев мечтал об этом. По утрам он будет заниматься домом, подметать терракотовые полы хижины, взбивать подушки на креслах и на диванах, ставить свежие цветы в сплетенные из ивовых прутьев корзинки и глиняные кувшины. Днем, пока Андре будет читать ему стихи, он станет придумывать красивую одежду и шить ее на машинке — он сам научился этому, — а вечера они посвятят занятиям любовью под музыку волн Кадисского залива, воды которого будут ласкать песчаный берег у них под окном.

— Я мог бы встретиться с тобой через час, — проговорил он тихо.

— Хорошо, — услышал он ответ по-французски. — Через час, — добавил Андре по-английски. И уже тише, по-французски закончил разговор: — Я люблю тебя.

Мишель чуть не задохнулся от слез.

— Я люблю тебя, Андре, — прошептал и он по-французски.

Глава 8

Белинда настояла на том, чтобы она оделась к ужину. Флер для порядка поспорила, но в душе была рада настойчивости матери и обрадовалась еще больше, увидев ожидавшее ее платье. Самое утонченное из всех, какие ей доводилось носить. Черное, облегающее, с длинными рукавами, с маленькими листочками, наплывавшими друг на друга, вышитыми бусинками на плечах. Белинда зачесала ей волосы наверх и вдела в уши серьги из оникса.

— Ну вот, — пробормотала она, отступив назад и рассматривая свое творение. — Пускай теперь назовут тебя крестьянкой.

Даже Флер была вынуждена признать, что хорошо выглядит. Но когда они усаживались за стол, она не могла определить, заметил ли это Алексей, вообще обратил ли он внимание на дочь.

Они ели суп, белую спаржу не по сезону, устрицы в раковинах. Атмосфера была давящая, все молчали; единственное, что облегчало жизнь Флер, — за столом не было Мишеля. Она тревожно посмотрела на мать. Белинда сидела напряженная, раздраженная, пила много вина и почти ничего не ела.

Флер вилкой раскрыла раковину и протолкнула кусочек мякоти в горло. Белинда загасила сигарету в тарелке, и, как только слуга отошел, Флер с трудом подавила тошноту. Если бы мякоть не оказалась такой белой... Стол был накрыт белой льняной скатертью, и на каждом конце стояли подсвечники с коническими свечами. Тяжелые алебастровые вазы с белыми розами в полном цвету источали удушающий запах, который смешивался с запахом еды. И вся еда была какая-то белая. Суп цвета сливок, белая спаржа и белые устрицы. Флер положила вилку. Все трое в черном походили на ворон, присевших вокруг похоронного катафалка, и ярко накрашенные ногти Белинды оказались единственным цветным пятном на этом мрачном фоне. Девочка неловко потянулась за бокалом с водой.

— Похоже, тебе не хочется есть, Флер, поэтому я поведу тебя взглянуть на бабушку. — Голос Алексея прозвучал так неожиданно, что она вздрогнула.

Вилка Белинды ударилась о тарелку.

— Ради Бога, Алексей, нет необходимости...

— У тебя был трудный день сегодня, Белинда, я предлагаю тебе пойти наверх и отдохнуть.

— Нет, я... не устала. Я...

Флер не могла смотреть на такое испуганное и дрожащее лицо матери. Она резко встала.

— Я пойду с тобой, Алексей. — Она медленно кивнула.

Слуга отодвинул ее стул, а Белинда осталась сидеть, застывшая и бледная, как розы, стоявшие перед ней в вазе.

Коридор походил на музейный, а не на домашний. Они шли в переднюю часть дома, и звуки шагов казались неестественно громкими. Стук каблуков улетал к сводчатому потолку, где эхо, ударяясь о фрески с мифами и легендами, угасало, лишаясь звука. Флер почувствовала, как повлажнели ладони; в атмосфере этого дома было что-то ужасное.

— Поскольку ты уже здесь, будешь называть меня папой, — вдруг сказал Алексей. — Ты меня поняла?

Флер остановилась и повернулась к нему. Хотя каблуки ее черных лодочек были небольшими, она все равно была на несколько дюймов выше его.

— Я понимаю тебя очень хорошо... Алексей. — Она выразительно посмотрела на него, желая убедиться, что и он понимает.

Его губы неприятно скривились.

— Ты действительно думаешь, что можешь меня ослушаться? Ты действительно думаешь, что я позволю меня ослушаться?

— Похоже, у тебя нет выбора. Тебе просто нужна дочь на время похорон. Рядом, как положено. Так ведь? — Девочку колотила дрожь, которую он мог увидеть, но ее это не волновало.

— Ты мне угрожаешь?

— Мне всю жизнь приходилось иметь дело с задирами. Я знаю, что это такое.

— Так ты думаешь, я задира?

— Нет, Алексей, — спокойно ответила она. — Я думаю, ты чудовище.

На какой-то миг оба замерли. Потом он наклонил голову, как если бы они отлично поняли друг друга, и остаток пути оба прошли молча.

Флер ощутила некоторое удовлетворение. В конце концов она сохранила свою позицию, но в глубине души чувствовала, что схватка еще не окончена.

Двустворчатая позолоченная дверь вела в главный салон. Алексей открыл одну створку и жестом велел ей войти. Из комнаты вынесли всю мебель и в самом центре поставили сверкающий черный гроб, утопающий в белых розах; рядом с ним стоял маленький черный стул. Флер уже приходилось видеть мертвецов, например сестру Мадлен, умершую в монастыре. Но несмотря на это, ее ошеломила неподвижность фигуры в отделанном атласом гробу. Сморщенное лицо Соланж Савагар казалось слепленным из воска оплывшей свечи.

— Я хочу, чтобы ты поцеловала свою бабушку в губы, в знак уважения.

Она едва не расхохоталась. Не может же он говорить это серьезно! Флер повернулась к отцу, чтобы послать его ко всем чертям, и застыла, увидев выражение его лица. Она уже видела нечто подобное у девочек в школе. Самоуверенность, которую сильные позволяют себе демонстрировать только перед слабыми. Она поняла, что его просьба не имеет никакого отношения к уважению. Он просто испытывает ее мужество. Делает ей вызов. По лицу Алексея она поняла: он даже вообразить себе не может, что она сумеет принять этот вызов.

Слезы защипали глаза Флер. Ублюдок! Она ненавидит его. Она даже не подозревала, что способна так сильно ненавидеть. Флер медленно подошла к гробу, пытаясь победить слабость, борясь с желанием немедленно убежать из этого объятого молчанием дома, с этой улицы Благотворительности, от Алексея Савагара, обратно в безопасность и удушающий уют монастыря. Она не должна думать ни о чем подобном. Нет. Надо думать о чем-то другом. Миконос. Мальчики. Боже, она плачет. Нельзя останавливаться. Если она остановится, то ни за что не двинется дальше. Она собиралась показать ему. Она собиралась бросить ему обратно в лицо его ненависть и посмотреть, как он подавится ею. Пусть увидит, что его отбросили, отшвырнули. Перегнувшись через край гроба, она коснулась губами холодной, но все-таки своей бабушки...

И вдруг позади нее раздалось шипение. Алексей схватил Флер за плечи и оторвал от гроба.

— Нет! — Он злобно выругался и тряхнул ее так, что голова Флер откинулась назад. — Мерзкая девчонка! — заорал он по-французски. — Ты такая же, как и *он*! Ты готова на все, лишь бы спасти свою гордость! — Он снова тряхнул ее так, что волосы Флер распустились и упали на спину.

Она закричала, не соображая, что говорит, — ей было плевать. Он толкнул ее к стулу рядом с гробом и, усадив, принялся рукой тереть ее рот, размазывая губную помаду по щеке и пачкая себе пальцы, словно стараясь стереть поцелуй с ее губ.

— Отпусти меня, ты, ублюдок! — рыдала Флер, с трудом борясь с ним и пытаясь встать. — Не дотрагивайся до меня! Я тебя ненавижу! Я не могу выносить твоих прикосновений!

Вдруг рука его на губах девушки стала менее грубой, а другая уже не стискивала ее руку клещами; он что-то очень тихо пробормотал — Флер не расслышала, но ей показалось, что Алексей по-французски сказал: «Чистая кровь». Силы покинули Флер, она решила прекратить борьбу, пока не почувствует себя лучше. Внезапно Алексей начал гладить пальцами ее губы. Прикосновения были невероятно нежными. Указательный палец прошелся по линии губ, потом неожиданно проскользнул в рот и ласково пробежался по зубам.

— Ребенок. Бедное дитя. — Он что-то ворковал, будто пел колыбельную. — Ты оказалась втянутой в то, чего не понимаешь.

Флер не могла бы пошевелиться, даже если бы хотела отшатнуться от этого пальца между ее губами. Она должна была дать ему понять, как сильно ненавидит его, но не могла найти слов. Его прикосновение было таким нежным. Может, вот так отцы ласкают дочерей? Те, которые любят своих девочек?

— Ты поразительно красива. Даже снимок в газете не подготовил меня к подобному... — Он нежно потянул светлый локон, прилипший к мокрым щекам. Совсем не больно. — Я всегда любил красивые вещи, — проговорил он тихо. — Красивую одежду. Красивых женщин. И машины, особенно машины. Чем старше я становлюсь, тем они для меня важнее.

Она чувствовала, как его рука соскользнула к ее подбородку. О чем он говорит? Почему она не может пошевелиться? Флер чувствовала запах его одеколона, немного острый. Алексей снова заговорил:

— А женщины... Сначала я любил их всех. А последние десять лет я одержим только «бугатти». Ты знаешь «бугатти»?

О чем он спрашивает? Флер не могла сосредоточиться, пока его пальцы гладили ее лицо. Словно околдовывая, напуская на нее чары, от которых она не могла освободиться. Он ждал. Глаза его просвечивали ее насквозь. Она покачала головой... Потом кивнула... Она не знала, на что дала ответ «нет» и на что «да».

— «Бугатти» — это гениальный автомобиль, — сказал он тихо. — Другого такого нет. Величайший в мире. — Кончики пальцев коснулись серег из оникса у нее в ушах и тихо потянули вниз. Глаза ее закрылись. — Этторе Бугатти называл свои машины чистокровными. Как тщательно выведенных лошадей. У меня прекраснейшая коллекция чистокровных «бугатти», самая прекрасная в мире. Но у меня нет главного драгоценного камня в короне. «Бугатти-роял». — Голос был ласковый, любящий, он гипнотизировал ее. — Этторе Бугатти построил его в тридцатые годы, всего шесть экземпляров. Во время войны «бугатти-роял» оставался в Париже. Я был одним из трех человек, спрятавших его от немцев среди сточных труб за городом. Тот автомобиль — настоящая легенда. Я решил, он будет моим, потому что он самый лучший. Чистокровный. Ты понимаешь меня, детка? Если ты не владеешь самым лучшим, это признак слабости.

Она кивнула, хотя ничего не понимала. Не важно. Старые фантазии вернулись, захватили ее в свой плен и держали, заставляя чувствовать что-то мягкое и теплое внутри... Когда Алексей увидел ее, он захотел ее... После всех этих лет он захотел, чтобы его дитя вернулось...

— Ты напоминаешь мне тот автомобиль, — пробормотал он. — Только ведь ты не чистокровная, так ведь?

Она подумала, что у нее на губах снова его палец. Потом поняла — это его губы. Ее отец наклонился и целовал ее. Ее отец...

— Алексей! — раздался визгливый, полный ужаса крик, такой, какой может вырваться только у смертельно раненного животного. Флер подпрыгнула на стуле. В дверях стояла Белинда с дрожащим от гнева лицом. — Ты, ублюдок, — шипела она. — Убери от нее руки! Я убью тебя, если ты снова коснешься ее. Отойди от него, Флер, он чудовище. Ты не должна позволять ему прикасаться к тебе.

Впервые за всю жизнь Флер возразила матери.

— Он мой отец! — закричала она. — Ты не имеешь права!

У Белинды был такой вид, будто ей влепили пощечину. Флер почувствовала боль внутри. Что она такое говорит? Что с ней происходит? Он действительно чудовище. Она отпрянула от него и подбежала к матери.

— Прости, я не хотела.

— Как ты можешь? — прошептала Белинда. — Неужели только одна встреча с ним способна заставить тебя забыть все?

Флер с несчастным видом покачала головой. Но правда заключалась в том, что на миг она действительно забыла все.

— Пошли со мной наверх, сейчас же, — каменным голосом велела Белинда.

Флер заколебалась, но не потому что не собиралась подчиниться; ей хотелось понять, что произошло.

— Иди со своей матерью, дорогая. — Голос Алексея был словно шелк. — Мы поговорим завтра, после похорон. О твоем будущем, о планах.

Ногти Белинды впились в руку Флер, и девушка почувствовала себя виноватой за трепетные сладкие ощущения от минут, проведенных наедине с отцом.

В тот же самый вечер молчаливая горничная впустила Алексея в маленький кирпичный домик на окраине Фобурж-Сен-Жермен. Он молча прошел мимо нее в гостиную, налил себе достаточную порцию бренди из графина на серебряном подносе, рядом с которым лежала одна безупречной формы груша и маленький кусочек рокфора. Усевшись в кресло, Алексей устало потер глаза. День оказался гораздо труднее, чем он ожидал.

Он поболтал бренди на дне рюмки и потом только наконец позволил себе подумать о Флер. Ему следовало лучше подготовиться к встрече с ней. Газетная фотография достаточно отчетливо намекала на ее красоту. Но как он мог приготовиться ко всему остальному, что увидел? Она была сгустком противоречий. Ребенок на пороге женственности. Владеющая собой и непредсказуемая. Совершенно не имеющая понятия о своей чувственности. Несправедливость была почти невыносима для него. Выражение триумфа, которое он увидел на лице Белинды, тоже было невозможно вынести. Как могла она произвести на свет такого ребенка для Флинна, в то время как сын, которого она дала ему...

Но мысли о Мишеле выводили его на дорогу, на которую он не хотел вставать. Допив бренди, Алексей нахмурился и встал. Он будет вести себя с Флер так же, как когда-то с ее матерью. Предстоит основательно потрудиться, но теперь он уже не тот, что раньше, не такой нетерпеливый.

Дверь спальни наверху была закрыта неплотно, и свет падал на ковер. Алексей нажал ручку и вошел.

Она лежала, свернувшись на кровати, и читала журнал. Простая белая хлопчатобумажная нижняя рубашка раскрылась, и виднелась маленькая грудь, не полностью заполнявшая чашечки. На секунду он забыл ее имя.

— Алексей, а я уже почти распрощалась с тобой. Ой, но я так счастлива, что ты снова пришел навестить меня.

В этом приветствии он уловил нотки отчаяния и понял: она заподозрила, что он устал от нее. Отложив журнал, она вскочила с кровати и подбежала к нему, неслышно ступая по ковру розовыми домашними туфельками. У нее были светлые волосы, ровно подстриженные чуть ниже мочек ушей, и длинная, как у ребенка, челка. Семнадцатилетнее лицо почти не тронуто косметикой, и когда она подняла руки, чтобы обнять его, от нее пахло скорее мылом, чем духами. Все в ней было тщательно продумано, чтобы доставить ему удовольствие. Но он уклонился от ее объятий.

— Я устал, Анна-Мари.

Он видел, как неприятна ей его резкость; она слегка отстранилась, но все с той же прочно приклеенной к лицу улыбкой.

— Бедный Алексей. Давай я помогу тебе раздеться и разотру спину.

— Нет.

Улыбка исчезла, ему казалось, он видел, как заработал ее ум, когда она направилась обратно к кровати, пытаясь отыскать способ снова завоевать его расположение. Она подошла к постели, села точно посередине и закинула ногу на ногу. Рубашка чуть-чуть раскрылась на бледных бедрах, и Алексей увидел уголок хлопчатобумажных девичьих трусиков. Он презрительно посмотрел на нее. Под невинным одеянием для него не осталось никаких тайн. Плоский, почти впалый живот, и коротенький пушок цвета имбиря, когда-то восхитивший его.

Он налил еще порцию бренди, что редко позволял себе, и медленно опустился в пухлое кресло. Она начала нервно теребить шов на рубашке, но когда подняла глаза на Алексея, выражение лица ее было хитроватым.

— Я сегодня была очень нехорошей, Алексей. Я съела шоколадку, а это так плохо для кожи. Ужасно, да? У меня совсем нет силы воли. — Она плюхнулась на живот, растянулась на кровати и, согнув ноги в коленях, принялась болтать ими; розовые туфельки замелькали в воздухе. Она тихонько хихикала, а когда от резкого взмаха одна из них свалилась на плоские ягодицы, игриво пролепетала: — Когда маленькая девочка себя плохо ведет, ее надо отшлепать.

Алексей снова посмотрел на нее, уже с отвращением. До чего же она глупа! Она не в первый раз намекала на нечто подобное, и это его бесило: неужели она думает, что подобное извращение может удержать его интерес, как будто его потребности имели что-то общее с неестественными желаниями больных мужчин, избивающих женщин ради собственного удовольствия? Сам виноват, пытался отыскать невинность в шлюхе.

Снова он подумал о Флер. Стоило закрыть глаза, как он видел ее лицо, невероятно красивое и невероятно невинное. А потом по совершенно неясной причине вместо него явилось лицо Белинды. Не такой, как сейчас, резкой и острой, словно кусок стекла, а прежней, какой она была в первые месяцы их брака, когда весь мир принадлежал им одним и жизнь казалась полной обещаний.

В нескольких милях от этого домика Белинда стояла в своей спальне, глядя сквозь деревья на фонари, блестевшие на улице рю де ля Бьенфезанс. Раздался мягкий щелчок стерео, полился голос Барбары Стрейзанд. Она пела «Какими мы были». Песня начиналась долгими чистыми нотами, и Белинда заплакала.

Казалось, все, что у нее было в жизни, осталось только в воспоминаниях. Ей всего тридцать шесть лет, но она живет прошлым, как старуха. Те, пропитанные солнцем и запахом хлорки дни в «Саду Аллаха», когда она была любимой женщиной Эррола Флинна, невероятным образом стали реальнее нынешних.

Флинн. Он умер почти четырнадцать лет назад. Как такое могло случиться? Он умер, ничего не зная о Флер. Слезы, черные от туши, текли по щекам, падали на воротник халата цвета голубого льда. Не могла она забыть и свои первые дни в Париже, медовый месяц с Алексеем. Ночи в огромной спальне... Он так нежно любил ее. Порой, лежа в кровати и закрыв глаза, Белинда пыталась вспомнить, каково это было, когда Алексей Савагар любил ее.

Теперь он замыслил украсть у нее Флер. Ее ребенка. Ее красивого ребенка, спавшего в соседней комнате, накрутив волосы на палец. Почему он не полюбил ее так, чтобы простить за Флер? Но сегодня она сумела постоять за нее. Сегодня она защитила ребенка от злобы Алексея. Одним телефонным звонком она изменила все.

Наступив на полу длинного халата и слегка споткнувшись, Белинда направилась к стерео и резко выключила его. И услышала свой плач, тихий, как мяуканье кошки. Краем рукава вытерла слезы. Как она испугалась. Боже, а где ее выпивка? Последняя выпивка. После сегодняшнего вечера никаких выпивок не будет.

Рюмка стояла на полу рядом с кучей пластинок, которые она вытащила из шкафа. Белинда села среди них и взяла альбом, лежавший сверху. Музыка из «Дьявольской резни». Вторая картина с героем по имени Калибр. Она посмотрела на обложку. Джейк Коранда. Актер. Драматург. Критики уверяют, что он лучший из драматургов нового поколения. Джейк показал им всем, что он не просто еще одна смазливая мордашка на экране. Она любила бы его фильмы, даже если бы все критики на свете их поносили. Кое-кто уже кричал, что Джейк торгует своим талантом, появляясь в этом образе. Но она так не считала. Калибр, которого он играл, имел при себе все, что полагалось иметь настоящему мужчине: силу, жестокость, способность справиться с любой женщиной, попавшейся на его пути. Белинда обвела ногтем линию его подбородка. Он не так красив, как Джимми, но в нем есть что-то...

На обложке альбома был помещен его портрет из первой сцены «Дьявольской резни». На ней Джейк в роли Калибра. Глаза смотрят прямо в камеру. Лицо утомленное, в грязи. Мягкие пухлые губы растянуты до противности, на боку висят «кольты», рукоятки которых отделаны перламутром.

Она откинулась назад, закрыла глаза, пытаясь сдержать фантазии, от которых ей становилось легче; спальня и звуки улицы исчезали, вместо них она слышала только дыхание, тяжелое, влажное, горячее, возле самого уха. *Конец пути, Белинда. Время сводить счеты.*

Она закрыла глаза и почувствовала руки у себя на груди. Они мяли ее груди, наслаждаясь их полнотой. *Нет! — взмолилась она, — это неправильно. Я не могу. Я...*

Лицо мужчины по имени Калибр стало тяжелым, руки грубыми, он с силой встряхнул ее. *У тебя нет выбора, маленькая леди. Мы здесь одни. И ничто не остановит меня, я получу то, что хочу.*

...Пожалуйста... Пожалуйста...

Она боролась, но он был слишком сильный. Он взял ее на земле, привязав за запястья к столбу бархатными веревками. Он разорвал на ней одежду, гладил ее, любил ее. Его руки летали по ее телу, проникали внутрь, а веревки словно растворились.

Да, Джейк. О да. Да, мой дорогой Джимми...

Пластинка выскользнула из пальцев и упала на пол, вырвав Белинду из мира фантазий. Она опустилась на край кровати и потянулась к мятой пачке сигарет. Та оказалась пустой. Белинда кинула ее на пол, пытаясь придумать, где добыть другую пачку. Она собиралась послать кого-нибудь за сигаретами после ужина, но не могла вспомнить, послала или нет. Все ускользало от нее.

Она снова посмотрела вниз, на фотографию Джейка Коранды. Она хотела его любви. Насильной. Уже прошла мода на эротические мысли об изнасиловании, но не для нее. Она хотела, конечно, чтобы ее изнасиловал мужчина, которого она сама бы выбрала. Она вспомнила Роберта Рэдфорда и Фэй Даноуэй в фильме «Три дня Кондора». В самом начале картины Рэдфорд швыряет Фэй на кровать, заставляя ее молчать, и, пока он ее держит, Фэй смотрит на него снизу вверх и шепчет:

— Пожалуйста, не насилуй меня.

Белинда была единственная в зале кинотеатра, кто рассмеялся в этом месте. Роберт Рэдфорд. Да ради Бога.

Она услышала неожиданный шум. Шаги Алексея по лестнице. Но Белинда не сразу подошла к двери. Сначала налила половину рюмки скотча из графина, а потом опустила руку в холодную воду на дне ведерка, где еще плавало несколько кубиков льда. Затем она наконец открыла дверь спальни и увидела его спину, удалявшуюся по коридору.

— Алексей.

Он повернул к ней искаженное лицо.

— У меня кончились сигареты. У тебя есть? Мне нужна одна сигарета.

Когда она подходила к нему, ее халат спустился с плеча, слегка оголив его.

— Ты напилась.

— Я выпила немножко. — Кубик льда глухо стучал по стеклу бокала. — Настолько, чтобы осмелиться с тобой заговорить.

— Иди спать, Белинда. Я слишком устал, чтобы удовлетворить тебя сегодня.

— Я хочу только сигарету.

Внимательно глядя на нее, он вынул серебряный портсигар и открыл. Она медленно выбирала сигарету, как будто они чем-то отличались, а выбрав, прошла мимо него в его спальню.

Алексей прошел за ней.

— Не помню, чтобы я тебя приглашал. — Слова падали тяжело.

— Извини, — проговорила она с сарказмом. — Я забыла, что эта территория стала мужской половиной. Или, точнее, не женской. — Она вынула из кармана халата зажигалку и посмотрела на постель. — Нет, ни то ни другое не точно, так ведь? Как же назвать твою спальню, Алексей? Детской?

— Уходи, Белинда, — сказал он бесстрастным голосом. — Ты сегодня старая и отвратительная. Как отчаявшаяся женщина, которая знает, что ей больше нечем завлечь мужчину.

Белинда закрыла глаза. Она не должна размениваться на ерунду и позволять себе обижаться на его слова. Она должна сосредоточиться на ужасном, грязном рте Алексея, которым он целовал ее дочь. Он снял пиджак и бросил его на спинку кресла.

— Не утомляй меня очередной сценой, Белинда. Я уже все слышал. Оскорбленная мать, оскорбленная жена. Что сегодня? Оскорбленная потаскуха? Но это с тобой было давно, так ведь?

Она не должна слушать его. Не должна думать о его жестоких словах. Он носит подтяжки под пиджаком. Вот о чем она должна думать. Интересно, давно он носит подтяжки?

— Я не дам тебе поиметь мою дочь, — сказала Белинда.

— Твою дочь? Разве не нашу дочь?

— Я убью тебя, если ты тронешь ее, Алексей.

— Боже мой, дорогая. Я понимаю, ты выпила и потеряла разум. — Его запонки упали на бюро. — Много лет ты просила меня сделать ее членом нашей семьи. Разве нет?

Белинда подумала о череде его любовниц-подростков. И почувствовала, что сейчас выдержка оставит ее и она не совладает с собой.

Тонкие губы Алексея сложились в жестокую улыбку, она поняла, что он снова прочитал ее мысли.

— Что за грязь у тебя на уме? Отвратительная грязь. Неужели Флинн вложил в тебя подобные мысли? Или это результат твоего воспитания?

Она сдерживалась с трудом, старалась говорить спокойно, напоминая себе, что о ее телефонном разговоре он ничего не знает.

— Не будь таким самоуверенным, Алексей. У тебя больше нет надо мной власти. И над Флер тоже. Она выросла. Теперь все будет иначе.

Его пальцы замерли на пуговицах рубашки.

— Что ты имеешь в виду?

Белинда собралась с духом.

— Я имею в виду, что у меня есть планы на ее счет. Прежде чем ты попытаешься вмешаться в них, ты должен узнать: меня больше не волнует, даже если целый мир сделает открытие, что Алексей Савагар растил дочь другого мужчины. — Она говорила неправду. Ну и пусть. Как бы ни хотелось ей все это прокричать миру, она понимала: Флер никогда не поймет, почему ее мать осталась с Алексеем, если знала, что не он ее отец. А она, Белинда, не вынесет, если любовь дочери превратится в ненависть.

Алексей рассмеялся.

— Это что же, шантаж, дорогая? Я бы мог забеспокоиться, если бы не знал, как ты любишь роскошь. Я и раньше говорил: если кто-то узнает правду о Флер, я отрежу тебя от моих денег. А ты не выживешь без них, Белинда. Ты не сможешь заработать себе даже на чулки, не говоря уж о скотче.

Белинда медленно подошла к нему.

— Увидим, Алексей. После всех этих долгих лет ты с удивлением узнаешь, что не так уж хорошо меня изучил, как думаешь.

— О, я знаю тебя, дорогая. — Его пальцы пробежались по ее руке сверху вниз. — Я знаю тебя даже лучше, чем ты сама себя знаешь.

Подняв голову, она пристально посмотрела ему в лицо, пытаясь обнаружить хоть каплю мягкости. Но все, что она увидела, — это его рот, который он прижимал к губам ее дочери. Гнев затопил ее всю, гнев, страх и... другие чувства. Одно она не хотела назвать даже мысленно. Ревность. Постыдная, жгучая ревность.

Глава 9

На следующий день после похорон Соланж Белинда разбудила Флер до зари и шепотом сообщила, что они уезжают в Фонтенбло к Банни Дюверж. Когда они ехали по тихим окраинам Парижа, она торопливо рассказывала Флер о своих разговорах с Банни после встречи на Миконосе и о том, чем они завершились.

— Я не могу поверить, — в пятый раз повторила Флер. — Я действительно не могу. Это просто сумасшествие. — Она сбросила босоножки и задрала ноги на приборную панель, желая унять дрожь в коленях. — Расскажи все снова. Только не торопись.

Белинда полезла в сумочку за сигаретой, то и дело нервно поглядывая в боковое зеркало.

— Банни позвонила мне в тот же день, как я вернулась в Париж, — сказала мать. — Единственное, о чем она могла говорить, — это о тебе. Какие у тебя прекрасные черты лица, какие красивые волосы и так далее и тому подобное. Естественно, я слушала с удовольствием. Но я знала, что ее мужа давно нет дома, и решила, что Банни мучается от безделья, поэтому не отнеслась к ее словам всерьез. Потом она сказала, что послала твои фотографии

Гретхен Казимир. Помнишь, Банни тебя снимала на Миконосе? Я, конечно, сразу подумала про Алексея. Могу себе представить, что он сказал бы, если бы узнал. Хотя агентство Казимир одно из самых известных в Нью-Йорке, работа моделью не из тех занятий, которые, по его мнению, подходят для Савагаров. Я попросила Банни держать рот на замке, пока я буду думать.

— Но это же смешно! — воскликнула Флер. — Ты когда-нибудь слышала о модели ростом в шесть футов?

— Пять футов и одиннадцать с половиной дюймов, не преувеличивай, детка. Банни говорит, из-за такого, как у тебя, типа лица и такой фигуры агенты сходят с ума. Уж она-то знает.

— Я думаю, сама Банни сошла с ума, — мрачно проговорила Флер. — Слушай, Белинда, я не понимаю, почему мы должны уезжать тайно, особенно после того, как Алексей сказал, что хочет со мной поговорить? Мне... Мне кажется, я ему немного понравилась. Может, он передумает и разрешит мне поехать учиться в Штаты?

Этого не стоило говорить. Флер поняла свою ошибку, когда заметила, как крепко руки Белинды стиснули руль, и ей стало не по себе. Флер попыталась объяснить матери, что она устала в тот вечер, была взволнована, она сказала, что ненавидит Алексея так же сильно, как всегда, и она не такая дура, чтобы малейшее проявление симпатии с его стороны заставило ее забыть прошлое. Она помнит, что он вообще не хотел ее знать. Но почему не поговорить с ним? Что в этом плохого?

Белинда не хотела слушать. Она сказала, что Алексей хочет разделить их.

— Послушай меня, детка. — Белинда снова взглянула в боковое зеркало. — Сколько лет подряд ты просишь меня оставить Алексея? Разве ты не хотела, чтобы мы с тобой были только вдвоем? Теперь наконец я это сделала.

— Ты собираешься с ним развестись?

— Не то чтобы развестись... Сейчас, сию минуту, это трудно. Просто мы будем жить отдельно. Но, детка, ничего не выйдет, если мы не сможем сами себя прокормить. Гретхен Казимир заинтересовалась тобой. Увидев фотографии, она захотела сделать профессиональные пробы. Я сказала, что это невозможно. Что мой муж никогда не согласится. Она засыпала меня телефонными звонками. Флер, она говорит об астрономической сумме, если получатся хорошие пробы.

Флер молчала. Все это не укладывалось у нее в голове, планы Белинды казались нереальными. Но ей так не хотелось возвращаться в монастырь! Все модели такие красивые, утонченные, она не помнит ни одной неуклюжей, высоченной семнадцатилетней девушки вроде нее.

Имение Дювержей располагалось на юге Фонтенбло. Оно состояло из двухсотлетнего шато, пруда с карпами и картинной галереи, увешанной работами старых мастеров. Банни Грубен очень повезло в тот день, когда она пришла в дорогой магазин за коробкой шоколада, а вышла оттуда с Филиппом Жаком Дювержем вместо конфет.

Она радостно кинулась навстречу Белинде и Флер, потащила их в дом, объясняя на ходу, что ее муж в Саудовской Аравии до ноября и они могут жить здесь просто как девочки. Разве не забавно? Флер подумала, что, может, и не очень, но промолчала.

К концу первой недели Флер всеми фибрами души невзлюбила хозяйку. Банни читала ей бесконечные лекции про макияж, красивую походку, она вдалбливала ей, кто есть кто в мире моды в Нью-Йорке, без конца трещала о том, как работала моделью. День ото дня Флер казалась самой себе все крупнее, все безобразней; ей хотелось исчезнуть и никогда больше не видеть Банни, не слышать ее голоса. А Банни без устали кудахтала про полное отсутствие интереса у Флер к одежде, критиковала за неловкость, когда девушка на что-то наталкивалась. Флер огрызалась, заявляя, что она не домашняя кошечка. Банни возводила глаза к небу.

Ей не нравился американский акцент Флер.

— Она, должно быть, родилась в Небраске, Белинда, — жаловалась Банни. — А французский акцент так нравится американцам. — Но в то же время она продолжала клясться Белинде, что у Флер есть нечто.

Флер спросила, что это такое, но Банни неопределенно покрутила рукой и пожала плечами, давая понять, что это невозможно объяснить словами.

На следующей неделе она привезла самого известного парижского парикмахера, взяв с него клятву молчать. Тот ходил кругами вокруг Флер, рассматривал ее, похлопывая себя пальцем по щеке, потом подрезал ей волосы на четверть дюйма здесь, на четверть дюйма там, и когда он закончил, Флер показалось, что ничего не изменилось. Но Банни со слезами на глазах называла его «маэстро».

К удивлению Флер, Белинда воспринимала слова Банни совершенно серьезно и несколько раз резко одернула дочь, пытавшуюся пошутить. Белинда была напряжена, как натянутая струна. Превратившаяся в комок нервов, она все время оглядывалась, словно ожидала внезапного появления Алексея, который мог выскочить из любого угла, как черт из табакерки. Флер пыталась ее успокоить, но уже без всяких шуток:

— Белинда, в самом худшем случае Алексей найдет нас и отправит меня обратно в школу. Не переживай так сильно.

— Ты, детка, не понимаешь. Если он узнает про Казимир, ничего не выйдет. Он запретит нашу затею и попытается оторвать тебя от меня. Ты его не знаешь. Эгоизм Савагара безграничен. Мы должны устроиться в Нью-Йорке, прежде чем он нас отыщет. Детка, это наш единственный шанс в жизни, больше такого не представится.

Слушая Белинду, Флер чувствовала себя не слишком уютно. Трудно было поверить в серьезность происходящего и в необходимость именно сейчас заниматься устройством ее будущего. Единственное, что нравилось Флер, — быть вместе с Белиндой. Флер заметила, что с момента отъезда из Парижа мать не притрагивалась к рюмке. И девушка искренне радовалась; ей казалось раньше, что мать слишком много пьет.

Появление самого любимого фотографа Гретхен Казимир из Нью-Йорка насторожило Флер: а может, следует внимательнее слушать Банни Дюверж?

Гретхен Казимир рассматривала фотографии, разбросанные на столе. Она уже раз десять перебирала их за последнюю неделю, и всякий раз чувствовала волнение, словно впервые вынимала их из конверта. Что-то внутри сигналило ей: ошибки нет. Интуиция еще ни разу не подводила Гретхен, когда она наталкивалась на нечто важное. Да, она должник Банни.

Поглядев на золотые часы «патек-филипп», она поняла, что должна торопиться, если хочет быть готовой вовремя. Вечером у нее свидание с американским сенатором, более известным своей либеральной политикой в спальне, чем успехами в президентской кампании. Она давно собиралась его испробовать. Гретхен расстегнула четыре верхние пуговицы бирюзовой рубашки от Дианы фон Фюрстенберг, но даже не взглянула в сторону офисного душа. Вместо этого снова взяла со стола одну из фотографий.

Девушка была замечательная. Тот тип, который появляется раз в десять лет. Лицо Флер, как лицо Сьюзи Паркер, Джин Шримптон и Твигги*, станет модным символом десятилетия. В этой девушке есть нечто, напомнившее Гретхен о Шримптон и о великой Верушке, хотя в облике Флер было больше невинности и ожидания.

Она смотрела прямо в камеру. Смелые, почти мужские черты лица в ореоле светлых волос. Волшебная фотография. Не найдется в мире женщины, которая не отдала бы все, чтобы походить на нее. Гретхен отложила крупный план и взяла со стола снимок в полный рост, он ей нравился больше всех. Девушка с Кентуккских гор, так бы она назвала ее. Флер стояла босиком, волосы заплетены в косу, большие руки свободно висят по бокам. На ней простое платье из хлопка, которое намокло так сильно, что отяжелевший подол облепил колени; соски затвердели и поднялись, влажная ткань обрисовала бесконечно длинную линию бедра яснее, чем если бы девушка была голой. В «Вог» будут просто в восторге.

Гретхен Казимир была дама с амбициями, она сама себя сделала. На заработанную упорным, тяжелым трудом стипендию она выучилась, потом прошла весь путь от незначительного сотрудника до редактора отдела мод в журнале «Вог» меньше чем за два года. И наконец, к облегчению нескольких человек в издательстве «Конде наст» — тех, кто сразу распознал в ней соперницу, — начала свое собственное дело. Она создала агентство «Модели Казимир», начав с крошечного офиса в одну комнату и превратив его в организацию, почти столь же престижную и мощную, как «Агентство Форд». «Почти» не устраивало Гретхен Казимир, и она открыто признавалась любому, что не уймется до тех пор, пока не обойдет Эйлин Форд.

Сделать решающий рывок она собиралась с помощью Флер Савагар.

---

* Известная английская модель — символ 60-х годов.

Когда такси вписалось в поток машин, Флер не могла спокойно сидеть. Она елозила от окна к окну, перегибалась через Белинду, оборачивалась назад, прижималась лицом к панели из пластика, отделявшей их от водителя. Все грязное, красивое и замечательное. Нью-Йорк-Сити вполне устраивал ее.

— Детка, я не могу поверить, — говорила Белинда, гася в пепельнице четвертую сигарету. — Не могу поверить, что мы сумели уехать. Боже мой, Алексей взовьется от ярости, когда узнает. Его дочь — модель! Я бы все отдала, чтобы увидеть его лицо. Он даже актеров считает вульгарными. Но теперь нам не нужны его деньги. Он ничего не сможет поделать. Ох! Осторожней, детка.

— Извини. — Флер убрала локоть. — Смотри, Белинда, смотри, какая красивая улица! И как называется — Восточная Река.

Такси затормозило перед роскошным небоскребом. Флер увидела цифры на стекле над входом и задумалась. Она слышала, как Белинда просила Гретхен снять им что-нибудь скромное на первые несколько месяцев. Но перед ней было совсем не то. Она почувствовала себя не в своей тарелке, когда служащий повез их чемоданы в лифт мимо живых цветов. Она заметила: дешевле, чем от «Джой», здесь никто ничего не носил.

В животе что-то оборвалось, когда скоростной лифт устремился вверх.

А что, если она не справится? Если пробные снимки удались случайно? Лифт остановился, они с Белиндой вышли. Ноги утопали в зеленом напольном покрытии цвета сельдерея. Служащий повел их по короткому коридору.

Он остановился перед дверью, отпер ее и внес чемоданы. Белинда вошла первой, Флер за ней. Она обратила внимание на запах, очень знакомый и... Девушка поглядела через плечо матери и увидела букеты белых роз в полном цвету. Они стояли везде.

— О нет! — воскликнула Белинда тихим придушенным голосом.

У Флер возникло странное чувство, что все это уже когда-то было. Квартира... розы... И Алексей Савагар, выходящий им навстречу со стаканом бренди в руке.

— Добро пожаловать в Нью-Йорк, мои дорогие.

БЛЕСТЯЩАЯ ДЕВОЧКА

*Всю свою жизнь я пытался отыскать свою
мать, но так и не нашел.*

Эррол Флинн
Грехи мои тяжкие

Глава 10

Алексей прижался губами к щеке Флер. Она старалась думать
о том, как ужасно, что он появился именно сейчас, когда все так
хорошо началось, но, почувствовав прикосновение его слегка шер-
шавого подбородка, отвлеклась. Он целовал ее не так, как Белинда.

— Я уверен, ты хорошо долетела, Флер. — Он обвел глазами
ее джинсы, заправленные в высокие кожаные ботинки, и старый
твидовый блейзер. Неодобрительно выгнул бровь, но промолчал.

— А что *ты* здесь делаешь? — полушепотом спросила Белинда.

— Странный вопрос, — заметил он по-французски. — Мои
жена и дочь вылетают в Новый Свет. Разве я не должен хотя бы
сказать им «здравствуйте» на этой земле? — Он обезоруживающе
улыбнулся Флер, приглашая посмеяться его шутке.

Губы Флер дрогнули было, но она увидела, как сильно поблед-
нело лицо Белинды, и ей снова захотелось встать на защиту матери.
Девушка взяла ее за руку.

— Я не вернусь назад, Алексей, — сказала она. — Ты не
сможешь меня заставить.

Казалось, это заявление его позабавило.

— А почему ты решила, что я буду пытаться вернуть тебя?

Флер почувствовала напряжение Белинды и ободряюще стиснула ее руку.

— Я собираюсь стать моделью у Гретхен Казимир. Она предложила мне контракт.

— И очень, кстати, великодушный, — сказал он. — Мои адвокаты его изучили, и похоже, что он абсолютно честный.

Флер почувствовала себя в глупом положении.

— Ты знаешь о Казимир?

— Дорогая, я не хотел бы показаться нескромным, но очень мало что способно ускользнуть от моего внимания. И уж конечно, не такое важное дело, как будущее благополучие моей дочери.

— Не верь ему, Флер! — воскликнула Белинда. — Его не волнует твое благополучие!

Алексей вздохнул.

— Белинда, пожалуйста, оставь при себе свою паранойю, не своди с ума нашу дочь. — Он подошел к комоду и поставил недопитую рюмку бренди рядом с белыми розами. — Ну хватит об этом. Давайте я покажу вам апартаменты. Надеюсь, вам здесь понравится, а если нет, подыщу что-нибудь еще.

Флер не сумела скрыть удивления.

— Так это ты поселил нас здесь?

— Отцовский подарок дочери. — Алексей улыбнулся, и на душе у Флер потеплело. — Надеюсь, ты примешь мои наилучшие пожелания успехов в будущей карьере. Я думаю, мне пришло время начать понемногу заглаживать свою вину.

Белинда тихо застонала, ее пальцы конвульсивно сжали руку Флер.

Алексей пробыл в Нью-Йорке месяц. Поскольку Гретхен Казимир сразу вызвала большой интерес пробными снимками своего таинственного открытия, Флер пришлось начать работу почти сразу. Но все свободное время она проводила с Алексеем. Он неожиданно появлялся у них с билетами в театр или на балет, сообщал о заказанном столике в ресторане с такой замечательной едой, что отказаться было просто невозможно. Однажды они даже съездили в Коннектикут, где, по слухам, в одном имении прячется «бугатти» 1939 года.

Белинда взяла с дочери обещание никогда не встречаться с Алексеем наедине. Флер хотела возразить, но что-то в лице Белинды удержало ее. Она согласилась. И хотя Белинду никогда не приглашали, она все равно ходила с ними везде, молча куря сигарету за сигаретой. Все чаще Флер ловила себя на том, что ей хочется оставить Белинду дома. Но потом ее начинало грызть чувство вины. Белинда думала, что дочь забыла о годах, когда по вине Алексея они жили отдельно. Но Флер не забыла. Даже весело смеясь какой-нибудь шутке Алексея, пробуя лакомый кусочек, который он передавал ей на своей вилке, она помнила. В конце концов Флер поняла, что Белинда права не во всем, что касается Алексея. Например, она была уверена, что отец станет возражать против ее карьеры модели.

Однажды днем у Белинды выпала из зуба пломба, и ей пришлось срочно отправиться к зубному врачу. Пока она была там, позвонил Алексей и сказал, что вечером улетает в Париж и хотел бы с ней попрощаться. Флер понимала: не очень честно нарушить обещание, данное матери, но все же она согласилась встретиться с ним. В парке.

Она уже не раз пыталась выяснить у Алексея, почему он отослал ее из дома. Но он всегда умудрялся уходить от темы. На этот раз Флер прямо задала вопрос.

— Это была детская ревность, — сказал Алексей, гладя ее по ладони. — Я был человеком средних лет, жена на двадцать лет моложе, я был сильно влюблен в нее и боялся, что ты займешь мое место в ее сердце. Поэтому, как только ты родилась, я заставил тебя исчезнуть. У меня были деньги, а значит, и власть, дорогая. Никогда не недооценивай этой власти.

— Алексей, но ведь я же была крошечным младенцем. — Флер смотрела себе на колени, не уверенная, что удержится и не заплачет. — Как ты мог так поступить с ребенком?

— Да, согласен, я зашел слишком далеко. Мне кажется, я понимал это уже тогда. Смешно, правда? Мой поступок отдалил твою мать от меня гораздо больше, чем мог это сделать ребенок. Даже появление Мишеля ничего не изменило. — Он поцеловал ладонь Флер, прижавшись губами, как сделал бы любовник. — Я не прошу меня простить, дорогая, кое-что простить невозможно, но прошу тебя отвести мне хотя бы маленькое местечко в твоей жизни, прежде чем станет слишком поздно для нас обоих.

Он полез в карман, вынул платок, поднес его к носу девушки и дал ей высморкаться, как ребенку. Рассказ Алексея отличался от рассказа Белинды. Но Флер так хотелось иметь отца, что она не обратила на это внимания.

— Я прощаю тебя, папа, — проговорила она, хотя и не до конца искренне.

Когда Алексей вернулся в Париж, Белинда ожила. Она весело смеялась, принимала приглашения и перестала курить без остановки. В киосках появилась первая фотография Флер на обложке, и Белинда купила две дюжины экземпляров и разложила во всех комнатах. С ее фотографией журнал продал самый большой тираж за всю свою историю. Карьера Флер взлетела кометой. Белинда стала поговаривать о Голливуде.

Журнал «Пипл» опубликовал статью о Флер. Отвечая на вопросы журналиста, Белинда сказала: «Моя девочка не просто светится, она блестит». Белинда попала в точку. Это было именно то, что нужно журналу. На его обложке появился вынос: «Блестящая Девочка. Флер Савагар. Шесть футов чистого золота». Увидев это, Флер заявила Белинде, что никогда больше не осмелится выйти на публику.

Белинда рассмеялась: слишком поздно. Гретхен наняла пресс-агента, чтобы закрепить за Флер это прозвище.

Они ездили в Сан-Франциско и на Багамы. Флер фотографировалась в кафтанах в Стамбуле, в одежде для отдыха в Абу-Даби. Она снялась в первых телевизионных коммерческих фильмах, рекламировала духи, которые, как она сказала Белинде, пахли похоронами Соланж. Пресс-агент Гретхен работал успешно, и Флер стали называть лицом десятилетия. Никто не возражал против подобного определения, кроме самой Флер. Все твердили, что она должна радоваться свалившемуся на нее успеху. Но каждое утро, чистя зубы и глядя на себя в зеркало, девушка удивлялась: да из-за чего вся суета?

Появились первые предложения сниматься в кино. Но Гретхен считала, что эти фильмы недостаточно хороши для Флер, и советовала Белинде отказывать. Белинда так и делала, а потом несколько дней пребывала в подавленном состоянии.

— Ты не можешь себе представить, какое это искушение, детка. Я так мечтала, что мы поедем в Голливуд. Но Гретхен права. Твой первый фильм должен быть особенным. Я начинаю думать, что события развиваются слишком стремительно. — И она глубоко вздыхала.

«Тайм» тоже поместил портрет Флер на обложке, а статью напечатал под заголовком: «Блестящая Девочка. Большая, красивая и богатая». На этот раз Флер сказала, что теперь уж точно выполнит обещание и никогда больше не появится на публике.

Заголовок в «Тайм» отметил одну важную перемену в жизни Флер и Белинды, которая требовала к себе все больше внимания. Флер стала зарабатывать огромные деньги. Сначала обе испытывали благодарность Судьбе и радовались, что не надо думать о деньгах. Но постепенно они начали понимать, что дело принимает серьезный оборот, а ни одна из них понятия не имеет, как управлять такими большими деньгами.

— Что же нам делать? — Белинда беспомощно разводила руками с пачками бумаг в каждой. — У меня не очень с цифрами, а все дают разные советы. Эти налоги, акции, ценные бумаги... Все так сложно. Долгосрочные... Краткосрочные... Инфляция... Честно, детка, единственное, что я могу сказать хорошего об Алексее, — с ним мне никогда не приходилось беспокоиться ни о чем подобном.

Флер пыталась помочь, но была слишком занята работой, чтобы вникать в финансовые дела. Белинда стала составлять длинные списки вопросов, которые Флер должна была задать Алексею по телефону. Его ответы были краткими и полезными. Постепенно они стали все больше полагаться на его советы, пока наконец полностью не передали ведение собственных финансовых дел в его способные руки, оставив себе лишь приятное удовольствие тратить доллары.

Флер не говорила Белинде, но ей наскучило работать моделью. Однако это была слишком незначительная плата за то, чтобы стать частью Нью-Йорка. Весь город казался ей калейдоскопом красок, ощущений, словно созданных специально для нее. Она вонзала зубы в Большое Яблоко — символ города — и жадно поедала его большими кусками. Заправив пряди светлых волос,

ставших ее торговой маркой, под шапочку с козырьком, Флер
вместе с туристами топала на вершину статуи Свободы. Она
съедала дюжины хот-догов и каждое новое сленговое выражение
делала своим собственным. Нью-Йорк. Вот это город! Она пела
песни в ритме рока и танцевала до упаду. Флер была влюблена,
и город, казалось, отвечал ей взаимностью.

— Чуть назад и вправо, дорогая.

Флер вскинула голову и улыбнулась в камеру. Шея ныла, живот болел от месячных, но, как Золушка на балу, она не жаловалась,
что ей жмут хрустальные туфельки.

— Прекрасно. Это было отлично, золотце.

Девушка сидела на стуле перед маленьким столиком с зеркалом,
установленным как мольберт. Шелковая блузка цвета шампанского была
расстегнута на шее, а на нежной коже блестело чудесное изумрудное
ожерелье. Ниже талии, куда не добирался глаз камеры, были потрепанные джинсы с заплаткой спереди и пара розовых шлепанцев для душа.

Фотограф откинулся назад.

— Ей надо поправить брови.

К Флер подскочил мужчина, отвечавший за это, и подал кро-
шечную расческу; потом маленькой чистой губкой похлопал по носу
Флер. Она подалась вперед, глядя на свое отражение, и привела в
порядок брови, пройдясь по ним расчесочкой. Раньше Флер считала, что смешно причесывать брови, но с некоторых пор она не
задавала лишних вопросов.

— Нэнси, платье прибыло?

Краем глаза Флер заметила, как художник-постановщик пове-
сил трубку и обернулся к стилисту.

Девушка покачала головой:

— Пока еще нет.

Флер сочувственно улыбнулась ей. Задержки с платьем волновали Нэнси все утро. Как стилист она отвечала за одежду и аксессуары, следила, чтобы их вовремя доставляли и чтобы они были в
полном порядке во время съемок. Если подол оказывался длинным,
она бежала с тесьмой в руке подшивать, если брюки сидели мешко-
вато, убирала лишнее на бедрах, закалывая булавками. Листая мод-

ные журналы с красивыми картинками, Флер воспринимала их теперь как фальшивый фасад здания на съемочной площадке.

Нэнси засунула руку за воротник блузки Флер и проверила, не отлепился ли кусочек скотча от шеи. С его помощью изумрудное ожерелье приподнималось выше и выглядело эффектнее.

— Мне правда жаль, но платье обещали привезти к десяти.

Художник-постановщик громко стукнул по столу, опустив небьющуюся чашку, которую только что подносил к губам.

— Дерьмо! У них был целый час! Позвони снова этим идиотам и скажи, чтобы они поспешили оторвать свои задницы от стула.

Флер перевела взгляд на Белинду, углубившуюся в журнал. Мать хмурилась. Она ненавидела, когда рядом с Флер кто-то произносил ругательства.

— Я уже две катушки истратил на эти изумруды, — заявил фотограф. — Если мы все равно простаиваем, может, сделаем перерыв?

Художник-постановщик кивнул:

— Да, а потом будем делать сапфиры в Галанос. Нэнси, как закончишь с Флер, покажи, что ты припасла на случай, если с платьем выйдет прокол.

Расстегивая нижние пуговицы на блузке, Флер встала и протопала по голому паркету студии, обходя гладильную доску Нэнси, в маленький закуток, чтобы переодеться в свою собственную кисейную рубаху с открытой шеей. Потом, отдав Нэнси блузку и изумруды, налила чашку кофе и подошла к Белинде, изучавшей рекламу в журнале.

Каждый раз, отмечая, как сильно изменилась Белинда, Флер радовалась. Никаких нервных жестов, спокойная, уверенная, похорошевшая. Такой Флер никогда не видела мать. Загар от уикэндов, проведенных в домике на побережье их огненных островов, придал ей небывало здоровый вид. Сегодня Белинда была одета в белую блузку от Гэтсби, юбку и темно-красные лайковые босоножки. Украшениями служили обручальное кольцо и тоненький золотой браслет на лодыжке.

— Посмотри, какая у нее кожа, Флер, — Белинда постучала ногтем по странице, — никаких пор. Боже мой, я чувствую себя совсем древней. Когда я вижу такие фото, то просто физически

ощущаю, как мои сорок дышат в затылок. — Она вздохнула. — Я
думаю, в следующем месяце мне надо недели две провести в «Золотой Двери».

Флер наклонилась и повнимательнее посмотрела на фотографию. Реклама одной из самых дорогих косметических линий. Крупным планом снята экзотическая большеглазая брюнетка,
задрапированная в красный атлас.

— Белинда, ты ее не знаешь?

— Нет, а разве должна?

— Это Ани Хольман.

— Имя ни о чем мне не говорит.

— Ты не помнишь? Месяца два назад мы с ней вместе работали.

Белинда по-прежнему не могла вспомнить.

— Мам, да Ани Хольман тринадцать лет.

Белинда тихо засмеялась.

— Неудивительно, что в этой стране любая женщина за тридцать чувствует себя не в своей тарелке. Мы соревнуемся с детьми.

Флер улыбнулась. Но потом подумала: интересно, а какие чувства испытывают женщины, глядя на ее фотографии? Неужели она
зарабатывает свои восемьсот долларов в час, доставляя огорчения
другим?

— Флер, телефон! Париж! — позвала Нэнси.

Флер, сразу забыв о рекламном журнале, кинулась к телефону:

— Алло, папа! — И повернулась спиной к Белинде.

— Ну как поживает моя Блестящая Девочка?

Она сморщила нос.

— Прекрасно. Не издевайся надо мной. Ты знаешь, как я
ненавижу это прозвище.

— Извини, — сказал Алексей. — Не мог удержаться. Над
тобой так приятно подтрунивать.

— Как ты меня нашел?

— Гретхен дала телефон. Я звоню, чтобы предупредить, дорогая. Дома тебя ждет сюрприз. Сегодня, когда вернешься, найдешь
подарок на день рождения. Это маленькая гравюра. Девочка на ней
напоминает мне тебя.

Флер нахмурилась.

— Ты же сам обещал вручить мне подарок. Ты не приедешь в Нью-Йорк?

— Да, я знаю. Я говорил. Но... Боюсь, у меня плохие новости.

Она понимала, о чем он. Почему же она была так уверена, что на этот раз ничего не произойдет?

— Значит, не приедешь?

— Извини, дорогая. Нечто непредвиденное... Может быть, в следующем месяце. Если бы ты смогла приехать в Париж — другое дело. Уж если так...

Флер перебирала пальцами телефонный шнур и пыталась говорить обычным тоном.

— Может, я и смогла бы. Я не работаю в понедельник. Может быть, я смогу прилететь на выходные.

— Но ты же знаешь, это невозможно. Я не хочу, чтобы ты шла против желания матери. Она совершенно ясно дала понять, что ты не поедешь в Париж.

— В следующем месяце мне исполнится девятнадцать. Я уже не ребенок.

— Я запрещаю тебе, дорогая. Пока твоя мама не даст разрешения, я тоже не разрешаю тебе навещать меня в Париже. Подождем моего приезда в Нью-Йорк.

— Но могут пройти месяцы. Это нечестно. Я не хочу... — Она остановилась, а потом более спокойно продолжила: — Ты уже в третий раз отказываешься приехать, Алексей. — Флер знала, как ему не нравится, когда она называет его по имени. Но ей было плевать.

— Я понимаю, — сказал он с холодком в голосе. — Поверь, мне от этого еще больнее, чем тебе. Если бы твоя мать была разумной женщиной, она не ставила бы нас в подобное положение.

— Я поговорю с ней еще раз.

— Можешь попытаться, дорогая, но уверяю тебя, это бесполезно. Твоя мать очень упрямая, она использует тебя, чтобы досадить мне.

Флер ничего не сказала. Она терпеть не могла, когда Алексей критиковал Белинду.

— Скажи мне, Флер, как она? Пьет?

Флер провела пальцем ноги, высунувшимся из шлепанца, по ножке телефонного столика.

— Я ведь тебе уже говорила: она больше не пьет.

— Может, ты не знаешь? Следи за ней, дорогая, следи за ней ради меня.

Белинда бросила рекламный журнал и пошла в туалет. Она заперлась там, закрыла глаза и прислонилась щекой к холодной белой стене. Она не слышала всего разговора, но могла догадаться о каждом слове. Она не удивилась. Она ждала этого.

Не сразу, но Белинда поняла, что Алексей сначала обещает приехать в Нью-Йорк, потом отменяет полет. Это часть его плана. Сегодня вечером Флер станет просить разрешения слетать в Париж. Белинде придется сказать «нет». Флер промолчит, но будет думать, что мать неврастеничка, неразумная ревнивица, намеренно отрывающая дочь от любящего милого папочки. Проклятие!

Белинда открыла глаза и рядом с зеркалом увидела кем-то аккуратно написанное: «Элизабет Кэди Стэнтон живет...» А ниже, другим почерком, было добавлено: «и путается с Зигмундом Фрейдом». Белинда мрачно улыбнулась. Фрейд надолго бы запомнил денек с этой особой.

Надо отдать должное Флер, она продержалась дольше, чем ожидала Белинда, и даже сейчас сохраняла дистанцию с Алексеем. Он это чувствовал и был недоволен. Но ничего не мог поделать. Он звонил Флер несколько раз в неделю, слал подарки, желая вызвать у нее ощущение его постоянного присутствия, но оставался в отдалении от нее. Белинда понимала, ей надо удерживать Флер от поездок в Париж, где Алексей будет владеть ситуацией. Здесь она может ее защитить. Но как объяснить девочке причину запрета? Сказать ей, мол, твой отец, который, кстати, — так уж вышло, извини, — не твой отец, соблазняет тебя?

Дочь никогда не поверит.

Флер пыталась скрыть разочарование, повесив телефонную трубку. Она и впрямь думала, что на этот раз сможет поступить так, как ей хочется. А хотелось ей одного: увидеть Алексея. Ей просто *необходимо было его увидеть*.

Услышав у себя за спиной шаги, она повернулась. Молодой человек в джинсах и в майке протягивал ей кофе. Это был помощник фотографа, парень по имени Крис Малино, и если честно, то именно из-за него она с нетерпением ждала сегодняшних съемок.

— Спасибо. — Флер взяла у парня чашку и одарила его самой дружеской и ободряющей улыбкой из всех, какие у нее были в запасе.

Он все еще робел с ней, как большинство ровесников Флер. Это ее огорчало, она ведь такая же, как все. Но ее не боялись только мужчины постарше или знаменитости. Зато этих Флер боялась сама и выходила с ними, только если Гретхен и Белинда заставляли ее. К сожалению, подобное случалось гораздо чаще, чем хотелось Флер.

А как бы ей хотелось ходить на свидания в джинсах вместо платьев от знаменитых дизайнеров, забыть об агентах и контрактах, о том, «кто есть кто» в городе, не видеть постоянно нацеленных на нее камер фотографов из журнала «Женская одежда». Но на такие обыкновенные свидания ее не приглашали. Наверное, думали, что она не пойдет, откажется. С Крисом Малино Флер решила все изменить. Ни наглых, ни прославленных! Вот новый девиз Флер Савагар.

Он понравился ей с первого раза, когда они делали съемки купальников в Монтоке в марте. В перерывах парень приносил ей одеяло и горячий чай. Она расспрашивала о его жизни. Он расслабился и рассказал об уроках, которые берет по киноделу. Ей нравилось смотреть на него, когда он говорил. С лохматыми, песочного цвета волосами, с неправильными чертами лица, он не был красив, как мужчины-модели, но он был интересен ей, а они — нет. Что-то особенное видела Флер в его открытом дружеском лице; она просто смотрела на него, и у нее становилось хорошо на душе.

— Ну как уроки? — спросила она. Конечно, она понимала, это не слишком умное начало беседы, но больше ничего не пришло в голову.

Крис пожал плечами, и Флер увидела, что он пытается вести себя с ней как с одноклассницей. Ей понравилось.

— Да все по-старому.

— Ну что, например?

— Ну, читали Кракера и изучали русских. «Потемкина», кадр за кадром. Да все такое. Ты же знаешь.

Она не знала, но тем не менее кивнула.

— Я принесла эссе Базена, которые ты мне давал.

Лицо его осветилось, он перестал притворяться и изображать спокойствие и равнодушие.

— Ну и как? Что ты думаешь?

— Трудновато, когда мало знаешь об эстетике кино. Но было полезно почитать. А то я думала, что мои мозги уже превратились в овсяную кашу.

Он засунул большой палец в карман джинсов, потом вытащил обратно.

— Тебе нравится «Джетс»?

Она не поняла вопроса.

— Реактивные самолеты?* А, футбольная команда! — *Флер, пора приступать. Ты ведешь себя как идиотка.* — Я мало знаю о футболе. Во Франции играют в соккер, в футбол с круглым мячом. Но я хотела бы узнать, — торопливо добавила она. — Если бы кто-то мне захотел объяснить. — *Улыбайся, дура, улыбайся. И не возвышайся, как колонна.* — Она села на стул. Тот скрипнул, когда она садилась.

— Я забыл, что ты француженка. У тебя совсем нет акцента. — Он посмотрел на экспонометр, который держал в руке. — Слушай, Флер, у меня есть билеты на игру «Джетс» через две недели. Я хочу сказать, что пойму, если у тебя дела, я знаю, тебя многие куда-то приглашают...

— Да нет, — быстро ответила она, вскакивая со стула. — Я знаю, все думают, что у меня отбоя нет от приглашений, но это неправда.

— Ну, в газетах все время мелькают твои фотографии с кинозвездами, с Кеннеди и всякое такое.

— Ну это же не настоящие свидания. Гретхен и мама стараются ради паблисити. Это они все организуют.

---

* Джетс (англ. jets) — реактивные двигатели или реактивные самолеты.

— Значит, ты бы хотела со мной пойти?

Флер улыбнулась.

— Очень.

Они улыбались друг другу, когда сзади неслышно подошла Белинда.

— Дорогая, ты нужна Нэнси. Пора приготовиться.

— О'кей. — Флер кивнула Крису. — Но перед игрой я кое-что почитаю о футболе.

— Это что за игра, детка? — вежливо, но слегка манерно поинтересовалась Белинда.

— Это «Джетс», миссис Савагар, — ответил Крис. — Они играют со «Стилерс» через две недели, Флер обещала пойти со мной.

— Ты обещала, детка? — Белинда озабоченно наморщила лоб. — Надо было сначала согласовать со мной. Боюсь, придется разочаровать Криса. Тот уик-энд у нас занят. Это ведь твой день рождения. Ты забыла?

Флер забыла. Гретхен Казимир устраивала для нее вечеринку, и ей даже подобрали партнера, Шона Хауэлла, двадцатидвухлетнего красавца кинозвезду. Флер уже появлялась с ним на публике, и он ее страшно утомил. Весь вечер жаловался на женщин, замучивших его домогательствами и попытками затащить к себе в постель. Еще Шон рассказывал, как вылетел из высшей школы из-за учителей, которых он называл неряхами и подонками. После этого Флер попросила Гретхен избавить ее от него. Но Гретхен была упряма и выполняла свои задачи. Бизнес есть бизнес, и Шон Хауэлл рядом с Флер Савагар — это то, что надо.

Когда Флер попыталась поговорить об этом с матерью, Белинда сделала таинственное лицо и заговорила так туманно, будто перешла с английского языка на арабский.

— Но он же звезда. Находясь рядом с тобой, он придает тебе еще больше веса и значимости в глазах публики, дорогая. Боже мой, во всей Америке не отыскать девочки, которая не хотела бы оказаться на твоем месте.

Флер пожаловалась, что эта «звезда» то и дело норовит засунуть руку ей под юбку. Белинда улыбнулась:

— Он же известный человек, детка. А известные люди не такие, как все. Они не должны придерживаться общепринятых правил. Я уверена, ты с ним сладишь.

Флер заметила, каким разочарованным стало лицо Криса, и не сомневалась, что у нее оно такое же.

— Но, Белинда, — возразила она, — вечеринка в субботу вечером. А игра в воскресенье. Так что мы можем пойти.

Белинда стиснула ее руку.

— Не думаю, дорогая. Ты припозднишься, тебе надо будет отдохнуть. Я сожалею, Крис, может, как-нибудь в другой раз.

— Конечно, миссис Савагар. — Он кивнул Флер. — Да, как-нибудь в другой раз.

Флер тоже кивнула.

— Да, конечно.

Но следующего раза уже не будет, она это понимала. Крису и так пришлось призвать все свое мужество, чтобы пригласить ее; больше он не осмелится.

Вечером Флер собиралась поговорить с матерью о случившемся. Она пришла домой и наконец обратила внимание, что Белинда поменяла интерьер их апартаментов. Никаких старинных вещей, парчи, все очень стильно, современно. Мать хотела избавиться от напоминаний об убранстве дома на рю де ля Бьенфезанс. Стены гостиной были обтянуты желто-бурой замшей. В углах зеленели фикусы в горшках, бросая тени на черные лакированные ширмы, а на больших кусках полированного дерева блестели бронзовые скульптуры. Большую часть комнаты занимал диван со множеством расписных подушечек в коричневых и черных тонах. Рядом стояли столики из стекла и хрома и стулья, обтянутые тканью в желто-бурых и черных разводах.

Флер больше нравились старинные вещи, но в новой обстановке ее раздражала не столько замена мебели, сколько длинная стена, которую Белинда покрыла большими, размером с окно, фотографиями Флер. Когда девушка смотрела на них, ей становилось не по себе. Это висели ее фотографии — и в то же время не ее. Как будто косметика и одежда были панцирем, который запечатлевали фотографы. Казалось, снимки не имели никакого отношения к самой Флер, и, глядя на них, она испытывала неловкость и какое-то болезненное раздвоение личности. Флер услышала стук входной двери: это Белинда возвращалась с ужина, на который отказалась пойти Флер.

— Ты еще не спишь? — Мать бросила сумочку, расшитую бисером, на стеклянный кофейный столик и села, утонув в мягком диване, рядом с Флер. На ней была белая кружевная блузка, в это лето считавшаяся в Нью-Йорке самым последним писком моды, и длинная, до пола, юбка из кусочков, сделанная Шарон Рокфеллер. Когда Белинда принесла юбку из дорогого магазина «Бергдорф», Флер стала подтрунивать над ней, говоря, что она в ней вылитая горянка из Западной Виргинии.

— Хорошо провела время? — спросила Флер, перегнувшись через подушку, чтобы чмокнуть мать в щеку.

— Очень мило. Все спрашивали о тебе. Там была Лайза Минелли. Она пела целых полтора часа, хотя была гостьей. Боже, какая у нее огромная грудь.

— Но у тебя тоже ничего себе, — ухмыльнулась Флер, переводя взгляд на свой менее впечатляющий бюст, который казался еще более плоским под тесной полосатой пижамой. — Не знаю, почему я унаследовала не твою грудь, а Алексея.

Белинда потянулась за сумочкой, ей захотелось закурить. Она неуклюже порылась в ней, и Флер пожалела, что вообще открыла рот.

— Дорогая, у тебя завтра очень рано съемки, ты забыла? Иди-ка лучше спать.

— Я хотела поговорить с тобой.

— Что-то случилось?

— Да нет, ничего. Просто...

Флер потянула за распустившуюся нить на пижамных штанишках. Она терпеть не могла ссориться с Белиндой, но это все же случалось, хотя и очень редко. И она всегда чувствовала себя виноватой.

— Белинда, я хочу поговорить с тобой о сегодняшнем случае.

Белинда вздохнула, ее плечи слегка опустились. Она швырнула пачку сигарет на стол, так и не раскрыв ее.

— Дорогая, мы об этом уже говорили в такси. Я знаю, ты думаешь, что я поступаю с тобой жестоко, не разрешая ехать в Париж. Но я ничего не могу поделать. — Она протянула руку и положила ее на бедро Флер. — Мне очень жаль. Я знаю, что для тебя значит быть рядом с Алексеем, но я не могу позволить тебе уехать. Он не так относится к тебе. И я не думаю, что ты это понимаешь.

— Нет, я не о Париже, Белинда. Конечно, мне не нравится, что ты не пускаешь меня к Алексею, но у меня нет сил видеть, как ты переживаешь, стоит мне заговорить о поездке. Ты совершенно неразумно относишься к нашим с Алексеем отношениям.

Белинда долгим взглядом посмотрела на Флер; выражение усталости исчезло с ее лица.

— Я так люблю тебя, детка. Не найдется в мире другой дочери, которая так бы понимала свою мать. Иногда я с трудом верю, что тебе всего восемнадцать. Погоди, я что-нибудь придумаю.

— Не понимаю, — резко оборвала ее Флер, глядя в сторону. — Я только что сказала, что мы не будем об этом говорить. — Она подогнула под себя ноги, потом с извиняющейся улыбкой снова посмотрела на мать. — В общем-то есть прекрасный вариант, как уладить все с Крисом.

Лицо Белинды стало непроницаемо.

— С помощником фотографа?

Флер кивнула.

— Мне правда хотелось пойти с ним куда-нибудь. Мне не понравилось, как ты отказала ему за меня.

— Флер, но Крис — никто. Ну почему ты хочешь с ним куда-то пойти?

— Он мне нравится, — сказала Флер. — Мне интересно с ним. Ты не должна была говорить с ним таким тоном. В конце концов мне не двенадцать лет.

— Понятно, — холодно бросила Белинда. — Ты хочешь сказать, что я тебя смутила.

Флер почувствовала, как у нее внутри нарастает паника.

— Да конечно, нет. Ты не смутила меня.

Белинда сидела рядом, но Флер казалось, что мать отгородилась от нее стеной. Флер потянулась к ней и коснулась ее юбки.

— Ладно, забудь, что я сказала. Это не важно. — Если не считать того, что на самом деле это было очень важно. Но почему она так легко сдалась?

— Нет, конечно, это важно, — ответила Белинда. — Я знаю, иногда тебе трудно смириться с тем, что ты не можешь вести себя, как положено в восемнадцать лет. Но не забывай, ты не такая, как все. Ты особенная.

Холодность и отстраненность Белинды исчезли. Она протянула руку и положила ее на запястье Флер. И та мгновенно почувствовала облегчение. Как будто она висела на краю пропасти, но в последнюю минуту ее втащили обратно, на безопасное место.

— Ты должна доверять мне, детка. Позволь мне вести тебя дальше. Я знаю, что лучше для тебя.

И тут черт дернул Флер прошептать:

— Ты думаешь, что знаешь.

— Нет, детка, я *действительно* знаю. — Белинда подняла руку и поправила локон, упавший Флер на лоб. — Неужели ты не чувствуешь между нами связь? Как будто мы один человек, а не два?

Флер кивнула. Да, именно это она и чувствовала. Они с Белиндой были одно целое. Они вместе; ушли в прошлое кошмары, она больше не будет стоять перед входом в монастырь и смотреть, как исчезает машина Белинды за поворотом.

— Ты должна мне безоглядно доверять, детка. Я знаю, как поступить правильно. Я отчетливо вижу твой путь. Ты станешь известной. Более известной, чем когда-нибудь могла мечтать. Ты не узнаешь, каково это, когда на тебя никто не обращает внимания, словно ты человек-невидимка.

Флер неуверенно рассмеялась:

— Да я слишком большая, чтобы быть невидимкой.

Белинда даже не пыталась улыбнуться.

— Я не хочу, чтобы ты была несчастлива, девочка. Я не хочу, чтобы ты думала, будто я вмешиваюсь в твою жизнь. Если тебе очень хочется, позвони утром Крису и скажи, что пойдешь с ним.

Именно это Флер и хотелось бы сделать, но она подумала, что не стоит.

— Я... Да нет, мама...

Она почувствовала губы Белинды на своей щеке.

— Я люблю тебя. Ты самый замечательный ребенок на свете.

Флер порывисто обняла мать. Она сделает это ради нее. Она будет хорошо себя вести с Шоном Хауэллом на вечеринке, а утром не позвонит Крису.

Флер легла спать, а Белинда осталась сидеть на диване с сигаретой. Когда она смотрела на стену с фотографиями, в горле что-то напрягалось. Она защитит ее от всех. От Алексея, от обычных мужчин вроде Криса, от любого, кто встретится на пути Флер и попытается ей помешать. Это нелегко, но она сумеет.

Почувствовав, что тоска, словно покрывало, начинает окутывать ее, Белинда потянулась к телефону и быстро набрала номер. Отозвался сонный мужской голос:

— Да.

— Это я. Я тебя разбудила?

— Ага. А что?

— Хочу тебя увидеть.

Мужчина протяжно зевнул.

— Когда приедешь?

— Уже выезжаю. Буду через полчаса.

Когда она уже отводила трубку от уха, его голос остановил ее:

— Эй, Белинда.

— Да?

— Может, оставишь трусики дома?

Она улыбнулась и повесила трубку.

Целую вечность она искала такси, и только через час оказалась у его двери. Он открыл ее и впустил Белинду. Он был голый, в одних белых трусах. Когда он повернулся, чтобы закрыть дверь на засов, Белинда увидела, что сзади трусы такие изношенные, что сквозь ткань просвечивает бледная кожа.

— Эй, детка, привет.

— Привет, дорогой. — Она кинулась к нему в объятия, провела рукой по упругой молодой мускулистой спине.

Поцелуй был несвежий, как прокисшее пиво; она почувствовала это, проникнув языком ему в рот. Он потянул ее за юбку из кусочков, а потом его рука полезла под нее. Он ткнулся меж ее бедер, как ребенок, который ныряет в мешок с мелкими игрушками, из которого на ярмарке наугад выбирают подарок. Никакой тактичности. Но она знала про это с самого начала. И ей нравилось.

— У тебя замечательное тело, Белинда, — пробормотал он.

— Для такой старой распутницы, ты хочешь сказать.

— Это ты сказала, не я.

Он терся об юбку, нетерпеливо расстегивая ее блузку.

Она слегка отодвинулась от него.

— Дай я сама, пока ты не разорвал.

Он посмотрел на нее из-под тяжелых полуопущенных век.

— Детка, ты хочешь сказать, что тебе не нравится, когда тебя раздевает кинозвезда?

— Гм... — Она медленно скользнула обратно в его объятия.

— Ну, может быть, стоит сдаться тебе, Шон.

Глава 11

Голливуд не знал, что делать с Джейком Корандой. То есть киношники знали, чего хотели бы, но хотеть и иметь — не одно и то же. Они хотели, чтобы он смотрел на уличных подонков через прицел «магнума-44». Чтобы он дрался с бандой головорезов, поигрывая «кольтами», украшенными перламутром. Чтобы он, оттолкнув полногрудую девицу, выходил из дверей салуна. Им нужен был дерзкий и нахальный Джейк Коранда. Два Иствуда гораздо лучше, чем один, кто станет спорить?

Джейк моложе Клинта Иствуда. Правда, лицо у него более простое, но типаж такой же, человека вне закона, и это, несомненно, нравится зрителям. Настоящий мужчина, а не слизняк с феном в кармане. Джейк прославился в начале семидесятых, играя бродягу по имени Калибр в низкобюджетном вестерне, который до конца года заработал тридцать миллионов долларов. Потом вышли еще две картины про Калибра, одна кровавее другой; за ними потянулась череда приключенческих лент из того же теста, разве что вместо быстроногих лошадей по экрану носились лихие автомобили.

Потом Коранда заупрямился. Он заявил, что ему нужно свободное время, чтобы писать пьесы.

Магнаты постукивали ухоженными пальцами по полированным столам, мрачно поглядывали на календарь; ими владело только одно желание — выпустить на экран побольше картин с Калибром. Им уже мерещились новые офисы, новые «роллс-ройсы», в которые они перемещают свои утомленные тела, а потом, отделавшись от видений, они мрачно качали головой и спрашивали себя: что они могут сделать, если лучший актер преуспевает на сопредельном поприще? Взять того же Клинта Иствуда. Его пьесы уже попали в хрестоматии, по которым учатся в колледжах. А ведь актеры должны быть глупыми. По стопам Иствуда черт понес и Коранду. Стоял бы себе перед камерой, где ему и положено, а за него думали бы другие. Иствуд по крайней мере хоть практичный, но Коранда... Пулитцеровская премия просто сгубила его.

Когда Коранда начал пристраивать свой первый сценарий, магнаты отвернулись от него.

— Вся эта заумь хороша для Нью-Йорк-Сити, — ворчали они. — Американская публика хочет видеть на экране сиськи и оружие.

Коранда показал им кукиш и пошел к братьям Спано; те согласились запустить в производство его сценарий «Затмение в воскресное утро» вместо высокобюджетного фильма о полицейских и ворах. Магнаты молились, чтобы картина провалилась. Если этого не случится, им придется забыть о новых «роллсах».

В комнате висело облако дыма от толстой сигары Дика Спано и от едкой маленькой сигары, торчавшей во рту его помощника.

— Давай снова Савагар! — крикнул Спано.

Помощник нервно взглянул на ссутулившегося мужчину, ожидая нового взрыва. Уже третий день они смотрят пробы, а Джейк Коранда стоит на своем. Джонни Гай Келли, прославленный и убеленный сединами режиссер, щелкнул крышкой баночки с апельсиновой водой и указал на экран.

— Джако, мальчик, мы не хотим тебя сильно огорчать, но я думаю, ты забыл свои гениальные мозги в постели у последней подружки.

— Она не годится на Лиззи, — сказал Коранда. — Нутром чую.

Джонни Гай отпил из банки.

— А ты как следует посмотри на эту красотку, подольше, по-внимательней, и скажи мне, что ты нигде ничего не чувствуешь, кроме как в кишках. Она подходит для камеры, Джако. И достаточно хорошо читает роль.

— Но она модель, в конце концов, а не актриса! Еще одна яркая девица, которая рассчитывает сделать карьеру в Голливуде. — Он повернулся к Дику Спано: — Ты еще раз проверил Эми Ирвинг?

Дик Спано покачал головой:

— Ирвинг не свободна, а если бы даже была, Джейк, Савагар именно то, что надо. Не найдешь журнала, на обложке которого ее нет. У нее свой стиль в одежде, свой собственный шампунь, свои духи. Продюсеры два года гоняются за ней, все ждут, какой фильм она сделает своим дебютом. Это уже часть паблисити.

Коранда вытянул ноги перед собой.

— К черту паблисити. Неужели ее самолюбие не задевает даже то, что мы мало платим?

— Это низкобюджетный, но зато очень престижный фильм, Джако. За ней стоят довольно неглупые люди. Они долго выжидали, чтобы не ошибиться в выборе картины. Кроме всего прочего, на ведущую роль им нужен достаточно высокий мужчина, чтобы играть с ней. Она рослая девочка, Джако, ты не заметил?

Коранда ничего не ответил. Дик Спано и Джонни Гай Келли обменялись долгими взглядами. Оба хорошо знали характер, доставшийся Коранде от рождения и по происхождению, но именно нелегкий характер помогал собирать такие огромные прибыли. Зрители безошибочно чувствовали сходство героя по имени Калибр с самим Джейком Корандой. Этот парень и в жизни всегда лез на рожон, отстаивая свои проекты. Он бился за их.

Самые важные моменты жизни Джейка были известны читателям таблоидов, несмотря на его фанатичное стремление не пускать прессу в личную жизнь и отказ давать интервью. Урожденный Джо Джозеф Коранда рос в самой отвратительной части Кливленда, без отца; его мать днем убирала чужие дома, а ночью офисы. Подростком он состоял на учете в полиции за мелкие кражи в магазинах и за то, что в тринадцать лет пытался угнать машину — он завел ее без ключа от замка зажигания. Джейк всегда уходил от вопроса, как это ему вдруг удалось перемениться.

— Просто шпаненку повезло через баскетбол, — коротко отвечал он.

Джейк отказывался говорить о своем молниеносном браке, а также о времени, проведенном во Вьетнаме. Он заявлял, что жизнь — это дело сугубо личное и он не обязан отвечать на вопросы о ней.

— Прости, Джейк, — сказал Спано, — но я боюсь, нас большинство, и мы намерены сегодня сделать ей предложение.

Коранда вскочил со своего места, как отпущенная на волю пружина, и медленно пошел к двери.

— Делайте что хотите, — бросил он. — Но не ждите, что от радости я расстелю красный ковер для встречи этой девчонки.

Джонни Гай покачал головой, когда Джейк удалился, потом снова посмотрел на экран.

— Очень надеюсь, что наша красотка понимает, как следует относиться к критическим выпадам.

Флер подписала контракт на «Затмение в воскресное утро», испытывая возбуждение и переворачивающий душу страх. Ей все скучнее становилось работать моделью, но она не была уверена, что уже готова сниматься в кино. Она посещала уроки актерского мастерства, и было ясно, что Гленде Джексон не о чем особенно беспокоиться. Сама она тоже не каменела от ужаса при мысли о съемках, о камере, но все же...

Зато Белинда не волновалась. Наконец ее девочка на пути к звездным вершинам Голливуда. «Затмение в воскресное утро» был первый сценарий Джейка Коранды, о котором говорили уже год, и ее девочка станет звездой. Она повторяла это ей снова и снова, пока Флер не заявила, что все бросит, если услышит подобное заявление еще хоть раз. Белинда со смехом потрепала Флер по щеке. Ее девочке предстоят любовные сцены с Джейком Корандой. Везучий, везучий ребенок.

Но Флер не разделяла восхищения Белинды Джейком Корандой. Если честно, она его до смерти боялась, хотя никому в этом не признавалась. В нем было что-то очень грубое. Она пыталась внушить себе, что таков его образ в кино. Белинда таскала дочь на все фильмы с его участием, и Флер возненавидела их. Его герои всегда били женщин или с наслаждением дырявили кому-то живот пулей. В довершение ко всему Паркер Дэйтон, ее агент по переговорам со студией Спано, сказал, что Коранда всеми силами противился утверждению ее кандидатуры на роль Лиззи. Но когда ее самолет делал круг над Лос-Анджелесом, Флер вдруг подумала: а может, Джейк Коранда на самом деле лучше, чем ей кажется?

Мужскую роль в этом фильме он написал для себя. Роль, которая сильно отличалась от его обычных, хотя насилие было и в ней. Он играл Мэтта, пехотинца. Парень возвращается домой из Вьетнама, в штат Айову, его начинают мучить воспоминания о массовом убийстве в Май-Лэй, свидетелем которого ему пришлось быть. Дома он обнаруживает, что его жена беременна от другого мужчины, а его брат вовлечен в скандал в связи со строительством новой школы. Мэтта влечет к Лиззи, младшей сестре жены, повзрослевшей за время его отсутствия. Роль Лиззи и должна была играть Флер. Не тронутая запахом напалма, не ведающая о коррупции, она заставляет Мэтта снова почувствовать себя чистым. Когда они в шутку начинают спорить, где лучше поесть гамбургеров, он везет ее на поиски старомодной забегаловки, и эта поездка выливается в недельную одиссею по Айове. Эта забегаловка становится трагикомическим символом невинности, которую потеряла страна. И символом для Мэтта, обнаружившего, что Лиззи не так бесхитростна и невинна, как он поначалу думал.

Сценарий показался Флер трагическим и одновременно смешным. Он понравился, но девушка думала, что вовлекается во что-то, к чему пока не готова.

Одну битву во время переговоров она все же выиграла. Флер заявила Белинде, что пускай они делают с голыми любовными сценами что хотят, ей плевать, но она в них участвовать не собирается. При одной мысли об этом ей становилось дурно. Белинда три дня уговаривала дочь, называла ее ханжой, заявляла, что это лицемерие с ее стороны, ведь она уже рекламировала раньше купальники. Но Флер упрямо стояла на своем. Купальник — это купальник, а голый человек — это голый человек. Белинда наконец сдалась.

В общем-то это была давняя борьба между ними. Ее просили сниматься обнаженной многие уважаемые фотографы, и она всегда отказывалась, как бы ни давили на нее Белинда и Гретхен. Белинда считала, дочь упрямится из-за того, что она еще девственница. Но Флер и мысли не допускала, что фотографии с ней голой будут висеть на стене в гостиной рядом со всеми остальными, а представив себе, что ее обнаженное тело, увеличенное во много раз, появится на экране, она замирала от ужаса.

Лимузин подвез ее к парадному входу дома в испанском стиле на Беверли-Хиллз, который сняла Белинда. Флер уже знала, что в доме шесть спален, две джакузи и гораздо больше места, чем нужно, но Белинда объяснила: важно сохранять имидж. Им незачем экономить, Флер уже заработала почти два миллиона долларов, а Алексей надежно вложил их на ее имя. Когда Флер упомянула размеры дома в телефонном разговоре с отцом, он заметил:

— Не забывай, в Южной Калифорнии отсутствие тщеславия считается вульгарным. Слушай свою мать, и успех тебе будет обеспечен.

Замечание было ехидное, но Флер пропустила его мимо ушей. Она уже поняла, что проблемы между родителями гораздо сложнее и запутаннее, чем она могла думать, и ей их не разрешить.

У входной двери Флер встретила экономка и повела по двухэтажному дому с терракотовыми полами, с широкими просторными окнами, выходившими на бассейн в задней части двора. Уже не впервые за день Флер поймала себя на том, что скучает по Белинде, хотя понимала: мать поступила правильно, отправившись на две недели в «Золотую дверь». Хотя Белинда не говорила этого вслух, Флер понимала, что кино для матери гораздо важнее, чем для нее самой.

— Я должна быть в самой лучшей форме, детка, — сказала она Флер по телефону. — Пусть увидят, что они прозевали в 1955 году.

Но все-таки Флер хотела, чтобы мать была рядом, помогла ей устроиться на новом месте и отвлечься от страхов.

Зазвонил звонок входной двери, появилась экономка и сообщила, что Флер кое-что ждет перед домом.

Она выглянула и на подъездной дорожке увидела «порше» цвета топленого масла, перевязанный гигантским серебристым бантом.

Она бросилась к телефону и успела перехватить Алексея, отправлявшегося на званый ужин.

— Он такой красивый! — закричала она в трубку. — Какой прекрасный сюрприз! Я до смерти боюсь водить его.

— Запомни только одно: ты ведешь машину, а не наоборот. И в этом нет ничего страшного.

Флер засмеялась.

— И это я слышу от человека, готового потратить целое состояние на «бугатти-роял», который всю войну был спрятан в пригородах Парижа!

— Это, моя дорогая, совсем другое.

— Лицемер.

Съемки шли уже несколько недель, когда Флер появилась в Калифорнии. Хотя она не нужна была еще в течение пяти дней, она приехала пораньше, чтобы понаблюдать за съемкой, прежде чем встать перед камерой.

Пройдя через студийные ворота, она направилась к павильону звукозаписи, где, как сообщил охранник, работала киногруппа. Даже удовольствие от езды на «порше» не успокоило ее. Когда не надо было переключать передачи, Флер разговаривала сама с собой. Сегодня она только посмотрит. Сегодня ей ничего не придется делать. Даже встав перед камерой, она не обнаружит для себя ничего нового. Она снялась в дюжине телевизионных коммерческих фильмов и понимает, что такое киносъемка. Потом Флер перечислила свои достоинства: она знает, как добиться успеха и как удержаться на его гребне, она никогда не спорит с режиссерами, она надежная.

Но все-таки Флер нервничала.

В то утро она надела длинный свитер цвета пиона от Сони Рикель и босоножки с трехдюймовыми каблуками розовато-бежевого цвета из кожи ящерицы. Назло Джейку Коранде. Он высокий, но трехдюймовые каблуки их сравняют. Волосы Флер опускались почти до пояса; она убрала их с лица и заколола так, чтобы они падали на спину. На этот раз Флер немного подкрасилась, и когда посмотрелась в зеркало, ей самой стало ясно: сегодня Флер Савагар не собирается работать, сегодня она настоящая Блестящая Девочка.

— Флер, милочка, как я рад тебя видеть. — Дик Спано поцеловал ее в щеку у самой двери, восхищенно оглядывая безупречную фигуру с длинными ногами, выставленными из-под свитера на всеобщее обозрение. Флер несколько раз говорила со Спано в Нью-Йорке, и он ей нравился, несмотря на прилизанную внешность мужчины средних лет. Он казался ей честным, откровенным, и он обожал лошадей. Дик обнял ее за плечи и повел к створкам массивных дверей. — Они приготовились снимать сцену. Давай я тебя введу.

По декорациям на площадке Флер догадалась, что это кухня Мэтта в Айове. Посреди нее стоял Джон Гай Келли, поглощенный беседой с Линн Дэвидс, маленькой, с каштановыми волосами актрисой, игравшей жену Мэтта, Диди. Дик Спано указал девушке на режиссерское кресло за камерами. Когда Флер садилась, она с трудом подавила острое желание украдкой посмотреть, нет ли на спинке трафарета с ее именем.

— Ты готов, Джейк?

Флер увидела Джейка Коранду, выходящего из тени. Первое, на что она обратила внимание, был невероятный рот, мягкий и пухлый, как у ребенка. Но рот оказался единственным, что наводило на мысль о чем-то детском и нежном. Он шел расхлябанно, раскачиваясь, опустив плечи. Мужчина, уставший от степной жизни ковбоя, а не драматург и кинозвезда. Прямые каштановые волосы коротко подстрижены, гораздо короче, чем в картинах про Калибра, отчего он казался выше и стройнее. Черты лица в реальности выглядели грубее, и вообще Коранда не казался таким красивым, как на экране; не казался он и более дружелюбным, чем в кино. А может, это говорило предубеждение Флер по отношению к нему.

Джонни Гай призвал всех к тишине. Линн встала, опустила голову и даже не взглянула на Джейка. Надув губы, он привалился к косяку и хмуро уставился на нее.

Джонни Гай дал сигнал начинать.

— Ты, конечно, не могла удержаться и не стать потаскухой, да?

Как только Флер услышала эту строчку, ей захотелось забраться в свой «порше» и умчаться домой. Снимали одну из самых грубых сцен фильма, когда Мэтт обнаруживает измену Диди. В монтажной ее разбавят кадрами массового убийства в деревне, которую видел Мэтт во Вьетнаме. Воспоминания распаляют его, и он бросается на Диди, как бы повторяя насилие, свидетелем которого оказался. Это была самая нелюбимая сцена Флер во всем фильме. Она считала, что не было никакой необходимости в изображении подобного безжалостного избиения. Но чего можно ждать от человека, создавшего себе имя с помощью пары «кольтов», украшенных перламутром?

Джейк пошел через кухню, его фигура, казалось, дышала угрозой.

— Это не совсем так, Мэтт. — Беспомощным жестом Диди коснулась ожерелья, которое он подарил ей когда-то. На фоне Мэтта она была очень маленькая, хрупкая, как куколка, готовая рассыпаться от одного прикосновения.

Он резко схватил ее за руку и сорвал ожерелье; она закричала, попыталась вырваться, но он был слишком большой и сильный. Он тряхнул ее; Диди заплакала. Во рту Флер пересохло, словно она наглоталась ваты.

— Стоп! — крикнул Джонни Гай. — Получилась тень от окна.

Флер расслабила руки на деревянной ручке кресла, но, услышав сердитый голос Джейка, который, как она заметила, мало чем отличался от голоса Мэтта, снова сцепила пальцы.

— Я думал, мы все-таки попытаемся с одного раза снять эту сцену, Джонни Гай. Черт побери! В чем дело?

Они заспорили, Флер слышала не все. Она поймала себя на мысли, что напрасно пришла сюда сегодня. Она вообще не хотела бы появляться здесь. Она не готова сниматься в кино. Особенно вместе с Джейком Корандой. Ну почему он не Роберт Рэдфорд? Не Берт Рейнолдс? Ну кто-то нормальный, хороший. Она попыталась отыскать что-то приятное в том, что ее ожидает на съемках, и нашла: по крайней мере у нее нет сцен, где он должен ее бить.

Это не слишком успокоило Флер. Особенно когда она вспомнила о сценах, которые предстояло сыграть с ним...

Джонни Гай призвал всех к тишине, и снова она почувствовала, как пальцы впиваются в ручки кресла.

— Ты, конечно, не могла не стать потаскухой, да?

Она слышала те же самые грубые слова, видела, как Мэтт надвигается на Диди, срывает ожерелье. Диди борется с ним, он трясет ее еще сильнее и с таким злобным лицом, что Флер пришлось напомнить себе: это актерская игра. Это не жизнь. Боже мой, как хорошо, что это только игра. Он толкнул Диди к стене и ударил. Больше Флер не могла смотреть. Она закрыла глаза и попыталась думать о чем-то другом. Но в голове сидела одна мысль: оказаться подальше отсюда.

— Стоп!

Хотя Линн Дэвидс перестала плакать, Флер захотелось броситься в дамский туалет, но она не знала, где он, а спросить означало привлечь к себе внимание.

Она открыла глаза и увидела, как Джейк обнимает Линн, прижав ее голову к своему подбородку. Слава Богу, подумала Флер. Может, на самом деле он не такой плохой, как кажется.

Джонни Гай кинулся вперед.

— Ты в порядке, Линни?

Джейк повернулся к нему:

— Оставь, черт побери, нас одних на минутку!

Но это уж слишком здорово для того, кто играл Калибра, подумала Флер.

Джонни Гай кивнул и отошел. Он посмотрел на Флер и заключил ее в медвежьи объятия; сцена получилась смешная, потому что Флер оказалась на голову выше Джонни Гая.

— Ну разве это зрелище для таких глазок, как твои? Они прекрасны, как заходящее техасское солнце после весеннего дождя.

Джонни Гай, конечно, не мог обмануть Флер повадками «своего парня». Он считался одним из лучших режиссеров кино. Джонни Гай понравился ей с первого раза, еще в Нью-Йорке, когда он говорил с ней о роли. Похоже, он понимал, что она новичок в кино, но не давил своей опытностью.

— Кого ты хочешь обмануть, Джонни Гай? Я слышала, ты родился в Квинсе.

— Да это просто злобные слухи. Неужели ты веришь хоть одному слову? Ну а теперь пойдем, я хочу познакомить тебя со всеми.

Он представил Флер киногруппе, потом рассказал о каждом ее участнике. Флер пыталась сосредоточиться, но имена и лица мелькали слишком быстро.

— А где твоя красавица мать? — поинтересовался он, жестом прося держаться осторожнее с кабелем, пролегавшим рядом. — Я думал, она придет с тобой сегодня.

— Она появится на следующей неделе.

— Я помню ее с пятидесятых, — сказал он. — Тогда я трудился рабочим в киногруппе и видел ее в «Саду Аллаха». В ту пору она была с Эрролом Флинном.

Флер с любопытством посмотрела на Джонни Гая. Белинда рассказывала ей о своих знакомствах с кинозвездами, абсолютно со всеми. Но никогда не упоминала имени Эррола Флинна. Должно быть, он ошибся.

Джонни Гаю стало неловко.

— Ну пойдем, дорогая. Пора тебе познакомиться с Джейком и Линни.

Этого Флер хотелось меньше всего. Но Джонни Гай уже вел ее к ним, и спорить было поздно. Когда она увидела, что Линн все еще в слезах, ей стало нехорошо. Флер коснулась руки Джонни Гая.

— Ну почему бы нам не подождать...

— Джако, Линни. Я тут привел кое-кого, хочу, чтобы вы познакомились. — Он выдвинул ее вперед и представил.

Линн с трудом изобразила слабую улыбку, а Джейк уставился на нее взглядом героя по имени Калибр. Сначала он изучил лицо, а потом презрительно оглядел ее, одетую в свитер от Сони Рикель, с головы до ног. Флер испытала некоторое удовлетворение оттого, что трехдюймовые каблуки позволяли ей смотреть прямо в глаза Джейку Коранде. Наступило неловкое молчание, которое нарушил молодой человек со щетиной на подбородке.

— Мы собираемся повторить еще раз, Джонни Гай. Приношу свои извинения, но была одна проблема, мы сейчас ее утрясли.

Коранда рванул мимо Флер, как будто им выстрелили из пушки, направившись прямо к краю площадки.

— Что с вами такое, черт бы вас побрал?! — закричал он. — Вы будете нормально работать или что? Мы же собирались снять эту сцену без всяких проблем! Сколько раз мы будем повторять? Сколько раз мы будем проходить через все это из-за вашей дурости?

Площадка замерла. Потом раздался чей-то голос:

— Извини, Джейк, но ничего нельзя было сделать.

— Черта с два! Нельзя! — Он двинул рукой, как боксер, в сторону голоса. Флер ожидала, что он вот-вот выхватит «кольт». — Соберитесь же на этот раз, черт побери! Он будет последний!

— Полегче, парень, — сказал Джонни Гай. — Я здесь режиссер. Я скажу, когда будет последний раз.

Коранда холодно бросил:

— Тогда как насчет того, чтобы ты как следует делал свое дело?

Джонни Гай секунду помолчал. Потом спокойно проговорил:

— Я, пожалуй, притворюсь, что не слышал, Джако. А теперь все вернулись к работе!

Флер ускользнула с площадки как можно незаметнее. Вспышки раздражения были для нее не в новинку, она насмотрелась на них в последние несколько лет, но каждый раз чувствовала себя ужасно, становясь их свидетельницей. Смущенная Флер поглядела на большие часы на черном пластиковом ремешке, болтавшиеся на запястье, и зевнула. Это была уловка, к которой Флер прибегала, испытывая неловкость. Смотрела на часы и зевала. Пусть окружающие думают, что все происходящее ее ни капли не трогает. Вернувшись в кресло, Флер задала себе вопрос: что бы подумала Белинда про своего идола, увидев его в деле? Но потом поняла, какой это глупый вопрос. *Знаменитости не такие, как обычные люди, детка. Они не должны следовать тем же правилам.*

После короткой передышки все началось снова. На этот раз она не смотрела на актеров, но крики Диди лезли в уши, не давая Флер расслабиться. Потом все стихло, Джейк и Линн ушли с площадки.

После короткого перерыва начали снимать крупный план. Появился посыльный, он спросил не хочет ли она познакомиться с костюмершей. Когда Флер вернулась на площадку, киногруппа завтракала. Линн и Джейк сидели отдельно и жевали сандвичи. Оба были в джинсах, и Флер почувствовала себя человеком со стороны, ужасно расфуфыренной.

— Садись, — предложила Линн. — Жаль, что у нас раньше не было возможности поговорить.

Флер подошла поближе.

— Все нормально. Вы же работали.

Линн нахмурилась, а Флер пожалела, что так небрежно высказалась о сцене, свидетельницей которой только что была.

Джейк встал, заворачивая сандвич в бумагу, но Флер не посторонилась, чтобы пропустить его. Он выглядел самым грозным мужчиной, которого ей доводилось встречать в жизни, а может, так казалось из-за его слишком большого роста: Флер не привыкла к высоким мужчинам в своем окружении. Но вдруг она поймала себя на том, что не сводит глаз с его невероятного рта и с переднего кривого зуба с маленькой щербинкой на краю.

— Ну пока, Линн, — сказал он, — пойду постреляю по корзинке.

Он прошел мимо Флер, как мимо пустого места. Наступила неловкая пауза, потом Линн протянула ей половину сандвича:

— Ешь, а то мне нельзя толстеть. Лосось и низкокалорийный майонез.

— Спасибо. — Флер взяла дружески предложенный завтрак и села на стул, освободившийся после Джейка. Если верить Белинде, Линн Дэвидс играла в мыльных операх, потом получила маленькую роль в «Крестном отце» и стала сниматься на вторых женских ролях. Ее критиковали. Флер решила, что Линн, наверное, лет двадцать пять. Круглое лицо и влажные глаза делали ее очень женственной, но девушка стеснялась своей внешности.

Линн тоже изучающе смотрела на Флер.

— Похоже, тебе не надо беспокоиться насчет веса.

— Но я беспокоюсь, — сказала Флер, проглатывая кусок сандвича. — Я должна весить сто сорок пять, а перед камерой не больше ста тридцати пяти фунтов. С моим ростом это трудно, тем более что я люблю булочки и мороженое. Так что проблемы есть.

— Ну что ж, тогда мы можем подружиться. — Линн улыбнулась, показав ряд мелких ровных зубов. — Не выношу женщин, которые могут есть все, что им хочется.

Они поговорили еще немного о всяких причудах роста, веса, телосложения, прежде чем Флер заговорила о фильме. Она поняла, Линн очень нравится играть Диди.

— Критики считают, что женские роли Джейк написал не так хорошо, как мужские. Но я думаю, Диди исключение. Она глупа, но в то же время очень ранима. В каждой женщине есть что-то от Диди.

Флер согласилась.

— Это хорошая роль. Более честная, чем роль Лиззи. Я немного волнуюсь, как она у меня получится. Я не слишком уверена в себе. — Она не стала договаривать, потому что вряд ли ее слова могли вдохновить партнершу по фильму и вселить уверенность в благополучном исходе съемок.

Однако Линн ее слова не показались странными.

— Многие актеры чувствуют себя точно так же вначале. Но когда влезешь в роль по уши, уверенность придет. Поговори с Джейком о Лиззи. Он хорошо объясняет, умеет помочь.

Флер скорчила гримасу.

— После того, что я слышала, он вряд ли захочет порассуждать со мной о Лиззи. Я ведь знаю, он был не в восторге от моей кандидатуры на роль.

Линн засунула в рот последний кусочек сандвича и сказала:

— Но когда он поймет, что ты хочешь, он будет рядом.

— О, конечно, — проговорила Флер с оттенком цинизма в голосе, но более заметным, чем ей хотелось бы. — Нужно время и широкая кровать.

Линн быстро посмотрела на нее:

— Джейк не самый худший из парней, Флер.

— Не води меня за нос.

— В каком смысле?

— Ну я же видела, как он сегодня вел себя.

Линн задумалась, а потом, словно внутренне приняв решение, сказала:

— Слушай, Флер. Несколько лет назад мы с Джейком были парой. Ничего особенно серьезного с его стороны, но мы успели достаточно хорошо узнать друг друга. Когда мы перестали спать вместе, мы просто остались добрыми друзьями. Я ему очень доверяю. В сценарий Джейк перенес кое-что из моей жизни. Но потом он понял, что у меня возникают не слишком приятные воспоминания, и убрал эти сцены. Он сделал это ради меня. Понимаешь?

— Извини, — сказала Флер, стараясь говорить как можно спокойнее, хотя никакого спокойствия не испытывала. — С такими мужчинами, как Джейк, я не слишком уютно себя чувствую.

Линн озорно улыбнулась:

— Именно это делает таких мужчин, как Джейк, неотразимыми.

Флер употребила бы другое слово, но предпочла промолчать.

Следующие несколько дней она старалась держаться подальше от Джейка Коранды, насколько было возможно, но постоянно ловила себя на том, что тайком наблюдает за ним. Они с Джонни Гаем без устали препирались, спорили. Поначалу от их стычек она чувствовала себя неловко, потом заметила, что оба мужчины буквально расцветают в споре. В первый день, после вспышки Джейка, она удивилась его популярности в киногруппе. Оказалось, он хорош со всеми, кроме нее. Кивнув утром, он не замечал Флер целый день. Поэтому она радовалась, что первую сцену ей предстоит играть с Линн.

Накануне она учила роль, пока не запомнила ее назубок. Флер попросила экономку разбудить ее утром пораньше, потому что в семь она должна быть в гримерной. Флер приняла душ, позвонила Белинде и в десять готова была лечь спать. Но едва она потянулась к выключателю, позвонил помощник режиссера и сказал, что расписание изменилось. Завтра они снимают первую сцену Мэтта и Лиззи. Пробило двенадцать, когда Флер убедилась, что знает текст и можно ложиться спать. Но она так сильно возбудилась, что сон не шел. Флер хотела было принять таблетку нембутала Белинды, потом вспомнила сцены из «Долины кукол» и передумала. В последний раз, когда Флер посмотрела на часы, они показывали три восемнадцать.

Работать предстояло на площадке возле деревенского дома в Айове. Джонни Гай зашел утром в гримерную, чтобы за время, пока Флер приводит себя в порядок, обсудить первую сцену. Он объяснил, что она сядет на качели на крыльце, увидит Мэтта в конце дорожки, окликнет его по имени и, сбежав по ступенькам, кинется ему в объятия. Более трудная часть сцены чуть позднее, это будет их первый диалог.

Флер слушала внимательно, но никак не могла сосредоточиться. Она не выспалась, ощущала слабость, неуверенность в себе и не сомневалась, что у нее ничего не выйдет. Если бы сегодня предстояло работать не с Джейком! Флер видела, как прекрасно играет этот актер, и понимала, почему он не хотел видеть ее в роли Лиззи. Кроме всего прочего, ей не нравился ее первый костюм. Было начало мая, но по фильму шел август, и ее нарядили в белое бикини с красными сердечками и в мужскую голубую рубашку, завязанную узлом на животе. Живот у Флер был совершенно белый, бикини короткое, и казалось, кроме ног, у нее нет ничего.

Чтобы подчеркнуть противоречивость натуры Лиззи, ей заплели косу, которая болталась на спине. Стилист собирался завязать на косе красный бант, но Флер заявила, чтобы он об этом даже не мечтал. Она не собиралась носить бант в волосах, потому что Лиззи ни за что бы такого не допустила. Стилист не стал спорить, а то она бы ему показала, что Джейк Коранда — не единственный актер с характером. Да, Флер нервничала. Очень сильно. После того как она в четвертый раз сходила в туалет, помощник режиссера вызвал ее на площадку.

Флер уселась на качели, пытаясь сосредоточиться на предстоящей сцене. Лиззи еще не видела Мэтта, но знала, что он вернулся домой. Она ждала его, но свое нетерпение не должна была показывать. Лиззи много чего утаивала: как сильно ненавидит сестру, как тянется к ее мужу...

Ей не хотелось, но она все время ловила себя на том, что смотрит на Джейка, стоявшего возле трейлера в солдатской форме, как было положено по сценарию. Неужели ее могло тянуть к нему? Глупый вопрос. Он ей даже не нравился. Из статьи в журнале она узнала, что он на девять лет старше ее. Ему двадцать восемь, а ей девятнадцать. Но если бы даже он оказался ее ровесником, Джейк Коранда все равно был бы слишком старым для нее. Флер зевнула и посмотрела на запястье, но вспомнила, что она без часов.

Он засунул одну руку в карман, прислонился к трейлеру, уперся подошвой ботинка в край колеса и стоял в расслабленной позе, как на фотографиях в журналах и газетах. Если бы во рту у него была сигарета и он бы сощурился, то можно было бы подумать, что ожил Калибр. Флер снова подумала о влечении. Влечение к Джейку Коранде. Ну прямо заголовок для какой-нибудь бульварной газеты.

— Время, мальчики и девочки! — крикнул в мегафон Джонни Гай. — Ты готова, Флер, милая? Давай пройдем еще раз.

Она слушала его, тщательно запоминая путь, по которому он хотел, чтобы она пробежала. Потом вернулась к качелям и принялась нервно ждать окончания последних приготовлений. Волнение... Она должна думать о волнении. Но не трепыхаться. Не торопиться. «Ты его увидишь, — говорила она себе, — прежде чем позволишь этому отразиться на лице. Не беспокойся, что кто-то на тебя смотрит. Не думай о них. Сосредоточься на Мэтте. На Мэтте, а не на Джейке».

Джонни Гай дал сигнал начинать. Она подняла голову. Увидела Мэтта. Мэтт! Он вернулся! Вскочив, Флер побежала с крыльца, перепрыгивая через деревянные ступеньки. Коса болталась на спине. Она должна добежать до него, прикоснуться к нему. Он ее, а не Диди. Она бежала через двор в ужасном возбуждении; все правильно, она чувствовала, что все правильно, похоже, в конце концов все будет не так плохо. Он перед ней. Мэтт! Она выкрикнула его имя, бросилась к нему, прямо на его форму, в его объятия.

Он качнулся назад, и оба повалились на пол.

Раздался невероятный хохот. Флер лежала сверху на Джейке Коранде, придавив его полуобнаженным телом. Ничего более унизительного в своей жизни она до сих пор не испытывала. Ей хотелось умереть. Уползти в угол и умереть. Она же просто слон! Большой, неуклюжий, гигантский слон! Она выставила себя перед всеми настоящей дурой.

— Кто-нибудь пострадал? — задыхаясь от смеха, спросил Джонни Гай, помогая ей встать.

— Нет, я в порядке. — Она опустила голову и смотрела вниз, сосредоточенно вытирая грязь с ног, пытаясь прийти в себя. Из гримерной уже бежали с тряпкой, и она, не глядя на Джейка, стала вытираться. Какие ему еще нужны доказательства, что она не годится на роль? Проклятие! А какое ей вообще до него дело? До того, что он думает о ней и о роли? Почему здесь нет Белинды? Сейчас ей так нужна мать.

— А ты как, Джако?

— Нормально.

Джонни Гай похлопал ее по руке.

— Все было хорошо, золотце, — ухмыльнулся он. — Очень плохо, что парень оказался хилый и не смог удержать настоящую женщину.

Она понимала, что он старается помочь ей, но все равно чувствовала себя большой, неуклюжей, ужасной. Флер знала, что абсолютно все сейчас смотрят на нее.

— Я... я прошу прощения, — проговорила она запинаясь. — Думаю, я испортила костюм, он не отчищается.

— Именно поэтому мы держим еще один про запас. Иди переоденься.

Флер очень быстро вернулась к качелям на крыльце, и можно было начинать снова. Она постаралась сосредоточиться, восстановить в себе былое волнение, увидела Мэтта, подпрыгнула, соскочила со ступенек, побежала через двор. «Боже, пожалуйста, ну сделай так, чтобы я не сбила его с ног!» Она старательно и осторожно скользнула в его объятия.

Джонни Гаю совсем не понравилось.

Он велел повторить сцену. Она снова и снова сбегала со ступенек... В четвертый раз качели ударили ее сзади по ногам, когда она вскочила. В пятый раз Флер проделала весь путь к Джейку, но в последний момент удержалась от порыва. С каждой минутой она чувствовала себя все более несчастной; рубашка взмокла от пота.

— Не беспокойся о нем, золотце, — сказал Джонни Гай, когда Джейк в очередной раз отпустил ее. — Не беспокойся, куда ставишь ноги. Давай как в первый раз.

— Я попытаюсь.

Она повернулась спиной к мужчинам и направилась к качелям на крыльце, понимая, что никакая сила на земле не заставит ее броситься к Джейку Коранде, как в первый раз. Грудь ее

теснило, словно она собиралась заплакать. Флер с трудом проглотила слюну.

— Эй, погоди.

Она медленно повернулась и увидела, как Джейк направля-
ется к ней.

— Я просто потерял равновесие в первый раз, — вежливо
сказал он. — Я виноват. Не ты. Сейчас я тебя поймаю.

Ну конечно, поймает. Она кивнула и пошла дальше.

— Но ты мне не веришь, да?

Она остановилась и повернулась к нему.

— Я ведь знаю, что я не очень легкая.

Он насмешливо скривил рот. Подобная ухмылка могла кого
угодно привести в ярость.

— Эй, Джонни Гай! — крикнул он через плечо. — Дай нам
пять минут, хорошо? Этот могучий Цветик* думает, что может
меня зашибить!

Цветик! Это уж слишком. Ей хотелось влепить ему пощечину.

— Это отвратительно, даже если исходит от вас, мистер Коранда! — Вздернув подбородок, она отвернулась и пошла прочь.

— Эй! — Он схватил ее за руку, прежде чем Флер успела
вырваться, и не слишком вежливо потянул за угол дома, подальше от посторонних глаз. — Ты сама бросила вызов. Лучше не
хвастай, а делай ставку. Даю десять баксов, что ты не собьешь
меня с ног.

Они стояли за домом, по щиколотку в траве. Потом он ее
отпустил. Как она позволила себя в это втянуть? Она провела рукой
по голому бедру, пытаясь принять грозный вид.

— Это смешно! Я не собираюсь бороться с вами.

— А в чем дело? Чего боится Блестящая Девочка? Растрепать
волосы? Или выиграть?

Флер вспылила:

— Сукин сын! Ты просто несносен! И еще противнее, чем
кретины, которых ты изображаешь в кино! Я в эти игры не играю!

Коранда и глазом не моргнул.

— Десять баксов, Цветик. Играй или заткнись.

---

* Имя Флер в переводе с французского означает «цветок».

Она понимала, Джейк специально ее подначивает, но вдруг решила: плевать. Он и так раздражал ее уже несколько недель, теперь она собиралась стереть глупую усмешку с этих глупых губ.

— Хорошо, Коранда. Ты сам напросился.

Она отступила, не отрывая от него взгляда.

— Ой, Цветик, я уже боюсь. Ты меня до смерти напугала.

Он тоже отошел от нее подальше. Она видела, что и он собирается с силами. Ну пускай, ему они пригодятся.

— Я дрожу от страха, детка. Такая обаятельная девушка может испачкаться тушью от ресниц.

Боже, как она его ненавидела! Этот его отвратительный рот.

— Я тебя предупреждаю, Коранда.

— Ну давай, малышка. Ну попытайся.

Приняв вызов, Флер дала себе волю. Она топала по песчаной утрамбованной земле, размахивая руками, бежала изо всех сил. Но ей показалось, она ударилась о стену.

Если бы он не поймал ее, от удара она свалилась бы на землю. На этот раз уже по собственной вине. Флер поняла, что Джейк держит ее, крепко прижимая к себе. Она дернулась, пытаясь выравнять дыхание. Подбородок болел: еще бы, она со всего размаха уткнулась ему в плечо. Левая часть груди тоже болела от удара. Флер хотела поднять руку и потереть ушибленное место, но потом поняла, что скорее умрет, чем даст ему почувствовать удовлетворение оттого, что сама так сильно стукнулась.

Флер потопала обратно.

— Эй, Цветик! — Неторопливой ковбойской походкой он подошел к ней. — Это самое большее, на что ты способна? Боишься снова запачкать белоснежное бикини?

Она удивленно посмотрела на Джейка. Болело все тело, подбородок, она никак не могла обрести дыхание.

— Ты настоящий псих! По тебе клиника плачет! — выдохнула она. — Запомни!

— Удваиваем или как? И на этот раз отойди подальше.

Нет, она ничего не может поделать, и Флер потерла грудь.

— Думаю, я пас.

Он рассмеялся. Очень весело. Флер удивилась.

— Ну ладно, Цветик, я тебя отпускаю. Только ты должна мне десять баксов.

Коранда казался невероятно самонадеянным, и она уже открыла рот, чтобы принять его вызов. Но здравый смысл вовремя вернулся к ней и удержал. Она не знала, намеренно или нет, но Джейк Коранда здорово помог ей.

Они пошли обратно, в молчании, но уже дружеском, обогнули дом.

— Ты, наверное, считаешь себя ужасно умным, да?

— А ты разве не читала критику? Я гениальный парнишка, правда. Почитай. Сама увидишь.

Она одарила его самой милой из своих улыбок.

— Блестящие Девочки не читают. Они только смотрят картинки.

Он рассмеялся и отошел.

В следующую попытку сцена удалась. Джонни Гай остался доволен, и Флер облегченно перевела дух. Но оказалось, ненадолго, до следующей сцены. В объятиях Мэтта Лиззи должна поцеловать его как сестра. Потом идет краткий диалог, потом Лиззи снова целует его, но теперь иным поцелуем, не сестринским. Мэтту полагалось отпрянуть, а камера должна была наехать на его лицо и показать, как он пытается переварить перемены, обнаруженные в Лиззи после долгого отсутствия.

Сестринский поцелуй у нее получился сразу; диалог потребовал нескольких повторов, больше, чем ей хотелось бы. Она говорила слишком напряженным голосом. Но ей казалось, Лиззи так и должна говорить: ведь она испытывает некоторую неловкость. Джонни Гай объявил перерыв на ленч, после которого они закончили снимать крупный план. На Флер взмокла третья рубашка, и костюмеры стали срочно пришивать к ней прокладки от пота.

Но следующий поцелуй... Она понимала, ей будет трудно, но как выйти из положения, она не представляла. Флер, конечно же, целовала мужчин и перед камерой, и без нее, но ей вовсе не хотелось целовать Джейка Коранду.

Помощник режиссера позвал Флер на площадку. Джейк уже стоял на месте и говорил с Джонни Гаем. Пока режиссер объяснял суть сцены, она поймала себя на том, что смотрит на рот Джейка, мягкий, пухлый, надутый, как у ребенка. Вдруг, неожиданно для себя, она зевнула и спросила у девушки, отвечавшей за реквизит, который час.

— Я надеюсь, мы не очень тебя задерживаем? — насмешливо поинтересовался Джейк.

Флер посмотрела на него, как ей казалось, уничтожающим взглядом и снова стала внимательно слушать Джонни Гая.

— Что нам здесь надо, мой сладкий ягненочек, — это страстный, похотливый поцелуй с открытым ртом. Ты понимаешь, о чем я? Лиззи собирается возбудить Мэтта.

Флер ухмыльнулась Джонни Гаю и кивнула:

— Уловила. — Внутри у нее все затрепетало, словно легкие бабочки захлопали крылышками. Вообще-то она не могла бы сказать, что целуется лучше всех в мире; на одном свидании ей даже заявили, что она фригидная.

Джейк обнял ее, коснувшись обнаженной кожи, и привлек к себе. В этот момент она вдруг поняла, что целый день только тем и занимается, что вертится вокруг его тела.

— Ноги, милочка, — сказал Джонни Гай.

Она посмотрела на них. Большие, как всегда.

— Да поближе, ягненок.

Прижавшись грудью к Джейку, Флер поняла, что непроизвольно она постаралась отставить зад так далеко, как только можно. Она быстро исправилась. Он был в ботинках, а она босиком, поэтому дюйма на четыре он возвышался над ней.

Это Мэтт, снова повторила она себе, когда Джонни Гай отошел. Ты ведь была с другими мужчинами? А Мэтт тот, кого ты хочешь больше всего на свете. Джонни Гай дал сигнал начинать, и Флер пробежалась пальцами по форме Джейка, потом подняла на него глаза. Боже. Она тут же опустила ресницы и прикоснулась к мягким теплым губам. Замерла, пытаясь думать про Мэтта и Лиззи.

Сказать, что Джонни Гай был недоволен, значило ничего не сказать.

— Ты не выложилась, золотце. Ну-ка снова.

В следующий раз она пыталась обмануть себя, двигая руками вверх-вниз по его рукавам. Джонни Гай отвел ее в сторону.

— Тебе надо расслабиться. Забудь обо всех, кто на тебя смотрит. Единственное, что у них в голове, — это как бы поскорее пойти домой и поужинать. Прижмись к нему сильнее.

Наблюдавшие за ними люди ее не волновали. Но Флер не собиралась признаваться в этом Джонни Гаю.

Направляясь к игровой площадке, она говорила себе, что это дело техники. Все равно, что открыть дверь. Просто надо расслабиться. Ну расслабься же наконец, черт побери!

Флер подумала, что следующий поцелуй вышел лучше, но Джонни Гай так не считал.

— Ты не собираешься открыть рот хоть немного, детка?

Ругаясь про себя, она шагнула в объятия Джейка, потом быстро посмотрела на него, пытаясь понять, слышал ли он.

— Не ищи у меня помощи, детка. На этот раз я играю пассивную роль.

— А я и не ищу.

Джонни Гай велел начинать. Она старалась изо всех сил. Но когда поцелуй кончился, Джейк вздохнул:

— Ой, я чуть не заснул, Цветик. Хочешь, я попрошу Джонни Гая устроить перерыв? Мы пойдем за угол, и ты немножко потренируешься на мне.

— Нет, я пас, — резко ответила Флер. — У меня все болит от последней тренировки.

Он ухмыльнулся, потом неожиданно наклонился вперед и шепнул ей в ухо:

— Ставлю двадцать долларов на то, что ты не сможешь меня возбудить, Цветик.

Это был чувственный, уничтожающий, альковный шепот, какого ей никогда раньше не приходилось слышать.

Следующая проба получилась лучше, и Джонни Гай согласился снять ее, но Джейк сказал, что Флер все равно должна ему двадцать баксов.

Глава 12

Флер вошла в дом и сразу почувствовала запах «Шалимар». Она увидела Белинду, выходившую во внутренний дворик с китайской чашей в руке, в которой плавали цветы.

— Я больше не могла выдержать, — призналась Белинда,
Поставив чашу на столик, она обняла Флер. — Я так скучала по
тебе, детка. Кроме того, я чувствую себя прекрасно и могу предстать перед всеми. Мне просто надо было отдохнуть.

— Ты выглядишь замечательно, — сказала Флер.

Это была правда. Флер казалась себе замарашкой рядом с
матерью. Свежая, красивая, в льняных брюках на ремне, в без-
рукавке из батика в красно-желтой гамме, она была просто великолепна.

— Я достаточно хорошо выгляжу, чтобы заставить их пожалеть
о том, что они не обратили на меня внимание в восемнадцать?

— Ты вообще разобьешь им всем сердца. Дай-ка я быстро
окунусь, и мы поговорим.

Флер переоделась, немного поплавала, а потом стала смотреть,
как Белинда возится во дворике, приводя все в порядок. Экономка
накрыла им стол возле воды. Быстро приняв душ, Флер влезла в
майку и шорты, откинула назад мокрые волосы, заколов их пластиковыми гребешками. Босиком она подбежала к Белинде, которая
ставила на стол глиняные тарелки, доверху наполненные любимым
салатом Флер с маленькими креветками, придававшими салату рез-
коватый привкус. В нем еще были кусочки ананаса и свежий кресс-
салат.

— Положи мне побольше, я голодная как волк, — попросила
Флер.

— Ты всегда голодная, — сказала Белинда, окинув взглядом
фигуру дочери. — Грешно завидовать, но ты умудряешься прекрасно выглядеть даже без косметики. Если бы я тебя не любила, я бы
тебя возненавидела. А теперь садись и рассказывай мне все.

Флер вывалила на мать все события прошедшей недели, в том
числе и то, что произошло у них с Джейком Корандой, но не рассказала Белинде о поцелуе. Она обычно не утаивала от матери
ничего и сейчас сама не смогла бы объяснить, почему смолчала.
Зато рассказала, как шлепнулась, и расписала эпизод за домом.

— Я так и знала! — воскликнула Белинда. — Он один из
самых замечательных актеров! Он прекрасно понял, насколько
сильно ты смущена. Я знала, он будет именно таким. Слушай

меня почаще, Флер. Я хорошо разбираюсь в людях. — Белинда покачала головой и улыбнулась. — Он как Джимми. Тот вел бы себя точно так же. Внешне грубый, но на самом деле очень милый и чувствительный.

Флер не сказала бы так о Джейке Коранде. Она знала об убежденности Белинды, что Джейк воплощает в себе все качества ее обожаемого Джеймса Дина. Впервые подобное сравнение вызвало раздражение у Флер.

— Но он намного выше, Белинда, и они вовсе не похожи друг на друга.

— Гм... Много ты понимаешь. Качество то же самое, детка. Джейк Коранда тоже мятежник.

— Ты даже не знакома с ним, в конце концов. Он не такой, как все, по крайней мере таких я еще не видела.

Белинда хитровато поглядела на дочь, и та умолкла.

Во дворик вышла экономка Роза.

— Звонит мистер Савагар. — Она поставила аппарат на стол. Флер потянулась было к нему, но Роза покачала головой. — Просят миссис Савагар.

Белинда озадаченно пожала плечами, потом, стянув одну сережку, приложила трубку к уху.

— В чем дело, Алексей? — Она постукивала ногтем о стеклянную крышку столика. — Ну и чего ты ждешь от меня в связи с этим?.. Ну конечно, ты не удивился... Нет, конечно, нет... Да не смеши... Да, я тебе позвоню, если что-то узнаю.

Когда она положила трубку, Флер спросила, что случилось.

— Мишель исчез из клиники. Алексей хотел узнать, не связывался ли он со мной.

— Похоже, ты не слишком озабочена.

Белинда вернула сережку на место и сняла листик салата с вилки, отыскивая еще одну креветку.

— Ты же знаешь мои чувства к Мишелю. Понимаю, я не должна в этом признаваться, но ничего не могу с собой поделать. Я действительно испытываю удовлетворение оттого, как сильно разочарован им Алексей. Твоему отцу должно стать совершенно ясно: он отослал из дома не того ребенка. Моя дочь красавица и преуспевает. Его сын гомосексуалист и слабак.

Флер наелась и отложила вилку. Несколько месяцев назад раскрылась гомосексуальная связь Мишеля с одним из старинных друзей Алексея, его самым доверенным сотрудником. Связь обнаружил сын этого человека, и когда тот слег с сердечным приступом, Мишель попытался совершить самоубийство. Флер, привыкшая к откровенным гомосексуальным связям в мире моды, подумала, что все это смешно. Но Алексей пришел в ярость. Он не разрешил мальчику вернуться в школу в Массачусетсе и запер его в частной клинике в Швейцарии. Флер говорила себе, что надо пожалеть Мишеля, и она старалась, но в происшедшем она увидела хоть и ужасную, но справедливость. Отверженным стал Мишель. Они как бы поменялись ролями.

В просмотровой комнате воняло сигарой Дика Спано и луком от коробок с едой. Джейк ссутулился на своем любимом месте, уперев ноги в спинку стоявшего впереди стула. Держа в руке бутылку мексиканского пива, он отсматривал снятый материал. Как актер он обычно ничего такого не делал. Но как начинающий сценарист он хотел увидеть, какие диалоги получились, а какие нет, и не надо ли что-нибудь переписать.

— Ты ухватил здесь, Джако, — сказал Джонни Гай, сидевший в другом конце комнаты, после просмотра эпизода с диалогом Мэтта и Лиззи. — Когда ты включаешь мозги, ты пишешь как сукин сын. Не знаю, для чего ты тратишь время на этих извращенцев в Нью-Йорке.

— Да они подпитывают мое эго, Джонни Гай. — Джейк не спускал глаз с экрана, где Лиззи целовала Мэтта. — Черт.

Мужчины молча смотрели кадр за кадром, а поцелуй длился.

— Неплохо, — сказал в конце Дик Спано.

— Она на верном пути, — подхватил Джонни Гай.

— Плохо. — Джейк проглотил остатки пива и поставил бутылку на пол. — Да, с этим поцелуем она справилась, но предупреждаю заранее: ничего посложнее она не сумеет.

— Джако, ну почему ты хочешь устроить этой маленькой девчонке тяжелую жизнь? Ну какой тебе от этого толк? У нас с ней железный контракт.

— У меня дурное предчувствие, Джонни Гай. Я не верю, что она вытянет роль Лиззи. Она, конечно, с характером, но еще ребенок, мало что знает, и у нее нет актерского опыта, чтобы скрыть свое незнание.

— Ты пессимист, Джако, — сказал Джонни, срывая обертку с «Милки-вэй». — Она трудолюбивая, и камера к ней хорошо относится. Я бы сказал, камера ее любит. Девочка справится.

Джейк еще глубже уселся на стуле и стал смотреть дальше. Джонни Гай был прав в одном: камера действительно ее любила. Черты лица Флер не терялись, кожа странным образом перераспределяла свет. У нее были потрясающие ноги и невероятная пластика. Нет, грациозной ее не назовешь, но было что-то вызывающее в сильной, уверенной поступи.

И все же он знал, что она не подходит для Лиззи. В ней читалась невинность. Да, была и чувственность, но неосознанная, очень далекая от откровенной сексуальности Лиззи. Как же она сможет вытянуть последнюю любовную сцену? В ней Лиззи должна доминировать над Мэттом. Она должна быть опытной и лишить его последних иллюзий насчет своей невинности. Флер Савагар исполняла все автоматически, ему приходилось видеть женщин такого типа. Но ему нужно было на экране другое: настоящая правда.

Его фильм должен быть удачным. Это очень важно. Невероятно важно для него. За последние несколько лет Коранда написал не один сценарий, но все они попали в корзину. Ему было трудно преобразовывать слова в видимые образы на экране. Но в «Затмении в воскресное утро» ему все удалось. Этим фильмом Джейк Коранда собирался доказать очень многим в городе, что существует целая категория зрителей, кому больше тридцати пяти лет, желающая ходить в кино. Он хотел написать себе роль, в которой не пришлось бы обходиться двумя ухмылками, хотя он уверял всех, что не собирается получить какую-то награду за актерскую игру.

Джейк написал пьесу во Вьетнаме, он работал над ней тайно от всех и закончил незадолго до того, как сел на пароход и отправился домой. Он переписал ее всю, когда его выпустили из военного госпиталя в Сан-Диего, и в день демобилизации отправил ее по почте в Нью-Йорк. Агент по набору действующих лиц для фильма поймал его, прежде чем он уехал на Восток, и попросил прочитать маленькую роль в вестерне Пола Ньюмена. На следующий же день он подписал с ним контракт. Съемки картины только начались, когда пришло известие от режиссера, заинтересовавшегося его творением и пожелавшего поговорить с ним насчет пьесы.

Началась двойная жизнь Джейка Коранды. Режиссеру понравилась его пьеса, и он захотел ее поставить. Денег мало, но славы много. А в Калифорнии он понравился на экране. Ему предложили роль покрупнее. Деньги были слишком хорошие, чтобы отказаться, особенно для парня из не слишком престижного района Кливленда. И пошло дело: западное побережье — для денег, восточное — для любви.

Вскоре от второстепенных ролей Джейк перешел к ведущим. Он подписал контракт на первую картину про Калибра и начал сочинять новую пьесу. Калибр похоронил студию под письмами поклонников. А пьеса, которую написал Коранда, получила Пулитцеровскую премию. Он подумал о том, чтобы уйти из Голливуда, но пьеса, получившая премию, принесла меньше половины тех денег, которые ему обещали за следующую картину. Он продолжал сниматься без остановки. Но от прессы старался держаться подальше.

Джейк снова внимательно посмотрел на экран. Черт, она ведь сама не знает, как хороша. Он заметил, что Флер никогда не поправляет волосы, не смотрится в зеркало, пока ей не сунут его под нос. Но даже тогда она ни одной лишней секунды не любовалась собой. Сегодня Флер Савагар удивила его: она оказалась гораздо умнее, чем он ожидал. И ранимее.

Может, он несправедлив к ней? Может, она просто не похожа на настоящую Лиззи? И все дело в этом? Эми Ирвинг похожа, и в голове сидит навязчивая мысль: она должна была играть эту роль. Черт побери, слишком много воспоминаний о прошлом, все они ведут во Вьетнам. К кошмарам, от которых он никак не мог избавиться. Джейк попытался отвлечься от изнуряющих и опустошающих душу воспоминаний... По утрам они с Лиззи занимались любовью, вместо того чтобы идти в класс... по вечерам возвращались из библиотеки, она шла рядом, делая два шага, в то время как он делал один... Он смотрел на нее, сидевшую на трибуне, играя в мяч. Ее черные волосы перехвачены серебряной заколкой, которую он ей купил... Вся эта американская чепуха.

Он внезапно поднялся и, выходя из комнаты, пнул корзинку для бумаг, попавшуюся на дороге.

Джонни Гай взял еще банку апельсинового напитка и посмотрел на Дика Спано.

— Я не хочу, чтобы ты думал, будто я с приветом или что-то в этом роде, Дики-малыш, но я действительно мечтал и продолжаю мечтать об Иствуде.

На следующее утро Белинда поцеловала Флер, прежде чем дочь вошла в гримерную, а потом стала ждать возле павильона звукозаписи *его*. Когда он подошел ближе, ей показалось, что прожитых лет как не бывало. Ей снова восемнадцать, она стоит у прилавка аптекарского магазина Шваба. Сейчас он вытащит мятую пачку «Честерфилда» из верхнего кармана формы. Сердце Белинды колотилось. Знакомые сутулые плечи, манера держать голову... Мужчина, который отвечает сам за себя. Дрянной парень Джеймс Дин.

— Мне очень нравятся ваши картины. — Белинда шагнула вперед и преградила ему путь. — Особенно Калибр.

— Спасибо, приятно слышать.

— Я Белинда Савагар, мать Флер.

Когда он пожал ее руку, у нее закружилась голова, будто кровь отлила от нее.

— Миссис Савагар, я очень рад познакомиться с вами.

— Пожалуйста, называйте меня Белинда. Я хочу вас поблагодарить, что вы так хорошо отнеслись вчера к Флер. Она рассказала мне, как вы ей помогли.

— Первый день всегда самый тяжелый.

— Но не все бывают так добры, не все понимают.

Джейк пожал плечами, отмахнувшись от комплимента, и она поняла, что он намерен идти дальше.

— Простите меня, если я покажусь вам самонадеянной, — сказала она, — но мы с Флер хотели бы вас как следует отблагодарить. Мы собираемся жарить стейки на гриле днем в воскресенье и яйца с пряностями. Ничего особенного, мистер Коранда, просто блюдо, типичное для Индианы, там это готовят в каждом дворе.

Он посмотрел на нее сверху вниз, окинул взглядом синюю тунику от Ива Сен-Лорана и белые габардиновые брюки; она заметила искорку интереса в его глазах.

— А не похоже, что вы из Индианы, Белинда.

— Родилась и выросла там, чем очень горжусь. — Слегка сощурившись, она озорно улыбнулась Джейку. — Мы собираемся разжигать угли часа в три. — Она уловила его минутное колебание.

— Боюсь, я уже занят в воскресенье, — сказал он. — А вы не могли бы отложить на недельку?

— Думаю, да.

Он улыбнулся и пошел своей дорогой, а Белинда поняла, что поступила совершенно правильно. Точно так она могла бы пригласить Джимми. Она предложила бы ему холодное пиво, картофельные чипсы из пакета и основательный запас воды перрье. Боже, как она соскучилась по настоящим мужчинам.

Флер смотрела на мать сверху вниз. Белинда лежала в шезлонге возле бассейна. Белое бикини и золотой браслет на лодыжке блестели на натертом маслом теле, глаза закрыты от солнца огромными очками в черепаховой оправе. Воскресенье, пять минут четвертого, а она все еще никак не могла успокоиться.

— Я не могу поверить, что ты это сделала, Белинда. Ну не могла ты так поступить! Я не посмею посмотреть ему в глаза после того, что ты мне рассказала! Ты понимаешь, что и его поставила в глупое положение, не говоря уж обо мне? Да ему меньше всего на свете хотелось бы провести свой единственный выходной здесь, с нами. Боже.

Белинда даже не шелохнулась, только слегка растопырила пальцы, заботясь о ровном загаре на руках.

— Не глупи, малышка. Он прекрасно проведет у нас время, уж мы постараемся.

Флер схватила сетку для листьев и пошла к бассейну. Ох, Белинда! Четырнадцать часов в день проводить бок о бок с Джейком Корандой в будни, а тут еще и выходной! Вылавливая из воды листья, Флер твердила себе, что сегодня она не будет пялиться на него, разговаривать с ним. Ничего подобного. Она предоставит его самому себе. Его пригласила Белинда, пусть она им и занимается, пусть развлекает. Но от этой мысли бодрости не прибавилось.

Белинда подняла очки и посмотрела на старый черный купальник Флер.

— Ты бы лучше переоделась в какое-нибудь бикини. Этот костюм ужасный.

— А мне он нравится.

От дома к ним направлялся Джейк.

Флер уронила сеть и нырнула в воду. Вышло глупо и по-детски, она понимала, но не могла совладать с собой. Она просто не в силах поднять на него глаза. У Флер перехватило дыхание, она запаниковала и коснулась рукой дна. Девушка пожалела, что не надела бикини, какое-нибудь нейлоновое, в мелкий горошек, чтобы не оставалось простора для воображения. Ей так сильно этого хотелось. Она назло решила надеть черный старый купальник, чтобы Джейк не включил ее в число женщин, пожирающих его глазами. Линн называла это «секс-эффектом Коранды».

Флер выплыла на поверхность и увидела, что Джейк сидит рядом с Белиндой. На нем были мешковатые синие трусы, серая спортивная майка и пара кроссовок, видавших лучшие деньки. Она поняла, что он кажется аккуратно одетым только в костюме. Во всем остальном он совершенно ужасен. Какие-то потрепанные джинсы, выцветшие рубашки, ей в голову не могло прийти, что человек способен хранить подобные обноски... Но надо признаться, в них он тоже неотразим.

Он вскинул голову и засмеялся чему-то, что говорила Белинда, и Флер испытала ужасную ревность. Белинда всегда знала, что сказать. Мужчины, разговаривая с ней, словно расслаблялись. Флер пожалела, что она не унаследовала талант матери.

И снова нырнула. Почему бы ей не уйти отсюда, виляя бедрами, и не признаться себе, что она, как школьница, влюбилась без памяти в Джейка Коранду? Почему ей не посмотреть на это прямо и не получить по заслугам? Большинство девочек прошло через это раньше, но она поздно созревает. Обыкновенная щенячья любовь.

Ничего не сделаешь, надо признаться в этом и не выставлять себя в глупом свете. Взять и выкинуть из головы. Работа над фильмом закончится, и она больше никогда не увидит Коранду. Останется лишь горькое воспоминание, как о старинном друге сердца. Все проходили через такое. Это необходимо для взросления. Но конечно, не у каждой девочки предметом обожания был драматург, кинозвезда с миллионом долларов в кармане, мужчина, на которого вешается половина женщин мира. А разве она выбирала когда-нибудь для себя легкие пути?

Флер выплыла на поверхность и увидела, что Белинда спустила ноги с шезлонга.

— Флер, займи чем-нибудь Джейка, а я пойду прикроюсь. Солнце печет невыносимо.

— Не вылезай, Цветик. — Джейк встал, стянул через голову майку, скинул кроссовки и нырнул в воду. Выплыл он прямо перед ней.

— У тебя мокрые волосы, детка. Я думал, что нью-йоркские Блестящие Девочки на воду только смотрят.

Джейк был просто неотразим: вода стекала по лицу, он улыбался, выставляя кривой зуб. Внутри у Флер что-то заныло. Ответ ее прозвучал остро и резко.

— Да уж, не много ты знаешь о нью-йоркских Блестящих Девочках.

Она нырнула и поплыла к лестнице. Но прежде чем успела отплыть, он схватил ее за лодыжку.

— А ты разве не знаешь, что я потрясающая кинозвезда? — спросил он, вытаскивая ее на поверхность. — От меня девушки никогда не уплывают.

— Но Блестящие могут.

Джейк ослабил руку, Флер снова нырнула и на этот раз добралась до лестницы.

— Это нечестно! — заявил он. — Ты плаваешь лучше меня!

— Я заметила. Ты плаваешь как бревно.

— Знаешь, ты уже переходишь на личности, детка.

Он выбрался из воды на бортик и уселся рядом с ней.

— У тебя отвратительный, злой язык.

— Он компенсирует мягкость характера. — Флер завернулась в полотенце поверх купальника, закрепила его на груди и перешла в кресло.

— Поправь меня, Цветик, если я ошибаюсь, но похоже, ты сегодня не слишком рада меня видеть.

Она должна была знать, что Джейк Коранда сразу перейдет к сути дела. По крайней мере он не понял, *насколько* она рада ему на самом деле.

— Извини, я просто в плохом настроении. Я очень волнуюсь насчет завтрашней сцены с тобой и Линн. — Во всяком случае, это признание было близко к правде.

— Пойдем побегаем, нагуляем аппетит для стейков Белинды.

Флер быстро согласилась, лишь бы сбросить нервную энергию. С тех пор как она приехала в Калифорнию, она бегала почти каждый день. Ей нравилось ощущение, возникающее после. Иногда она бегала одна, иногда на студии вместе с Линн после съемок. Белинда вышла во внутренний дворик, завязывая узлом накинутую от солнца хламиду. Джейк сказал ей:

— Ты не против, если я ненадолго украду твою дочь? Немного утру ей слезы.

— Ну давайте, — весело махнула Белинда рукой. — Не спешите обратно. У меня новый роман Джекки Коллинз, я просто умираю от нетерпения прижать его к сердцу.

Джейк скорчил гримасу, Флер рассмеялась и побежала в дом надеть шорты и кроссовки. Когда она села на кровать завязать шнурки, на пол упала книга, которую она читала, и открылась на абзаце, отмеченном ею в то утро.

«Коранда пишет особым голосом и, как бы глядя на себя в зеркало, описывает американский рабочий класс. Его герои — это мужчины и женщины, обожающие пиво, занимающиеся спортом и уверенные, что за честный труд надо получать честные деньги. Иногда они даже ходят в церковь. Его пьесы всегда написаны грубоватым языком и почти всегда с юмором. Они контрастируют с его ролями в кино. Они показывают самое лучшее и самое худшее, что есть в американском духе».

Кто-то из критиков сформулировал свою мысль более четко.

«Сочинения Коранды имеют успех потому, что он как бы хватает Штаты за яйца и крепко сдавливает».

Вообще в последнее время Флер много читала. Пьесы Джейка ей нравились, а вот некоторые статьи о нем в журналах — не очень. Но везде мелькали имена женщин, с которыми он появлялся на публике, и, надо сказать, имена очень разные.

Он ждал ее на улице, разминая ноги.

— Ну как, выдержишь, Цветик, или мне придется играть роль няньки?

— А ты очень нахальный, тебе это известно?

— Еще бы нет, детка.

Она улыбнулась и сделала наклон, чтобы расслабить мышцы.

— Линн говорила, ты в колледже играл в баскетбол. Я видела, как ты кидаешь мяч в кольцо возле парковки.

— Да, пару раз в неделю я играю. Потому что без этого мне трудно писать. Игра с мячом проясняет мозги.

Они побежали не спеша. Было воскресенье, улицы казались пустыннее обычного, не видно было даже садовников-мексиканцев, которых нанимают стричь газоны на Беверли-Хиллз. Флер на миг испытала легкое разочарование. Ей хотелось, чтобы все видели, кто бежит рядом с ней.

— Вообще-то я думала, что драматурги должны быть интеллектуалами, а не спортсменами, — сказала она.

— Драматурги — это все равно что поэты, Цветик. Баскетбол — тоже поэзия.

— Как-то баскетбол у меня не очень сочетается с поэзией.

— А ты когда-нибудь слышала про парня по имени Джулиус Ирвинг?

Она покачала головой и прибавила скорость. Джейк не собирался отставать.

— Ирвинга называют Доктор. Он молодой игрок в нью-йоркской команде «Нетс». Он будет самым лучшим игроком. Не просто хорошим, а лучшим. Понимаешь? Лучшим баскетболистом, который когда-нибудь рождался на белый свет.

Флер велела себе запомнить имя Джулиуса Ирвинга и прочитать о нем все, что пишут.

Джейк продолжал:

— В Доке все поэзия. Когда он двигается, исчезают законы притяжения. Он летает, Цветик. Человек не может летать. Но Джулиус Ирвинг может. А это поэзия, детка. Именно это заставляет меня писать. — Он вдруг почувствовал неловкость, будто слишком открылся; Флер почти увидела, как он опустил занавески. — Ты можешь бежать быстрее? — рявкнул он. — Мы что, гуляем?

Внезапная перемена настроения Джейка задела ее, но она ничего не сказала. Они срезали путь, перебежав на дорожку для велосипедистов, которая была любимой частью ее маршрута.

— Ну-ка говори, что у тебя за проблема с завтрашней сценой, — потребовал он.

Они оба тяжело дышали; Флер даже тяжелее, чем Джейк. Но вообще-то она умела бегать и правильно дышать при этом. Флер попыталась объяснить.

— Я не знаю... это просто... Я думаю, мне кажется, что Лиззи расчетливая.

— Именно такая она и есть, Цветик. Расчетливая маленькая сучка.

Флер увидела темные пятна пота у него на майке.

— Но она любит Диди и знает ее чувства к Мэтту. Я могу понять, почему ее влечет к нему, почему она хочет с ним в постель, но каков при этом расчет?

— А это вечная история женской половины человечества. Ничто другое не способен мужчина сломать так быстро, как женскую дружбу.

— Да брось ты, Коранда. Известная мужская шовинистическая чушь. — Флер внезапно вспомнила, как ее кольнула ревность, когда Белинда рассмешила Джейка. — У женщин есть дела и поважнее, чем бороться за парня, который, может, и не стоит никаких усилий, — заявила она.

— Слушай, в данном случае я определяю *реалии*. Ты только их *выражаешь*.

Она набрала побольше воздуха для смелости.

— Мне кажется, у Диди более сложный характер, чем у Лиззи. Она сильная, хотя у нее есть свои слабости. Ее хочется успокоить, иногда встряхнуть как следует. — Флер вовремя удержалась и не сказала, что Диди лучше написана. Хотя это была чистая правда.

— Очень хорошо, ты, оказывается, читала сценарий.

— Не насмехайся надо мной. Мне предстоит играть Лиззи, и она меня волнует.

Джейк побежал еще быстрее.

— Она и должна тебя беспокоить. Слушай, Цветик, насколько я понимаю, ты живешь, надежно защищенная со всех сторон. Очень может быть, ты никогда не встречала никого вроде Лиззи. Я тебе скажу, такие женщины способны оставить на любом мужчине следы от своих зубов.

— Зачем?

— Да кому какое дело? Главное — результат.

— О других героях ты ничего подобного не говоришь. Хорошие они или плохие. А почему о Лиззи?

— Ну перестань, детка. Я прожил на свете немножко больше тебя. — Он побежал быстрее.

— И ты получил Пулитцера*! — крикнула она ему вслед. — А я что получила — обложку в «Космо»**!

Джейк замедлил бег.

— Я такого не говорил.

Они побежали рядом, молча, вокруг маленького парка, такого же пустынного, как и весь микрорайон. Когда они готовы были вывернуть на улицу, Джейк остановился.

— Давай-ка немного погуляем, Цветик.

— Тебе незачем быть нянькой при мне, Коранда.

— Слушай, не будь врединой, ладно?

Она пожала плечами и перешла на шаг.

— Давай все проясним. Ты злишься на роль Лиззи или из-за того, что я не хотел тебя на эту роль?

— Ты же определяешь реальность. Так наноси удар.

Он задрал майку и вытер лицо.

---

* Пулитцеровская премия — американская премия, присуждаемая выдающимся писателям и журналистам.

** «Космо» — «Космополитэн», известный женский журнал.

— Ну хорошо. Давай начнем с тебя. Ты красивая на экране. Лицо у тебя просто магическое. У тебя потрясающие ноги. Джонни Гай перелопачивает сценарий каждый вечер, чтобы прибавить крупного плана. Снять тебя под разными углами. Мужик просто со слезами смотрит отснятый материал. — Он улыбнулся ей, и она ощутила, как гнев понемногу рассасывается. — Ты одна из самых замечательных на свете дочек. Ты слушаешь мнения других людей. Ты совестливая, и, клянусь Богом, я думаю, у тебя вообще нет никаких недостатков. Именно поэтому я не уверен, что ты можешь сыграть Лиззи. Даже на пробе я это почувствовал. Лиззи плотоядная. А это не в твоей натуре.

— Джейк, но я же актриса. Это значит, я должна сыграть роль, которая не соответствует моей личности. — Произнося эти слова, Флер чувствовала, как лицемерно они звучат. Но она не хотела показать это Джейку.

Он запустил пальцы в волосы, и они встали торчком.

— Слушай, Цветик, Лиззи — это героиня, о которой мне трудно говорить. Поскольку этот образ списан с реальной девушки, которую я знал. Я был женат на ней. Давно.

Она видела, что он злится на нее, не желая рассказывать ничего из своей личной жизни. Джейк — та же самая Грета Гарбо, только в мужском варианте, подумала Флер и велела себе отстать от него с вопросами. Это не ее дело.

— А какая она была? — тут же спросила она.

Он сделал несколько шагов и остановился, сердито уперев одну руку в бок.

— Она была пожирательницей мужчин. Она меня перетерла своими маленькими зубками, а потом выплюнула. Даже не запачкав личика.

— Ну что-то было в ней такое, почему ты любил ее?

— Хватит.

— Ну скажи мне, Джейк.

— Я сказал: хватит! Она хорошо трахалась. Ясно?

Флер засунула кулаки в карманы шортиков, а он пристально уставился на нее.

— Ты хотела знать детка, да? Она была первоклассной шлюхой. От побережья до побережья. Никто не мог ее победить. Тысячи удовлетворенных обывателей нашли у нее счастье между ногами, а парень из Кливленда влюбился в нее, как щенок.

Она почувствовала его боль. Она ощутила эту боль, как от пощечины в лицо, и, не сознавая, что делает, протянула руку и коснулась его руки.

— Извини. Правда. Мне очень жаль, что я вынудила тебя говорить об этом.

Джейк отдернул руку, и они рванули к дому в молчании. Флер всю дорогу ругала себя за глупость и бесчувственность, пытаясь понять, как может какая-то женщина, завоевавшая Джейка Коранду, отпустить его. Что же за чудовище его бывшая жена?

Джейк думал о том же. О Лиз. Он встретил ее в самом начале второго года учебы в колледже. Он шел после баскетбольной тренировки в университетский театр на репетицию, а она как раз была на сцене. Самая красивая девушка из всех, которых ему доводилось видеть, и в тот же вечер он пригласил ее на свидание. Она отказала. Он удивился, обычно Джейку Коранде не отказывали. Джейк выяснил, что ей ничего не известно о его баскетбольных успехах, и он постарался, чтобы она узнала. Но девушка не передумала.

Обнаружив, что она из богатой семьи, владевшей акциями крупной сталелитейной компании, Джейк обвинил ее в снобизме. Она не осталась в долгу и заявила, что терпеть не может парней, которые приволакиваются за каждой юбкой. А у Джейка была именно такая репутация.

Лиз сопротивлялась, что разжигало Джейка еще сильнее. Она казалась ему похожей на темненького котенка, мягкая, приятно пахнущая. Ночами он воображал, как гладит ее.

В свободное время Джейк болтался возле театра. Узнав, что девушка в следующем семестре собирается ходить в класс драматургии, он добился, чтобы и его приняли туда. Его жизнь переменилась навсегда. Работая над первым заданием, он поражался: казалось, слова берутся из ниоткуда и льются неудержимым потоком. Он писал о хорошо знакомых людях, о завсегдатаях рабочих баров Кливленда, где ему приходилось быть мальчиком на побегушках. О Стивах, Питах, Винни... Один за другим они занимали место отца, которого у него не было. Мужчины интересовались учебой Джейка в школе и всыпали по первое число за прогулы. А однажды вечером, узнав от матери, что полиция поймала его за попытку угнать машину, отвели в кусты за баром и как следует отлупили.

Сочинение Джейка произвело впечатление на преподавателя. И на Лиз тоже. Теперь они вместе гуляли, рассказывали друг другу о прошлом, строили планы на будущее. Лиз, вместо того чтобы испугаться его бедности, наоборот, восхитилась ею. Иногда они ездили в Колумбус на ее голубом «мустанге», устраивали пикники на берегу реки. Джейк чувствовал себя сильным, уверенным, ему хотелось защищать ее. Они вместе читали, говорили об искусстве и реальности. Постепенно он разрушил все стены, воздвигнутые им вокруг себя на окраинах Кливленда. Лиз оказалась чувственной и ранимой девушкой, она ненавидела спорт, но ходила смотреть на игру Джейка, а потом смеялась над глупостью и бессмысленностью этого занятия. Он хохотал вместе с ней. Они занимались любовью. А после отправлялись есть мороженое, рассуждая о своей близости как о религиозном опыте.

Несмотря на молодость, Лиззи считала, что для них с Джейком естественно пожениться. Особенно когда отец пригрозил лишить ее всякой помощи. Тогда она объявила отцу, что беременна, и он выгнал их в Янгстаун немедленно обвенчаться. Но узнав, что она обманула его и никакой беременности нет, отец прекратил выписывать чеки. Джейку пришлось наняться работать в ресторан.

На театральном отделении появился новый студент. Возвращаясь с работы поздно вечером, Джейк находил их с Лиз за серым кухонным столиком, они болтали об искусстве и реальности. А однажды он обнаружил их в постели. У студента-выпускника не было опыта Джейка, приобретенного на городских окраинах, и все произошло молниеносно. Лиз плакала, просила Джейка простить ее. Ей так одиноко, призналась она. И так тяжело быть бедной. Джейк ощущал свою вину, это из-за него круто изменилась жизнь Лиззи. И простил. Через две недели, вернувшись домой с работы, он увидел, что она стоит на коленях перед одним из сокурсников и работает языком. Это уже было чересчур для религиозных опытов. Ее невинность, как он вскоре обнаружил, делили легионы мужчин.

Он забрал ключи от ее «мустанга», уехал в Колумбус и завербовался. Потом загнал машину в реку Олентанги. Бумаги о разводе настигли его около Дананга. Отец Лиз заплатил за процедуру.

Когда Джейк оглядывался назад, он понимал, какими до смешного наивными детьми они были. Но он не мог смеяться. Вьетнам, последовавший сразу за предательством Лиз, отучил даже улыбаться.

Образ Лиз преследовал его, когда он писал сценарий «Затмение в воскресное утро». Развивая тему невинности и продажности, он чувствовал, будто она сидит у него за плечом и шепчет слова прямо в ухо. Джейк изобразил ее в сценарии как Лиззи. Девушку с невинным лицом и сердцем шлюхи. Лиззи, которая ничуть не похожа на красивую огромную девочку, бежавшую рядом с ним.

Джейк оглянулся и увидел, что Флер наблюдает за ним. У него внутри возникло странное волнение, когда он уловил нежность в зелено-золотистых глазах, устремленных на него. *Не надо, Цветик, не смей!*

Он протянул руку и быстро дернул ее за волосы.

— Ты хороший ребенок. Сама знаешь. Будь у меня сестра, я бы хотел, чтобы она походила на тебя. Разве что не такая противная.

Глава 13

Съемочная площадка рождает своих собственных действующих лиц. Место съемок «Затмения в воскресное утро» не отличалось от других. Джонни Гай относился к числу организованных режиссеров, поэтому на площадке не слышалось обычного ворчания членов киногруппы о пустой трате времени. Еда была хорошая, взрывы темперамента редкими, все постепенно вошло в свой ритм. Члены группы немного распустились, ходили помятыми, потому что спали почти не раздеваясь. Мужчины перестали бриться, а женщины — краситься.

После недели ночных съемок все чихали и кашляли, по этой причине на столике, где обычно стояли кофе и пирожные, появилась огромная бутыль с витамином «С». Но атмосфера оставалась хорошей. Все знали, что делают особый фильм. Один из тех, который через много лет позволит им с гордостью говорить:

— В семьдесят шестом я работал на «Затмении»...

Белинда была одним из немногих источников разногласий. Она умудрилась испортить отношения с некоторыми женщинами, отвечавшими за грим и костюмы Флер. Но мужчины любили ее. Она приносила им кофе, подтрунивала над их женами и любовницами, занималась рекламными листками. В эпоху ярых феминисток они смотрели на Белинду как на драгоценную реликвию, не оспаривавшую существование различий между мужчиной и женщиной.

Джейк видел, как она пытается распространить свои чары на подуставших членов съемочной группы, и насмехался над ней. Но когда он раздражался на Джонни Гая или когда надо было что-то переписать, сам искал Белинду. Обожание, которым тебя одаривают, всегда успокаивает, если к тому же от тебя ничего не требуют взамен.

У Джейка уже зарождалась идея новой пьесы, и он поймал себя на том, что ему хочется рассказать о ней Белинде. Она с горячностью отнеслась к его мыслям, а он, излагая замысел, увлекся им еще сильнее; идея обрела большую четкость, чем вначале. В тот вечер он пригласил Белинду поужинать. Она отказалась, сославшись на то, что должна помочь Флер с ролью, которую девочке предстоит выучить до завтрашнего дня. Но когда не будет рядом Флер и ей не понадобится ее помощь, она с удовольствием поужинает с Джейком.

Коранда понял намек, он ему не понравился. Скрытность не была свойством его натуры.

В отличие от Белинды Флер надоело ходить каждый день на работу. Она говорила себе, что так положено, но с тоской вспоминала, как быстро снимали коммерческие фильмы, а здесь все тянется целую вечность. Снимают двадцать секунд диалога, потом тридцать минут жди, пока установят свет. Еще двадцать секунд съемок, и снова полчаса ожиданий. Она завидовала команде — по крайней мере там все были при деле.

Но Флер понимала, ее раздражает кое-что другое, не просто эта скука. Во-первых, она не слишком хорошо справлялась с ролью. Ничего ужасного не происходило, но у нее получалось не так блестяще, как у Линн. Белинда упрекнула Флер в излишней требовательности к себе, заявила, что у нее синдром человека, привыкшего во всем быть самым-самым. Действительно, сколько помнила себя Флер, она стремилась быть самой умелой, самой быстрой, самой сильной. Так трудно отказываться от старых привычек.

Причина была и в Джейке. Он ерошил ей волосы, тащил играть с ним в баскетбол, вопил на нее, когда она с ним спорила. Он вообще относился к ней как к младшей сестренке. Она ненавидела его за это. Даже больше, чем когда он приглашал какую-нибудь молоденькую старлетку с большими сиськами и курносым носом на площадку, а потом исчезал с ней в конце дня. Смотреть, как они вместе уходят, было для нее подобно смерти. Она делала все, чтобы играть лучше. Может быть, тогда она станет ему больше нравиться?

По воскресеньям Флер ездила верхом и загоняла себя так, что, кроме усталости, ни о чем не могла думать. Она устала быть моделью, посредственной актрисой, девчонкой, по-щенячьи влюбленной в мужчину, у которого, казалось, кроме раздражения, она не вызывала никаких иных чувств. Флер решила, что причина в одном: она единственная на свете девятнадцатилетняя девственница, не заточенная в монастыре. Она читала, что игрой гормонов можно объяснить очень многое. Ее гормоны кричали, вопили, требуя внимания.

Очень редко, когда рано утром не было съемок, Флер принимала приглашения от некоторых достойных внимания голливудских холостяков. Большинство оказывались скучными, но один нет. Она решила направить свои чувства, сжигавшие ее изнутри, на этого мужчину. Он был очень умен, интересен, пожалуй, один из самых интересных, кого ей доводилось встречать. И с ним было забавно. Он оказался красивее Джейка и приятнее в обхождении. Он слыл пожирателем женских сердец. Это Флер совершенно не волновало, она искала в нем противоядие, а не постоянного спутника. Во время третьего свидания она спросила, не хочет ли он пойти с ней в постель. Он не рассмеялся, но и в постель не взял. Он посоветовал ей подумать еще раз и как следует. В глубине души Флер испытала огромное облегчение. Уоррен Битти оказался очень приличным мужчиной. Единственным его недостатком было то, что он не Джейк Коранда.

В пятницу вечером, после окончания съемок, Спано организовал на площадке вечеринку. Флер надела трехдюймовые каблуки и крепдешиновый саронг, который завязала на груди, оставив плечи оголенными. Джонни Гай напился и пытался ее поцеловать. Джейк подошел, вмешался в их борьбу и накинулся на Джонни Гая с кулаками. Только Дику Спано удалось прекратить шумную схватку.

Белинда сказала, что мальчики есть мальчики, но Флер чувствовала себя униженной. Она злилась на Джонни Гая, поставившего ее в неловкое положение, а еще больше на Джейка из-за попытки защитить то, что не интересовало его самого.

Пришло время всей киногруппе ехать на съемки в другое место, и Флер испытала некоторое облегчение. Хоть какая-то перемена обстановки.

Дик Спано снял небольшой мотель недалеко от Айова-Сити для актеров и съемочной группы. Удачно расположенный, он стал чемто вроде командного поста. Было у мотеля одно преимущество. Бар. Флер досталась самая обычная комната с висячими лампами, пластиковыми корзинками для мусора и с репродукцией картины Сёра* «Воскресный день на острове Гранд-Жатт» на стене. Картон изогнулся и стал похож на картофельный чипс. Белинда сморщила нос.

— Тебе повезло. А у меня «Подсолнухи»**.

— Не жалуйся, — сказала Флер более резко, чем хотелось бы. — Тебе вообще не было необходимости сюда ехать.

— Не капризничай, дорогая. Ты же знаешь, я никогда не оставлю тебя. Вспоминая годы в Париже, когда мне нечего было делать, кроме как пить, я поражаюсь, что вообще выжила. Этот год — самый лучший в моей жизни.

---

* Жорж Сёра (1859—1891) — французский художник, основоположник неоимпрессионизма.

** «Подсолнухи» — известная картина голландского художника-импрессиониста Винсента Ван Гога (1853—1890).

Флер подняла глаза от кучи лифчиков, которые вывалила в
верхний ящик комода, и посмотрела на мать. Белинда в шелковом
платье и золотых цепях была совершенно не к месту в обшарпанной
комнате мотеля. Однако она казалась совершенно счастливой. Флер
тоже хотелось быть такой же счастливой. Она уставилась на акку-
ратные стопки нижнего белья.

— Белинда, я подумала: а что мне захочется делать после того,
как все это кончится?

— Не напрягайся так, дорогая. Для этого у нас есть Гретхен и
Паркер Дэйтон. — Белинда пошарила в косметичке Флер и вытащила щетку. Она провела ею по волосам, потом изучила результат
в зеркале. — Нам с тобой предстоит решить насчет «Парамаунт».
Предложение действительно искушающее. Паркер уверен, для тебя
это хороший вариант. Но Гретхен считает, нам надо сначала закончить дела с Эсти Лаудер.

Флер вынула из чемодана кроссовки. Она уже думала об этом
и знала: Белинде не понравится ее мнение. Но решила, что выигра-
ет, если правильно поведет разговор с матерью.

— Может, нам подождать, прежде чем что-то делать, — начала она осторожно. — Я бы не против немного отдохнуть. Ты бы
тоже отправилась в путешествие. Повеселилась бы на вечеринках.

Белинда рассматривала свое отражение в зеркале, наклоняя голову то на один бок, то на другой.

— Не дури, детка. — Она пальцем поправила локон. — Ну,
может, стоит сказать мягче: дорогая, я бы сама хотела принять
решение.

Флер прекратила притворяться, что разбирает вещи. Она не
могла вот так сразу начать работать в другом фильме. А от мысли
снова стать моделью ей стало нехорошо.

— Белинда, я действительно хочу сделать передышку. Я работаю два года изо дня в день. Мне нужен отпуск.

Белинда положила щетку. Атмосфера в комнате внезапно стала
тяжелой от напряжения.

— Не может быть и речи. Это самоубийство, Флер, — вы-
пасть из поля зрения публики.

— Белинда, но мне нужно время. — Она забыла, что следует быть тактичной, вспылила и уже собиралась пойти на попятную. — Все завертелось так быстро. Я уже не помню, когда сама принимала решение. Все было прекрасно, да, но откуда мне знать, чего я сама хочу от своей жизни?

Белинда посмотрела на дочь так, как будто у нее выросли голубые волосы.

— А что еще ты можешь хотеть?

Ее изумление было настолько неподдельным и искренним, что Флер заколебалась.

— Да я не знаю, — призналась дочь. — Я не уверена.

— Не уверена? Ну так вот, я могу тебе объяснить. Я понимаю твои проблемы. Очень трудно чего-то хотеть, сидя на вершине. У тебя есть абсолютно все на этом свете.

— Пожалуйста, Белинда, ну попытайся понять. Я не говорю, что хочу другую карьеру. Мне просто нужно осмотреться и убедиться, что именно это нужно мне самой.

Белинда казалась чужим, холодным, отдалившимся человеком.

— У тебя что-то на уме? Что-то, способное сделать тебя самой знаменитой, самой восхитительной в мире? Нечто более блистательное, чем положение кинозвезды? Чем же ты намерена заняться? Преподавать в первом классе?

— Нет.

— А как насчет того, чтобы стать санитаркой? Ты ведь можешь измерять температуру, мыть судна. Так прекрасно и благородно! Тебе подойдет?

— Нет, я...

— Ну тогда что? Чего ты хочешь?

— Да я не знаю! — Флер села на край кровати, чувствуя себя несчастной и сконфуженной.

Белинда наказала ее молчанием. А когда она наконец заговорила, голос ее звучал обвиняюще.

— Ты испорченная, Флер. Очень. У тебя есть все, что только можно хотеть, ты получила это на серебряном подносе. Никогда в жизни тебе не приходилось трудиться ради чего-то. В твоем возрасте я точно знала, чего хочу. Я готова была на все ради своей цели. Побольше решительности, Флер.

Флер не переносила, когда Белинда так смотрела на нее. Неодобрительно и почти с презрением.

— Извини, может, ты права.

Но Белинда не собиралась так легко простить дочь.

— Я разочарована в тебе. Впервые за все время, с тех пор как ты родилась, я должна сказать тебе, что разочарована. — Она подошла к двери и взялась за ручку. — Подумай, от чего ты собираешься отказаться, Флер. А когда окажешься готова к разумному разговору, найди меня. — Не добавив ни слова, мать вышла.

Флер пришлось напомнить себе, что она не ребенок, она не в монастыре, где приходилось стоять и смотреть, как уезжает мать. Но через несколько минут Флер уже бежала по коридору в комнату Белинды. На стук никто не ответил, она с трудом удерживала себя от паники. Наверное, Белинда пошла в вестибюль за газетой, говорила она себе. Просто за газетой. Вот и все. Но в вестибюле не было никого, кроме нескольких членов съемочной группы; никто из них не видел Белинду.

Флер пошла обратно, спрашивая всех подряд, не видели ли они мать. Сердце ныло. Кто-то сказал о баре.

Чувствуя, как нехорошо становится на душе, Флер снова пошла вниз. Несколько секунд глаза привыкали к темноте бара, потом, оглядевшись, она увидела одинокую Белинду за столиком. Соломинкой мать размешивала напиток. Через два года она снова вернулась к рюмке, из-за нее, из-за своей дочери.

— Зачем ты пришла сюда, Белинда? — Флер протянула руку и закрыла рукой бокал. Похоже, это был скотч. — Слушай, пойдем покатаемся.

— Я хочу допить, Флер. У меня нет настроения, я тебе не компаньон.

Флер скользнула в кресло напротив Белинды.

— Пожалуйста, не пей. — Она взяла мать за руку. — Не позволяй себе напиваться из-за испорченной дочери. Ты мне очень нужна.

— Нет, я не нужна тебе, детка. Это совершенно ясно, я толкаю тебя во что-то, чего ты не хочешь. Против твоей воли.

— Это неправда. Помнишь, ты мне давно говорила? Между нами особая связь. Как будто мы один человек, а не два. — Она заплакала. — Что для тебя счастье, то и для меня. — Флер попыталась улыбнуться, но у нее не получилось. — Давай поедем, прокатимся. Решим насчет «Парамаунта».

Белинда низко опустила голову.

— Не отвергай меня, детка. Я не выдержу, если ты меня отвергнешь.

— Нет, такого никогда не случится. Идем отсюда.

Они подошли к арендованной машине, когда Белинда вдруг вспомнила, что оставила сумочку в баре. Флер вернулась за ней. Наклонившись за сумочкой, она заметила, что напиток Белинды все еще на столе и он не тронут. Белинда не отпила ни глотка.

Хотя Белинда официально не входила в группу, она всегда была там, где нужно. Она разучивала с актерами роли, обзванивала членов съемочной группы, массировала шею Джонни Гаю, снимая напряжение. Однажды ее даже видели в городской скобяной лавке, где она покупала какую-то деталь для электродрели. Но в основном она проводила время возле Флер, и взгляд ее часто замирал на Джейке.

К концу первой недели у Джейка появился выходной, потому что Джонни Гай снимал сцену с Линн и Флер. Выспавшись как следует, он с удовольствием постоял в душе, а когда выходил из ванной, услышал стук. Обернув бедра полотенцем, Джейк открыл дверь.

На пороге стояла Белинда и наманикюренными пальчиками держала бумажный мешок.

— Привет. Хочешь позавтракать?

— А кофе есть?

— Конечно.

— Входи.

Она положила мешок на телевизор и вытащила два стаканчика. Один дала ему, себе взяла другой и направилась к единственному в комнате стулу. Села, закинув ногу на ногу, и подол юбочки оказался гораздо выше колен.

— Утром ужасно болела голова, и я решила остаться.

Он снял крышку со стаканчика кофе и бросил в корзину для мусора.

— Сейчас лучше?

— А как ты догадался?

— Интуиция.

Швырнув подушки к изголовью, он сел на кровать и откинулся на них.

— Джейк, ты считаешь себя мятежной душой?

— Да я бы не сказал. А почему ты спросила?

— А я считаю, что ты мятежник. Человек, который следует своим собственным порывам. Это как раз то, что меня в тебе волнует.

— И больше ничего? — Он улыбнулся, но понял, что она говорит совершенно серьезно.

— О да. Помнишь, когда ты был в бегах в «Дьявольской резне»? Мне очень понравилось. Мне всегда нравится, когда ты один против всех. Такую картину мог бы сделать Джимми, если бы не умер.

— Джимми?

— Джеймс Дин. — Белинда встала, подошла к двери, сняла с ручки табличку «Не беспокоить», повесила ее снаружи и вернулась обратно.

— Ты мне всегда напоминаешь о нем.

— Иди сюда, — сказал Джейк.

Она подошла к кровати, неровно, прерывисто дыша. Он взял ее за руки и потянул, усаживая рядом с собой. Руки Белинды дрожали.

— Ты хочешь, чтобы я разделась? — спросила она.

— А ты хочешь?

— Все, как скажешь, Джейк. Позволь мне доставить тебе удовольствие.

Он наклонился вперед, притянул ее к себе и поцеловал.

Стоило ему прикоснуться к губам Белинды, как она открыла рот и стала гладить его обнаженную спину. Он поцеловал ее еще раз, гораздо глубже, потом коснулся груди. Она слегка отстранилась и принялась расстегивать блузку.

— Эй, помедленнее, — попросил он мягко.

Она подняла на него глаза. Взгляд казался смущенным.

— Ты не хочешь меня видеть?

— Конечно, хочу, но ведь не пожар. У нас впереди целый день.

— Я просто хочу доставить тебе удовольствие.

— Есть два способа, Белинда.

Он подмял ее под себя, сдвинул лифчик. Она чувствовала прикосновение его горячих губ и вспоминала «Дьявольскую резню», где Калибр возится с красавицей англичанкой. Она вспомнила, как он резко сдернул ее с лошади прямо к себе в объятия, как шарил руками по ее телу, отыскивая нож, который, он знал, есть у нее. Когда же Джейк сорвал с нее одежду, она вообразила себя той самой англичанкой.

Белинда открыла рот навстречу его поцелуям... Прекрасным, глубоким поцелуям. Пламя охватило ее тело, она раздвинула ноги, предлагая себя, а когда он наконец вошел в нее одним резким победным ударом, она поняла, что он особый мужчина. Его подбородок грубо терся о ее кожу, было больно, но она испытывала удовольствие. Белинда открыла глаза и посмотрела ему в лицо, реальное, не воображаемое... но вот так близко, не на экране, оно казалось иным. Она видела его лицо частями, не целиком. А ей нравилось видеть его полностью, поэтому Белинда снова закрыла глаза, представляя лицо Джейка Коранды во весь экран.

Вот так. Еще лучше. Еще лучше. О да. Да.

Выездные съемки столкнулись с обычными проблемами. Никто вовремя не позаботился о специальном разрешении, дорогу не перекрыли в день съемок, на неделю зарядили дожди, а им нужно было солнце. Они снимали заключительную сцену фильма, соорудив на пустыре декорации, потом вернулись к съемкам пропущенных сцен.

За несколько дней до возвращения в Калифорнию Джейк сидел на тракторе в одних джинсах, на груди блестел искусственный пот. Но столбик термометра неожиданно опустился до семидесяти с небольшим, и он попросил принести рубашку, чтобы надеть ее в ожидании очередного дубля. Он увидел Белинду в трейлере, читавшую журнал, и нахмурился. Казалось, она есть везде.

Он спал со многими женщинами, но никогда не испытывал ничего подобного, как с Белиндой Савагар. Быть с ней в постели, понял он, дело необычное. Иногда ему хотелось помахать рукой у нее перед глазами, чтобы убедиться — с ним она или нет. Он решил кончать эту связь. Поначалу ему даже нравилось ее безудержное обожание, но со временем оно стало раздражать. Он испытывал неловкость. А стоило ему взглянуть на Флер, как возникало еще и чувство вины. Джейк понимал, это абсолютно нелогично, но ничего не мог поделать с собой.

— Вот рубашка. — Он удивленно поднял глаза и увидел Линн Дэвидс.

— С каких это пор ты работаешь костюмершей?

— Мне нужен был предлог поговорить с тобой. Ты меня избегаешь, Джейк?

— Да нет, конечно.

— Тогда почему, как только я хочу оказаться с тобой наедине, ты исчезаешь?

— Это чрезмерная впечатлительность, золотце. — Он влез в рубашку и застегнул пуговицы.

— Ну конечно. — Она сложила руки на большом животе. По сценарию ей полагалось быть беременной. — Черт возьми, что с тобой творится? Сколько еще времени, по-твоему, ты сможешь путаться с Белиндой, прежде чем все узнают?

Джейк решил, что не обязан объясняться с Линн.

— Мы же взрослые люди, Линн. Так в чем же дело?

Он соскочил с трактора и собрался уйти. Но Линн быстро загородила ему дорогу.

— Не уходи, Джейк. Мне не нравится это, как не нравилось и раньше. Ты не должен путаться с Белиндой, сам знаешь. Она ведь обыкновенная подстилка для знаменитостей, только хорошо одетая.

— Ну и что? Мы с тобой слишком давно в этом бизнесе и хорошо знаем, что такие существуют.

Линн убрала за ухо прядь волос.

— А как насчет Флер?

— А что насчет нее?

— Джейк, она мой друг. Несмотря на то что девочка не смотрит на тебя коровьими глазами и не распускает слюни, по-моему, она к тебе неравнодушна. Ты очень странно ведешь себя с ней.

— Черт побери, о чем ты говоришь?

— Сам знаешь о чем. Какой старший брат отыскался. Никогда не видела тебя таким с женщинами.

— Да ладно, Линн, она же ребенок.

— Ты это уже говорил, я слышала. И не раз. Но я тебя не понимаю. Ты встречался с женщинами ее возраста. С некоторыми спал, если я правильно помню. Флер на порядок выше их всех, вместе взятых.

— Ну и что ты хочешь сказать? Чтобы я лег с ней в постель? По-твоему, я должен отстать от Белинды и приняться за ребенка с большими глазами? Брось, Линн.

— Я не это имею в виду, и ты меня понимаешь. Если ты будешь путаться с Белиндой, у тебя не останется никаких шрамов в душе, но Флер любит эту суку, и, когда узнает, чем занимается с тобой ее мамочка, для нее это станет настоящим ударом. Я не хочу, чтобы ей было больно.

— Не выдумывай, Линн. Если даже ты права, что очень сомнительно, Флер испытывает простое детское увлечение.

— Детское увлечение! Ты даже не обременяешь себя подбором слов. Она красивая, умная женщина, тянется к тебе. Ты ее привлекаешь.

— Это не твое дело, Линн. Оставь.

— Хорошо, закрываем тему. Но я хочу получить одно обещание.

— Какое?

— Я хочу, чтобы ты мне пообещал подумать, почему для тебя так важно сохранить Флер Савагар в косичках.

Оставив нескольких человек убираться после съемок, киногруппа вернулась в Калифорнию. Белинда без слов поняла, что с Джейком все кончено, и приняла отставку спокойно, как в свое время отъезд Флинна в Европу. Джейк Коранда — звезда, такой же бессмертный, как Джимми, и глупо верить в собственную значимость и способность удержать его.

К концу съемок Флер ощущала себя все более несчастной. Она вообще не могла дождаться завершения работы. Но мысль, что она никогда больше не увидит Джейка, приводила ее в исступление.

Они только что отсняли очередную сцену, и Джонни Гай отвел их в сторону.

— Через пару дней вам предстоит последняя, любовная. Надо обоим начинать думать о ней. Не хочу много репетировать. Все должно быть спонтанно, мне нужны не балетные экзерсисы, а секс,

грязный и грубый. — Он повернулся к Флер: — Съемочную площадку я очищу от всех, и тебе будет нормально. Кроме меня, моего
ассистента, оператора на кране и камеры — никого. Ну что еще
можно придумать? Повесим занавеску, а на кран посадим женщину.

Флер ощутила первые признаки тревоги.

— Джонни Гай, тебе лучше проверить бумаги. В моем контракте нет ничего такого, для чего бы понадобился занавес или закрытая
площадка. Ты забыл про дублера?

— Тьфу, черт! — Джейк засунул руки в карманы и отвернулся.

Джонни Гай покачал головой.

— Не знаю, кто тебе это наплел, золотце. Погляди-ка лучше
сама в контракт. Да, вариант с дублером обсуждался, но мы не
согласились. Это бы не сработало. Твои люди все знали.

— Нет, Джонни Гай, ты ошибаешься, — упорствовала Флер. —
Я позвоню агенту.

— Да, позвони, золотце. Иди в офис к Дику, там сейчас никого
нет, и разберись.

Флер позвонила Паркеру Дэйтону, и, когда повесила трубку, лицо
у нее стало белее мела. Потрясенная, она молча вышла из студии.

Белинду она нашла возле одного из самых фешенебельных озер на
Беверли-Хиллз, у нее был ленч. Мать ела лосося в щавелевом соусе в
компании с третьей женой популярного ведущего одного из ток-шоу.
Едва Белинда увидела ее лицо, она тут же поднялась из-за стола.

— Дорогая, что бы ни...

— Ты солгала мне, — сказала Флер.

Лицо Белинды не изменилось. Она взяла дочь за руку, улыбнулась своей приятельнице и сказала:

— Прости нас, пожалуйста, дорогая, я вернусь через несколько
минут.

Она потащила Флер в туалетную комнату, заперла дверь и
холодно спросила:

— В чем дело?

Флер почувствовала острую боль в руке. Она поняла, что сжала
ключи от «порше» так сильно, что они врезались в ладонь. Ей было
необходимо почувствовать боль, которую она сама могла унять в
любую секунду.

— Я говорила сегодня с Паркером Дэйтоном, — начала Флер. — Он сказал, в моем контракте не оговорено участие дублерши. Якобы ты ему сообщила, что я передумала. Почему?

Белинда пожала плечами.

— Потому что они бы никогда не согласились на это, детка. Я пыталась убедить, объяснить твои чувства. Паркер тоже пытался. Но они не соглашались. Они сказали, что эту сцену нельзя снимать с дублершей.

— Значит, ты мне солгала. Хотя ты знала, как я отношусь к работе в обнаженном виде. Ты сказала мне, что об этом позаботились.

Белинда быстро и раздраженно открыла сумочку и вынула сигареты.

— Если бы ты знала правду, контракта бы не было. Мне пришлось это сделать в твоих интересах, детка. Я думаю, сейчас ты сама понимаешь.

— Нет, я ничего не понимаю, кроме одного: если я не стану играть эту сцену в пятницу утром, нам придется предстать перед судом.

— Но ты, конечно же, будешь играть. — В первый раз по лицу Белинды пробежала тень беспокойства. — Боже мой! Нарушение контракта означало бы конец твоей карьеры в Голливуде. Ты же не собираешься позволить глупым предрассудкам разрушить собственное будущее?

Обе молчали. Потом Флер задала вопрос, на который она давно хотела получить ответ от Белинды:

— Белинда, так это моя карьера или твоя?

— Как нехорошо и неблагодарно так говорить. Но очень характерно для тебя. — Белинда швырнула раскуренную сигарету на пол и носком туфли раздавила ее. — Слушай меня, Флер. Вникни как следует в мои слова. Если ты совершишь что-то, от чего фильм окажется под угрозой, между нами никогда не будет прежних отношений. Ты знаешь это не хуже меня. Давай посмотрим на ситуацию прямо.

Флер уставилась на мать, не в силах поверить собственным ушам. Не может быть, чтобы Белинда на самом деле так думала. Нет, нет. Но сколько Флер ни смотрела на мать, на ее гладком свежем лице не возникало и намека на прежнюю мягкость.

Она с трудом открыла дверь туалетной комнаты и выбежала из ресторана, не обращая внимания на голос Белинды, требовавший вернуться. Она вспомнила, что на Мелроуз есть телефонная будка, и помчалась туда. Ей понадобился почти час, чтобы найти Алексея в его апартаментах в Конно. Когда Флер наконец его отыскала, платье липло к телу от пота, а нижняя губа была искусана в кровь.

— Что-то случилось, детка?

На одном дыхании Флер рассказала ему о происшедшем, а когда закончила, ее лицо было мокрым от слез и телефонная трубка тоже.

— Белинда мне солгала, Алексей.

— Ты хочешь сказать, что подписала контракт не читая?

— Но моими делами всегда занималась Белинда.

Пауза на линии была такой длинной, что Флер подумала, не прервалась ли связь.

— Мне очень жаль, детка, — сказал тихо Алексей, — но ты только что получила труднейший урок от своей матери.

Когда она наконец приехала домой, экономка сказала, что мать искала ее, но потом снова ушла. Женщина дала ей целую пачку телефонных сообщений. Флер швырнула их в корзину не глядя, а потом переоделась в купальник и бросилась в бассейн.

Джейк нашел ее в тот момент, когда она выходила из воды. Он был в шортах и в майке, такой выцветшей, что на ткани едва просматривался темный абрис лица Бетховена. Один шерстяной носок был натянут до икры, а другой гармошкой спускался на щиколотку. Он был помят, взъерошен и похож на прижимистого ковбоя, по ошибке оказавшегося в Беверли-Хиллз.

Флер до сумасшествия, до нелепости обрадовалась ему. Но сказала:

— Уходи, Коранда, тебя никто не звал.

— Обувайся, пойдем побегаем.

— Забудь об этом.

— Не зли меня, Цветик. Даю полторы минуты обуться.

— Или что?

— Или я призову Калибра.

Она подхватила полотенце, которое швырнула на шезлонг, прыгая в воду, не спеша вытерлась, чтобы он не думал, будто может ею командовать, потом пошла в дом переодеваться. Почему она рассчитывает на помощь Джейка? Ведь с самого начала, с самого первого дня он только умножал ее несчастья. Ей все труднее становилось изображать щенячью любовь к нему.

По ночам Флер снилось, что они занимаются любовью. Она видела эти сцены, словно сквозь смазанные вазелином линзы. Они в солнечной комнате, полной цветов, звучит тихая нежная музыка... Они лежат на кровати с простынями в пастельных тонах, ткань вздымается вокруг их тел от ветерка из открытого окна. Он вынимает цветок из вазы и касается им ее тела, лепестки опускаются на соски, на живот, она раздвигает ноги, он касается цветком и там... Они невероятно влюблены друг в друга, они наедине, никакой камеры, никакого оператора на кране. Они только вдвоем.

Джейк ждал ее перед домом, и они побежали, но едва завернули за угол, как Флер остановилась и согнулась — у нее перехватило дыхание.

— Извини, Джейк. Я сегодня не могу. А ты беги.

В другой раз он стал бы насмехаться над ней, но сегодня он тоже остановился и взял ее за руку.

— Давай поедем в парк и немного покидаем мяч. Там сейчас никого, и нам не придется раздавать автографы.

Вообще-то ей не хотелось, но не было сил спорить. Они вернулись к дому, он открыл дверь своего «Шеви-66», пикапа, который, как она знала, сделан на заказ, у него спортивный мотор от «корветта». Джейк молчал, пока они не съехали с главной дороги. Флер поймала себя на мысли, что с каким-нибудь другим актером она сыграла бы эту сцену. Она подошла бы к ней только профессионально, отстранившись от происходящего. Но не с Джейком, который ей снится в комнате, полной цветов и тихой музыки.

— Я не хочу играть ту сцену, Джейк.

— Я знаю, что не хочешь. — Он припарковал пикап, потянулся назад, достал из-под «ветровки» баскетбольный мяч и пару спортивных туфель. Потом вылез, обошел вокруг машины и открыл ей дверцу. По густой плотной траве они побрели к площадке. Едва они ступили на асфальт, как он принялся стучать мячом. — Цветик, эта сцена — не похоть. Она просто необходима. — Он быстро послал ей пас.

Она повела мяч по асфальту, подняла, бросила в корзину, но он отскочил от края.

— Я знаю. Но я не хочу ее делать. Я не работаю голой.

— Похоже, твои люди этого не понимают.

— Они понимают.

— Тогда как такое могло случиться?

— Я оказалась слишком глупой и подписала контракт не читая. Вот как!

Он посмотрел на нее, прыгнул в сторону и очень точно послал мяч в корзину.

— Но мы же не статисты, Цветик. Мы все сделаем со вкусом.

— Со вкусом! Вот как! Черт побери! — Она схватила мяч и сердито швырнула в него. — Ты разве не понимаешь, Коранда, что все увидят не твою вермишелину! — Она сердито направилась с площадки.

— Цве-е-етик, — простонал он со смехом.

Флер резко обернулась и увидела его расплывшийся до ушей рот. Он мгновенно посерьезнел и подошел к ней с мячом под мышкой.

— Извини. Все верно, это не так смешно, просто твоя манера выражаться меня расколола. — Он подцепил пальцем ее подбородок. — Детка, но у тебя тоже ничего не увидят. Самое большее, что откроется зрителям, — это твоя задница. Моя, конечно, тоже. Они не увидят даже твою грудь... Правда, это зависит от того, как подредактирует Джонни Гай.

— Ты увидишь.

— Это точно, Цветик. Но ничего нового для меня не откроется. Я достаточно повидал этого добра на своем веку. Кстати, а сколько вермишелин ты видела?

Ей захотелось влепить ему пощечину.

— Ты продолжаешь считать все это поводом для веселья, да?

— Ну, в общем, отчасти... Смешно не то, что тебя ввели в заблуждение; честно говоря, на твоем месте я кое-кому отдавил бы хвост. Смешон пожар, какой ты раздуваешь. Сцена ведь важная, она необходима для сути картины.

Джек обхватил ладонью затылок Флер и заглянул ей в глаза. У нее возникло жуткое ощущение, что он это уже делал. Он играл такую сцену в одном из фильмов, заставляя какую-то дуру выполнить его желание. А если сейчас его нежность настоящая? Ах, как бы ей хотелось в это верить! Больше всего на свете.

— Цветик, для меня это важно, — тихо сказал Джейк. — Ты сделаешь это для меня?

Она резко отстранилась.

— Перестань притворяться, будто у меня есть выбор. Ты знаешь, я подписала контракт. Ты знаешь, я должна это сделать. — И она побежала к велосипедной дорожке. Ему плевать на нее, он заботится только о своем проклятом фильме.

Джейк смотрел, как убегала Флер. Что-то внутри сжалось. Боже, какая она красивая! Волосы летели за ней следом, словно расплескавшаяся золотая краска. Она повернула на дорожку. Это единственная женщина, невероятно соответствующая ему по физическим данным. Она могла даже бегать с ним наравне. Потрясающие девичьи ноги в совершенстве подходили его ногам. И многое, очень многое годилось именно ему. Ее веселый дерзкий рот, чувство юмора, быстрота реакции, безграничная энергия. Все. Кроме одного. Ее хрупкого юного девичьего сердца.

Глава 14

Пока Флер была в гримерной, Джонни Гай собрал всех.

— Первый, кто отпустит шуточку или как-то иначе поставит ее в неловкое положение, получит коленом под зад. Слышали? Все свободны.

Дик Спано поморщился.

После того как площадка была очищена и на ней осталось лишь самое необходимое, Джонни Гай прижал Джейка в углу.

— Последи сегодня за собой.

Его замечание разозлило Коранду.

— Я не из тех, кто дает волю рукам везде, где представится случай, Джонни Гай.

Флер вышла на площадку, они переглянулись. Девушка ни на кого не смотрела. Она была в желтом хлопчатобумажном платье и в белых босоножках. Волосы распущены и перехвачены на голове лентой в горошек. Этот костюм она надевала уже несколько дней подряд, с тех пор как стали снимать диалог, приведший к любовной сцене. Но сегодня она чувствовала себя в этом наряде совершенно иначе.

— Дай-ка я расскажу тебе, что здесь должно происходить, девочка. — Джонни Гай завел ее в комнату старого деревенского дома с выцветшими обоями и железной кроватью. — Ты будешь стоять вот здесь и смотреть на Мэтта не отрываясь и расстегивать платье. Потом выйдешь из него. Как только мы с этим покончим, я сниму тебя сзади, когда ты скинешь лифчик и трусы. Все очень легко. Только не спеши. Джако, когда она разденется, я начну наезжать на тебя. Есть вопросы?

Джейк покачал головой.

Флер кашлянула.

— Я бы хотела выпить воды.

От непривычной тишины на площадке она нервничала. Не хватало обычного гула. Никто не выкрикивал никаких шуток, никто не смотрел на нее. Она стала словно невидимой. Флер глотнула из стакана, который ей подали, и вернула обратно.

— Ты в порядке, Цветик?

— Все замечательно.

Она откинула с лица прядь волос.

Джейк шагнул к ней.

— Детка, слушай, это же не конец света. До полудня вообще не будет ничего сложного.

— Тебе хорошо говорить, — сказала Флер. — У тебя на трусах нет медвежат. — Расцветка трусов ее, конечно, волновала меньше всего остального, но все-таки волновала.

— Да ты шутишь.

— Они решили, что это как раз в духе Лиззи. В ее характере.

— Ничего глупее не слышал.

— Я им говорила.

Джейк отодвинул ее и отошел.

— Джонни Гай. Тут какая-то ослиная задница напялила на Цветика трусы с медвежатами.

— Я ослиная задница, Джако. Что, какие-то проблемы?

— Черт побери, на Лиззи должно быть самое сексуальное белье, какое только ты можешь откопать. Невинность снаружи, в маленьком желтом платьице, а под ним — разврат. Улавливаешь мою метафору?

— Поимел бы я твою метафору.

Мужчины заспорили, Флер села на стул возле кровати. Она зевала, щипала ногу, кусала щеку изнутри, но не помогало. Она вот-вот расплачется. Джейк и Джонни Гай очень скоро заметили, что с ней творится, и почувствовали себя виноватыми.

Джонни Гай послал ее поправить грим и переодеть нижнее белье. Ей выдали бежевый кружевной комплект, настолько откровенный, что Флер даже пожалела, что открыла рот насчет медвежат.

Наконец можно было начинать. Джонни Гай дал сигнал, и Флер медленно принялась расстегивать платье сверху.

Стоп. Надо смотреть на Мэтта. Забыть, что она Флер. Думать только о Лиззи. Лиззи раздевалась перед мужчинами много раз. Теперь раздевается перед Мэттом. Но когда застрекотала камера, Флер поняла, что мужчина, на которого она смотрит и который смотрит на нее, не Мэтт.

Понадобился час, пока наконец желтое платье не скользнуло на пол и Флер не осталась перед Джейком в тоненьких полосках из прозрачных бежевых кружев. Это всего лишь реклама женского белья, уверяла она себя. Сколько раз она стояла перед камерой в таком виде. Ничего особенного.

Она завернулась в белый махровый халат, пока передвигали камеру. Сейчас собирались снимать ее сзади, она сбросит с себя лифчик и трусы. Джонни Гай уверил Флер, что она будет не в фокусе, камера сконцентрируется на реакции Мэтта. Но для Джейка она будет в фокусе!

Флер не смогла справиться с застежкой лифчика с первой попытки. Джонни Гай вынужден был напомнить ей, что голову надо держать прямо. На площадке стало тихо, как в морге. Съемочная группа внимательно изучала носки собственных ботинок, а Джонни Гай и помощник режиссера неслышно перешептывались. Когда Флер в третий раз сделала выход и сбросила махровый халат, она почувствовала, как слезы подступили к глазам. Она в отчаянии посмотрела на Джейка.

Он достаточно долго держался и не смотрел на нее. Но на этот раз, вместо того чтобы помочь ей, он медленным взглядом обвел ее с головы до ног и зевнул.

— Тело у тебя хорошее, детка, но мне бы хотелось уйти отсюда пораньше. Сегодня вечером играет Доктор, я бы посмотрел его по телевизору.

Джонни Гай пригвоздил его к месту убийственным взглядом, а Флер почувствовала себя немного лучше. Она даже заставила себя улыбнуться. Наконец кто-то признал, что она стоит совершенно голая, вместо того чтобы делать вид, будто ничего необычного не происходит.

Это замечание Джейка пробило брешь в напряженной атмосфере съемочной площадки; сразу послышались голоса. На следующей пробе Флер сняла лифчик. Джейк посмотрел на ее грудь — впрочем, это не Джейк. Мэтт. Она наклонилась вперед, как учил Джонни Гай, потом большими пальцами потянула вниз трусики. Внезапно ей вспомнились монашенки, и она почувствовала себя проституткой. Взгляд Джейка проследил, как сползают ее трусы, а потом вернулся немного выше, к тому, что под ними скрывалось. Все это Флер ужасно не нравилось. Она ненавидела себя в каждую из этих секунд за то, что продается. Для других актрис, может, все это нормально, но она плохая актриса, и ей это не годится. Больше всего на свете Флер хотелось бы отдаться Джейку с любовью. А вместо этого она занимается бизнесом, и ей за него платят.

Камера не была направлена на лицо Флер, зато глаза Джейка смотрели именно на ее лицо.

— Остановите, — сказал он. — Остановите, черт! — Он повернулся и ушел с площадки, а костюмерша накинула на Флер халат.

У Белинды на съемочной площадке были друзья, и она очень быстро узнала, что там творится. Она нервно ходила по выложенному плитками полу, откидывая угол белого ковра, когда тот попадался ей на пути. В последние четыре дня Флер почти не разговаривала с ней. Белинда никогда не могла предположить, что дочь способна так долго злиться на нее. Но она злилась.

Уже стемнело, когда Белинда услышала мотор подъезжающего «порше».

Флер вошла и, ни слова не говоря, пролетела мимо матери. Белинда попыталась пойти за ней, но дочь заперлась в комнате.

Она схватила сумочку и ключи от «мерседеса». Творилось что-то ужасное, и надо это остановить, прежде чем то, над чем она так долго трудилась, полетит ко всем чертям.

Белинда припарковалась перед студией на месте Флер и, кивнув охраннику, вошла внутрь. Никто не заметил, как женщина проскользнула в просмотровую комнату, где все напряженно смотрели на экран.

— Черт, она вызывает только симпатию. — Джонни Гай гонял во рту «Маалокс». — Джейк Коранда прямо насилует Белоснежку. И клянусь Богом, Джако, если ты сейчас скажешь, мол, я тебе так и говорил, я выбью из тебя мозги!

— Отмени ее вызов на завтра, — устало бросил Джейк. — Я поеду к себе и перепишу конец. Мы должны вырезать большую часть отснятого материала.

Белинда впилась ногтями в ладони. Что значит вырезать? Как Флер могла довести до такого?

— Может, не будешь вскакивать и хвататься за оружие? — спросил Дик Спано. — Может, сегодня у нее плохой день. Надо дать ей еще шанс. Завтра.

Джонни Гай покачал головой.

— Ты не был там, Дикки. Ничто на свете не заставит ее сыграть эту сцену так, как она написана. Джейк прав. Придется выкручиваться. Это не конец света. Хотя приятного мало.

Белинда выскользнула из комнаты и пошла к своему «мерседесу». Переставила его ближе к пикапу Джейка и принялась ждать.

Она увидела его почти в час ночи; он шел к машине, застегивая молнию синей ветровки. Белинда выскользнула из «мерседеса» и встала в луче света, падавшем на пикап.

Увидев ее, Джейк нахмурился. Она попыталась не позволить себе обидеться. Между ними все кончено. Она ведь знала, что так и будет. Что ж, какое-то время он дарил ей себя и немного Джимми. Она должна остаться довольна.

— Мне надо поговорить с тобой, Джейк.

— Не можешь подождать до понедельника? Я спешу домой за пишущей машинкой и хочу переодеться.

— Ничего не переделывай, — сказала Белинда. — В этом нет необходимости. Флер сможет сыграть эту сцену.

— Ты подсматривала в замочную скважину? — Он вынул из кармана ключи.

— Я видела отснятый материал и слышала ваш разговор. Тебе незачем переписывать.

— Если ты видела кадры, то знаешь: из сегодняшнего материала Джонни Гай мало что сможет использовать. Поверь, я не хочу этого делать, но если с Флер не случится за выходные чуда, то придется. — Он звякал ключами, отыскивая ключ от замка зажигания.

— Так ты и соверши это чудо, Джейк.

Он поднял на нее глаза:

— Ты о чем?

Белинда подошла ближе. Во рту у нее все пересохло.

— Я думаю, Флер влюблена в тебя. Она очень чувствительная, Джейк. И очень закрытая. Она боится этой сцены. Боится разрушить стену, которую воздвигла вокруг себя, желая обезопасить свои чувства.

— Ну и что ты предлагаешь, Белинда?

— Сломай эту стену. Увези Флер с собой на уик-энд и сломай. Джейк не шевелился.

— Может, объяснишь понятнее?

Белинда тихо и нервно засмеялась.

— Разве не ясно? Флер девятнадцать лет. Она совершеннолетняя. Он засунул руки в карманы ветровки.

— Мне все еще не ясно, о чем ты, Белинда. Ну скажи, скажи, чтобы я убедился, что я правильно понимаю.

— Хорошо. Я думаю, ты должен заняться с ней любовью. Джейк взорвался:

— Заняться любовью?! Так ты об этом говоришь? Занимаются любовью, Белинда, ради удовольствия. Для радости. Это не бизнес. А вот ты чем занимаешься? Собственную дочь предлагаешь своему бывшему любовнику!

— Джейк...

— То, о чем ты говоришь, называется траханьем. Трахни мою дочь, Коранда, чтобы она не пустила под откос свою карьеру в кино. Трахни ее так, чтобы она не пустила под откос мою карьеру.

— Прекрати. У тебя это звучит отвратительно.

— Ну изложи красиво.

Белинде надо было подумать. Она должна заставить его понять.

— Тебя тоже влечет к ней, Джейк. Я знаю. Да. Я чувствую это, когда вы рядом. Разве это так ужасно? Она не будет против. Или она не подходит? — Белинда смотрела на него, ее глаза синели двумя невинными озерцами. — Она же не девственница. У нее были мужчины. А фильму это пойдет на пользу, что очень важно и для меня. Я потратила слишком много сил, я к этому стремилась всю жизнь. А тебе самому разве фильм безразличен?

Джейк потащил Белинду от дверцы пикапа, крепко стиснув ее руку. Ему хотелось, чтобы ей стало больно.

— Уйди от меня. Уйди, черт побери, от меня! — Он рывком открыл машину, сел в нее и громко захлопнул дверцу. Отъезжая, Джейк Коранда тяжело дышал.

В доме было темно, когда Белинда вернулась. Дверь в комнате Флер оказалась незапертой, и она проскользнула к дочери. Белинда посмотрела на спящую. Влажный завиток прилип к щеке, она нежно убрала его, и Флер пошевелилась.

— Белинда? — неуверенным сонным голосом спросила она.

— Да, дорогая, спи, спи.

— Пахнет твоими духами, — пробормотала Флер и затихла.

Белинда провела без сна весь остаток ночи. Раньше она не позволяла себе думать о Флер и Джейке из-за собственной ревности. Но как это смешно. Джейку нужна настоящая женщина, вроде Флер, знаменитость. Они могли бы стать одной из блестящих голливудских пар, как Гейбл и Ломбард, или Лиз Тейлор и Майк Тодд. А она жила бы в отражении их звездного сияния.

Чем дольше Белинда думала, тем больше уверялась в том, что Флер такая замороженная в этой сцене именно из-за своих чувств к

Коранде. А главная причина заключается в ее глупой монашеской чистоте. Дочь никогда не открывалась Белинде в своих чувствах, боясь показаться смешной. Но ведь совершенно естественно, что он ей нравится. Да и какой женщине, полной жизни, может не понравиться Джейк Коранда?

Белинда больше не сомневалась: если Флер перестанет закрываться и защищаться, она сумеет сыграть сцену. А где она скорее всего сбросит свой панцирь, если не в постели Джейка Коранды? Вопрос лишь в том, как ее туда уложить. Белинда закурила другую сигарету. Она не смогла заставить Джейка заняться любовью с Флер, но она все равно найдет способ добиться своего. Она облегчит ему дело. В голове Белинды складывались строчки. Она мысленно составила текст письма и тут же отвергла его. Другой вариант. Третий. Наконец получилось то, что надо. Невероятно простой, почти прозрачный текст... Но в конце концов, это Голливуд, где обманы случаются каждый день и самое невероятное становится обыденностью.

Белинда взяла блокнот с нелинованными листками и экземпляр сценария Флер с пометками Джейка в качестве образца. Через несколько часов упорного труда она осталась довольна собой. Конечно, никто не будет изучать почерк с тщательностью графолога, а общее впечатление вполне правдоподобно. В шесть часов она разбудила телефонным звонком Дика Спано и сумела узнать все, что хотела, не раскрывая своих целей. Потом снова взялась за блокнот.

Флер вышла на кухню в девять и налила себе кружку кофе. Потом поглядела на Белинду, сидевшую за столом в розоватом, как морская раковина, шелковом халате от Фернандо Санчеса. Она казалась усталой и невыспавшейся.

— Сколько времени еще ты намерена меня так наказывать, Флер?

— Я не наказываю тебя.

— Правда? Ты считаешь, что нормально четыре дня молчать? Флер открыла холодильник и вынула пакет молока.

— Ты со мной очень плохо поступила, Белинда.

— Я уже поняла, дорогая.

Флер повернулась и удивленно посмотрела на мать.

— Я тоже не безупречный человек, Флер. Иногда тщеславные надежды, связанные с тобой, меня слишком увлекают. Ты особенная девочка, и мне не хочется позволить тебе самой забыть об этом. Знаменитости живут по другим правилам. Твоя судьба была предопределена еще в момент зачатия. Успех у тебя в крови. Я люблю тебя всем сердцем, так что прости меня, детка.

Белинда казалась такой хрупкой, глаза блестели от слез. Флер подумала: ну почему она обижает человека, которого любит больше всех на свете? Ее охватила паника. А если бы не было Белинды? Кем бы она стала? Она сама не знала, как это вышло, но ее руки уже обнимали мать.

— Конечно, я прощаю **тебя**. Я люблю тебя.

На лице Белинды задрожала улыбка, мать привлекла Флер к себе.

— Давай проведем день здесь. Отключим телефон и посидим у бассейна. Роза приготовит нам завтрак, на этот раз не думая ни о каких калориях.

Хотя Флер собиралась весь день кататься на лошади, она кивнула:

— Давай. Я согласна.

Днем, после суфле из артишоков и игры в карты, Белинда попыталась расспросить о случившемся на съемочной площадке, но Флер отказалась говорить. Она подумать про это не могла и не представляла, как в понедельник утром, после сцены раздевания, перед камерой она должна будет заниматься любовью с Джейком.

Тогда они решили одеться и пойти в кино. Когда Флер вышла из душа, Белинда появилась в комнате с почтой в руке.

— Я обнаружила в почтовом ящике странное письмо. Оно адресовано тебе, но на конверте нет штампа. Наверное, его кто-то бросил в ящик.

Флер развязала полотенце на груди и потянулась к конверту. Надорвала его и вынула два листочка белой бумаги. Верхняя часть страницы была исписана неаккуратным почерком.

«Дорогой Цветик. Уже за полночь, у тебя в доме темно, поэтому я оставляю записку. Нам надо поговорить, я не могу ждать до понедельника. Пожалуйста, Цветик, если я для тебя не совсем пустое место, приезжай ко мне в субботу пораньше. Ты доедешь часа за три. Я кладу в конверт карту. Не огорчай меня, детка, ты мне так нужна. Джейк».

— Что там?

Флер отдала записку матери.

— Боже мой! Что могло случиться?

— Я не знаю. Как жаль, что я не взяла почту раньше. Теперь мне не доехать туда до темноты.

— Я упакую вещи, все, что надо для ночевки.

Никто из них не допускал, что Флер может не поехать.

Она оделась в то, что ей сунула Белинда. Кружевные трусы, нижнюю юбку, маленькое светлое хлопчатобумажное платье, босоножки леденцового цвета с ремешком вокруг щиколотки. Волосы Флер были мокрые, она их распустила, чтобы сохли. Перед выходом Белинда вдела ей в уши большие тонкие кольца, спрыснула духами. Только выехав на шоссе, Флер вспомнила, что второпях не надела даже лифчика.

Остановившись возле Санта-Барбары заправиться, она пожалела, что у нее нет телефона Джейка, — она бы позвонила ему сейчас. Вспомнив, какая настойчивость сквозила в записке, Флер снова заторопилась. Скользнув за руль, она в сотый раз попыталась вообразить, зачем ему понадобилась. Но мысль, пришедшая в голову сразу после прочтения письма, вытесняла все другие. Джейк наконец понял, что любит ее, он не хочет ждать и готов рассказать о своих чувствах немедленно. Она понимала, возможны другие причины, но эта ей нравилась больше всех.

Стемнело, когда она миновала бухту Морро и нашла съезд с дороги, отмеченный на карте. Дорога была пустынна, Флер еще немного проехала, прежде чем увидела поворот и почтовый ящик, служивший для нее указателем. Она повернула на уходящую вверх, посыпанную гравием и вероломно узкую дорогу. Никаких домов под густыми соснами или в зарослях чапареля* по обеим сторонам дороги. Она взбиралась по холму почти милю, и в тот момент, когда двигатель собрался заглохнуть, она увидела свет.

---

* Чапарель — колючий кустарник.

Дом походил на блюдце из стекла и бетона, одной частью он словно выдвигался прямо из склона холма. Флер подъехала к освещенной дорожке, затормозила перед входом и выключила зажигание. Когда она вышла из машины, ветер с яростью накинулся на ее волосы; они взметнулись и больно хлестнули по щекам. В воздухе пахло солью и дождем.

Должно быть, Джейк услышал шум машины, потому что дверь открылась прежде, чем Флер нажала на звонок. Свет падал ему в спину, обрисовывая фигуру и оставляя лицо в полутьме.

— Цветик?

— Привет, Джейк.

Глава 15

Флер ждала приглашения войти, но Джейк стоял и хмуро смотрел на нее. Он был в джинсах и в черном бумажном спортивном свитере, одетом наизнанку, с рукавами, закатанными почти по локоть. Он казался усталым, лицо осунулось, скулы были заметнее обычного. Небрит. И что-то еще увидела она в его лице, кроме усталости. Что-то, напомнившее ей о первом дне на съемочной площадке, когда он избивал Линн. Джейк казался раздраженным и угрожающим.

— Я могу сходить в туалет? — нервно спросила Флер.

Ей вдруг показалось, что он вообще не собирается впускать ее в дом. Наконец он пожал плечами и отступил.

— Я никогда не спорю с Судьбой.

— Что?

— Входи.

Подобного интерьера Флер никогда не видела. Между наружными стеклянными стенами было открытое пространство, бетонные углы разделяли его на отдельные помещения, а наклонные плоскости служили лестницами. Казалось, дизайнер решил размыть границы между домом и внешним миром. Кушетки, покрытые буклированной тканью, словно вырастали из стен, на полу были раскиданы плетеные ковры. Не было ничего, что смягчало бы интерьер дома, даже краски взяты из тех, что за окном: свинцовый цвет — от океана, белый и серый — от скал и камней.

— Как красиво, Джейк.

— Туалет внизу, около того уклона.

Она нервно посмотрела на него. Что-то не так. Но ей надо хоть немного побыть одной, собраться, прежде чем она взглянет правде в глаза. Она пошла вниз, по дороге увидела кабинет со стеной, заставленной книгами, стол с пишущей машинкой. На полу валялись скомканные листы бумаги, а один даже залетел на верхнюю полку, будто в гневе его швырнули через всю комнату.

Флер закрыла за собой дверь и огляделась. Большая ванная походила на пещеру, выложенную черной и бронзовой плиткой. У стеклянной стены, нависшей над краем утеса, стояла огромная ванна. Здесь все было очень большое, не только ванна, но и стояк для душа, врезанный в стену, и две совершенно одинаковые раковины, поднятые на шесть дюймов выше обычного.

Она увидела свое отражение в зеркале и вдруг забыла про то, где находится. Флер онемела. Из-за телесного цвета нижней юбки казалось, что под вязаным маленьким платьицем нет ничего. Впрочем, это было не так далеко от истины. Почему она не обратила внимания на вещи, которые всучила ей Белинда? Но потом, изучив себя внимательнее, вспомнив лицо Джейка, появившегося на пороге, Флер подумала: а может, стоит порадоваться, что не обратила внимания? Из зеркала на нее смотрела настоящая Блестящая Девочка, приехавшая бросить вызов герою по имени Калибр.

Когда она вышла, Джейк сидел в гостиной с бокалом в руке, и напиток казался подозрительно похожим на неразбавленное виски.

— Я думала, ты пьешь только пиво, — сказала Флер.

— Правильно. Другие напитки дурно действуют на мой характер.

— Тогда зачем...

— А ты не хочешь рассказать, какого черта ты здесь делаешь?

Внутри у нее все задрожало. Глупо. Как могла она оказаться такой дурой? Если бы она хоть немного подумала, прежде чем рвануть сюда... Щеки Флер горели от смущения. Она полезла в сумочку и вынула записку.

Пока Джейк читал, секунды тикали и каждая казалась вечностью. Вдруг он скомкал бумагу в плотный шарик и швырнул через комнату в пустой камин. Что с ней? Она должна была понять: никогда ничего подобного он ей не напишет! Это чья-то шутка. Кто сочинил такое? Она вдруг подумала о Линн. Из добрых побуждений она могла совершить неловкую попытку соединить их. Она убьет ее. Когда Джейк повернулся к Флер, ей захотелось забиться в нору.

— Прислано с нарочным, — пробормотал он.

— Что?

— Тебя подставили. Это не мой почерк.

— Я уже догадалась. — Она водила пальцами вверх-вниз по ремешку сумки. — Слушай, мне очень жаль. Кто-то пошутил. Не слишком удачно.

Джейк мигом осушил бокал. Потом его глаза пробежали по маленькому вязаному платьицу; взгляд Джейка задержался на груди, на ногах. Смущение вдруг оставило Флер, и она почувствовала, что сейчас лучше владеет собой, чем на пороге дома. Словно между ними возникло трудноуловимое равновесие.

— Скажи мне, что было не так в пятницу? — спросил он. — Я видел актрис, которые раздеваются без всякой радости. Но не видел ничего похожего на то, что творилось с тобой.

— Слишком непрофессионально, да?

— Ну, давай скажем так: у тебя нет ни малейшего шанса сделать карьеру стриптизерши. — Он подошел к бару из тикового дерева, достал бутылку виски «Дикая индейка» и налил полбокала.

— Почему бы нам не поговорить об этом?

Флер села на диван, подвернув под себя ногу; маленькое платьице задралось до бедер. Джейк посмотрел на ее ноги, потом сделал большой глоток виски и вышел из-за бара.

— Да нечего рассказывать, — она пожала плечами, — просто мне все это не нравится.

— Не нравится раздеваться или жизнь вообще?

— Не нравится мне это занятие, Джейк. Я не люблю играть и не люблю сниматься в кино.

— Тогда зачем ты этим занимаешься? — спросил он, облокотившись о стойку бара.

— Да все не так просто.

— Но это твоя жизнь.

— Разве? Все настолько запутанно.

— Белинда тебя использует.

— Белинда любит меня. Просто она не понимает, что люди могут мечтать о чем-то еще, кроме кино. Она хочет мне только добра.

— И ты в это искренне веришь? Веришь, что она действительно думает о твоем благополучии?

— Да. Верю. — Флер смотрела на Джейка в упор, и в глазах ее читалась угроза: только посмей произнести что-то еще. Но он молчал. — Слушай, я действительно хочу в понедельник попробовать. Я знаю, как надо. Я думаю, если я постараюсь как следует...

— А ты в пятницу не старалась? Да брось, детка. Ты же говоришь с дядей Джейком.

— Прекрати! Я ненавижу, когда ты себя так ведешь! Я не ребенок! И ты мне не дядя.

Вдруг глаза его сощурились, а подбородок затвердел.

— Нам нужна женщина. Настоящая женщина, чтобы сыграть Лиззи, — сказал он. — А мы наняли ребенка.

Вообще-то после его слов она должна была вылететь из дома, рассыпавшись на миллионы кусочков, омытых слезами. Вместо этого Флер изучающе уставилась в его сощуренные глаза. Лицо ее окаменело, она чувствовала, как вся наполняется невероятной силой. Не важно, что он сказал. Он уже не смотрит на нее как на ребенка. С внутренним трепетом она увидела и узнала, что таится за враждебным взглядом Джейка. Желание. Он хочет ее. Вдруг она поняла то, что поняла ее героиня, Лиззи. Именно Лиззи придала ей силы.

— Единственный ребенок в комнате — это ты, — тихо проговорила она.

Ему это нисколько не понравилось.

— Не играй со мной в сучьи игры, — прошипел он. — Я занимался ими кое с кем получше. Поверь, у тебя нет ни единого шанса на выигрыш.

Флер поняла, что зацепила его. Она запустила пальцы в волосы и провела по ним, как гребешком, глядя на Джейка из-под ресниц.

— Разве?

— Осторожно, Цветик. Не делай ничего, о чем потом пожалеешь. Особенно когда ты в таком платье. Его можно понять как вызов.

— Какой вызов? — Голос Флер стал низким и хриплым.

Джейк заколебался.

— Я думаю, будет лучше, если я отвезу тебя в бухту Морро. Там есть пара хороших гостиниц.

Через две недели съемки закончатся. Никогда больше она не увидит Джейка Коранду. И если она хочет ему доказать, что она женщина, ей представился случай. Она в невероятно сексуальном платье, он не отрывает глаз от ее ног. Страсть мужчины к женщине. Она встала, подошла к окну. Волосы упали на спину, золотые кольца свисали из ушей, маленькое вязаное нитяное платье обрисовывало бедра.

— А почему ты думаешь, что я бросаю тебе вызов?

Чувственным жестом потянув золотое кольцо в ухе, она повернулась к нему с бешено колотящимся сердцем.

— Я... хочу сказать, ты сегодня выглядишь не так противно, как обычно, Цветик. Я думаю, тебе лучше уйти. — Голос Джейка срывался.

Она отвела плечи назад, прислонилась спиной к стеклянной стене так, что бедра подались вперед, а ноги распрямились во всю длину.

— Если ты хочешь, чтобы я ушла, — она согнула одно колено, и платье поднялось вверх, приоткрывая бедра, — тебе придется заставить меня.

Джейк со стуком поставил бокал на барную стойку и вытер рот тыльной стороной руки, как делал сотни раз в фильмах.

— Хочешь поиграть? О'кей, бэби. Давай поиграем.

Он направился к ней, и что-то в его лице испугало ее; она завела его слишком далеко. Это же не фильм, и он не герой по имени Калибр. Джейк больше не владел собой.

Она ударилась бедрами о стекло, попытавшись увильнуть, но он успел схватить ее, прежде чем она смогла сделать хоть один шаг.

Джейк схватил Флер за плечи и прижал к своей груди.

— Ну давай, детка, посмотрим, что у тебя есть.

Он наклонил голову и сомкнул рот на ее губах. Она почувствовала, что задыхается; его зубы впивались в ее нижнюю губу, когда он силой заставлял ее открыть рот. Она почувствовала вкус виски на его языке, попыталась объяснить себе, что это Джейк и ей нечего бояться. Сильные руки скользнули под платье и стали двигаться по бедрам, потом проникли в трусики, обхватили ягодицы. Он крепко прижал ее к себе, и ощущение собственной силы ее покинуло. Она подумала, что, может, он прав и она ребенок, захотевший играть в женские игры. Скорее всего она замахнулась на непосильное дело. Руки его рванулись вверх, стаскивая с нее платье, джинсы царапали ее обнаженный живот. Язык Джейка все глубже проникал в рот, а большой палец нащупал ее сосок.

Все шло не так, как должно было идти! Он оказался слишком напористым, он пугал. А Флер хотела музыки и цветов. Чтобы их тела нежно слились. Она уперлась руками ему в грудь и стала бороться.

— Джейк... — Она почти прорыдала его имя.

— В чем дело? — Хриплый голос и прерывистое дыхание чуть не оглушили ее, раздавшись в ухе. — Ты ведь этого хотела? Разве нет? Ты хотела, чтобы я обращался с тобой как с женщиной.

— Как с женщиной, а не как с проституткой.

Она резко рванула мимо него к двери, совершенно разочарованная. В нем не было ничего от того любовника, которого она видела в своих снах. Что же с ней случилось? Как могла она так ошибиться? Взявшись за ручку двери, Флер вспомнила про свою сумку на диване с ключами от «порше». Она медленно вернулась. Он снимал телефонную трубку, и, увидев это, она поняла: что-то не так. Он слишком спокоен. Слишком печален. Она заставила себя взглянуть на него сердцем. Он стал прозрачный, как стеклянная стена.

— ...номер на ночь. Хорошо. Да, прекрасно. Нет, только один...

Флер подошла и нажала рукой на рычаг, прервав связь. Он вскочил с ручки кресла.

— Черт побери! Что ты делаешь! — заорал он. — Тебе мало на сегодня?

Она вздернула подбородок и посмотрела ему прямо в глаза.

— Нет, Джейк. Я хочу гораздо большего.

— Проклятие! — Он швырнул трубку обратно на рычаг.

— Почему ты стараешься отпугнуть меня?

— Ты о чем?

— Никто в мире никогда не говорил тебе, что ты плохой актер. Но сейчас представление получается бездарное.

Он пригладил волосы.

— Все слишком далеко зашло, хватит, Цветик.

— Ты как цыпленок. Никакого мужества.

— Я отвезу тебя в гостиницу.

— Ты меня хочешь, — сказала она. — Я знаю. Ты меня хочешь.

Он сжал челюсти. Но голос его звучал ровно.

— После того, как ты ночью выспишься...

— Я хочу спать здесь.

— ...я приглашу тебя на завтрак.

Она презрительно улыбнулась.

— Какое заманчивое обещание, дядя Джейк. Может, ты мне купишь и леденец на палочке?

Лицо его потемнело от ярости.

— Сколько я еще должен терпеть? — заорал он. — Черт побери, чего ты от меня хочешь?

— Чтобы ты признал, что я женщина. Признайся, что ты хочешь меня.

— Ты, черт побери, ребенок. Ребенок, черт побери! И я не хочу тебя!

Она посмотрела на него долгим тяжелым взглядом, не сомневаясь, что он лжет. Почти уверенная, что он должен врать в такой ситуации. Разве нет? Но внезапно уверенность ее покинула. Ей стало обидно продолжать с ним схватку. Не станет же она умолять его о любви? У нее ведь еще осталась гордость.

— Я ненавижу тебя! — закричала она, взорвавшись, как подросток, отбрасывая остатки собственного достоинства.

Схватив сумочку с дивана, она кинулась к двери, но Джейк поймал ее, прежде чем она дотянулась до дверной ручки. Он резко повернул ее к себе, и в глазах его злости больше не было. Она затрепетала.

— Ты, детка, опоздала уйти. У тебя был шанс, но ты его упустила.

Он потащил ее обратно, и Флер ничего не оставалось, как подчиниться. Они спустились по одной наклонной плоскости, потом по другой... Прошли через арку... Потом вверх...

— Джейк...

— Заткнись.

— Моя рука...

— Плевать.

Он втащил ее в комнату с огромной кроватью. Флер никогда в жизни не видела такой. Покрытая атласным покрывалом в черно-серых тонах, кровать стояла на платформе прямо под застекленной крышей. Он взял ее на руки, поднялся на две ступеньки и опустил на кровать.

— Ты готова, Цветик? Обо всем позаботилась?

Никто ни о чем не заботился, но его лицо было таким угрожающим, что она решила молча кивнуть.

— О'кей, детка. — Он скрестил руки на груди и снял свитер через голову. — Пришло время поиграть с большими мальчиками.

У нее внутри все похолодело, она крепко сжала край покрывала в горсти.

— Джейк?

— Да.

— Мне страшно.

Его руки уже расстегивали молнию на джинсах.

— Ну держись.

Почему он даже не смотрит на нее? Она уставилась на звезды через стеклянную крышу, услышала шорох снимаемой одежды. Потом повернулась. Он стоял у кровати в одних черных трусах. Она прикусила губу. Трусы были не такие. Ей хотелось увидеть приятный белый хлопок или что-то поношенное и выцветшее, вроде его плавок. Раньше она никогда не видела его живота и не представляла, что он такой плоский. Она сосредоточилась на его животе. Оглядела его талию, чтобы не смотреть ниже, на тот ужасный вертикальный ствол, для которого слишком малы и слишком тесны были трусы. Да, он хочет ее. Она видит доказательство. Но почему он так грозен с ней?

Она вздрогнула, когда его рука обхватила ее лодыжку, дернула за ремешок и стащила босоножку. Потом вторая босоножка упала на пол. Он больше не скрывал своего желания, она чувствовала, как жаркая волна омывала ее тело, когда его глаза шарили по ней. Но почему он такой мрачный? Такой грубый?

Она стала двигаться на локтях вверх по подушкам, пытаясь ускользнуть от него.

— Я... Кажется, я передумала... Я больше не хочу этого.

Его взгляд упал на грудь, потом на бедра, прошелся по всей длине ног.

— Слишком поздно. — Он наклонился и потянул завязку на платье.

— Я лучше не...

Он схватил ее за плечи, подтащил так, чтобы она оказалась на коленях, и снял платье через голову.

— Рядом с тобой я изо всех сил старался играть хорошего мальчика. Мне надоело! Я устал все время тебя предупреждать. Но ты не обращала внимания, ты хотела играть. Когда это кончится, не забудь, кто все это начал.

Флер плакала, но Джейк, не обращая внимания на слезы, тянул подол нижней юбки.

— Нет! — Она ударила его по руке. — Нет! Мне это не нравится. Я не этого хотела!

На шее, сбоку, у него задергался тик.

— Теперь это моя игра, — сказал он напряженно. — Мы играем по правилам для взрослых. — Он сдернул с нее юбку, и Флер осталась в трусиках и в болтающихся золотых серьгах. — Вот так. Теперь я вижу все, на что в пятницу пытался не смотреть.

— Нет! — Слезы текли по щекам Флер. — Я знаю, что ты собираешься сделать. Я тебе не позволю. Ты слышишь, Джейк Коранда? Я *не позволю тебе сделать это плохо.*

Голос его был сдавленный и тяжелый.

— Плохо? Я не понимаю, о чем ты говоришь.

Она яростно замотала головой.

— Ты хочешь все разрушить. Я хочу, чтобы это стало важным для меня.

— Тут нет ничего важного! — грубо воскликнул он, стягивая с нее трусики и накрывая ее тело своим собственным так, что она уже не могла пошевелиться. — Детка, это просто совокупление. Как у животных. — Он прикасался к ней пальцами, но они были как у хирурга. Равнодушные. — Тебе нравится вот так? А так?

— Нет, нет. Я... — Она попыталась сомкнуть ноги, но он нажал коленом, раздвигая их.

— Ну скажи, как ты хочешь?

— Ну почему ты так ведешь себя?! — зарыдала она. — Ты же ни с одной женщиной так не обращаешься! Почему со мной?

— Тебе как, быстрее, медленнее? Ну как ты хочешь, черт побери?!

— Нет! — Она уже кричала. — Я хотела цветов, я хотела, чтобы ты прикасался ко мне цветами!

По телу Джейка пробежала дрожь.

— Боже мой!.. — пробормотал он. — Тьфу, черт.

Он откатился от Флер подальше, чтобы не касаться ее, и лег на спину, уставившись в ночное небо. О чем он задумался? Когда слезы высохли на щеках Флер, ей показалось, что она осталась одна в комнате. Почему он хотел ее обидеть?

Джейк протянул руку и коснулся ее, потом повернулся к ней и нежно повел пальцами по изгибу плеча.

— Хорошо, детка, — прошептал он. — Больше не будем притворяться. Давай сделаем как положено.

Он нашел губами ее губы, и мягкий нежный поцелуй растопил холодок внутри Флер. Этот поцелуй не походил на тот, перед камерой. Их носы столкнулись. Он открыл рот и сомкнул губы вокруг ее рта. Язык проник сквозь барьер зубов, и она коснулась его своим языком. Ощущение было замечательное. Мокро, шершаво. Но превосходно. Она обняла его за плечи и притянула к себе так близко, что слышала биение сердца Джейка.

Наконец он откинулся, ероша пальцами волосы Флер и ласково глядя на нее.

— У меня нет цветов, — пробормотал он. — Так что я буду прикасаться к тебе кое-чем другим.

Джейк опустил голову и коснулся губами ее соска. Он распух под его языком, она застонала, почувствовав небывалое удовольствие. А потом, как ковбой, который никуда не спешит и у которого впереди все время мира, он принялся шарить руками по ее телу. Он целовал ее живот, гладил бедра и распалял внутри. Потом согнул ее ноги в коленях и слегка раздвинул.

Лунный свет щедро лился сквозь стеклянную крышу, расцвечивая серебристыми пятнами и тенями его спину, когда он играл нежными волосками. Потом он медленно и ласково раскрыл ее.

— Лепестки цветка. Я нашел их. Вот они. — А потом Джейк наклонился и прильнул к ней губами.

Ощущение было совершенно неведомым. Ничего подобного она не могла даже вообразить. Флер произнесла имя Джейка, не зная точно, мысленно или вслух. Волны удовольствия вздымались внутри, в ней крутилось горящее кольцо, разбрасывая искры, они разгорались все ярче, обжигали и грозили взрывом невероятной силы...

— Нет...

Он взглянул на нее, услышав сдавленный испуганный голос, но она не знала, как ему объяснить свои ощущения. Улыбаясь, он скользнул вверх и оказался рядом с ней.

— Что? Кончить? — пробормотал он чувственным насмешливым и совершенно неотразимым голосом, которому было трудно противиться.

Она почувствовала его сильное тело рядом с бедром и, не в состоянии остановиться, потянулась к резинке на черных трусах. Она обхватила рукой то, что больше не скрывалось под тканью, гладкое, твердое, как мрамор. Джейк слегка вскрикнул.

— В чем дело? — прошептала она. — Не можешь вытерпеть? Он прерывисто задышал.

— Это на меня не действует, — простонал он.

Она рассмеялась и приподнялась, чтобы получше рассмотреть. Ее волосы легли ему на грудь.

— Разве?

Трусы ей мешали, она стащила их и еще раз дотронулась, желая узнать его реакцию. Здесь... Там... Снова здесь... Она гладила самый кончик пальцем, потом подушечкой большого пальца, локонами волос, наконец коснулась кончиком языка.

Крик его был глубоким и хриплым.

Она лизала его, как кошка, чувствуя глубокую горячую радость, распиравшую изнутри, ощущая небывалую власть над этим мужчиной. Потом он схватил ее за плечи и повернул к себе.

— Я сдаюсь, — прохрипел он, укусив ее за верхнюю губу.

— Ну ладно, тогда мы квиты, — пробормотала она.

Он потянулся к ее груди, сдавил сосок.

— Похоже, мне пора напомнить, кто тут главный.

— Ты генерал. А кто армия? — спросила она, дотронувшись языком до его кривого зуба.

— Дама не поддается обучению. — Он накрыл ее длинным гибким телом. — Давай-ка, детка, сейчас ты встретишься со своим господином.

Она радостно открылась ему навстречу, горя желанием принять его, любить его. Она улыбалась подернутым пеленой голубым глазам, взгляд которых источал желание...

Джейк услышал сладкий женский стон, вырвавшийся из самых глубин ее горла, опаливший его. Глядя в глаза Флер, он молча умолял ее о чем-то, но она улыбалась ему с такой любовью и нежностью, с таким обожанием, что его будто раскололо надвое. Рывком он глубоко вошел в нее. Это было грубое овладение, гораздо более грубое, чем ему хотелось, но он не ожидал, что она окажется такая упругая внутри. Он не ожидал... О Боже. Она тихо вскрикнула от боли, а он почувствовал, как сердце его оборвалось.

— Цветик... Мой Бог... — Он начал выходить из нее, но Флер впилась пальцами ему в ягодицы.

— Нет. Если ты уйдешь, я никогда не прощу.

Ему хотелось кричать. Закинуть голову и выкричать весь свой гнев на ложь Белинды и собственную глупость. Почему он не напугал ее сильнее, чтобы она убежала, как он хотел вначале? Почему поддался собственной похоти? Похоть. Вот что это было. Он хотел ее с первой минуты, как увидел. Он стоял с рыдающей в его объятиях Линни и смотрел поверх нее на длинное красивое тело, и его тянуло к нему.

Джейк почувствовал, как девичьи ноги обвились вокруг его ног, как она увлекает его глубже, хотя ей больно. Он не мог найти в себе силы обидеть ее еще сильнее. Поэтому, собрав волю в кулак, он замер в ней, давая ей время привыкнуть к его размерам.

— Прости, Цветик, я не знал.

Она двигала бедрами, пытаясь втянуть его глубже.

— Ш-ш-ш...

Он гладил ее волосы, нежно играл губами.

— Дай минутку, — шептал он, — не спеши.

— Я в порядке.

Он думал, как он может оставаться внутри нее в таком возбуждении, совершив самый подлый поступок в мире! Джейк Коранда, король подлецов. Но твердый, как копье. Половое возбуждение, как у горного козла. Он влез в ребенка с большими глазами. Джейк уткнулся головой в шею Флер, перебирая пальцами ее волосы, а потом стал осторожно двигаться. Она вздрагивала и сильнее впивалась пальцами ему в плечи.

Он немедленно остановился.

— Больно?

— Нет, — выдохнула она. — Пожалуйста...

Он откинулся назад, чтобы видеть ее лицо. Глаза Флер плотно сжаты, а губы раскрыты, но не от боли, понял он, от наслаждения. Он поднял бедра, его движения стали длинными и глубокими. Один раз... Второй... Он наблюдал, как она тает под ним от удовольствия.

Он успокаивал ее после перенесенного потрясения. Наконец она открыла глаза; взгляд был мутным, но постепенно он прояснился. Она что-то пробормотала, но Джейк не понял, что именно.

— Это было прекрасно, — с улыбкой прошептала Флер.

Веселые искорки заплясали у него в глазах.

— Рад слышать, что ты довольна.

— Я и представить себе не могла, что это будет так... Так...

— Скучно?

Она рассмеялась.

— Утомительно?

— Ну не такие слова я ищу.

— А как насчет...

— Изумительно. Потрясающе.

— Цветик?

— Да?

— Не знаю, заметила ли ты, что мы еще не закончили?

— Мы не... — Глаза ее широко раскрылись. — О...

Он увидел, как на ее лице вместо удовольствия появилось выражение смущения.

— Я... Извини... — запинаясь, начала она. — Я вовсе не хотела быть свиньей или кем-то в этом роде. Я просто не знала. Я хочу сказать... — И умолкла.

Он скрыл улыбку, прикусил зубами мочку ее уха и легонько потянул.

— Ну можешь слегка вздремнуть, если хочешь, — прошептал он. — Почитать книжку или еще что-то. А я постараюсь не мешать тебе. — Он снова начал двигаться. Он чувствовал, как Флер расслабляется, потом она вдруг напряглась и впилась пальцами ему в бока. Она была такая мягкая, хорошая, сладкая...

— О... — прошептала она. — Это сейчас снова произойдет, да?

— Можешь не сомневаться, — хрипло прошептал Джейк.

Очень скоро они вместе оказались на краю света.

Глава 16

— Так глупо вышло.

— Да чепуха, Коранда.

Она проснулась в два часа ночи и обнаружила, что лежит в кровати одна. Надев трусики и черный спортивный свитер Джейка, Флер отправилась на поиски. Она нашла Коранду на кухне: он клал себе в миску мороженое, и столько, что казалось, за один раз съесть такую порцию невозможно. Он заорал на нее, едва увидев, и как будто не было ни нежности, ни веселья, с которыми они занимались любовью. Они принялись ругаться.

Отчасти его гнев, подумала Флер, справедлив, но как она могла догадаться, что, спрашивая ее, обо всем ли она позаботилась, он имел в виду противозачаточные средства? Флер сказала, что месячные должны быть через три дня, так что она в полной безопасности. Но Джейк не унимался. Очень скоро ей стало ясно другое: на самом деле он бесится оттого, что оказался ее первым мужчиной.

— Ты должна была мне сказать до того, как мы сделали это.

Он поставил тарелку в раковину и рывком включил воду.

— Сделали это? У тебя прямо дар самовыражения. Вообще, когда ты рос, ты думал, что станешь писателем?

— Брось свои шутки. Очень плохо, Цветик, что ты мне не сказала.

Флер сладко улыбнулась.

— Боялся, что я не стану уважать тебя наутро?

Все с большим мастерством она состязалась с ним в сарказме. Мир по-корандовски. Как она позволила себе полюбить его так сильно? А он, казалось, ничего не хотел отдавать взамен. Почему в конце концов Джейк не прекратит разговоры и не поцелует ее?

— Черт побери, я бы не был таким грубым.

Больше она не могла выносить ничего подобного и принялась наобум открывать шкафчики, пытаясь найти резинку для волос.

— Слушай, я не обязана объясняться с тобой. Теперь заткнись. Понял?

Она нашла резинку и стянула волосы в хвост на макушке. Потом прошла в гостиную и взяла со стола упаковку толстых свечей.

— Что ты собираешься делать?

— Собираюсь принять ванну, — ответила Флер. — А то уже почти три часа утра. Ничего не могу поделать. Я ужасно воняю.

Впервые после того, как она вошла на кухню, он слегка расслабился и чуть не улыбнулся, а ей захотелось его ударить и поцеловать одновременно.

— Да? А почему?

— Ну ты же у нас эксперт, ты и объясни. — Она понимала, что его спортивный свитер не целиком закрывает трусики, и, виляя бедрами сильнее обычного, отошла от Джейка.

Флер расставила свечи по краю ванны и зажгла, прежде чем включила воду и плеснула в ванну солидную порцию пены из бутылки. Неужели это пена Джейка? Вряд ли. Наверное, какой-нибудь из его молодых красоток. Она ненавидела их всех до единой.

Пока ванна наполнялась, она забрала волосы наверх и заколола шпильками, вынутыми со дна сумочки. Несмотря на резкие перемены в настроении Джейка, она ни секунды не жалела о происшедшем между ними. Когда он был внутри нее, она чувствовала, что ее сердце готово разорваться от любви к этому мужчине. Она выбрала его и отдалась ему. Единственный в жизни выбор, который она сделала сама.

Раздевшись, Флер скользнула в воду, вспомнив о моменте боли, когда он входил в нее. И каким нежным он стал после этого. Пламя свечей отражалось в стеклянной стене, ей казалось, она плавает в космосе.

— Это вечеринка для одного или кое-кто может составить компанию?

Вопрос был риторический, поскольку Джейк уже расстегивал молнию джинсов.

— Зависит от того, закончил ли ты со своими лекциями.

— С лекциями покончено.

Он что-то пробормотал, входя в воду и устраиваясь рядом с ней.

— Ты что-то сказал?

— Ничего.

— Черт побери, Джейк.

— Я сказал, что я сожалею.

— О чем? Скажи точно, о чем ты сожалеешь.

Услышав свой дрогнувший голос, Флер испугалась, что снова заплачет. Она подтянулась в ванне повыше и оперлась на локти.

Должно быть, Джейк тоже уловил вибрацию в голосе Флер. Он встал на колени и привлек ее к себе.

— Ни о чем, детка. Я не жалею ни о чем, кроме собственной грубости.

Он целовал ее, она отвечала. Волосы Флер растрепались, шпильки выпали, но никто этого не заметил. Их ноги и руки сплелись, оба погрузились в пену. Флер обмотала волосами себя и Джейка. Он выдернул затычку, выпуская воду из ванны, чтобы можно было дышать. Он целовал все ее тело и так сладко занимался любовью, что она вскрикивала, а он успокаивал ее поцелуями.

Потом он завернул ее в полотенце.

— Сейчас, после того как ты меня окончательно вымотала, — сказал он, оборачивая бедра полотенцем, — как насчет того, чтобы покормить? Я ничего не ел, кроме мороженого и чипсов, с тех пор как ты появилась. А из меня повар никудышный.

— Даже не думай. Я богатая девочка, или ты забыл?

— Ты хочешь сказать, что не умеешь готовить?

— Оладьи из смеси.

— Боже мой, даже я способен на большее.

Кухня превратилась в бедлам. Они жарили стейки, которые сначала никак не хотели оттаивать, потом они сожгли батон французского хлеба, сделали салат из побуревших листьев салата и увядшей морковки. Но ничего вкуснее этого Флер не ела ни разу в своей жизни.

Наутро они хотели побегать, но вместо этого вернулись в постель. Днем играли в карты, рассказывали разные истории друг другу и еще раз приняли ванну. Джейк разбудил ее на заре в понедельник, чтобы ехать в Лос-Анджелес. Он поручил отогнать «порше», и они поехали вместе. Почти всю дорогу Джейк молчал. Флер поняла, что он встревожен.

Когда Флер закончили гримировать и она вышла на съемочную площадку, она увидела, что настроение Джейка никуда не годится. Он ругался с Джонни Гаем из-за того, что ничего не исправил в сценарии за выходные, он цеплялся ко всем, кто попадался на глаза. Увидев ее, он нахмурился.

В какой-то мере она даже радовалась его дурному настроению. Не было сказано никаких слов, но он не остался равнодушным к происшедшему между ними. Если бы ему вообще было на нее наплевать, он бы сейчас вел себя иначе.

Подошел Джонни Гай.

— Ну, милая, я знаю, тебе было тяжеловато в пятницу, но сегодня мы попытаемся облегчить сцену. Я кое-что изменил...

— Не надо никаких изменений, Джонни Гай. Мы сделаем как надо.

Он удивленно посмотрел на нее, а она дерзко выбросила вверх большие пальцы, как Амелия Эрхард, готовая перебраться через Тихий океан.

Это ее собственная жизнь. Если она захочет сыграть сцену, она ее сыграет! Она не позволит Джейку забыть, что она женщина, а не ребенок.

Джейк вовсе не был счастлив.

— Я думал, мы решили убрать бо́льшую часть. Черт побери, мы же понимаем, она не справится! Для чего тратить время?

— Маленькая леди говорит, что хочет попытаться. Мы дадим ей шанс. Так что приготовьтесь, мальчики и девочки, приступим к работе.

Камера застрекотала, Джейк сердито уставился на Флер через спальню. Она улыбнулась ему. Ее руки поднялись к пуговицам. Он был слишком дерзкий, и она собиралась показать ему это. Она вышла из платья, не отрывая глаз от него: теперь у них были секреты, о которых знали только они. И вообще их только двое. Он милый и дорогой, она любит его всем сердцем. Он должен ее тоже любить. Ну хоть немного. Иначе он никогда бы так сладко не занимался с ней любовью. Ну пожалуйста, Боже, пусть он любит ее.

Она расстегнула лифчик. Джейк нахмурился и сошел со своего места.

— Останови, Джонни Гай.

— Черт побери, Джако. Я здесь командую. Она хорошо, замечательно делала сцену. Черт побери, что с тобой? — Джонни Гай был в ярости. Он шлепнул рукой по ляжке и дернулся. — Черт побери! Никто не должен кричать «Стоп!» до тех пор, пока я не скажу!

Тирада длилась еще минут пять, Джейк становился все угрюмее. Когда он наконец пожаловался, что стул не на месте, Джонни Гай чуть не ударил его.

— Все о'кей, Джонни Гай, — сказала Флер, как настоящая женщина, владеющая собой. — Я готова повторить все снова.

Камеры закрутились. Лицо Джейка было темнее тучи. Лифчик снят. Она проделала это медленно, искушая, мучая его своей новой, открытой в себе самой силой. Наклонившись, стянула трусики и пошла к нему.

Когда она стала расстегивать его рубашку и просунула руки под нее, его тело напряглось. Она коснулась того места, которое только сегодня, проснувшись, целовала. Она прижалась к нему бедрами, а потом сделала нечто, чего не репетировали. Она наклонилась и коснулась языком его соска.

— Есть! — завопил Джонни Гай, выскочив из своего кресла, как черт из табакерки.

Джейк вырвал белый махровый халат у костюмерши, появившейся из-за занавеса, и швырнул Флер.

— Что это с тобой? — хмуро спросил он.

Работа продвигалась отлично, к ленчу они пересняли все, оставшееся с пятницы, и готовы были к заключительной сцене. Джейк почти не разговаривал с Флер, но она решила не обращать внимания. Он вел себя, как ревнивый любовник, сказала она себе, он не хотел, чтобы кто-то еще видел ее наготу.

Джонни Гай догадался обо всем. Напряжение Джейка, его чувство вины, злость, которая едва не вырывалась на поверхность... И безжалостное, соблазняющее поведение Флер. Он уловил все нюансы их отношений и поздравил себя с хорошо сделанной работой.

Флер цеплялась за свой оптимизм так долго, как только могла, но дни шли, а Джейк соблюдал дистанцию. Она почувствовала, что начинает впадать в отчаяние. Он должен ее любить. Он просто должен... Вместо того чтобы считать дни, она считала часы, когда кончится работа над фильмом. Она хотела поговорить с ним, накричать на него, броситься в его объятия и умолять о любви, такой же огромной, как у нее к нему. В четверг, когда работа закончилась, он, ни слова не говоря, исчез.

— И ничего не сказал тебе, дорогая? — спросила Белинда. — Но Джейк, конечно, не пропустит вечеринку у Джонни Гая. Он устраивает ее в конце недели.

— Не знаю. Джейк не отчитывается передо мной.

Белинда кокетливо улыбнулась:

— Может, тебе самой стоит проявить активность, детка?

Флер отвернулась. Она не хотела, чтобы мать давала ей советы относительно Джейка. Это касалось только ее. Ее.

На вечеринку по случаю окончания работы над фильмом «Затмение в воскресное утро» собрались первые лица Голливуда, что неудивительно, поскольку Марселла Келли считалась одной из самых преуспевающих хозяек города. И не ее вина, что Флер чувствовала себя у нее в доме совершенно несчастной. В самый последний

момент она согласилась взять в сопровождающие Дика Спано, сми-
рившись с тем, что Джейк не придет, и даже обрывки разговоров,
долетавшие до нее, пока они пробирались среди гостей, не отвлекли
Флер от собственного несчастья.

— Ну как вы можете называть его снобом? — спрашивала
молоденькая блондинка своего собеседника. — Я сама видела, как
он срезал крокодильчиков со своих рубашек.

— Но только после того, как рубашки выцвели, дорогая, а
эмблема фирмы осталась яркой... — смеялся он.

Они подошли к бару, окутанному ароматом кубинской сигары.

— ...высококонцептуальная идея. Вы добавляете ковбойских
клакеров из Далласа...

На этот раз Флер оделась тщательнее обычного. Она выбрала
серовато-бежевое шелковое платье с переливающимися полосками
серого и терракотового цвета. Платье обтягивало ее, словно трубоч-
ка, отдаленно напоминая египетский стиль, который Флер подчерк-
нула золотыми браслетами и босоножками без каблуков с застежками
из драгоценных камней. Перед сном она туго заплела мокрые волосы в косу, а утром расчесала их, и они каскадом волн упали на
спину. Марселла Келли восторженно заявила, что Флер Савагар —
вылитая Клеопатра, только в светлом варианте.

Марселла совершенно не была похожа на мужа. Тонкая, изыс-
канная, с отличной интуицией. В шестидесятые годы она первая
увлеклась раскраской тканей в размытые цвета, когда один мягко
переходит в другой, и это скоро стало невероятно модным. Именно
она безошибочно угадала момент, когда из списка гостей следовало вычеркнуть Хью Ньютона. Сегодня она предлагала собравшимся лосося в текиле, канапе, украшенные листьями кактуса, оладьи
из овощей, выращенных на гидропонике. Джонни Гай разгуливал
среди нарядной публики с банкой апельсиновой воды. Флер хотелось, чтобы пришел Джейк, они бы с ним посмеялись. Потом
ей захотелось, чтобы он оказался здесь по другим причинам. По
очень многим.

Она старалась делать вид, будто внимательно слушает Дика
Спано, но на самом деле поверх его головы наблюдала за толпой.
Она увидела Белинду, зажавшую в угол Керка Дугласа. Лицо акте-

ра казалось слегка смущенным. Без сомнения, мать донимала его разговорами о фильмах, в которых он снялся и многие из которых уже забыл.

Маленькими глотками Флер потягивала шампанское и кивала Дику, абсолютно не вникая в смысл его слов. К ним подходили знакомые, мужчины немедленно распускали перед ней хвосты. Блестящая Девочка. Сегодня это казалось особенно смешным.

Она уже готова была расстаться с надеждой увидеть Джейка, когда он внезапно вошел в зал вместе с Линн Дэвидс и безработным режиссером-документалистом, ее последним любовником. Сердце Флер подпрыгнуло, голова пошла кругом, но, прежде чем он ее увидел, Марселла Келли ринулась к нему и повела через толпу собравшихся, демонстрируя главного гостя. Флер вдруг поняла, что она не может встретиться с ним лицом к лицу при таком количестве народа. Извинившись, она пошла в туалет и села на край ванны. Неужели он не понял, что они не должны видеться снова?

Когда наконец кто-то постучал в дверь, она выскользнула к бассейну. Что она скажет, столкнувшись с ним лицом к лицу? Почему ты не любишь меня так, как я тебя? Глупо. Упало несколько капель дождя, и Флер вернулась в дом вместе с другими вышедшими подышать. Она огляделась, отыскивая Джейка, но его не было. Он исчез. Тогда Флер поняла, что он исчез не один.

Это ничего не значит, говорила она себе. Не может ничего означать. Даже если Белинда и Джейк вместе, что такого? Но сердце бешено колотилось, в ушах звенел голос матери:

— *Я делаю только то, что для тебя лучше.*

Она отправилась на поиски, переходя из одной комнаты в другую, лавируя между гостями. Она не вынесет, если Белинда попытается вмешаться. Никогда не простит ее. Никогда.

Флер стала подниматься вверх по лестнице. Толкнув дверь, она смутила своим вторжением Линн и ее любовника, но Белинды и Джейка нигде не было. Где же они? И только она собралась спуститься вниз, как услышала приглушенный разговор в спальне Марселлы Келли. Туда она только что заглядывала, но решила вернуться и проверить еще раз. Слева был альков, который она сначала не заметила. Подойдя к нему, Флер резко остановилась, услышав голос Джейка.

— ...отпусти меня, Белинда, говорить больше не о чем. Давай вернемся к гостям.

— Еще две минутки, ради прошлого. — Голос Белинды стал тише, Флер едва расслышала. — Нам ведь было так хорошо вместе, помнишь? Помнишь Айову? Тот ужасный мотель?

Во рту у Флер пересохло. Белинда говорила таким интимным голосом. Но почему она так разговаривает с Джейком? Флер подошла ближе на шаг, и словно из ниоткуда перед ней возникли фигуры. У нее перехватило дыхание. Она догадалась, что видит их отражение в зеркале. Белинда в розовом, как креветка, вечернем костюме из брюк и топика от Карла Лагерфельда. Джейк тоже в костюме, сегодня он выглядел почти респектабельно.

Он откинулся на выступ в стене и скрестил руки на груди. Белинда коснулась его руки с невероятной нежностью на лице. Почему она на него так смотрит?

— Я думаю, твоя миссия на земле — разбивать сердца женщин семейства Савагар, — проворковала она. — Конечно, мне не так тяжело, я понимаю твой дух, твою натуру, я кое-что знаю о мятежниках, я с самого начала догадалась, что не стала для тебя особенной. Но Флер — да. Разве ты не понимаешь? Вы созданы друг для друга. А ты разбил ей сердце.

Джейк выдернул свою руку у Белинды.

— Ради Бога, Белинда...

— Я послала ее к тебе, Джейк! — воскликнула она. — Я отправила ее к тебе, а теперь ты оскорбляешь мое доверие!

Он в гневе повернулся к ней:

— Доверие? Ты послала ее ко мне, чтобы спасти пять минут фильма! Тебе не захотелось видеть на полу кусок пленки в монтажной! Пять минут карьеры твоей драгоценной Блестящей Девочки! Потрахайся с моей дочерью, Коранда, чтобы она спасла свою карьеру. Вот что ты мне сказала. Признайся хотя бы себе в этом.

— Не будь ханжой, — прошипела Белинда. — Я не настолько глупа, чтобы ждать от тебя благодарности. Но не думала, что ты так обойдешься со мной. Может, я спасла твою картину.

— Да не смеши. Картина никогда не была в опасности.

— Я так не думаю. Я сделала то, что должна была.

— Правда? Подбросить свою дочь ко мне на порог? Это ты должна была сделать? Ну скажи, Белинда? Ты считаешь, что всех любовников своей дочери ты должна тщательно проверить сама? Ты собираешься устраивать им пробу, убеждаться, что они ведут себя согласно твоим стандартам? Прежде чем ты отпустишь их в кровать своего ребенка? Что ты за женщина?

— Я женщина, любящая свою дочь.

— Дерьмо. Единственный человек, которого ты любишь, — ты сама. Ты даже не знаешь свою дочь. — Он повернулся и лицом к лицу столкнулся с отражением Флер в зеркале.

Та не могла пошевелиться. Боль внутри, как ужасный страшный зверь, отняла дыхание и жизнь. Весь мир сделался черным и отвратительным.

— Боже! — Джейк подскочил к ней. — Мне очень жаль, Цветик. Это не то, что ты думаешь.

Белинда тихо вскрикнула:

— О Боже, моя девочка! — Она подбежала к Флер, схватила за руку. — Девочка, все в порядке, все в порядке.

Слезы текли по щекам Флер, падали на подбородок, она ринулась прочь от них.

— Не прикасайтесь ко мне! Никто из вас — не прикасайтесь ко мне!

Лицо Белинды передернулось.

— Не смотри так... Дай объяснить. Я должна была помочь тебе. Я должна была... Неужели ты не понимаешь? Ты же могла разрушить все: и свою карьеру, и наши планы, мечты. Сейчас ты знаменитость. Для тебя действуют другие правила. Неужели ты не понимаешь?

— Заткнись! — закричала Флер. — Ты грязная! Вы оба грязные.

Белинда шагнула к ней.

— Пожалуйста, детка...

Флер отдернула руку, замахнулась и влепила матери такую пощечину, на какую хватило сил. Белинда вскрикнула, отшатнулась назад и повалилась на постель.

— Флер. — Джейк вышел вперед.

— Прочь! — Она сжала кулаки.

— Послушай меня, Флер. — Он потянулся к ней, но она, словно одичав, накинулась на него, кричала, пиналась, она готова была его убить.

— О Боже, порази его!

Джейк попытался сжать ее руки, но она вырвалась и выбежала из комнаты. Десятки лиц окаменели в удивлении, наблюдая, как она сбежала по лестнице и выскочила за дверь.

Ливень обрушился на нее, и в считанные секунды она промокла насквозь. Флер хотела, чтобы с неба посыпался град, чтобы он обрушился на нее, изрезал, избил, размолотил кости, а потом дождь все бесследно смыл бы. Она бросилась вниз по дорожке, подобрав мокрые юбки, чтобы не мешали бежать. Ремешки босоножек впивались в ноги, подошвы скользили, но она упорно мчалась по траве к воротам, срезая путь.

Флер слышала, что Джейк бежит за ней, зовет по имени сквозь дождь, но она только ускоряла бег. Флер слышала его ругательства, а потом он схватил ее за плечо. Она потеряла равновесие, поскользнулась на мокром шелке платья, и они оба упали, как тогда, в первый раз на съемках.

— Перестань, Цветик, пожалуйста. — Он обнял Флер, прижал ее плечи к своей груди и держал на мокрой от дождя земле, тяжело дыша в ухо. — Ты не можешь вот так уйти. Я отвезу тебя домой. Дай мне все объяснить.

Она думала, что он хотел ее в тот вечер. Маленькое, цвета овсяной муки платье и нижняя юбка телесного цвета, блестящие золотые кольца в ушах... Белинда послала ее в этом наряде. А она-то думала, что Джейк любит ее.

— Убери свои руки от меня.

Он крепче сжал ее, повернул к себе лицом. Его костюм промок и был в грязи. Волосы прилипли ко лбу, потоки воды стекали по морщинам на лице.

— Ну погоди хоть минутку. Ты не все слышала.

Она сжала зубы, как маленький зверек.

— Ты был любовником моей матери?

— Да, но...

— Она написала ту записку и послала меня к тебе? Чтобы ты занялся со мной любовью?

— Каковы бы ни были мотивы Белинды, они не имеют никакого отношения ко мне.

Она ударила его кулаком.

— Ты дерьмо! Не говори мне, что ты взял меня в постель, потому что влюбился в меня.

Он схватил ее за руку, крепко, до боли, сжал.

— Цветик, любовь бывает разная. Может, то, что я чувствую к тебе, не совсем то же, что ты испытываешь ко мне. Но...

Флер пыталась ударить его еще раз.

— Заткнись! Я любила тебя каждой своей частицей и не хочу слушать о братьях, сестрах и дядях. Я не хочу слушать подобную чушь. Отпусти меня!

Джейк медленно разжал руки. Флер с трудом поднялась и, задыхаясь, проговорила:

— Если ты действительно хочешь мне помочь, найди Линн. А потом подержи Белинду... Подальше от меня.

— Цветик.

— Дай мне час, ты, ублюдок. Я это заслужила.

Они стояли под дождем, у обоих тяжело вздымалась грудь. Волосы, одежда были мокрые. Он кивнул и пошел к дому.

Линн вела машину молча. Ей явно не хотелось оставлять Флер одну, когда они подъехали к дому, но Флер пообещала сразу лечь в постель. Как только Линн отъехала, она вбежала в свою комнату и принялась кидать одежду в самый большой чемодан и дорожную сумку. Потом сдернула с себя испорченное платье и натянула джинсы. Джейк и Белинда. Заговор против нее. Они ее использовали... А она облегчила им задачу. Интересно, говорили ли они в постели о ней? Но эта мысль была настолько ужасная, что Флер отбросила ее.

Она закрыла чемодан и позвонила в аэропорт. Места на следующий рейс в Париж были. Перед уходом оставалось сделать только одно...

* * *

Когда Джейк наконец отпустил Белинду, она была в полной панике. Паника охватила ее еще сильнее, когда, добравшись до дома, Белинда увидела, что «порше» нет на стоянке. Она вбежала в комнату Флер и нашла раскиданную одежду; мокрое египетское платье валялось на полу. Она вынула из-под подушки ночную рубашку дочери и уткнулась лицом в мягкий нейлон. Флер скоро вернется. Ей надо время подумать, вот и все. Иногда детям стоит побыть без родителей. Ничего страшного. Они с девочкой неразделимы, это известно всем. Две половинки одного существа. Она вернется. У них есть планы, которые они должны осуществить.

Белинда заметила свет в ванной и пошла выключить его. Сначала она увидела ножницы, блестевшие на дне белой ванны, а потом тихо, страдальчески вскрикнула. На полу, выложенном плиткой, кучей лежали мокрые светлые волосы.

Джейк ехал без цели, пытаясь ни о чем не думать, но ледяной ком в груди не таял. Дождь сменился мягким туманом, и он перевел дворники в медленный режим. Черт. Когда они померились силой характеров, он должен был положить этому конец. Почему он не вспугнул ее, чтоб она убежала, как ему и хотелось? Это было так просто. Он понимал ее чувства к нему, но не было сил отправить ее за дверь.

Он уже выехал из фешенебельного пригорода и выруливал к сердцу Лос-Анджелеса. Мокрые улицы были пустынны. Джейк снял с себя испорченный пиджак и остался в рубашке. Боже, какая она красивая! Чувственная, возбуждающая... Он сжался, вспомнив, как в первый раз обидел ее, а она все равно цеплялась за него, продолжая верить...

Спортивная площадка располагалась на улице, замусоренной всяким хламом и несбывшимися мечтами. Свет единственной лампочки освещал доску с прикрепленным ржавым ободом, на котором болтались остатки того, что когда-то было сеткой. Он припарковал машину и потянулся за мячом. Только ребенок может быть таким непробиваемым, только ребенок способен так беззаветно верить, как она. Испорченный богатый ребенок, которого никогда не била жизнь, чтобы он поумнел.

Он перешел через улицу, направляясь к пустой площадке, не обращая внимания на лужи. Сейчас она получила нокаут. Да, сама жизнь отправила ее в глубокий нокаут, и она уже никогда не будет такой глупой, как раньше. Он ступил на потрескавшийся асфальт и повел мяч. Мяч отскакивал, подчиняясь руке, ощущение было приятным, понятным. Ему хотелось выкинуть Флер из своей жизни. К черту! Он не хотел вспоминать ее красивые влажные мечтательные глаза, устремленные на него из пенистой ванны, окруженной зажженными свечами. Он не хотел думать о том, какой бледной станет его жизнь без нее.

Он побежал к корзине, скорее, скорее... А потом швырнул мяч. Обод задрожал, руку обожгло, но он не обращал внимания, потому что толпа вокруг него вопила. Он принял решение не останавливаться ни перед чем, показать, на что способен, заставить их кричать так громко, чтобы заглушить голоса, вопящие внутри него.

Он рванул мимо противника, схватил мяч, отведя его к центру площадки. Он один. Это стиль жизни, который ему подходит. Безопасный образ жизни. Он сделал ложный выпад вправо, потом влево, потом повел мяч по земле и... бросок! Толпа дико взревела, выкрикивая его имя.

Док, Док, Док!

Он схватил мяч и увидел впереди Карима, ожидавшего его, холодную убийственную машину. Карим едва ли человек. Такое лицо он видел в своих кошмарах. Обмани его. Он начал подаваться влево, но ведь Карим не человек, он машина, способная читать мысли, и прежде, чем увидит, он поймет по глазам, почувствует порами, узнает все тайные замыслы. Джейк подался вправо. Быстро, как молния, подпрыгнул и пролетел по воздуху. Человек не может летать. Но я могу. Мимо Карима... Прямо в стратосферу... Бум!

Док! Все на ногах. *Док!* Они вопили и бесновались.

Карим смотрел на него, они молча признали друг друга с тем абсолютным уважением, которое возможно лишь между людьми-легендами. А потом этот момент прошел, и они снова стали врагами.

Мяч был словно живой под пальцами Джейка. Он думал только о мяче. Он не допустит ни единой посторонней мысли. Мир совершенен. Мир, в котором человек может идти семимильными шагами, не чувствуя стыда. Мир, в котором судьи точно определяют, что правильно, а что ошибочно. В этом мире нет нежных детей с разбитым сердцем.

Джейк Коранда. Актер. Драматург. Обладатель Пулитцеровской премии. Он хотел бросить все и поселиться в мире своих фантазий. Он хотел быть Джулиусом Ирвингом, который бежит так, будто к его ногам приделаны крылья, который может допрыгивать до облаков и лететь выше, дальше любого человеческого существа, закидывая мяч к славе. Да. Крики толпы стихли, и он стоял один в луче рыжего света на самом краю в никуда.

РЕБЕНОК В БЕГАХ

Я не хочу планировать жизнь. Я не хочу,
чтобы кто-то диктовал мне, как жить. Я буду
учиться этому изо дня в день.

Эррол Флинн
Грехи мои тяжкие

Глава 17

Флер поправила на плече ремешок сумки и сняла чемодан с багажной карусели. От тяжести она пошатнулась. Девушка не спала уже больше тридцати шести часов. Сумка, казалось, весила целую тонну. Она пыталась заснуть в самолете, но всякий раз, когда закрывала глаза, в ушах продолжали звучать голоса Джейка и Белинды. Снова и снова. *Потрахайся с моей дочерью, Коранда, чтобы она могла спасти свою карьеру.*

— Мадемуазель Савагар? — К ней подошел шофер в ливрее.

— Да.

Он взял ее чемодан.

— Отец ожидает вас.

Она направилась за ним по переполненному людьми терминалу аэропорта Орли и вышла к лимузину, припаркованному у тротуара. Мужчина открыл ей дверь, и Флер скользнула прямо в объятия Алексея.

— Папа.

Он привлек ее к себе.

— Итак, дорогая, наконец ты решила приехать домой, ко мне.

Она уткнулась лицом в дорогую ткань пиджака и заплакала.

— Это было ужасно. Я оказалась такой глупой.

— Ну-ну, детка. Теперь отдохни. Все будет хорошо.

Он принялся гладить ее, и ей стало так хорошо, что она на миг закрыла глаза...

Когда они подъехали к дому, Алексей помог Флер дойти до ее комнаты. Девушка попросила его посидеть с ней, пока она не заснет, и он так и сделал.

Наутро Флер проснулась поздно. Служанка подала ей кофе и красивую тарелку фирмы «Лимож», полную круассанов и сладких булочек. Но Флер оттолкнула ее; она не могла даже подумать о еде.

— Здравствуй. — Алексей вошел в столовую, нагнулся и поцеловал Флер в щеку. Он нахмурился, увидев, что после душа она надела джинсы и пуловер. — А ты разве не взяла с собой другую одежду, дорогая? Если нет, надо сегодня же поехать и купить.

— Нет, у меня все есть. Просто не было сил одеться. — Она заметила недовольство на его лице и пожалела, что не постаралась выглядеть получше.

Алексей критически оглядел Флер.

— Прическа ужасная. Как ты могла такое сотворить с собой? Ты похожа на мальчишку.

— Это мой прощальный подарок матери.

— Понятно.

— Я пыталась немножко поправить ножницами, но не получилось.

— Ничего, сегодня мы этим займемся.

Алексей приказал горничной налить ему кофе. Когда та вышла, он вынул сигарету из серебряного портсигара, который носил в нагрудном кармане.

— Я думаю, ты расскажешь, что случилось?

— Белинда звонила?

— Несколько раз. Она в панике. Сегодня утром я сказал ей, что ты наконец связалась со мной, что ты едешь на один из греческих островов. Но не открылась, на какой. Что ты хочешь побыть одна, хочешь, чтобы тебя оставили в покое.

— Я уверена, она уже летит в Грецию.

— Естественно, — сказал Алексей по-французски.

Они помолчали, потом он спросил:

— Имеет ли это отношение к конкретному кумиру?

— А ты откуда знаешь?

— Я всегда стараюсь знать все о тех, с кем имею дело. И о тех, кто принадлежит мне, — тоже.

Флер потянулась за кофе и посмотрела в чашку, пытаясь скрыть слезы, снова навернувшиеся на глаза. Она устала плакать, устала бороться с болью, сидевшей внутри.

— Я влюбилась в него, — сказала она. — И мы переспали.

— Ну, это неизбежно.

Такая бесцеремонность обидела Флер.

— Но первой была моя мать, — добавила она сердито.

Две узкие ленточки дыма выползли из ноздрей Алексея.

— Боюсь, и это неизбежно. У твоей матери слабость к кинозвездам.

— Они заключили сделку.

— Надеюсь, ты мне расскажешь.

Алексей выслушал рассказ Флер о разговоре между Джейком и Белиндой.

— Мотивы твоей матери совершенно ясны, — сказал он, когда она умолкла. — А твоего любовника?

Она вздрогнула от последнего слова.

— Я думаю, они тоже ясны. Это его первый сценарий, и ему была необходима хорошо сделанная любовная сцена, кульминация фильма. А когда я задубела на площадке, он понял, что все готово рассеяться как дым.

По опыту Алексей знал, что ни один фильм не может погибнуть из-за одной сцены. Но не поделился этой мыслью с дочерью.

— Очень жаль, дорогая, что ты не подыскала кого-нибудь получше на роль своего первого любовника.

— Я не самый лучший в мире знаток людей.

Алексей откинулся в кресле, положив ногу на ногу. Другой бы в такой позе казался женоподобным. Но он выглядел еще более элегантным.

— Надеюсь, ты останешься у меня на какое-то время. Я думаю, для тебя это будет лучший вариант.

— Да, пока не приду в себя. Если, конечно, ты не против.

— Для меня это удовольствие, дорогая. Я ждал этого дольше, чем ты можешь себе представить. — Алексей поднялся. — Прежде чем мы займемся твоими волосами, я хотел бы кое-что тебе показать. Сейчас я чувствую себя ребенком, дождавшимся Рождества.

Флер пошла за ним через заднюю часть дома, через сад, к музею. Он вставил ключ в замок и повернул.

— Закрой глаза.

Она закрыла. Алексей ввел ее в холодный интерьер своего святилища. Флер вспомнила день, когда встретилась здесь со своим братом. Ей следовало бы спросить Алексея о Мишеле. Нашел ли он мальчика? Но она не стала. Она не будет говорить с ним о Мишеле.

— Одна моя мечта исполнилась, — сказал Алексей. Флер услышала щелчок выключателя. — Можешь открыть глаза.

В комнате горело несколько лампочек. Их свет падал вниз на платформу, пустовавшую в прошлый раз. Сейчас на ней стоял большой прекрасный автомобиль, самый замечательный из всех, какие ей доводилось видеть. Черный, сверкающий, с бесконечно длинным капотом, немного напоминавший шаржированные автомобили миллионеров. Несмотря на капот, автомобиль был невероятно пропорциональный. Если бы он не стоял в центре, Флер все равно бы узнала его. Она тихо вскрикнула и побежала к нему.

— Это тот самый, да? Алексей, ты нашел свой «роял»? О, какой красивый!

— Я не видел его с 1940 года. — Алексей подошел к ней сзади и в сотый раз рассказал историю машины. — Нас было трое, дорогая. Мы отвезли его подальше от Парижа и завернули в брезент и солому. Всю войну я не подходил к нему, боясь, что меня выследят, но когда вернулся после освобождения, машина исчезла. Те двое были убиты в Северной Африке, и я думал, что его нашли немцы. Но тогда я не был уверен. На поиски у меня ушло больше тридцати лет.

— Но как ты нашел его?

— Это не важно. Десятилетия расспросов, деньги нужным и ненужным людям. — Он вынул из нагрудного кармана платок и стер невидимую пылинку с крыла машины. — Теперь важно только одно: я владелец самой замечательной коллекции чистокровных «бугатти», а «роял» — ее главная жемчужина.

Полюбовавшись машиной и позволив Алексею снова рассказать о коллекции, Флер пошла к себе, где ее ждал парикмахер. Ему явно хорошо заплатили за молчание, потому что он ни о чем не спрашивал. Он просто покороче подрезал волосы Флер и сказал, что не может сделать ничего лучшего, пока они не подрастут. Он ушел, а Флер принялась изучать себя в зеркале. Выглядела она ужасно. Темные круги под глазами, прическа не лучше, чем до визита парикмахера. Она походила на жертву концентрационного лагеря. Большие глаза, крупная безволосая голова. Но тем не менее Флер испытала удовольствие, рассмотрев себя. Внешность точно соответствовала ее внутреннему состоянию.

Увидев ее, Алексей нахмурился и позвал обратно в комнату, чтобы она подкрасилась. Но это не слишком помогло. Они гуляли по рю де ля Бьенфезанс, говорили, что станут делать, когда Флер немного придет в себя от потрясений. Днем она поспала, потом они поели телячьей грудинки, послушали музыку Сибелиуса у Алексея в кабинете. Он держал Флер за руку, и внутренняя боль немного отпускала. Какая она была глупая, столько лет подряд разрешая Белинде держать ее вдали от отца! Она позволяла матери полностью управлять ее жизнью, боялась восстать даже в мелочах, опасаясь лишиться любви Белинды.

Флер положила голову на плечо Алексею и закрыла глаза. Может, Бог наказывает ее за то, что она перестала ходить на мессу? Глупая детская мысль, но она изводила Флер. Совесть католички, усмехнулся Алексей, когда она рассказала ему о своих опасениях. Черт побери, если ему не нравится ее совесть католички, почему он запер ее с монашенками на целых шестнадцать лет? Но Флер уже не могла по-настоящему злиться на него, она готова была наконец простить отца. Он единственный человек, который ничего не выигрывает от любви к ней.

В тот вечер она никак не могла заснуть. Флер включила в ванной свет, нашла в аптечке Белинды таблетки снотворного. Проглотила две капсулы и ссутулившись уселась на крышку унитаза. Хуже всего было то, что она утратила самоуважение. Она позволила обвести себя вокруг пальца, как бестолкового, доверчивого щенка, подчиняясь малейшему желанию матери. Люби меня, мамочка, не покидай меня, мамочка. Ей стало нехорошо от этой мысли. А потом появился Джейк. Она пожирала его глазами, мечтала о нем, любила так сильно, что позволила себе поверить, будто и он пылает к ней такой же любовью. Сосредоточившись на своей боли, она бередила ее, как подсыхающую рану.

— Тебе плохо, детка?

В дверях стоял Алексей, завязывая пояс халата. Его редкие с проседью волосы были аккуратно зачесаны, словно он только что поднялся из кресла парикмахера. Флер подумала: а бывают ли они когда-нибудь растрепанными? Алексей не такой, как Джейк, совершенно; тот всегда был взъерошенный, а утром у него такая прическа, будто он побывал в схватке с целым бронетанковым отделением. Флер покачала головой.

— Ты в этой рубашке как мальчишка, да еще с ужасными обкромсанными волосами, — сказал Алексей. А потом добавил по-французски: — Бедное дитя. Иди-ка в постель.

Она подчинилась, он подоткнул вокруг нее одеяло, как если бы она была маленькой.

— Я тебя люблю, папа, — тихо по-французски сказала Флер, сжав руку Алексея, лежавшую на одеяле.

Он коснулся ее губами, сухими и неожиданно шершавыми.

— Повернись, я разотру тебе спину, и ты быстро заснешь.

Флер повернулась, это было так приятно. Его руки скользнули под рубашку, коснулись ее кожи, и она ощутила, как напряжение отпускает ее. Таблетки начали действовать, Флер заснула. Во сне она занималась любовью с Джейком, он целовал ей шею, гладил ее сквозь шелковую ткань трусиков.

После первых нескольких дней в Париже жизнь Флер начала входить в привычное русло. Она поздно вставала, надевала джинсы, завтракала, читала, слушала музыку, днем снова спала, убедительно прося горничную вовремя разбудить ее, чтобы она успела принять душ и одеться к возвращению Алексея. Иногда они гуляли, но недолго — ходьба утомляла ее. Потом они ужинали, слушали музыку. По ночам она засыпала с трудом, и Алексей массировал ей спину.

Флер понимала, пора перестать киснуть, надо взять себя в руки и думать, что делать. Но единственное, чего она не могла сделать, — это вернуться в Соединенные Штаты.

Конечно, в таком виде, какая она сейчас, думала Флер, ее никто не узнает. Но если узнают, от репортеров не будет отбоя. А на это у нее нет сил. И потом, ничто в мире не способно заставить ее снова появиться перед камерой.

Белинда продолжала звонить, Алексей по-прежнему отваживал ее. Флер, должно быть, передумала насчет Греции, сказал он ей. Детективы, которых он нанял, полагают, что девочка на Багамах. Потом он отчитал Белинду за то, что она не состоялась как мать, и та разрыдалась.

Флер решила, что самое лучшее для нее сейчас — это уехать в Грецию, потому что Белинда там уже побывала. Она всегда любила острова. Флер сказала Алексею, что им надо поговорить о деньгах, которые он вкладывал по ее просьбе. Она арендовала бы дом в Греции и купила лошадь. Впрочем, может, и не стоит ее покупать, пока она не устроится основательно.

Но Алексей заявил, что основная сумма ее денег на долгосрочных вкладах, и взять их сейчас невозможно.

Флер настаивала.

Алексей сказал, что она должна понимать, насколько это непросто. Потом попросил не беспокоиться о деньгах и пообещал купить все, что она пожелает.

Флер захотела дом в Ажане и лошадь.

Он пообещал поговорить об этом, когда она почувствует себя лучше.

После беседы с Алексеем ей стало немного неловко за свое поведение. Она с такой легкостью позволяла отцу заниматься ее деньгами, что пропускала мимо ушей все его объяснения насчет вкладов. Она подписывала бумаги, которые он ей присылал, не читая, и возвращала их. Счета всегда бывали оплачены в срок, у них с Белиндой было денег столько, сколько нужно. О финансовых сложностях ей не приходилось беспокоиться. Флер пошла в комнату и решила еще немного поспать.

В одно из воскресений они зашли в пустой офис Алексея, и он показал ей свои самые драгоценные вещи. Стол, купленный на аукционе в Лондоне за двести тысяч фунтов, молельный коврик из Малой Азии, костяной прибор, в котором в восемнадцатом столетии хранились курительные принадлежности самурая. Когда они вышли на бульвар Сен-Жермен, чтобы сесть в лимузин, мимо них пробежал мужчина с ярко-оранжевой повязкой на голове и с черным хронометром на запястье. Она попыталась вспомнить, каково это, когда ты, полный сил и энергии, бежишь ради удовольствия.

В ту ночь Флер снова не могла заснуть. Потом забылась тревожным сном, ненадолго. Внезапно она открыла глаза. Ночная рубашка промокла от пота. Ей снился Джейк. Будто она вернулась в монастырь, и он хочет ее там оставить. Сняв рубашку, Флер завернулась в халат и пошла в ванную за снотворным. Но пузырек оказался пуст, вчера она вытряхнула последние таблетки.

Флер решила найти Алексея. Но в комнате его не было. Сердце тревожно забилось, пульс участился. А если и он ее бросил? Потом Флер заметила в конце коридора свет, он падал на ступеньки лестницы, ведущей в пристройку.

Флер поднялась по ступенькам и увидела, что дверь приоткрыта. В более странной комнате ей не доводилось бывать никогда в жизни. Потолок был голубой, как небо, а по нему неслись белые пушистые облака. Край парашюта, прицепленного к потолку, свисал над железной кроватью. Алексей с поникшими плечами и пустой рюмкой в руке сидел на стуле посреди комнаты.

— Алексей?

— Оставь меня, — резко бросил он. — Уходи отсюда.

Флер догадалась, что это комната Мишеля. Занятая собой и собственной болью, она до сих пор не удосужилась обратить внимание на боль отца.

Она опустилась на колени рядом со стулом. Флер никогда не видела, чтобы он много пил. Но сейчас от него разило ликером. Наверное, у Алексея выдалась ужасная ночь.

— Ты тоскуешь по нему, да? — тихо спросила она.

— Ты ничего не знаешь об этом.

— Я знаю, что такое тосковать о ком-то, Алексей. Я знаю, что такое тосковать о том человеке, которого любишь.

Он поднял голову, и она увидела холодные, пустые глаза. Она испугалась.

— Твои чувства очень трогательны. Но они ни к чему. Мишель — тряпка, я вычеркнул его из своей жизни.

«Как и меня, — подумала она. — Когда-то ты вычеркнул из своей жизни меня».

— Мне надо было выпить, и я себя потешил. Ясно?

— Что ты хочешь сказать?

— Кто, как не ты, Флер, должна понять. Именно ты, из всех.

Ей не понравилось его замечание.

— Ты думаешь, я себя тешу?

— Ну конечно. Ты возвела на пьедестал Белинду. Из меня сотворила отца, которого тебе всегда хотелось иметь.

Флер ощутила, как холодок пробежал по спине; встала, потерла руки.

— Зачем мне было тебя придумывать? В последние несколько лет ты прекрасно относился ко мне.

— Я был именно таким, каким ты хотела меня видеть.

Флер решила вернуться к себе в комнату.

— Спокойной ночи, Алексей. Я пойду спать.

— Подожди. — Он поставил пустую рюмку на стол. — Не обращай внимания. У меня тоже есть свои собственные фантазии. Так что вряд ли стоит смеяться над твоими. Я мечтал обрести в Мишеле сына, достойного меня, а не порочного слабака, который лучше никогда бы не рождался.

— Смешно, — резко ответила она. — И старомодно. Миллионы людей гомосексуалы. Подумаешь, какое дело.

Он вскочил, и ей показалось, он сейчал ударит ее.

— Ты ничего не знаешь об этом. Ничего! — зарычал Алексей. — Мишель — это Савагар. — Он зашагал по комнате, пугая Флер исступленными движениями. — Такое бесстыдство немыслимо для Савагара. Это кровь твоей матери. Мне не надо было жениться на ней. Никогда! Она одна из ошибок моей жизни, от которой я так и не смог оправиться. Мишеля испортило ее невнимание. Если бы не было тебя, она стала бы ему настоящей матерью.

Его устами говорил алкоголь. Это не ее отец. Флер понимала, ей лучше уйти, сейчас же, прежде чем она услышит нечто, чего она не хотела бы слышать. Она повернулась к двери, но он оказался рядом.

— Ты ведь меня совсем не знаешь? Так? — Он провел рукой вверх по ее руке. — Я думаю, мы должны сейчас поговорить. Я пытался быть терпеливым, дать тебе время прийти в себя. Но все слишком затянулось.

Флер попятилась, отступая, но Алексей удержал ее.

— Завтра, Алексей, — попросила она, — когда ты будешь трезвым.

— А я не пьяный. У меня приступ меланхолии. — Он положил ей руки на шею и мягко провел пальцем по контуру уха. — Ты бы видела свою мать, когда она была еще моложе тебя. В ней было столько жизни, страсти и детского эгоизма. У меня есть планы на твой счет, дорогая. Они возникли в первый же день, как я увидел тебя.

— Какие планы?

— Ты боишься. Ложись-ка на кровать Мишеля, я помассирую тебе спину, и мы сможем поговорить.

Ей не хотелось ложиться на кровать Мишеля. Ей хотелось пойти к себе, запереться и спрятаться с головой под одеяло.

— Ну иди, дорогая. Я вижу, что растревожил тебя. Дай я это исправлю.

Алексей улыбнулся и повел ее к кровати.

Она решила, что сходит с ума. Алексей скучает по Мишелю, а она не может этого вынести, вот и все. Она ревнует, пытается притвориться, будто Мишеля вообще не существует.

Флер легла на голый матрас и подложила ладошки под щеку. Он сел сбоку, постель продавилась, сквозь тонкую ткань халата он стал тереть ей спину.

— Я терпеливо ждал тебя, дорогая. Я дал тебе два года. Я позволил тебе влюбиться. Я позволил тебе и твоей матери протащить имя Савагаров по газетам, запятнать его вульгарной карьерой.

Она напряглась.

— Что ты...

— Ш-ш-ш... Я буду говорить, а ты слушай. Когда ты, собрав все свое мужество, склонилась над гробом поцеловать в губы свою бабушку, я понял — совершилась ужасная несправедливость. Ты такая, каким должен был стать мой сын. Я дал тебе время понять сущность твоей матери. Чтобы между нами не стояли никакие фальшивые сантименты. Это был болезненный урок для тебя, но необходимый. Сейчас ты видишь слабости своей матери и наконец готова занять свое место рядом со мной.

Она повернулась и посмотрела на него.

— Алексей, ты пугаешь меня. Я не понимаю, о чем ты. Что значит занять свое место рядом с тобой?

Он положил ей руки на плечи и стал массировать, его веки были полузакрыты. Она не хотела, чтобы он прикасался к ее плечам. У нее было единственное желание: встать и уйти, прежде чем случится что-то ужасное. Она посмотрела на парашют. Он поник и желтел над нею.

— Ты принадлежишь мне, дорогая, как твоя мать никогда мне не принадлежала. — Его руки поползли дальше, в открытый ворот халата. — Я собираюсь сделать из тебя замечательную женщину. У меня грандиозные планы на твой счет. — Руки ползли глубже, открывая ворот халата... Ниже...

— Алексей. — Флер схватила его за запястья.

Он улыбнулся так нежно, что она смутилась. О Боже.

— Да, дорогая. Мы должны быть вместе. Неужели ты не понимаешь этого, когда смотришь на себя? Неужели, глядя в зеркало, ты не замечаешь измену своей матери?

Измену. Флер не понимала смысла этого слова.

— Пора узнать правду, дорогая. Отбрось все фантазии. Напрочь. Правда гораздо интереснее.

— Нет...

— Ты не моя дочь. Твоя мать была беременна, когда я на ней женился.

Зверь вернулся обратно. Огромный, отвратительный, который хотел откусить от нее кусок.

— Я не верю тебе. Ты мне лжешь.

— Ты незаконная дочь Эррола Флинна, моего старинного врага.

Он шутит. Флер попыталась улыбнуться, показать ему, что она хорошо все понимает. Но улыбка умерла на губах, а нарисованные облака на потолке помутнели, когда она вспомнила слова Джонни Гая о Белинде и Эрроле Флинне, которых он видел в «Саду Аллаха».

Алексей нагнулся и прижался к ней щекой.

— Не плачь, детка.

Облака поплыли перед глазами. А зверь стал кусать за пальцы на ногах, на руках, отгрызая кусочек за кусочком; Флер почувствовала, как его руки шарили по ее телу через ткань.

— Какие миленькие, маленькие, нежные, не такие пухлые, как у твоей матери.

— Нет! Нет! Будь ты проклят! — Она отшвырнула от себя его руки и попыталась встать. Но зверь, казалось, сожрал все силы.

Алексей отпустил ее.

— Извини, дорогая. Я вел себя глупо. Я смущен. Тебе нужно время, чтобы привыкнуть. Увидеть все так, как вижу я. Нет ничего плохого в том, что мы будем вместе. У нас нет общей крови. Да и ты не чистокровная.

— Ты мой отец, — прошептала она. — Пожалуйста, будь моим отцом.

— Никогда! — хрипло ответил Алексей. — Я никогда не считал себя твоим отцом. В последние годы я просто ухаживал за тобой. Даже твоя мать поняла.

Флер с трудом села на кровати.

— Не думай сейчас об этом, — сказал Алексей. — Я вел себя непростительно неуклюже. Мы подождем, пока ты будешь готова.

— Готова? — Голос у нее стал хриплым. Казалось, она говорила из-под воды. — К чему готова?

— Об этом мы поговорим позже.

— Сейчас. Скажи мне сейчас.

Казалось, Алексей был больше раздражен, чем сердит.

— Ты смущена, Флер.

— Я хочу услышать все.

— Ты удивишься, у тебя ведь не было времени свыкнуться со свалившимися на тебя новостями.

— Чего ты от меня хочешь, Алексей?

Он вздохнул.

— Я хочу, чтобы ты осталась со мной. Позволяла мне баловать тебя. Снова отрастила волосы, была бы такой же красивой, как всегда.

Но он думал о чем-то большем. Гораздо большем.

— Скажи мне, Алексей.

— Не сейчас. Рано.

— Скажи мне! — Ногти Флер впились в ладони. Не говори того, что собираешься сказать, мысленно умоляла она. Не говори, что хочешь взять меня в любовницы.

Он и не говорил.

Он сказал, что хочет, чтобы она родила ему ребенка.

Глава 18

Она стояла у грязного окна пристройки и смотрела на крышу. Что-то розовело на плитках черепицы. Голое, без перьев тельце птенца, выпавшего из гнезда, устроенного в одной из труб. Алексей объяснял ей свой план. Он ходил по комнате, засунув руки в карманы халата, и обстоятельно выкладывал. Как только она забеременеет, он увезет ее куда-нибудь на время, а потом, когда все закончится, объявит, что усыновил ребенка. Дитя будет его крови, ее и Флинна.

Флер глядела на голое тельце. У него нет шанса выжить и отрастить перья. Она чувствовала себя такой же безжизненной, как этот птенец. Алексей уверял ее, что он не распущенный старик. Это ты сказала «папа», не я.

После того как все закончится, они могут вернуться к прежним отношениям. Он станет ее любящим отцом, какого ей хотелось иметь.

— Я собираюсь нанять юриста, — сказала Флер, но голос ее прозвучал сдавленно, как шепот. Она вынуждена была повторить, уже надтреснутым голосом. — Я нанимаю юриста. Я хочу получить свои деньги, Алексей.

Он рассмеялся:

— Да хоть целую армию. Ты сама подписывала бумаги. Я давал тебе пояснения. Все законно.

— Я хочу свои деньги.

— Да не беспокойся о деньгах, дорогая. Завтра я куплю тебе сапфиры, изумруды, они прекрасно подходят к твоим глазам. Я куплю все, что ты хочешь.

— Нет.

— Твоя мать однажды оставалась одна, — сказал он. — Без денег, без перспектив на будущее. И беременная. Хотя, конечно, тогда я этого не знал. Я нужен тебе сейчас, как твоей матери тогда.

Она должна его спросить. Прежде чем выйдет из этой комнаты, она должна его спросить. Но, боясь снова расплакаться, Флер продолжала душить в себе эти слова. Наконец она повернулась и вцепилась в грязный подоконник за спиной.

— Что ты знаешь обо мне? — воскликнула она.

Вопрос озадачил его.

Ей показалось, что она задыхается.

— Что ты видишь во мне такого ужасного? Почему ты считаешь меня способной на такую гадость? Какой недостаток ты во мне нашел? Ты ведь не глупый человек и не сделал бы своего грязного предложения, не рассчитывая на успех.

Алексей пожал плечами. Элегантно, но чуть жалко.

— Ну, в общем-то ты не виновата, так сложились обстоятельства. Сама по себе ты ничто, просто красивая декорация. Ты не представляешь никакой ценности как личность. Ты ничего не умеешь делать.

Флер вытерла ладонью нос.

— Да ты дурак! Ты понимаешь? Я самая известная в мире модель.

— Блестящая Девочка — это творение Белинды, дорогая. Без нее у тебя ничего бы не вышло. А если бы даже вышло, все равно это не твой успех. Я предлагаю дело, Флер, и даю слово никогда не отворачиваться от тебя.

Алексей действительно рассчитывал на ее согласие! Флер видела это по его глазам и надменному выражению лица. Он решил, что она достаточно слаба и пойдет на грязную сделку.

Она выскочила из комнаты и побежала вниз по лестнице к себе, заперлась на ключ и забилась под одеяло. Очень скоро в коридоре раздались его шаги. Перед ее дверью они замерли, а потом каблуки Алексея застучали снова. Он направился к себе. Флер лежала без сна, слушая гулкие удары собственного сердца, ожидая рассвета...

Ключ в замке повернулся беззвучно, когда Флер открывала музей. Опустив дорожную сумку, включила на панели свет. Потом прошла в подсобку в задней части строения. Ладони вспотели, она вытерла их о джинсы. «Спокойно, — говорила себе Флер. — Продержись еще немного».

Ряды ровных просторных полок тянулись вдоль стены мастерской, обшитой вагонкой. Все такое аккуратное, как он сам. Флер снова ощутила отвратительные пальцы Алексея у себя на груди и невольно скрестила руки, закрываясь. Она велела себе сосредоточиться на инструментах, мысленно переводя взгляд с одного на другой, третий... Вот то, что надо. Она сняла со стены ломик и прикинула на вес. Потом пошла с ним к машине.

Белинда ошибалась. Правила одинаковы для всех. И если люди не будут им следовать, они потеряют человеческий облик. Она охватила взглядом «бугатти-роял» целиком. Свет с потолка осыпал звездами полировку автомобиля. Маленькие белые звездочки на сверкающем черном небе. Она подумала о машине, которую так лелеяли, заворачивали в ткань и в солому, чтобы она не повредилась. Флер высоко подняла железный лом и с силой опустила на блестящую черную поверхность... Челюсти зверя сомкнулись.

Глава 19

Было утро, пешеходы спешили мимо офиса «Америкэн Экспресс» к станции метро «Опера». Оглянувшись, Флер нырнула в толпу. Она шла, опустив голову, правая рука тяжело висела вдоль туловища и ныла от лома. Флер разнесла жемчужину коллекции на кусочки. Она била по ветровому стеклу, по фарам, по крыльям, по дверцам, потом опустила лом на сердце автомобиля, на несравнен-

ный двигатель Этторе Бугатти. Толстые каменные стены музея за-
глушали удары, никто не кинулся к ней, не остановил, пока она
разрушала мечту Алексея. Может, когда-то она пожалеет о сделанном, но не сейчас.

Флер снова оглянулась через плечо, почти не сомневаясь, что
увидит Алексея, который гонится за ней. Впрочем, он узнает о
случившемся не раньше чем через несколько часов. Никто не обращал на нее внимания, но она быстро бежала по ступенькам метро.
Сумка, висевшая на плече, колотила по бедру; Флер плотно прижала ее к боку. У нее там почти девять тысяч франков и две тысячи
долларов; она получила их по золотой кредитной карточке «Америкэн Экспресс».

Поездка до Гардэ-Лион, казалось, длилась вечность. Выйдя на
станции, она пробилась сквозь толпу к доске с расписанием и стала
изучать его. Цифры и города расплывались перед глазами. Наконец
Флер поняла, что следующий поезд по расписанию идет в Ним, и
купила билет. Ним в четырехстах милях от Парижа, в четырехстах
милях от возмездия Алексея Савагара.

Единственными пассажирами вагона второго класса была пожи-
лая пара, подозрительно поглядывавшая на Флер. Она отвернулась
к окну, ей хотелось пойти в туалет и привести себя в порядок.
Порез на щеке от отлетевшего стекла «бугатти» щипало, наверное,
у нее на лице кровь. Надо промыть порез, чтобы не попала инфек-
ция и не остался шрам.

Флер закрыла глаза и постаралась представить свое лицо со
шрамиком на щеке. Потом смыла это видение и принялась вообра-
жать длинный шрам, который тянется от корней волос через лоб,
делит бровь надвое, идет по веку, по щеке, до самой челюсти.
Украшенная таким шрамом, она была бы в безопасности до конца дней.

Перед тем как поезд был готов тронуться, в вагон вошли две
молоденькие женщины. У одной в руке был номер журнала «Европа
на пятнадцать долларов в день», а другая несла целую кипу американских изданий. Флер посмотрела на их отражение в стекле, когда
они усаживались на свои места, разглядывая попутчиков в типично
туристской манере. Наконец они заговорили с пожилой парой, а

Флер закрыла глаза. Казалось, она не спала неделю, от усталости сильно кружилась голова. Флер старалась сосредоточиться на ритмичном стуке колес поезда, но в уши лез скрежет металла и звон разбиваемого стекла. Она заснула.

Проснувшись, Флер услышала, что говорят о ней.

— Должно быть, это она, — шептала одна девушка. — Если не считать волосы. Посмотри на брови.

— А где шрам? Где маленький беленький шрам, разрезающий бровь надвое? — тихо спросила другая.

— Не говори глупостей, — прошептала в ответ первая. — Что делать Флер Савагар в вагоне второго класса? И вообще я читала, что она сейчас снимается в новом фильме в Калифорнии.

Флер охватила паника. Казалось, у нее внутри колотят металлическим ломом. Она сказала себе: ее узнавали сотни раз, ничего нового не происходит. Но от мысли, что в ней видят ту самую Блестящую Девочку, какой она была, Флер стало нехорошо. Она отвернулась к окну и медленно открыла глаза.

Женщины разглядывали журнал, открытый на коленях у той, что повыше. Флер видела отражение страницы в оконном стекле. Там она рекламировала спортивную одежду от Армани. На ней большая, небрежно надетая шляпа, лицо надутое, а волосы разлетаются из-под полей во все стороны.

Наконец одна из женщин приподняла журнал и слегка подалась вперед.

— Простите, вам никто не говорил, что вы похожи на Флер Савагар?

Флер не могла заставить себя отвернуться от окна. Она ждала вопроса, ее спрашивали не раз. Но сейчас у нее просто не было сил смотреть на женщин, с любопытством ожидавших ответа.

— Она не понимает по-английски.

Та, что повыше, закрыла журнал.

— Я же говорила тебе, это не она.

Поезд пришел в Ним, и Флер скоро нашла комнату в недорогом отеле рядом со станцией. Когда она легла в постель, душа ее оттаяла и Флер разрыдалась. От одиночества, от предательства и ужасного, беспредельного отчаяния. Она потеряла все. Любовь Белинды оказалась ложью. Мечты — обманом. Алексей запачкал ее так сильно, что ей никогда не отмыться. Почему она оказалась такой слепой? Такой поглощенной своими проблемами, что не увидела, чего он хочет? Этот Джейк. Она считала его частью себя самой. А он изнасиловал ее душу.

Предательство близких людей сорвало повязку с ее глаз. Она увидела свою собственную омерзительную слабость. Люди выживают в этом мире благодаря умению делать выводы. Однако все ее выводы оказались ошибочными. *Ты ничто*, сказал Алексей. Когда тьма ночи окружила ее, она поняла, что такое ад. Ад — это потеряться в мире и потерять самое себя.

— Простите, мадемуазель, но этот счет закрыт. — Золотая карточка Флер исчезла в ладони клерка, как в руке фокусника.

Ее охватила паника. После бессонной ночи стало ясно только одно: ей нужны деньги. Еще. С деньгами она может спрятаться от Алексея. Без них это невозможно. Торопливо шагая по улицам Нима, Флер не могла избавиться от ощущения, что он за ней наблюдает. Он мерещился ей возле дверей, в отражениях витрин, в лицах, мелькавших на улице. Прижимая к себе сумку, она бежала к железнодорожной станции.

Когда Алексей увидел, что произошло с его замечательным «бугатти», он впервые осознал, что смертен. Из-за легкого паралича правая сторона его тела не действовала почти два дня. Он закрылся в комнате и ни с кем не виделся.

Большую часть времени Алексей спокойно лежал, держа в левой руке носовой платок. Иногда он смотрел на свое отражение в зеркале на противоположной стене комнаты.

Правая сторона лица обвисла.

Вообще-то было почти незаметно, выдавал только рот. Как он ни старался, он не мог удержать вытекающую из угла рта слюну. Каждый раз, поднося платок стереть ее, он понимал, что такого рта он никому никогда не простит.

Паралич постепенно отпускал, и когда Алексей смог владеть собой, он обратился к докторам. Они сказали, что он перенес небольшой удар. Предупреждающий. Приказали сбавить нагрузки, не курить, следить за диетой. Они упомянули о высоком давлении. Алексей терпеливо выслушал, потом отправил эскулапов с миром.

В начале декабря Алексей Савагар выставил на аукцион свою коллекцию автомобилей. Машинами заинтересовались покупатели со всего мира. Ему посоветовали не присутствовать на торгах, но он пренебрег советами. Он хотел видеть, как уходит каждая машина; он изучал лица покупателей, сохраняя их в памяти навсегда.

После аукциона Алексей разобрал музей камень за камнем.

Флер сидела за обшарпанным столом в углу студенческого кафе в Гренобле и доедала второе пирожное, такое же липкое и чересчур сладкое, как первое. Она подбирала все крошки, склеивала и отправляла в рот. Уже больше года еда доставляла ей удовольствие, и когда джинсы плотно обтянули ее, а на ребрах нарос жирок, за который она могла уже ухватить себя, Флер ощутила противоречивое удовлетворение. Блестящая Девочка исчезла. Каким бы стало лицо Белинды, если бы она увидела свою драгоценную дочь! Потолстевшая, с общипанными волосами, отвратительно одетая. И лицо Алексея... Казалось, она слышит презрение в его вкрадчивых, сладких словах, похожих на испортившуюся конфетную начинку.

Флер тщательно сосчитала деньги и вышла из кафе, потеснее стянув воротник на мужской парке. В то утро шел снег, было темно и холодно, и она поглубже натянула шерстяную шапочку, желая защититься от холода, а не от страха, что ее узнают. Такого не случалось уже несколько месяцев. Перед кинотеатром выстроилась очередь, она встала в конце, а за ней столпилась группа американских девочек. Из разговора она поняла, что они студентки, приехали учиться по обмену, их произношение резало ухо. Флер уже не помнила, когда в последний раз говорила по-английски.

Несмотря на холод, ладони Флер вспотели, и она поглубже засунула руки в карманы парки. Год — вполне достаточный срок для бегства. Сегодня она наконец решила не прятаться от своего прошлого. У нее ведь осталось мужество? Ведь осталось же? Но стоило взглянуть на афиши, как Флер делалось нехорошо. Она

не могла представить, что когда-то придет в кино и высидит весь
фильм.

Сначала она говорила себе, что не будет читать отзывы о фильме, но потом начала и не могла остановиться: читала все подряд.
Критики были к ней добрее, чем ожидала Флер. Некоторые называли ее игру обещающим дебютом. А один убил ее наповал своим
высказыванием: «Какая-то обжигающая химическая реакция происходит между Корандой и Савагар». Но только Флер знала, у кого
остался ожог от этой «реакции».

Стоя возле кинотеатра в ожидании начала, она услышала, как
молоденькая француженка принялась подтрунивать над своим спутником.

— А ты не боишься, что сегодня вечером я даже не посмотрю
в твою сторону? Я два часа проведу в обществе Джейка Коранды.

Он взглянул на афишу, потом на девушку.

— По-моему, это тебе стоит поволноваться. Ты будешь смотреть на своего Коранду, а я в это время — на Флер Савагар. Жан-
Поль видел этот фильм на прошлой неделе, и с тех пор ни о чем не
может больше говорить. Только о ее потрясающем теле.

Флер сжалась. Втянув голову в плечи, прячась в воротник
парки, она прошла мимо них в зал и села в последнем ряду. Свет
начал гаснуть, ей ужасно захотелось убежать, но она знала, если
сейчас убежит, то никогда уже не сможет остановиться. Она
должна высидеть фильм. Она должна посмотреть в лицо образу
на экране. Может, тогда она сможет посмотреть в лицо самой
себе.

Пошли титры. Камера показала панораму просторных фермер-
ских земель Айовы, пыльные бутсы, ступающие по гравийной дорожке. Внезапно на экран выплыло лицо Джейка. Сцепив руки на
коленях, Флер заставляла себя смотреть на него. И помнить о его
предательстве. Но на ум шло совсем другое: его нежность, собственное счастье рядом с ним. Несколько сцен пролетели одна за другой.
Потом Джейк остановился перед домом в Айове, а молоденькая девушка прыгнула к нему прямо с качелей на крыльце... Съеденные
пирожные комом встали в животе, когда она смотрела, как летит к нему
в объятия. Она помнила прикосновение к его крепкой груди, его губы,

его смех, шутки, сильные руки. Она думала, эти руки будут обнимать ее вечно и никогда не отпустят. Нет, она не в силах это смотреть. Запахнув парку, Флер поднялась. Лучше она убежит, лучше она будет бежать всю жизнь, без остановки, чем выдержит хотя бы минуту боли перед экраном, заполненным лицом человека, которого она любила.

Последнее, что слышала Флер, убегая из зала, был голос Джейка:

— Когда ты успела так похорошеть, Лиззи?

Отчеты приходили в офис Алексея на бульвар Сен-Жермен каждую пятницу ровно в три. Он опускал их в кейс и закрывал на кодовый замок. Он не будет трогать их до вечера. А когда останется в кабинете без посторонних, позволит себе просмотреть бумаги.

Он не сомневался, что Флер вернется в Нью-Йорк и возобновит карьеру. Но она удивила его, оставшись во Франции. Сначала Лион, потом Экс-ан-Прованс, потом Гренобль, Бордо, Монпелье, города с крупными университетами. Она надеялась скрыться от него в безымянных толпах студентов. Глупо. Как будто такое вообще возможно.

Через год она стала брать уроки в некоторых университетах. Он удивлялся выбору: лекции по калькуляции, контрактное право, анатомия, психология.

...Несколько месяцев у него ушло на то, чтобы понять: Флер выбирает лекции, которые читают в больших залах. Где меньше вероятность, что обнаружат незарегистрированную студентку. Об официальном поступлении не могло быть и речи, у нее нет денег. Он об этом позаботился.

Алексей пробежал глазами сверху вниз по листу, читая, чем она зарабатывает на жизнь. Чистка конюшен, уход за лошадьми, официантка. Иногда Флер работала с фотографами, но не как модель. Такая мысль ей сейчас не могла даже прийти в голову. Она ставила свет, занималась оборудованием. Дважды прочитав отчет, Алексей закрыл папку и понес в стенной сейф. В данный момент у нее нет ничего ценного, отнять нечего. Но придет время, и он будет готов. Алексей Савагар терпелив. Он подождет.

* * *

В дверь позвонили, когда Флер укладывала на полку последнюю коробку с пленкой. От неожиданности она вздрогнула. Резкие звуки пугали ее, хотя давно пора было преодолеть свой страх. Все-таки прошло два года. Если бы Алексей хотел, он давно бы нашел ее. Флер посмотрела на часы на стене. Ее хозяин снимает детей уже целую неделю. Она надеялась, что на сегодня работа закончена. Обтерев руки о джинсы, Флер отодвинула занавес, отделявший маленькую приемную от студии.

За занавесом стояла Гретхен Казимир.

— О мой Бог! — воскликнула она.

Все мускулы Флер мгновенно напряглись, а грудь будто сдавило тисками.

— Боже мой! — повторила Гретхен.

Флер попыталась объяснить себе, что это неизбежно. Все равно кто-то должен был ее найти, и ей следовало быть благодарной, что нашли так не скоро, но она не испытывала подобных чувств. Ей казалось, что она загнана в ловушку. Почему она задержалась в Страсбурге? Четыре месяца — огромный срок.

Гретхен сняла солнечные очки и окинула фигуру Флер цепким, внимательным взглядом.

— Ну ты и разжирела. Я не могу использовать тебя в таком виде.

Гретхен отпустила волосы длиннее, чем прежде, покрасила в рыжий цвет. Лодочки у нее скорее всего от итальянца Марио, бежевый льняной костюм от Перри Эллис, а шарф от Гермес. Флер почти забыла, как выглядит дорогая одежда. Того, что надето на Гретхен, ей бы хватило на полгода жизни.

— Ты набрала тридцать фунтов! — сказала Гретхен. — А волосы! Я не смогу продать тебя даже в «Поля и реки».

Флер попыталась ухмыльнуться: мол, да пошла ты, плевать я на все хотела, — но у нее не вышло.

— А тебя никто и не просит, — сдержанно сказала она. — Уходи, Гретхен.

Женщина не обратила на ее слова никакого внимания.

— Твоя эскапада обошлась тебе уже во много тысяч. Ты нарушила контракты. Идут судебные процессы. Тяжба может лишить тебя всего.

Флер попыталась засунуть руку в карман джинсов, но ткань так натянулась, что она смогла просунуть только большой палец. Если бы она была в своем прежнем весе сто тридцать фунтов, она бы утратила приятное чувство безопасности, которое взрастила в себе.

— Пошли счет Алексею, — сказала Флер. — У него моих два миллиона долларов. Они все покроют. Я думаю, ты и сама знаешь. — Конечно, это Алексей ее навел. Он знает, где она, и почему-то послал Гретхен. Казалось, стены комнаты приблизились к ней. Сдавили.

— Я намерена увезти тебя в Нью-Йорк, — заявила Гретхен. — Потом отправлю на ферму. Понадобятся месяцы, пока ты вернешься в форму. Но если узнают, что ты в Штатах, мне придется подсуетиться и не допустить некоторых судебных процессов. Эти ужасные волосы тебя портят, поэтому не думай, что я смогу тебя пристроить по прежней цене. И не рассчитывай, что Паркер сразу же начнет с тобой другой фильм.

— Я не вернусь, — сказала Флер.

— Не смеши. Ну посмотри, где ты сидишь! Не могу поверить, что ты здесь работаешь. Боже мой, после выхода «Затмения в воскресное утро» некоторые режиссеры в Голливуде, между прочим ведущие, хотят тебя снимать. — Она заткнула дужку солнечных очков в карман жакета, и линзы свесились наружу. — Ваша глупая ссора с Белиндой слишком далеко зашла. Между матерями и дочерьми возникают проблемы постоянно, но незачем раздувать их в такое дело.

— Это тебя не касается.

— Ну повзрослей же, Флер. На дворе двадцатое столетие, ни один мужчина не стоит того, чтобы из-за него разошлись две женщины, которые любят друг друга.

Так вот что все думают? Что они с Белиндой поссорились из-за Джейка! Впрочем, почему нет? Понятная всем, удобная для объяснения причина.

Гретхен не пыталась скрыть свое презрение.

— Посмотри на **себя**. Спряталась в какой-то дыре, живешь как нищая. Все, что у **тебя есть**, — это лицо. А что ты с ним сделала? Ты сделала все, чтобы разрушить свой образ. Если ты не послушаешь меня, однажды утром проснешься старая и одинокая, довольствующаяся крохами, которые тебе станут бросать. Ты этого хочешь? Ты что, самоубийца?

Флер почувствовала, как защипало глаза. Гретхен пытается напугать ее. Вот и все. Она соберется. Очень скоро. Дело времени. Она почувствует себя лучше, и снова все станет прекрасно.

— Отстань от меня, — сказала Флер. — Я не поеду в Нью-Йорк.

— Я не уйду, пока...

— Уходи.

— Ты не можешь продолжать...

— Вон! — закричала Флер.

Гретхен уставилась на нее долгим взглядом. Скользнула по ужасной мужской рубашке, по джинсам, оценивая ее... Флер точно уловила момент, когда Гретхен Казимир решила, что Флер Савагар больше не стоит никаких усилий.

— Ты потерпела поражение, — сказала она с презрением. — Ты жалкая и ты живешь жизнью, которая ведет в тупик. Но в общем-то я не удивляюсь. Без Белинды за спиной ты ничто.

Флер не пошла на лекцию по экономике. Она упаковала дорожную сумку, повесила ее на плечо и уехала из Страсбурга.

Когда прошел еще год, Алексею пришлось уговаривать себя сохранять терпение. Флер невольно нашла единственный способ защиты от него. Что можно отнять у человека, у которого нет ничего?

Он сел в кожаное кресло в своем кабинете, закурил сигарету, последнюю из пяти, которые позволял себе за день. Фотографии, разложенные перед ним, были похожи на прежние. Отвратительная стрижка, сделанная в парикмахерской, потертые джинсы, заношенные кожаные ботинки. Вообще-то по обычным стандартам ее нельзя было назвать толстой, она прибавила в весе фунтов сорок, но для той, что была на верху модельной славы, и такой лишний вес совершенно непристоен.

Он услышал шаги, быстро засунул фотографии обратно в кожаную папку, подошел к двери и отпер.

Перед ним стояла Белинда со спутанными после сна волосами и размазанной тушью под глазами.

— Мне снова приснилась Флер, — сообщила она. — Ну почему я без конца вижу ее во сне, Алексей? Почему мне никак не становится лучше?

— Потому что ты без конца за нее цепляешься, — сказал он. — Ты сама не отпускаешь ее.

Белинда коснулась руки Алексея и умоляюще посмотрела на него:

— Ты же знаешь, где она. Ну скажи мне, пожалуйста.

— Дорогая, я защищаю тебя. — Он провел холодными пальцами по ее щеке. — Я защищаю тебя от ненависти твоей дочери.

Глава 20

В день, когда Флер исполнилось двадцать три года, она подошла к засиженному мухами зеркалу и ужаснулась. Толстое мужское лицо, не смягченное косметикой, отвратительная тусклая челка. Она заложила прядь волос за ухо и вспомнила свою светлую гриву. В памяти всплыло ощущение собственной легкости, стройности, силы — она ведь могла пробежать без остановки две или три мили. Тогда ей не приходилось беспокоиться о том, что поесть завтра, чем заплатить за комнатушку, запущенную, с ржавой раковиной и мокрыми разводами на потолке.

Самое трудное позади. Иногда она целый день не вспоминала о Джейке. Она уже могла спокойно смотреть на фотографии Белинды и Алексея, которые ей попадались в газетах и журналах. Это были совершенно чужие ей люди. Конечно, Белинда вернулась к Алексею. Он одна из самых важных персон во Франции, а ее матери необходим свет рампы, как кислород.

Флер иногда подумывала о возвращении в Нью-Йорк. Но что ей там делать? Сейчас она в безопасности. Полнота и кочевой образ жизни охраняют ее. А возвращение в прежний мир означало риск, к которому она еще не была готова. Легче дрейфовать в настоящем, чем ринуться в неопределенное будущее. Легче было забыть о молоденькой девушке, полной решимости заставить всех подряд любить себя. Сейчас ей не нужна ничья любовь. Ей никто не нужен, кроме себя самой.

За неделю до Рождества она побросала вещи в спортивную сумку и отправилась на поезде в Вену. Она все время жила во Франции, потому что именно здесь могла найти работу. Но едва появлялась возможность, Флер старалась куда-нибудь уехать. На этот раз она выбрала Вену, прочитав про «Мир по Гарпу». Ей хотелось посмотреть на медведей, которые катаются на одноколесных велосипедах, и на мужчин, умеющих ходить на руках. Каприз? В какой-то мере — да.

Она нашла дешевую комнатенку в очень старом венском пансионе, где лифт еще походил на позолоченную птичью клетку, лифт, который, как сказал консьерж, был разбит немцами еще в войну. Поднявшись с сумкой на шестой этаж, она открыла дверь в малюсенькую комнатку с поцарапанной мебелью и подумала: какую войну, интересно, он имел в виду?

Флер быстро поела и отправилась на автобусе в испанскую школу верховой езды. Она узнала, что школа закрыта до марта. Вернувшись в пансион, сняв пальто и джинсы, она села на кровати в одних трусиках. Скрестив ноги и завернувшись в покрывало, Флер пыталась согреться. Холодный ветер бился в окна, радиатор покрякивал; она взяла американский журнал, купленный на вокзале, и вспомнила свои любимые отели: «Стэнфорд Корт» в Сан-Франциско, «Пенинсула» в Гонконге, «Кона Виллэдж Рисот» на Гавайях, «Ля Берж де Седона» в Аризоне с маленькими бревенчатыми хижинами и французскими дачными постройками...

Но это было все равно, что бередить языком больной зуб, поэтому Флер принялась листать журнал, желая отвлечься. Вдруг она застыла и уставилась на фотографию. Джейк с симпатичной брюнеткой.

Каждый раз, когда Флер попадались его снимки, она вздрагивала. Будто шла по дороге и, неожиданно увидев дохлую кошку или мертвую птицу, спотыкалась. Разум уверял, что животное тебе ничего не сделает, но тело не слушалось.

Она перевернула страницу. Еще одна фотография. Джейк и та же самая женщина выходят из театра. Похоже, им хорошо друг с другом, если не обращать внимания на хмурый взгляд Коранды, устремленный в камеру. Флер ничего не могла с собой поделать. Она перелистнула страницу обратно и начала читать.

«С начала лета актриса Диана Бреннан и Джейк Коранда, актер и драматург, стали новым голливудским дуэтом. Их заверения, что они просто хорошие друзья, не убеждают наблюдателей. «У Джейка и Дианы много общего», — высказала свое мнение актриса Линн Дэвидс, бывшая пассия Коранды.

За последние несколько лет Коранда не написал ни строчки. Его актерская карьера развивается успешно, если иметь в виду такие хиты, как «Голубой Коммандо» и новый фильм про Калибра «Волнение кровавой реки». Но он ничего не написал с 1977 года, после того как получил награду Академии за сценарий «Затмения в воскресное утро». Друзья надеются, что новая подруга вернет его в стан драматургов».

Больше Флер не могла читать. Она закрыла журнал и зашвырнула в угол.

На следующий день она отправилась в «Леопольд» возле Рузвельтплац на ленч. Официант поставил перед ней тарелку с маленькими австрийскими клецками, очень вкусными, но Флер не могла проглотить ни одной. Поездка в Вену оказалась совершенно бесполезной. Нет медведей на велосипедах, нет мужчин, умеющих ходить на руках; только старые проблемы, которые никак нельзя решить бегством.

Вдруг какой-то плащ от Бэрбери* и кейс Луис Виттон скользнули по спинке ее стула. Она услышала:

— Флер? Флер Савагар?

---

* Известная английская марка одежды. Фирма «Бэрбери» запатентовала производство мужских плащей военного образца.

Флер не сразу узнала в мужчине Паркера Дэйтона, своего бывшего агента. Ему было за сорок; его лицо, казалось, ваял совершенно божественный скульптор, но потом, когда глина почти высохла, ударил в лицо и разрушил всю работу. Даже аккуратно подстриженная имбирного цвета бородка, которую он отрастил за минувшие годы, не помогла достичь гармонии между вдавленным носом и выступающим подбородком.

Белинда выбрала его в свое время под сильным давлением Гретхен. Паркер Дэйтон, говорила она, подает серьезные надежды. На самом-то деле он был любовником Гретхен, а не представителем высшего эшелона нью-йоркских агентов. Но судя по кейсу Виттон и туфлям от Гуччи, дела у него шли хорошо.

— Флер, я думал, ты вообще исчезла с лица земли. Боже мой, сколько я потерял, когда ты сбежала! Подожди, я еще скажу Гретхен, что видел тебя.

— Может, лучше не говорить? Я ей должна. — Флер слабо улыбнулась и пожалела, что не подкрасила губы. Она никогда не любила Паркера, поэтому ей не хотелось, чтобы он видел ее такой, как сейчас.

Он не улыбнулся в ответ на шутку, но, как она вспомнила, Паркер никогда не отличался чувством юмора, особенно если дело касалось денег. Не ожидая приглашения, он подтащил стул и сел напротив нее, поставив кейс на пол.

— У тебя был успех после «Затмения», — сказал он. — Тобой интересовались крупные режиссеры. Ты прекрасно смотрелась на экране, сексуально до чертиков. Чертовски сексуально. — Потом Паркер уставился на нее.

Несколько секунд он молчал. Флер захотелось наорать на него. Не настолько ведь ужасно она выглядела. Конечно, она уже не вешалка для одежды, но и не толстуха.

— Гретхен пришлось потрудиться, чтобы уладить проблемы с контрактами, которые ты нарушила, — сказал он.

Рука его потянулась к кейсу, и у Флер возникло ощущение, что сейчас Паркер достанет калькулятор и станет подсчитывать, во сколько все это обошлось.

Она слегка подалась вперед.

— Гретхен это не стоило ни цента, Паркер. Я уверена, Алексей оплатил все счета из моих денег. Я могла себе позволить наплевать на контракты.

Доведя свою мысль до его сознания, Флер заговорила о другом:

— Так что «Агентству Дэйтона» все еще удается уводить таланты у «Ай-си-эм»?

— Я сейчас занимаюсь телевидением и музыкой. — Он закурил. — Среди прочего я менеджер у «Неон Линкс». Поэтому я в Вене. — Он порылся в карманах и вытащил билет. — Приходи сегодня на концерт, будешь моим гостем. Билеты проданы за несколько недель до начала гастролей.

Она видела афиши самой популярной американской рок-группы, расклеенные по всему городу. Это было первое европейское турне «Неон». Флер с сомнением взяла билет; она вряд ли пойдет.

— Мне трудно представить тебя рок-менеджером. Как ты вошел в это дело?

— От жадности, Флер. Если рок-группа добивается успеха, ты, можно сказать, получаешь лицензию на печатание денег. Парни играли в третьеразрядном клубе на берегу Джерси, когда я на них набрел. Я понимал, в них что-то есть, но упаковка не та. Никакого стиля. Понимаешь, о чем я? Конечно, я мог найти им менеджера, но в тот момент у меня дела шли не очень, и я решил: а почему бы мне самому ими не заняться? Я кое-что поменял и сделал их известными. Скажу тебе правду, Флер, я ожидал успеха «Неон», но не такого. В последнем турне в двух городах дело дошло до беспорядков. Ты не поверишь...

Вдруг Паркер умолк и замахал кому-то рукой. К ним подошел лохматый и усатый мужчина лет тридцати с небольшим. Паркер представил его как Стю Каплана, гастрольного менеджера группы. К облегчению Флер, он ее не узнал, а после того, как мужчины заказали кофе, Паркер повернулся к Стю:

— Так ты нашел наконец?

Стю плюхнулся на стул.

— Я битый час проторчал в агентстве по трудоустройству, и мне сказали, что через недельку подыщут девушку. Боже мой, мы же в Германии будем на следующей неделе!

Паркер нахмурился.

— Это твоя проблема. Я не собираюсь вмешиваться. Будешь работать на гастролях без секретарши.

Они поговорили еще несколько минут, потом Паркер извинился и пошел в туалет. Стю повернулся к Флер:

— Он твой друг?

— Да я бы не сказала... Мы просто знакомы.

— Чудовищный диктатор. «Это твоя проблема», черт! Не я же ее обрюхатил в конце-то концов!

— Секретаршу?

— Да. — Он хмуро уставился в чашку с кофе, усы уныло повисли. — Я сказал ей, мы заплатим за аборт и все такое. Она заявила, что вернется в Штаты и там все сделает. Как следует. — Стю с укоризной посмотрел на Флер. — Ради Бога, ведь это Вена, да? Ведь Фрейд отсюда? Что, здесь нет хороших докторов?

Она немного подумала над ответом, но решила промолчать.

Стю застонал.

— Ну пускай бы это случилось в Питтсбурге или где-то еще. Но в этой чертовой Вене...

— А что именно делает секретарь?

Вопрос возник из ниоткуда. Флер сама не знала, почему задала его. Может, из любопытства. Просто вежливый вопрос для поддержания беседы. Ничего больше.

Стю Каплан взглянул на Флер, и в его глазах впервые зажегся интерес к ней.

— Да совсем легкая работа. Отвечать на телефонные звонки. Дважды проверить, все ли готово к концертам. Помогать группе по мелочам. Ничего трудного. — Он отпил кофе. — А ты говоришь по-немецки?

Флер тоже отпила кофе.

— Немного. Ну и по-итальянски, по-испански, по-французски, конечно. — Сердце ее вдруг забилось, но голос звучал спокойно. Во всем этом нет никакого смысла, но она почувствовала, что жизнь вдруг бросила в ее сторону конец веревки.

Стю откинулся на стуле и посмотрел на Флер.

— За работу две сотни в неделю. Комната и питание бесплатно. Тебя интересует?

Это, конечно, сумасшествие. У нее есть работа в Лилле, занятия, комната, и она давно уже не действует импульсивно. Но это безопасная работа, всего на месяц, а потом она решит, как ей дальше распорядиться своей жизнью.

— Я согласна.

Стю улыбнулся и вынул визитную карточку.

— Собирай вещи, встретимся через полтора часа в «Интерконтинентале». — Он нацарапал что-то на карточке и встал. — Здесь номер комнаты. Скажешь Паркеру, что я с ним там встречусь.

Когда Паркер вернулся к столу и Флер ему рассказала, что произошло в его отсутствие, он покачал головой:

— Извини, Флер, но ты не сможешь у него работать.

Теперь, приняв решение, она не могла допустить, чтобы работу у нее отняли.

— Почему?

— Ты не выдержишь. Понимаешь, я не знаю, что тебе наговорил Стю, но быть гастрольной секретаршей при любой группе очень тяжело. А с этой — просто ужас.

Итак, вот оно. Не слишком тонкий намек на ее бесполезность и беспомощность. Флер быстро ответила:

— Я знаю, что такое трудная работа, Паркер. Последние несколько лет не были для меня сладкими.

Он протянул руку и покровительственно потрепал ее по руке.

— Я верю, что не были, но дай-ка я тебе кое-что объясню. Одна из причин, почему «Неон Линкс» все еще на самом верху, заключается в том, что они беспредельно испорченные, надменные ублюдки. Это часть их имиджа. Сказать откровенно, я их в этом поддерживаю. Наглость помогает им быть такими, какие они есть. Но именно поэтому с ними очень тяжко работать. И потом секретарша — занятие непрестижное. Давай посмотрим правде в глаза. Ты привыкла приказывать, а не подчиняться.

Много он понимает, этот Паркер Дэйтон!

— Я могу постоять за себя, — сказала Флер.

Человек, начисто лишенный чувства юмора, расхохотался.

— Ты не сможешь пробыть гастрольной секретаршей и двух часов. Слушай, Флер, я не знаю, что с тобой произошло, похоже, жизнь здорово потрудилась над тобой. Но я дам тебе один бесплатный совет: воздержись от хлеба и пирожных, а потом позвони Гретхен и возвращайся на свою дорогу.

Флер встала.

— А Стю Каплан имеет право нанимать себе секретаршу?

— Ну, обычно...

— Да или нет?

— Да.

— Стю меня нанял, Паркер, и я согласна.

Она вышла из ресторана прежде, чем он успел открыть рот. Но на полпути она почувствовала сильное головокружение, и ей пришлось прислониться к стене. Сердце билось так, как будто ее разбудили криком среди ночи. Все в порядке, твердила она себе. Работа секретарши. Ничего сложного. Такого, что ей не по силам. Но сердце не слушалось, и Флер понимала почему. Она до сих пор не верила.

Через час она вошла в «Интерконтиненталь» и оказалась в настоящем бедламе. Репортеры зажали Паркера в угол и донимали вопросами, как и двух экстравагантно одетых парней, которых она приняла за членов группы. Официанты сновали с сервировочными столиками. Звонили три телефона сразу, две трубки Стю поднял, а на третий аппарат указал ей.

Звонил менеджер отеля, в котором группа предполагала остановиться на следующую ночь в Мюнхене. Он заявил, что до него дошли слухи о погроме, устроенном «Неон» в номерах лондонского отеля, и поэтому появление таких гостей в его заведении нежелательно. Флер прикрыла трубку рукой и пересказала содержание разговора Стю.

Тут-то она поняла, что Стю Каплан, с которым она пила кофе, и тот, на которого должна работать, — совершенно разные люди.

— Скажи ему, что это был Род Стюарт, черт побери! — заорал он. — Покрути своими мозгами и не беспокой меня всяким дерьмом! — Он швырнул ей список. — Перепроверь, все ли готово, пока говоришь с ним по телефону. Потом еще раз проверь!

Флер почувствовала, как внутри что-то сжалось. Нет, она не может работать, когда на нее кричат. Ведь никто ничего не объяснил. Паркер Дэйтон посмотрел на нее с улыбкой — мол, «я же тебе говорил». Ладонь, сжимавшая трубку, взмокла. Флер отвернулась от него и увидела себя в зеркале размером с окно на другой стороне комнаты. Ничуть не меньше, чем ее фотографии, которые Белинда развешивала на стенах квартиры. Те увеличенные красивые лица, казалось ей, не имели ничего общего с ее тогдашним лицом. Как и бледное испуганное лицо, отражавшееся сейчас в зеркале.

Она сосредоточилась на телефонном разговоре.

— Извините, что я заставила вас ждать. Но вы не можете обвинять «Неон Линкс»... Это не они...

У Флер перехватило дыхание, и она повысила голос. Потом, быстро вздохнув, принялась хоронить Рода Стюарта. Разделавшись с ним, она стала проверять по списку заказанные комнаты, уточнять детали, касавшиеся багажа и питания. Менеджер спокойно отвечал, и Флер едва могла поверить, что ей удалось убедить его. Радость захлестнула ее, огромная, непропорциональная одержанной победе.

Флер повесила трубку, но телефон снова зазвонил. Одного из «родстеров» поймали на наркотиках. На этот раз она уже приготовилась к крику Стю, и он заорал, а когда унялся, она все равно спросила, что такое «родстер».

— Бога ради! Неужели ты не знаешь? Так называют тех, кто занимается оборудованием. Они устанавливают все эти железяки, черт побери! — Он схватил куртку. — Оставайся здесь, пока я не вытащу его.

Он швырнул ей другую папку.

— Расписание и все встречи указаны. Пропуска для особо важных гостей надо проштамповать. Позвони в Мюнхен и убедись, что там позаботились о транспорте из аэропорта. В последний раз нам не хватило лимузинов. Проверь чартер из Рима. — Все еще давая указания, Стю вылетел за дверь.

Флер еще восемь раз поговорила по телефону, полчаса занималась аэропортами, прежде чем заметила, что она до сих пор в пальто. Перед уходом Паркер Дэйтон самодовольно улыбнулся и спросил:

— Как, еще не надоело?

Она тоже улыбнулась и сказала, что ей ужасно нравится.

Но как только дверь за ним закрылась, Флер повалилась в кресло. Надо продержаться три дня. Стю говорил, что Паркер через три дня уедет в Нью-Йорк, и тогда ей не придется выслушивать «я же тебе говорил», когда она соберется уходить. Три дня — это ничто. Она продержится.

Появился Питер Забель, ведущий гитарист «Неон Линкс». Хотя Флер не была знакома с ним, она узнала его. Между телефонными звонками она успела просмотреть проспект группы и запомнила имена и лица. Забелю, невысокому, плотному, с кудрявыми черными волосами до плеч, было слегка за двадцать. В правом ухе болтались две серьги. Одна с огромным бриллиантом, а другая в виде длинного белого пера. Он попросил ее соединиться с его брокером в Нью-Йорке. Забель волновался о медных акциях.

Поговорив по телефону, он откинулся на диване и водрузил ноги на кофейный столик. Туфли на трехдюймовых каблуках были фирмы «Лусит», с выбитыми золотыми рыбками.

— Я единственный в группе, кто думает о будущем, — вдруг заявил он. — Другие считают, что кайф будет продолжаться вечно. Но такого не бывает.

— Может, это и не вредно. — Флер взяла пропуска и принялась их штамповать.

— Да, черт побери, не вредно. А кстати, как тебя зовут?

— Флер.

— Что-то ты мне кажешься знакомой.

На этот раз она шлепнула печатью сильнее, чем надо. Кого она собирается обмануть? Три дня покажутся ей вечностью.

Питер встал, направился к двери, остановился и повернулся к ней:

— Я знаю, где я тебя видел. Ты была моделью или чем-то в этом роде. У моего младшего брата в комнате висел постер. На нем ты в фильме, который я видел во Вьетнаме. Флер... Как-то...

Она поколебалась.

— Флер Савагар.

— Ага, правильно.

Она заметила, что он ничуть не потрясен.

Он потянул себя за белое перо.

— Слушай, надеюсь, ты не против, если я тебе скажу? Если бы ты вовремя подсуетилась насчет ценных бумаг, у тебя было бы на что жить, когда тебя пиханули.

— Учту на будущее, — совершенно серьезно ответила Флер. Дверь закрылась, и она поняла, что улыбается. Впервые за много дней. В таком окружении Блестящая Девочка — уже вчерашняя новость. Она откинулась в кресле и задумалась. У нее возникло приятное ощущение: словно в комнате стало больше воздуха и она могла наконец свободно дышать.

Гастроли открывались в тот вечер на спортивной арене в северной части Вены, и как только Стю вернулся с «родстером», у Флер не осталось ни минуты на размышления. Что в общем-то было хорошо. Сначала обнаружилась путаница с билетами, потом надо было за час обзвонить всех членов группы, спуститься вниз пораньше и проверить транспорт, позаботиться о чаевых, второй раз обзвонить по телефону всех членов группы и предупредить, что лимузины ждут. Стю кричал на нее по любому поводу, но он орал абсолютно на всех, кроме членов группы, и Флер старалась не обращать на это внимания. Она уловила два основных правила, которых надо придерживаться: обеспечивать комфорт группе и все заранее проверить дважды.

Когда члены группы «Неон Линкс» вышли в вестибюль, Флер узнала всех. С Питером Забелем она была уже знакома, Кайла Лайта, бас-гитару, было трудно с кем-либо перепутать. У него были негустые светлые волосы, мертвые глаза и изможденный вид. Фрэнк Ляпорт, ударник, с вызывающей рыжей шевелюрой, спустился с банкой пива «Будвейзер» в руке. Саймон Кэйл, клавишник, казался самым свирепым на вид мужчиной из всех, которых ей доводилось видеть. Голова побрита и смазана маслом, на мощной груди болтались серебряные цепи, а на ремне у пояса висело что-то вроде мачете.

— Где этот чертов Барри? — спросил Стю. — Флер, отправляйся наверх и доставь этого стервеца сюда. Смотри не разволнуй его.

Флер нехотя пошла к лифту, чтобы найти солиста Барри Ноя. В проспекте он был назван новым Миком Джаггером. Ему двадцать четыре, на снимках он изображен с распущенными волосами песочного цвета или с хвостом. Из обрывков разговоров Флер поняла, что Барри — трудный случай. Она старалась не думать, что бы это могло значить.

Она постучала в дверь его комнаты, но ответа не последовало, и она нажала ручку. Дверь открылась.

— Барри!

Он растянулся на диване, закрыл рукой глаза, конец хвоста свисал прямо на ковер. Он был в таких же атласных брюках, как и все, но с одним отличием: в паху у него блестела красная звезда.

— Барри! Стю послал меня за тобой. Мы выезжаем.

— Я сегодня не могу.

— Причина?

— У меня депрессия. — Он протяжно вздохнул. — Клянусь, никогда в жизни у меня не было такой депрессии. А когда у меня депрессия, я не могу петь.

Флер посмотрела на часы. Это были золотые мужские часы «Ролекс», которые Стю дал ей для работы. У нее оставалось пять минут. Пять минут и два с половиной дня.

— Может, ты скажешь мне, из-за чего у тебя депрессия?

Тут он впервые посмотрел на нее.

— А ты кто такая?

— Флер. Новая гастрольная секретарша.

— А, да, Питер говорил. Ты была в свое время большой кинозвездой или что-то в этом роде. — Он снова закрыл рукой глаза. — Жизнь дерьмо. Гадость. Я могу получить любую женщину, которую захочу. Но эта сучка Кисси обвела меня вокруг пальца. Клянусь, я звонил сегодня в Нью-Йорк сто раз. Но я или не дозваниваюсь, или она не подходит к телефону.

— Может, она вышла.

— Да. Она вышла. Да. С каким-нибудь жеребцом.

У нее четыре минуты.

— Барри, ты действительно думаешь, что женщина в здравом уме пойдет с другим, если у нее есть ты? — *Черт побери, конечно, пойдет. Любая женщина в здравом уме уйдет хоть с кенгуру, только бы подальше от тебя.* — Держу пари, тебе просто не везло. Часовые пояса такие разные. Почему бы тебе не попытаться позвонить ей после концерта? Тогда в Нью-Йорке будет раннее утро, и ты наверняка до нее дозвонишься.

Впервые ей показалось, что он включился.

— Ты так думаешь?

— Да, я уверена. — *Три с половиной минуты. Если придется ждать лифт, возникнут проблемы.* — Я сама тебя соединю.

— Ты придешь сюда после концерта и поможешь мне дозвониться?

— Конечно.

Он ухмыльнулся:

— Эй, так это здорово. Я думаю, ты мне, пожалуй, понравишься.

— Ну и хорошо. Я уверена, что понравлюсь тебе. — *Черта с два, дегенерат! Три минуты.* — А почему бы нам не пойти вниз?

Она доставила Барри в вестибюль на тридцать секунд раньше срока. В лифте, между девятым и десятым этажом, он сделал ей предложение жить с ним. Но когда она отказала, он помрачнел. Тогда Флер добавила, что она подозревает у себя какое-то венерическое заболевание. Казалось, он успокоился.

Глава 21

Как только они появились на спортивной арене, Стю швырнул ей папку и велел проверить все еще раз. Она закончила, когда открытие подходило к концу, и решила пойти на сцену, чтобы посмотреть шоу.

На одном конце ледяного хоккейного ринга, отгороженного ради безопасности исполнителей, не обращая внимания на игру музыкантов, сотни поклонников давили на ряды охранников и на деревянные баррикады, воздвигнутые перед сценой. Все они выкрикивали имя Барри Ноя и его группы.

Администратор сцены помахал ей рукой, она подошла, и он дал ей упаковку розовых затычек для ушей.

— Возьми, их носят даже музыканты. Все услышишь, но сохранишь барабанные перепонки.

Флер засунула их в уши в тот момент, когда погас свет. Крики превратились в сплошную шумовую стену, а голос из громкоговорителя взревел:

— Уважаемые дамы и господа! Американская группа «Неон Линкс» начинает свои гастроли!

Крики переросли в восторженные вопли, четыре прожектора ударили по сцене, словно вспышки взорвавшихся бомб. Раздался оглушительный шум, лучи света скрестились, и «Неон Линкс» выбежали на сцену. Толпа завыла. Барри подпрыгнул, волосы разлетелись. Он поддал бедрами вперед, и красная звезда вспыхнула огнем. Фрэнк Ляпорт подкинул барабанные палочки, они перевернулись в воздухе, и он поймал их. Саймон Кэйл ударил по клавишам. Флер видела, как девчонке лет двенадцати-тринадцати, за баррикадой, стало плохо. Толпа напирала, не обращая внимания на слабонервных.

Барри Ной давал толпе то, за что она заплатила. Музыка хрипела, утробная и нагло-сексуальная. Когда песня кончилась, новая волна накатилась на баррикады; Флер заметила, как занервничали охранники. Лучи света поголубели, потом покраснели, они как мечи перекрестились над сценой, и группа перешла к следующему номеру.

Она боялась, что кто-нибудь погибнет. Один из «родстеров» подошел к ней, и она спросила его: неужели концерты всегда проходят так?

— Нет, — ответил он. — Мы и не к такому привыкли в Штатах. Сегодня толпа полудохлая.

После шоу она стояла со Стю в подземном гараже, запруженном венской полицией, и считала лимузины. Группа вышла из дверей, все пятеро совершенно мокрые от пота; Барри схватил её за руку:

— Надо поговорить.

Когда он потянул её к первому лимузину, она запротестовала, потом увидела, как Стю смотрит на нее, и вспомнила правило номер один: члены группы должны быть всегда довольны. Это значит, надо перво-наперво ублажать Барри Ноя. Может, это было бы не так плохо, окажись он не столь странноватым парнем.

Она влезла в лимузин, он потянул ее на сиденье рядом с собой. В дверях возникла тень, загремели цепи, когда Саймон Кэйл забрался к ним. Вспомнив, как он крутил на сцене мачете, Флер нервно посмотрела в его сторону. Он закурил маленькую сигару и уставился в окно.

Лимузин выкатился из гаража; полиция с трудом сдерживала орущих поклонников. Вдруг молоденькая девчонка прорвалась через цепь охранников и кинулась прямо к лимузину. Стаскивая с себя рубашку, она обнажила подростковые груди. Полицейский поймал ее, прежде чем она успела добежать до машины, но Барри не обратил на происшедшее никакого внимания.

— Как я сегодня, а? — спросил он, открывая банку пива, которую принес с собой.

— Великолепно, Барри, — ответила Флер со всей искренностью, которую могла изобразить. — Просто здорово.

— А тебе не кажется, что я был не совсем? Эта чертова толпа сегодня какая-то затраханная.

— Не-а.

— Да, наверное, ты права. — Он отпил пива, потом сжал банку в кулаке. — Я хотел, чтобы Кисси была здесь. Она не приедет ко мне в Европу, ты понимаешь это? Видишь, какая она ненормальная?

— Да, это о многом говорит, Барри.

С другого сиденья до нее донеслось что-то вроде хмыканья.

— А чем Кисси занимается? — быстро спросила она.

— Говорит, что она актриса. Но я никогда ее не видел ни по телевизору, ни где-то еще. Черт, снова на меня накатывается эта депресуха.

Вот уж совсем не ко времени, подумала Флер.

— Ну тогда все ясно. Актриса, которая пытается найти работу, не может уехать из города в любой момент. Иначе она упустит шанс.

— Да, ты права. Я тебе сочувствую, я извиняю твою венерическую болезнь и все остальное.

Впервые Саймон Кэйл посмотрел на нее, и ей показалось, в его взгляде блеснул интерес.

Даже после всего увиденного сегодня она не была готова к столпотворению в вестибюле отеля. Хотя было твердо приказано не давать никому никакой информации, вестибюль был полон женщин. Когда группа пробиралась к усиленно охраняемым лифтам, она увидела, как Питер Забель выхватил из толпы какую-то здоровенную рыжую девку, а Фрэнк Ляпорт, оглядев веснушчатую блондинку, поманил ее и жующую жвачку подружку. Лишь Саймон Кэйл спокойно прошел мимо толпы поклонниц.

— Я просто не верю своим глазам, — пробормотала она шепотом.

Но Стю услышал.

— Да. Одна надежда, что они не говорят по-английски. Можно будет хотя бы не разговаривать.

Флер посмотрела на него.

— Ничего более отвратительного я в жизни не слышала.

— Это мир рок-н-ролла, детка. Эти ребята — короли, пока они на вершине. — Он обнял одну женщину и направился к лифтам. Прежде чем двери закрылись, он крикнул: — Держись поближе к Барри, он признался мне, что ты ему нравишься. Проверь одну из девиц, что пошли с Фрэнком. Не слишком ли молоденькая, мне не нужны проблемы с полицией. А потом сядь на телефон и выясни, сможет ли эта чертова Кисси встретиться с нами завтра в Мюнхене. Скажи ей, что я заплачу двести пятьдесят за неделю.

— Эй, это же на полсотни больше, чем мне.

— Так ты одноразового пользования, детка.

Двери лифта задвинулись.

Флер оперлась о колонну. Мир рок-н-ролла... Уже час ночи, она без сил, и если сейчас не пойдет и не ляжет, то заснет стоя. Она собиралась забыть о Фрэнке и о его девках — они наверняка стоят друг друга. Она хотела забыть о Барри и его глупой Кисси, взять и пойти спать. Утром она скажет Паркеру, что он был прав. Это работа не для нее.

Она поднялась на этаж, где располагались апартаменты Фрэнка Ляпорта.

Две девицы, которые были с ним, уже уходили, поэтому она как можно вежливее пожелала им «спокойной ночи». Потом Флер поднялась на другой этаж, где были комнаты Барри. Она с трудом переставляла ноги, шагая по коридору и мечтая о своей уютной комнате. Чистые простыни, тепло, вода...

Охранник впустил ее, и она с облегчением увидела, что по крайней мере здесь все одеты. Три девицы, из которых ни одна не казалась особенно осчастливленной, играли в карты. Барри растянулся на диване и смотрел телевизор. Лицо его осветилось улыбкой, когда он увидел ее.

— Привет, Флер. Я только что собирался звонить тебе в комнату. Я уже думал, что ты забыла. — Он схватил с кофейного столика бумажник и, порывшись в нем, вынул листок и сунул ей. — Вот номер Кисси. Может, позвонишь ей от себя? Мне надо поспать. Уведи двух проституток, когда будешь уходить.

Она стиснула зубы.

— Двух конкретных или любых?

— Да не знаю. Тех, которые говорят по-английски.

Через пятнадцать минут Флер наконец оказалась в своей уютной маленькой комнате. Она разделась, бросила страстный взгляд на кровать, но сняла телефонную трубку. Ожидая ответа, она смотрела на клочок бумаги в руке. Кристи. Кисси Сью Кристи. О Боже!

После пятого гудка ответил сердитый голос с южным акцентом:

— Барри, клянусь Богом...

— Это не Барри, — быстро перебила Флер. — Мисс Кристи?

— Да.

— Это Флер. Новая секретарша «Неон Линкс».

— Это Барри просил позвонить мне?

— В общем...

— Не важно. Просто передай ему. — И ласковым голосом, с акцентом многих поколений, предшествовавших появлению на свет леди Кисси Сью Кристи, она выпалила без запинки целый список указаний для Барри Ноя, не забыв упомянуть все его анатомические особенности. Контраст между голосом и словами был настолько разительным, что едва Кисси договорила, как Флер расхохоталась. — Я тебя позабавила? — холодно спросил голос.

— Да. Ой, прости, просто ужасно поздно, я с трудом держу глаза открытыми. Если честно, ты высказала мои собственные мысли. Мужчины — это...

— ...дерьмо, — закончила Кисси Сью.

Флер снова стало смешно. Кисси поддержала ее на другом конце провода. Когда обе успокоились, Флер извинилась за звонок.

— Все в порядке, — сказала Кисси. — А сколько Стю предлагает на этот раз? В последних гастролях он обещал две сотни баксов в неделю.

— Сейчас двести пятьдесят.

— Не шути. Черт, я бы очень хотела поехать в Европу, и у меня скоро отпуск. Единственное, что я видела кроме Южной Каролины, — это Нью-Йорк и Атлантик-Сити. Но скажу откровенно, Флер, я скорее вообще покончу с мужиками, чем снова улягусь в постель с Барри Ноем.

Флер с минуту подумала, потом села на кровать.

— Ты знаешь, Кисси, есть один способ. — Она объяснила свою мысль, они обсудили ее, и Флер, усталая, но довольная, повесила трубку.

Наутро, в половине седьмого, ее разбудил телефонный звонок. Положив трубку, она ждала, что обычная тяжесть придавит ее. Но ничего подобного. Она чувствовала... А правда, как она себя чувствовала? Она ведь спала меньше пяти часов и должна была испытывать усталость. Но нет. Она хорошо отдохнула. Не ворочалась в кровати, не металась. Ни сердцебиения, ни снов о людях из прежней жизни. Она чувствовала...

Удовлетворенность.

Опершись о подушки, она еще раз все обдумала. Работа у нее ужасная. Люди кошмарные. Испорченные, грубые, совершенно бесчувственные и аморальные. Но несмотря на все это, она пережила первый день и хорошо справилась с работой почти в невероятных обстоятельствах. Даже лучше, чем просто хорошо. Она сделала великое дело. Ей ничего не поручили такого, чего она не смогла бы выполнить. Включая Барри Ноя. Она еще покажет Паркеру Дэйтону! Но Флер остановила себя. Черт! Да плевать ей на Паркера

Дэйтона. Плевать ей на мнение о ней Алексея, Белинды или кого-то еще. Единственное, кому она должна что-то доказать, — это самой себе.

Приезд группы в Мюнхен был шумным и суматошным, как она и думала. Стю кричал на нее, не закрывая рта. На этот раз она тоже завопила в ответ, и он надулся. Стю, видите ли, не предполагал, что она станет кипятиться из-за его тона. Следующие два вечера были повторением концерта в Вене. С девицами, чуть не падавшими в обморок за баррикадами, с толпой проституток в вестибюле отеля. Перед последним концертом Флер послала лимузин в аэропорт забрать долгожданную мисс Кристи, но, к ее разочарованию, машина вернулась пустой. Флер объяснила Барри, что, должно быть, задержался самолет, и следующие два часа пыталась вызнать, куда подевалась Кисси. Когда Стю узнал о происшествии, он завопил и велел Флер самой объясняться с Барри после концерта.

Барри впал в тоску. Флер успокаивала его глупыми обещаниями, они вызывали мало доверия. Она сомневалась, что сможет их выполнить.

Флер потащилась к себе в комнату, по дороге ей встретился Саймон Кэйл. На нем были серые слаксы и черная шелковая рубашка с открытым воротом, на шее болталась всего одна золотая цепочка. Столь скромно одетым Флер его еще не видела. Но она никак не могла избавиться от ощущения, что у него в кармане лежит нож со стреляющим лезвием.

Она уснула в считанные секунды, едва коснувшись головой подушки, но ее разбудил резкий телефонный звонок менеджера отеля. Тот сообщил, что гости жалуются на шум на пятнадцатом этаже, а он не может отыскать герра Каплана, поэтому ее обязанность — прекратить безобразие.

Флер понятия не имела, что ее ждет на пятнадцатом этаже, но она направилась туда. Едва войдя в лифт, она обнаружила герра Каплана в углу без чувств с пустой бутылкой и наполовину сбритыми усами. Полчаса она упрашивала участников попойки подняться на двадцать пятый этаж. Она переступила через Фрэнка Ляпорта, неся телефон в клозет, чтобы позвонить в вестибюль и попросить прислать охранников к лифтам.

Выйдя, она увидела Барри с какими-то женщинами и решила, что может вернуться к себе. А потом поняла, что ей не хочется уходить. Завтра дается день на сборы, и она вправе тоже отвлечься, немного выпить. А уж потом идти спать.

Повозившись с пробкой, Флер налила себе на несколько дюймов шампанского в стакан, а потом Питер позвал ее поговорить, к большому неудовольствию девиц, жаждавших его внимания. Когда Флер принялась за вторую порцию шампанского, она услышала яростный стук в дверь. Со стоном она поставила бокал и пошла.

— Вечеринка окончена! — крикнула она в щель.

— Впустите меня! — Голос был женский и отчаянный.

— Не могу, — ответила Флер. — Правила пожарной безопасности.

— Флер, это ты?

Флер вдруг узнала голос с сильным южным акцентом и открыла дверь.

Кисси Сью Кристи ввалилась в комнату.

Она показалась Флер похожей на мятую сливу. У нее были короткие лакричные кудряшки, рот как яблочная карамель и большие выпученные глаза. Она была в черных кожаных брюках и ярко-розовом топе с оборванной бретелькой. За исключением пышных грудей, все остальное было тонким. Ко всему прочему, она сильно хромала, поскольку один каблук сломался. Но несмотря на хромоту, Кисси Сью Кристи выглядела именно так, как всегда хотелось выглядеть Флер.

Кисси закрыла за собой дверь и осмотрелась.

— Ты Флер Савагар, — сказала она. — Когда мы говорили с тобой по телефону, у меня возникло невозможное чувство, что это ты, хотя я понятия не имела, как твоя фамилия. — Она повернулась и проверила замок на двери. — Я убегаю от пилота «Люфтганзы». Я появилась бы раньше, но совершенно неожиданно задержалась. — Она обвела взглядом обитателей комнаты. — Ну скажи, какая я везучая? Я не вижу здесь Барри.

Флер улыбнулась.

— Да. Везучая.

— Я думаю, было бы слишком надеяться, что его украли или еще что-то в этом духе.

Флер ухмыльнулась, потом покачала головой:

— Никому из нас не может так повезти. — Она вдруг вспомнила про свои обязанности. — А где твои вещи? Я позвоню и скажу, чтобы их доставили в твою комнату.

— Ну в общем-то, — сказала Кисси, — моя комната уже занята.

На лице Флер отразилось любопытство. Кисси подтянула розовый топик и сказала:

— Мы можем где-нибудь поговорить с тобой? Ты же не думаешь, что я откажусь выпить?

Флер прихватила бутылку шампанского, два бокала и Кисси. У нее возникло острое желание засунуть ее к себе в карман.

Свободной оказалась только ванная. Они заперлись и сели на пол. Пока Флер наливала шампанское, Кисси скинула туфли.

— Честно говоря, я совершила ошибку, позволив ему проводить меня в номер.

Флер осенило.

— Ты про пилота «Люфтганзы»?

Кисси кивнула.

— Все началось как легкий флирт, потом вышло из-под контроля. — Кисси отпила шампанского и облизала кончиком языка верхнюю губу. — Я знаю, тебе покажется странным, но у меня сильное чувство, что мы с тобой сблизимся. Признаюсь с самого начала: у меня есть одна небольшая проблема. Я неразборчива.

Признание Кисси предвещало интересный разговор, и Флер села поудобнее, привалившись к стенке ванны.

— И насколько проблема небольшая?

— Да как посмотреть. — Кисси подвернула под себя ногу и привалилась спиной к двери. — Флер, ты любишь красивых мужиков?

Флер добавила вина в бокал и задумалась.

— Да сейчас мне как-то не до мужчин. Я к ним равнодушна. Ты понимаешь, о чем я.

Глаза Кисси, и без того выпученные, полезли из орбит.

— Боже мой, нет, извини!

Флер захихикала. То ли от шампанского, то ли от присутствия Кисси, то ли от того, что было очень поздно, но внезапно она почувствовала, что сыта по горло трагедиями своей жизни и так хорошо посмеяться. Она заметила, что бокал Кисси пуст, и тут же наполнила его.

— Иногда мне кажется, что чертовы красавчики поломают мне жизнь, — мрачно проговорила Кисси. — Я твержу себе: надо кое-что изменить, но... Поднимаю глаза, а перед ними кусок шикарного мужского тела. С мощными плечами, с узкими аккуратными бедрами. И не могу пройти мимо.

— Как с «Люфтганзой»?

Кисси причмокнула.

— У него такая ямочка. Прямо вот здесь. — Она ткнула пальцем чуть ниже середины щеки. — Она что-то со мной сделала, хотя всего остального не так уж много. Понимаешь, в чем мои трудности, Флер? Я всегда найду что-нибудь такое. Но это мне дорого обходится.

— Ты о чем?

— Ну, например, карнавал.

— Карнавал?

— Ага. «Мисс Америка». Мама и папа с пеленок готовили меня к поездке в Атлантик-Сити.

— А ты не поехала.

— Да нет, поехала. Я завоевала звание «Мисс Южная Каролина» без всяких проблем. Но вечером, накануне карнавала «Мисс Америка», я допустила неосторожность.

— Красавчик? — предположила Флер.

— Два. И оба судьи. Ну, не в одно и то же время, конечно. Один — сенатор Соединенных Штатов. А другой — защитник команды «Далласских ковбоев». — Она прикрыла глаза, вспоминая. — И, мой Бог, Флер...

— Тебя застукали?

— Прямо на месте преступления. И скажу тебе, Флер, до сих пор я не могу успокоиться. Меня, конечно, вышвырнули, а они оба остались. Разве это справедливо? Чтобы такие мужики были судьями на самом величайшем карнавале красоты в мире?

Флер это тоже показалось совершенно несправедливым.

— Потом по дороге в Чарльстон я встретила водителя грузовика, похожего на Джона Траволту. Он подбросил меня до Нью-Йорка, нашел пристанище, где меня точно никто не изувечит, и я нанялась на работу в художественную галерею. Я живу в ожидании своего великого шанса. Должна сказать, что-то этот шанс медлит. Наверное, заблудился где-нибудь. — Кисси отпила из бокала и продолжила: — Я ведь исключительный талант. Кроме всего прочего, я родилась, чтобы играть Теннесси Уильямса. Иногда я думаю, он писал своих сумасшедших теток именно для меня.

— Тогда в чем дело?

— Да в том, чтобы добиться пробы, перво-наперво. Режиссеры только взглянут на меня и сразу заявляют, что я не тот типаж. Слишком маленькая, а сиськи чересчур большие, и что я выгляжу вульгарно. Знаешь, как раздражает? Красивая женщина вроде тебя, Флер, с ногами, скулами и со всем прочим, даже представить себе не может, каково это.

Флер чуть не задохнулась.

— Ты самая потрясающая красотка, каких я встречала в жизни. Я всегда хотела быть маленькой и хорошенькой, как ты.

Они обе расхохотались. Потом Флер заметила, что бутылка опустела, и пошла за новой. Когда она вернулась, в ванной никого не было.

— Кисси!

— Он уже ушел? — спросила Кисси из-за занавески.

— Кто?

Кисси вылезла.

— Ну тот, кто сидел на унитазе. Я думаю, это был Фрэнк. Он в общем-то большая свинья, как мне показалось.

Они уселись на прежние места. Кисси заправила кудряшки за ухо, потом задумчиво посмотрела на Флер.

— Ты уже готова поговорить? — спросила она.

— О чем?

— Слушай, я не слепая и вижу перед собой женщину, которая была самой известной моделью в мире. И многообещающей актрисой. Которая исчезла с лица земли после очень интересных слухов насчет ее связи с потрясающим красавцем. Я же не совсем тупая, Флер.

— Я так о тебе и не думала.

— Ну?

— Что «ну»?

— Ну мы друзья или нет? Я тебе рассказала про самое интересное из своей жизни, а ты мне до сих пор ничего.

— Так мы только что встретились, Кисси. — Едва Флер это произнесла, как сразу поняла, что напрасно обидела девушку.

Глаза Кисси наполнились слезами.

— Разве у нас не дружба с первого взгляда? Неужели ты еще не поняла? Должно же быть доверие? — Она резко вытерла слезы, взяла шампанское и отпила прямо из бутылки. Потом посмотрела Флер в глаза и протянула бутылку ей.

Флер подумала обо всех своих секретах, которые держала взаперти так долго, и вдруг ей показалось, что она посмотрела на последние три года в широкоугольный объектив. Она увидела жалость к себе, попытки убежать от самой себя и невероятное одиночество. Кисси предлагала ей выход. Конечно, есть риск, а она уже давно не позволяла себе рисковать.

Флер медленно потянулась за бутылкой, потом сделала большой глоток.

— В общем-то это сложная история, — наконец проговорила Флер. — Она началась еще до моего рождения...

Почти два часа рассказывала Флер. Им пришлось перейти к ней в номер, потому что желавшие попасть в туалет нетерпеливо стучали в дверь.

Кисси свернулась на одной из огромных двуспальных кроватей, Флер села в изголовье другой, прижимая к груди бутылку шампанского, помогавшую снова пережить прошлое. Кисси иногда прерывала односложной оценкой упоминаемых в рассказе людей, но Флер оставалась почти беспристрастной. Шампанское определенно помогает, если хочешь вывалить все, что накопилось в душе.

— Кошмарная история! — воскликнула Кисси, когда Флер наконец закончила. — Не знаю, как только ты не рассыпалась на куски, рассказывая это.

— Я выплакалась, Кисси. Знаешь, если долго живешь с чем-то трагическим, оно со временем становится обыденным.

— Как «Царь Эдип»! — воскликнула Кисси. — Я участвовала в хоре, когда мы играли эту пьесу в колледже.

Флер кивнула:

— Тогда ты понимаешь, что я имею в виду.

Кисси перевернулась на спину.

— Вот где ключ ко всему.

— Как ты вычислила?

— Дай мне характеристику трагического героя.

Флер минуту подумала, но шампанское мешало сосредоточиться.

— Ну, это человек, достигший высот и падающий вниз из-за высокомерия или такого греха, как гордыня. Он все теряет, достигает катарсиса, очищение происходит через его страдания.

— Или ее страдания, — вдруг подчеркнуто сказала Кисси.

— Моего?

— А разве нет? Ты была на самом верху жизни и явно пала вниз.

— Какой же у меня грех?

— Плохие родители.

Поздним утром, когда девушки приняли душ и аспирин, выпили кофе в номере, в дверь постучали. Кисси открыла и громко вскрикнула. Флер посмотрела поверх головы подруги и увидела Саймона Кэйла. Кисси кинулась к нему в объятия.

Они втроем завтракали во вращающемся обеденном зале на вершине Олимпийской башни Мюнхена, откуда можно было увидеть Альпы, что в шестидесяти милях от города. Флер услышала историю давней дружбы Кисси и Саймона. Их познакомил вскоре после появления Кисси в Нью-Йорке их общий друг, один из одноклассников Саймона, они вместе учились в Джуллиарде. Саймон Кэйл, как выяснила Флер, был таким же грозным, как Санта-Клаус.

Он смеялся, осторожно вытирая уголок рта салфеткой.

— Ты бы видела Флер, когда она отшивала нашего короля Барри страшным рассказом о венерической болезни, — говорил он Кисси. — Она была великолепна.

— Ты ей не помогал, правда? — Кисси толкнула его далеко не нежно. — Насколько я тебя знаю, ты посмотрел на нее этим своим взглядом: «Я ем белых девочек на завтрак. Чтобы позабавиться».

Саймон, казалось, обиделся.

— Я не ем белых девочек на завтрак уже несколько лет, Кисси. Как ты можешь подумать такое?

— Саймон — гомик, — сообщила Кисси подруге. Потом громким шепотом добавила: — Не знаю как тебе, Флеринда, но для меня «голубые» — это личное оскорбление.

К концу завтрака Флер понравился Саймон Кэйл. Под циничным обликом скрывался добрый, милый человек. Она наблюдала за его приятными манерами, аккуратными жестами, и ей казалось, что он чувствовал бы себя уютнее в теле девяностофунтового слабого существа. Видимо, поэтому он ей и нравился. Они оба жили в теле, в котором не ощущали себя дома.

Когда они вернулись в отель, Саймон пошел звонить, а Кисси и Флер отправились в номер Барри. Казалось, там все было более-менее в порядке после вечеринки. Обитатель номера нервно расхаживал по ковру. Он так обрадовался Кисси, что едва слушал захватывающую дух ложь о причине опоздания. Только через несколько минут он заметил Флер и, указывая взглядом на спальню, дал понять, что ее присутствие нежелательно. Флер притворилась, будто не замечает.

Кисси наклонилась к нему и что-то зашептала на ухо. Он слушал, и на лице его появлялся ужас. Закончив, Кисси опустила глаза в пол, как нашкодивший ребенок.

Барри посмотрел на Флер. Потом на Кисси. Потом снова на Флер.

— Это что такое?! — завопил он. — Эпидемия?!

Две недели отпуска, которые Кисси взяла в галерее, кончились. Они с Флер со слезами попрощались в Хитроу. Флер обещала позвонить в тот же вечер за счет Паркера Дэйтона. Она вернулась в отель в подавленном состоянии впервые после начала работы. Она скучала по юмору Кисси и ее легкому взгляду на жизнь.

Через несколько дней она затосковала по ней еще сильнее. В этот самый момент ей позвонил Паркер и предложил работать у него в Нью-Йорке за двойную плату. В панике, ошарашенная, Флер повесила трубку и набрала номер Кисси в галерее.

— Но я не понимаю, чему ты удивляешься, Флер? Ты разговариваешь с ним по телефону два-три раза в день, он оценил твою работу, как и все остальные, кстати. Он, может, и дерьмо, но не дурак.

— Я... я еще не готова вернуться в Нью-Йорк, Кисси. Слишком быстро.

Кисси, находясь на расстоянии в три тысячи миль, хмыкнула. Этот звук донесся по проложенному на дне океана кабелю до Флер.

— Надеюсь, ты не начнешь снова скулить, а? Жалость к себе убивает твои сексуальные порывы.

— Их не существует.

— Слушай! Ну что я тебе говорила?

Флер крутила провод в руке.

— Кисси, все не так просто.

— Будешь это твердить, снова окажешься там, откуда выбралась месяц назад. Кончай жить как страус, Флеринда. Пора вернуться в реальный мир.

Кисси легко говорить, подумала Флер. На самом деле все гораздо сложнее. Сколько она продержится в Нью-Йорке неузнанной? А если работа с Паркером не пойдет? Что тогда? В животе заурчало, она вспомнила, что со вчерашнего вечера ничего не ела. Кстати, еще одна перемена в ее жизни. Джинсы болтались на талии, а волосы отросли ниже ушей. Она становилась другой.

Флер положила трубку, подошла к окну, раздвинула занавеси, посмотрела на мокрую улицу. Ловко увертываясь от такси, бежал человек в спортивном костюме. Флер вспомнила, как и она с удовольствием бегала, невзирая на погоду. Самая храбрая, самая быстрая, самая сильная... Сейчас, наверное, ей не одолеть и один городской квартал, не останавливаясь, чтобы перевести дыхание.

— Эй, Флер, не видела Кэйла?

Фрэнк, в девять утра уже с банкой «Будвейзера» в руке, окликнул ее. Флер схватила парку и пронеслась мимо, не отвечая, выскочила в коридор, запрыгнула в лифт и через хорошо одетую толпу бизнесменов прорвалась в вестибюль.

Лил дождь, холодный, как и положено в январе. Когда она добежала до угла, вода уже стекала с волос на шею. Флер пересекла улицу; ноги хлюпали в мокрых кроссовках. Это были старые дешевые кроссовки с лохматыми шнурками, над большими пальцами пробились дырки. В кроссовках не было ни подушечек, ни толстой упругой стельки.

На другой стороне улицы она вынула руки из карманов и посмотрела вверх на серое стальное небо. Потом вперед, вдоль длинного квартала, простиравшегося перед ней. Один квартал.

И она побежала.

Глава 22

Флер взяла такси от аэропорта до квартиры Кисси в Гринич-Виллидж, которая располагалась над итальянским рестораном. Ее бывшая соседка несколько месяцев назад съехала, и она искала «кого-нибудь, чье присутствие она могла бы выносить», чтобы платить пополам. Они обе восприняли как само собой разумеющееся, что Флер и будет этим человеком. По крайней мере на какое-то время.

Кисси эта квартира досталась после старого друга. Интерьер был похож на хозяйку. Леденцовые краски, коллекция плюшевых мишек, постер Тома Селлека, наклеенный на дверь ванной. Когда Кисси показывала, как действует самодельный душ, взгляд Флер привлек отпечаток ярко-розовых губ на постере.

— Кисси Сью Кристи, это твоя помада на Томе Селлеке?

— А что?

Флер поцокала языком.

— Хотя бы постаралась прицелиться в рот, ты, магнолия в цвету.

Паркер дал ей неделю на устройство, и Флер решила возобновить знакомство с Нью-Йорком. Было начало февраля, самое худшее время для города, но все равно он казался ей красивым. Наконец она почувствовала, что вернулась домой. Каждое утро Флер бегала и одолевала уже несколько кварталов, прежде чем переходила на шаг и восстанавливала дыхание. С каждым днем сил прибавлялось. Иногда она бывала в тех местах, где они гуляли с Белиндой. Она ощущала острый горько-сладкий укол боли, скучая по матери. Не раз за последние три с половиной года Белинда пыталась связаться с ней. Конечно, это радовало Флер, но она считала эти попытки лицемерными, как и ее фальшивую удушающую любовь.

Ее злила собственная слабость при мысли о Белинде. В новой жизни нет места для подобных сантиментов. Флер собиралась сама делать карьеру, строить независимое будущее, она не потащит в него грязное белье из прошлого. Она не будет никого просить о любви. Она не будет больше метаться в постели по ночам и думать о Джейке. Она станет целеустремленной и безжалостной, какой должна быть, чтобы двигаться вперед.

Флер заставила себя сесть и два дня смотреть фильмы с Эрролом Флинном, пытаясь хоть что-то почувствовать к фанфарону на экране. Но Флинн ничего не значил для нее. Алексей Савагар, какой бы сволочью он ни был, навсегда останется ее отцом.

За день до начала работы она вернулась домой и обнаружила, что Кисси выбросила всю ее одежду.

— Ты больше не наденешь эти отвратительные тряпки, Флер Савагар. Ты похожа в них на нищенку.

— Черт побери, Кисси! Ты не имела права!

Но Флер не могла долго злиться на свою соседку и купила новые джинсы, больше подходившие ее постройневшей фигуре, мексиканскую крестьянскую рубаху, студенческий спортивный свитер, несколько свитеров с высоким воротником и бледно-голубую тунику на случай, если надо будет произвести на кого-то впечатление. Кисси ничего не сказала о новом гардеробе Флер, но рядом с холодильником оставила номер журнала «Платье для успеха». Флер даже не обратила на него внимания.

Очень скоро Флер поняла, что Паркер за щедрую зарплату требует попотеть как следует. Она работала день и ночь, иногда прихватывая выходные. Она посетила канареечное жилище Барри Ноя среди холмов Соммерсета, успокаивая его по поводу потери Кисси. Она писала пресс-релизы, изучала контракты, отвечала на бесконечные телефонные звонки, худела и отражала предложения

Паркера встретиться с кем-то из его друзей в Голливуде, которые могли бы дать ей роль. Постепенно ее обязанности расширились настолько, что она сама стала заниматься клиентами Паркера. Она узнала, кто такие продюсеры грамзаписи, она была в курсе всего, что происходило на телевидении. От нее зависели очень многие, и Флер всегда четко выполняла свои обязательства. Скоро клиенты стали искать ее, именно *ее*. К лету она поняла, что по-настоящему влюбилась в бизнес, который занимается производством звезд.

— Знаешь, как здорово дергать за ниточки людей, вместо того чтобы дергали тебя, — призналась она Кисси.

Они сидели на скамейке в парке и ели мороженое из рожков, которое таяло от жары и капало. Это было одно из любимых мест, здесь они наблюдали за другими. Кого только нет в парке! Туристы, хиппи, черные подростки со стереомагнитофонами на плече. За шесть месяцев в Нью-Йорке Флер стала совсем другой. Волосы отросли ниже подбородка и были прежнего здорового цвета, золотистого на солнце. Флер загорела и похудела. Голубые шортики снова стали велики.

Кисси подняла глаза от мороженого и хмуро посмотрела на мешковатый наряд подруги. Флер все еще отождествляла красивую одежду с Блестящей Девочкой. У нее не было ни одного нарядного платья или брюк, кроме простых, обыкновенных, и никакие уговоры и критические выпады не могли ее поколебать. Кисси ждала, когда наступит день и Флер вынуждена будет понять, что борьба с собой обречена на провал. Но несмотря на одежду и волосы, которые пока не достигли прежней длины, по мнению Кисси, Блестящая Девочка не шла ни в какое сравнение с новой Флер Савагар. Годы придали ее лицу зрелости, чего не было раньше, и внутренней силы, являвшейся сутью ее классической красоты.

Нельзя сказать, чтобы Флер не была согласна или совсем ничего не замечала. Уже полгода Кисси наблюдала, как подруга избегает смотреться в зеркало. Шесть секунд, чтобы подкрасить губы и несколько раз провести щеткой по волосам. Она была чемпионом мира по умению игнорировать собственное отражение. Она будто боялась, что если осознает свою красоту, то Блестящая Девочка вернется и разрушит все, что сумела создать Флер Савагар.

— Ты ведь действительно любишь свою работу, не так ли, Флеринда? — спросила Кисси, слизывая малиновые капли мороженого и поправляя на волосах красную пластиковую заколку в виде алых губок.

— Мне иногда страшно, что я так сильно ее люблю. Меня не тяготит даже возня с этим павлином, Барри Ноем. Мне нравится закручивать дела, решать сложные проблемы. Кажется, что, когда мне что-то удается сделать, кто-нибудь из наших монахинь ставит крестик напротив моего имени.

— Ну это же совершено безнадежное занятие — стараться быть впереди всех. Ты хоть сама понимаешь?

— Да, понимаю, — согласилась Флер. Она перехватила каплю мороженого, грозившую упасть на шорты, и успела подтянуть ноги, тем самым спасая их от летевшего на них скейтборда.

Один из торговцев наркотиками остановился, прервав их на полуслове, чтобы дать им оценку, но Флер не обратила на него внимания.

— В детстве я думала, что если стану самой лучшей, то меня заберут домой. Это уже вошло в кровь. — Она вздохнула. — Я всегда старалась изо всех сил. Поверь, работать на Паркера в сто раз лучше, чем прятаться во Франции, погрязая в жалости к себе.

— А ты разве не скучаешь по актерской игре?

— Ты же видела «Затмение». И сама понимаешь, мне не грозит награда Академии.

— Ты хорошо смотрелась, — настаивала Кисси.

— Да всего лишь соответствовала. Ты ведь читала отзывы критиков? «Флер Савагар смотрится лучше, чем играет».

— Это мнение одного. Были хорошие оценки.

Флер скорчила гримасу.

— Мне никогда особенно не нравилось играть. Приходится слишком сильно обнажать душу.

Из уважения к Кисси она не упомянула, что бесконечные дубли превращают эту профессию в скучнейшую.

— Но ты была прекрасной моделью. Ты была лучшей, Флеринда.

— Всего лишь удачное сочетание хромосом. Ко мне лично это никогда не имело никакого отношения. Неужели не понимаешь? В тот вечер, когда мы с Алексеем закончили непристойную сцену, он заявил, что я просто симпатичная большая декорация. Сама я ничего не умею.

— Алексей Савагар — самодовольный дурак, если хочешь знать мое мнение.

Флер рассмеялась. Было приятно, хотя и глупо, услышать, как Кисси низвергла Алексея с пьедестала безупречности.

— Но он был прав. Три года я бегала от правды. Конечно, по дороге я получила университетское образование, но больше не собираюсь убегать.

Кисси, казалось, потеряла интерес к мороженому и бросила его в урну.

— Хотела бы я иметь твою энергию.

— Смешно слушать. Никто не способен работать больше тебя. Ты и в галерее, и бегаешь на пробы. По вечерам учишься, репетируешь.

— Репетиции не утомляют, Флеринда.

— Роли придут, Магнолия. Ты знаешь, я со многими говорила о тебе.

— Знаю. Спасибо. Но пора посмотреть правде в глаза. Режиссеры не дадут мне прочитать ничего, кроме ролей комических секс-бомб. А я совершенно ужасна в таких ролях. Я ведь серьезная актриса, Флер.

— Я знаю. Да, дорогая. — Флер пыталась говорить искренне и с сочувствием, но, глядя на Кисси с надутыми губками, огромными грудями и малиновым мороженым на подбородке, она невольно думала, что подруга просто создана для комических сексапильных ролей.

Кисси засунула руки в кармашки очень коротких розовых шортиков.

— Мне повысили зарплату, — хмуро сообщила она, словно объявляя о своей смертельной болезни.

Глаза ее скользнули по молодому человеку приятной наружности, прошедшему мимо. Она бессознательно проследила за ним взглядом, но Флер показалось, что сердце подруги осталось спокойным.

— Я собираюсь на время бросить актерство. Слишком много отказов, я сыта ими по горло. У меня хорошая работа в галерее, мне надо время зализать раны.

Флер наморщила лоб. Ей не понравилось заявление Кисси. Но любые слова успокоения сейчас прозвучали бы лицемерно. Она слишком хорошо понимала чувства подруги.

— Слушай, — сказала она, — я куплю тебе гамбургер, и если мы поторопимся, то успеем к началу сериала по телевизору. А потом будем собираться на свидание.

— Хорошая мысль. Который это уже раз?

— Пятый или шестой. Я сбилась со счета.

— Ты никому не говорила? Нет, Флеринда?

— Ты что, сумасшедшая? Ты думаешь, я хочу раструбить про это на весь мир?

Когда девушки выходили из парка, взгляды десятков пар мужских глаз провожали их.

Сегодня Флер предстояло свидание с Максом Шоу, молодым актером. Оказывается, поняла она, удобнее всего встречаться с незанятыми актерами. Они полностью поглощены собой и не пристают с вопросами. Голливудский красавчик Макс оказался приятным парнем, именно его она выбрала, чтобы положить конец долгому воздержанию. Это должно было случиться сегодня.

Мысль о сексуальной близости была отвратительна Флер так долго, что она удивилась, поймав себя на ней. Физические упражнения укрепили ее мышцы, сожгли лишние фунты веса, и в ней вдруг стали пробуждаться *желания*. Случалось, она думала о сексе даже во время деловой встречи или стоя на мрачной платформе подземки. Влияние Кисси, уверяла себя Флер. Но в конце концов, призналась она себе, ее тело соскучилось по контакту с мужским телом.

Она хотела, чтобы к ней прикасались, чтобы ее гладили, обнимали. Разве это ужасно? Она жаждала прижаться к колючей щеке, к волосатой груди того, кто ругается и пьет мексиканское пиво. Нет, только не мексиканское, больше всего на свете она хотела, чтобы кто-то помог ей забыть о Джейке. Потому что сексуальное влечение заставляло Флер тосковать именно по нему.

Когда Макс Шоу заехал за ней вечером, она была в джинсах и в черном топике за четыре доллара девяносто девять центов, купленном на распродаже в Охрбахе. Они собирались пойти на вечеринку, но Флер сказала, что у нее была трудная неделя и она не прочь оказаться в тихом, спокойном месте. Макс был не дурак и быстро повез ее к себе.

Он был поджарым длинноногим блондином, и единственной его слабостью, как поняла Флер, была страсть к записям старины Мело Торме и постоянным фразам типа: «благодаря моему умению». Она не думала, что это помешает ему быть хорошим любовником. Напротив, она могла бы попросить его поставить Рода Стюарта или Берта Бакараха в качестве аккомпанемента. Когда он налил ей вина, она попыталась разбудить все сексуальные ощущения, которые преследовали ее на платформах, но вместо этого в голову лезло совсем другое: стоит ли сказать о музыке сейчас или оставить на потом, когда понадобится поднять настроение? Внезапно она вспомнила про нижнее белье. Подходящее или нет? Может, надо было выбрать что-то не такое явное, не черное? Он сел рядом с Флер, и она нервно заерзала.

— Правда, Флер, ты меня очень заводишь, — прошептал он, проведя пальцами по ее руке и утыкаясь губами ей в шею.

Она подумала, может, стоит сказать «спасибо»? Потом решила, что нет. О Боже, если бы она только так не нервничала. Куда девалась ее разнузданная похоть, месяцами сводившая с ума?

— С первого раза, как я тебя увидел, мне захотелось с тобой спать, — признался он, а рука его путешествовала по шее, потом вдруг оказалась очень близко от груди, и Флер вздрогнула. — Что-то не так?

— Нет! Я... Поцелуй меня, Макс. — Она взяла его за плечи, но никак не могла сосредоточиться на поцелуе. Вместо этого она думала о положении их губ, о шуме в соседней квартире, о завитке на шее. От него пахло... Интересно, почему мужчины любят одеколон? Ей нравилось, когда от них пахло свежим мылом и чистой рубашкой. Как от Джейка...

Пытаясь отвязаться от этой мысли, она снова решила думать только о поцелуе. Макс застонал, его руки скользнули по бедрам Флер, он притянул ее ближе, и она почувствовала его возбуждение. Совсем скоро ей надо будет открыться ему. Мужчине, которого она едва знала. Заниматься любовью — значит отдаваться. Предлагать что-то очень личное, особенное и святое. Почему она отдает себя мужчине, который ей безразличен?

Она продолжала держаться, позволяя ему трогать себя, раздевать и ласкать, воспользоваться ее телом. Самая быстрая, самая храбрая, самая сильная... Она поставила перед собой цель и шла к ней, несмотря на то что ей понадобилось закусить губу, чтобы не расплакаться. Боже, какой ужасной дешевкой она себя чувствовала, отдаваясь мужчине, которого не любила.

Потом ему хотелось поговорить, но Флер сказала, что у нее рано утром встреча, и быстро оделась. Она видела, как он обиделся, ведь он был внимательным, бескорыстным любовником, а она ничего не дала ему взамен. Когда она вышла из его квартиры, ее трясло. Почему она себя чувствовала так, будто потеряла что-то очень драгоценное?

Утром ее настроение не улучшилось, когда она прочитала в «Дейли ньюс», что бывшая Блестящая Девочка Флер Савагар вернулась в Нью-Йорк и работает в агентстве Паркера Дэйтона.

Она понимала, что ей не удастся вечно оставаться неузнанной, но надеялась, что продержится дольше. Спрятавшись под джинсами и майкой, избегая появляться на главных дорогах, она уверовала в собственную незаметность. За все время был только один звонок из прежней жизни: Гретхен желала узнать, не пришла ли Флер в чувство и не вернулся ли к ней разум.

В офисе Флер нашла кучу телефонных посланий. Она закрыла дверь и остаток утра вежливо отвечала на них. Она всем отказала в интервью, кладя трубку прежде, чем ей успевали задать вопрос. Самые настырные явились лично. Они хотели, чтобы Блестящая Девочка подписывала контракты на рекламу духов, встречалась с известными мужчинами, уточняли слухи насчет ее связи с Джейком Корандой. Но в ответ все слышали только одно:

— Никаких комментариев.

Целую неделю возле офиса крутились репортеры, посланные за прежней девочкой в облаке пушистых светлых волос, но потом все успокоилось.

Флер после опыта с Максом Шоу перестала ходить на свидания. Перед Рождеством Кисси принялась ее упрекать:

— Твой синдром быть впереди всех очень опасный, Флеринда. Ты кончишь тем, что останешься с карьерой, с деньгами, с властью и больше ни с чем. Тебе нужен мужик.

Флер уставилась на нее:

— Это попахивает средневековьем. Очень старомодная мысль. От тебя я впервые такое слышу.

В конце концов Флер стала ходить на свидания с актерами, но это были дружеские встречи. Она поняла, что если сама не увлеклась, то ей не нужен секс. Она еще энергичнее занялась работой.

Месяцы шли за месяцами, и Флер стала чувствовать, что Паркер мешает ей, сдерживает. Но не намеренно. Чем дольше она работала с ним, тем очевиднее становилось, что они почти на все смотрят по-разному. Самым наглядным примером явилась Оливия Крейгтон. В конце пятидесятых она была королевой фильмов второго ряда, играла героинь в рваных платьях, которых спасал Рори Колхаун. Но те дни давно минули, и Паркер и личный менеджер Оливии, Бад Шарп, решили нажить капиталец на ее имени.

— Ну что у вас для меня на этот раз? — устало спросила Оливия, когда Флер представилась по телефону. — Опять коммерческое предложение? О, ну это же слабительное! Я ведь хочу играть.

— Кондоминиумы во Флориде. Они просто жаждут вашего очарования, — вздохнула с тоской Флер.

Ответом было молчание на другом конце провода.

— А что-нибудь получилось с новой пьесой Майка Николса?

— Она не попала в число ведущих, Оливия, и Бад решил, что это не для вас. Мало денег. К сожалению.

Она не стала рассказывать о своем споре с Бадом и Паркером насчет всего этого. Она почти уговорила Паркера, но Бада не сдвинула с места ни на дюйм. В такого рода битве, как поняла Флер, личный менеджер всегда победит агента.

Повесив трубку, она сунула ноги в лодочки, которые сбросила под столом, и направилась к Паркеру.

Она почти полтора года работала на него, но их отношения по-прежнему оставались натянутыми. Она ему нужна, она его лучший сотрудник, но Паркер всегда сам принимал окончательные решения. Кроме всего прочего, она не соглашалась с ним спать. Что задевало его гордость.

Чем дольше Флер работала с ним, тем яснее ей становилось, что́ именно надо было делать по-другому. Паркер слишком концентрировался на «Неон Линкс», это, с ее точки зрения, был близорукий взгляд на бизнес. Последний альбом группы оказался не слишком хорош; Барри обленился, поговаривал о намерении создать свою группу. Флер очень скоро поняла, что рок-группы лопаются быстрее надувных шариков. А Паркер вел себя так, будто «Неон Линкс» вечны. К тому же он не всегда честно работал с клиентами, чего она не могла выносить.

— Паркер, у меня есть идея, я хотела бы ее обговорить с тобой.

Флер села на диван напротив стола, заметив, что на вдавленном лице начальника не отразилось никакого удовольствия.

— Почему бы тебе не изложить это на бумаге, Флер?

— Я это уже делала, но, по-моему, от личной беседы больше пользы.

— Я, знаешь ли, разочарован. Твои прежние предложения — это предложения отличницы из колледжа и годятся только для сортира.

Флер подумала, что сегодня у Паркера плохой день, наверное, поссорился с женой.

— Так что на этот раз? Еще какая-нибудь ерунда насчет компьютеризации? Может, новая система файлов? Или ты будешь мне пудрить мозги про бюллетень для наших клиентов?

— Бюллетень — дело хорошее, Паркер. Я им обязательно займусь. — Флер говорила холодно, спокойно, и Паркер понял, что его слова не задели ее. — Нет, на этот раз нечто более основательное.

Действуя по схеме «мухи — мед — уксус», Флер смягчила тон.

— Что происходит, когда мы ведем переговоры о контракте с нашими крупными клиентами? — Взглянув на лицо Паркера, Флер поняла, что он не собирается отвечать, и продолжила: — Во-первых, мы имеем дело с личным менеджером клиента, потом, после того как наши юристы все изучат, за дело снова принимается личный менеджер, потом он все передает бизнес-менеджеру, а тот — другому юристу. Когда цепочка кончается, тогда агент по рекламе...

— Ты когда-нибудь подойдешь к сути, Флер?

Она встала, подняла руки, изображая в воздухе два столбца диаграммы.

— Здесь клиент, здесь мы. Мы берем десять процентов за то, что находим работу клиенту. *Личный менеджер получает пятнадцать процентов за то, что направляет карьеру клиента. Бизнес-менеджер получает пять за то, что занимается финансами. Юрист — еще пять за изучение документов, напечатанных на бумаге. А пресс-агент имеет две или три тысячи в месяц за публикации. Каждый получает кусок.*

Паркер сказал:

— Любой клиент, достаточно крупный, чтобы иметь такую команду у себя за спиной, не доживает свои дни в нищенском приюте.

— Но сравним твои отношения с «Линкс». Ты и их агент, и личный менеджер. Мы делаем гастрольную рекламу прямо из офиса. Мы не режем пирог на столько частей. Подобрав хороших людей, мы могли бы сами обслуживать твоих лучших клиентов, Паркер, от начала до конца, и претендовать на двадцать процентов комиссионных, то есть на десять больше, чем сейчас. Но на пятнадцать процентов меньше, чем отдает клиент всем этим людям. Мы получаем больше, клиент платит меньше — все счастливы.

— Флер, «Линкс» — другое дело. Я сам нашел золотую жилу и не подпустил к ней никого. Но работать на том уровне, о котором ты говоришь, слишком дорого. Кроме того, большинство клиентов не захочет жесткой централизации, даже если она им обойдется дешевле. При такой системе они могут столкнуться с неправильным ведением дел, не говоря уж о растратах.

— Все так, — согласилась Флер, — поэтому понадобятся регулярные проверки. Но нынешняя система тоже открывает большие возможности для обмана. Слушай, Паркер, ты не хуже меня знаешь, что многие менеджеры пекутся о собственном куске, а не об интересах клиентов. Вспомни, сколько дел лопнуло из-за менеджеров, желавших получить поскорее деньги? Оливия Крейгтон хороший тому пример. Она же терпеть не может коммерческих съемок, но Бад Шарп не даст ей ничего другого. Потому что никто не платит столько, сколько коммерческие структуры. А я думаю, что

Оливия вполне способна сделать что-то толковое. Стало быть, ее менеджер работает ей во вред.

Паркер покосился на часы, но Флер не уходила.

— Если этим правильно заняться, для клиентов будет больше пользы. А мы начнем делать большие деньги. Может, клиентов станет меньше, пятнадцать — двадцать. Но если мы подойдем разборчиво, мы повысим статус агентства Паркера Дэйтона. Мы будем «агентством для избранных». Клиенты начнут ломиться к нам.

— Флер, я еще раз попытаюсь объяснить тебе, и следи за моими губами, если не понимаешь на слух. Я не хочу быть Уильямом Моррисом. Я счастлив тем, как идут дела.

Паркер сказал именно то, чего ждала Флер. Она сама не могла понять, для чего тратила силы, но, вернувшись в кабинет, стала снова прокручивать в голове собственную идею. Да, если бы в девятнадцать лет она подумала о будущем, то не лишилась бы двух миллионов долларов.

Весь день в голове вертелась мысль об «агентстве для избранных». И всю следующую неделю тоже. Она обсматривала ее со всех сторон. Конечно, риск был. Соединить все операции вместе гораздо дороже, чем вести дело по принципу стандартного агентства. Сама суть проекта требовала престижного адреса, офисов, ежемесячной арендной платы за которые хватило бы, чтобы накормить население слаборазвитой страны. Надо нанять больше сотрудников, самых лучших, а стало быть, высокооплачиваемых. Она прикинула, что только для начала нужно сто тысяч. Но чем больше Флер думала об агентстве, тем больше она убеждалась, что разумному человеку это по плечу. К несчастью, этот человек имел на счету в банке только шесть тысяч долларов.

В тот вечер Флер встретилась с Саймоном в индийском ресторане.

— Что бы ты сделал, — спросила она, когда они закончили есть, — если бы ты еще не был ужасно богатым, а тебе была бы нужна ужасная сумма денег?

— Я бы убирал квартиры. Правда-правда, невозможно найти нормального помощника. Я готов выложить кучу денег тому, кто хорошо бы помыл полы. — Он взял из чаши несколько семян сладкого укропа и кинул в рот.

— Я серьезно, Саймон. Как бы ты поступил? Допустим, у тебя в банке только семь тысяч долларов, а тебе надо гора-аздо больше.

— Ну, если мы не отказываемся обсуждать возможность торговать хорошими физическими данными, то я бы сказал, что самый быстрый способ — это снять телефонную трубку и позвонить суке Гретхен Казимир.

— Это не выход, Саймон.

Она, конечно, думала про это, но поняла, что больше не сможет быть моделью. С нее хватит. Саймон, кажется, тоже понял и не стал давить.

— Никакие формы проституции мы не обсуждаем. — Флер одарила его таким взглядом, что Саймон, сдаваясь, поднял руки.

— Я просто исследовал границы дозволенного, детка. Тогда, наверное, лучший способ — попросить в долг у чертовски богатого старого друга, как ты думаешь?

Она улыбнулась.

— Ты бы тоже так сделал, да? Итак, все, что мне надо, — это попросить.

Он вскинул голову и вытянул губы трубочкой.

— Но ты, конечно, этого не сделаешь.

— Конечно, нет. Еще какие идеи?

— Я думаю, остается Питер. Нет ничего лучшего, учитывая все искусственные преграды, которые ты перед собой воздвигла.

— Питер Забель? А как он может помочь?

— Ты что, шутишь, детка? Ты же сама помогала ему звонить на биржи. Питер лучше всех знает, как делать деньги. Он помог мне сколотить состояние в драгоценных металлах и новых акциях. Не верю, что он не делал тебе никаких намеков.

Флер чуть не опрокинула бокал.

— Ты считаешь, его можно воспринимать всерьез?

— Тебе кто-нибудь уже говорил, что ты прекрасно разбира-ешься в людях?

— Но он же идиот!

— Его банкир совершенно бы с тобой не согласился.

Флер позвонила Питеру на следующий же день. И выложила свои проблемы.

— Я собираюсь открыть агентство по работе с группами. Но для этого нужны деньги. Как ты думаешь, могу я начать с шести тысяч?

— Это зависит от того, согласна ты их потерять или нет. Большой навар требует большого риска, Флер. А это значит, тебе надо связаться с торговлей — валютой, топливом, зерном, и так далее. Допустим, сахар подешевеет на пенс за фунт, и ты прогораешь. Очень рискованно. Есть шанс, что ты окажешься в ситуации похуже нынешней.

Она подумала.

— Хорошо. Меня это не волнует. Шесть тысяч долларов сами по себе ничем мне не помогут. Говори, что делать.

Теперь каждую свободную от работы минуту Флер погружалась в книги и брошюры, которые Питер порекомендовал ей. Она читала «Коммерческий журнал» в метро и засыпала с книгой Бэррона под подушкой. По совету Питера в июле она вложила две тысячи в соевые бобы, купила контракт на жидкий пропан и, изучив прогноз погоды, остальное потратила на апельсиновый сок. Во Флориде ударили заморозки, соевые бобы сгнили из-за ливней, но жидкий пропан дал результат. И в итоге она получила семь тысяч. В следующий раз Флер решила разделить всю сумму между медью, твердой пшеницей и еще раз польстилась на соевые бобы.

В апреле Кисси получила хорошую роль Мэгги в «Кошке на раскаленной крыше». Она влетела в спальню Флер и зажгла свет в два часа ночи, желая сообщить замечательную новость.

— Я же решила все бросить, Флеринда, правда. Я действительно так решила. А потом вдруг телефонный звонок от женщины, которая занималась со мной в актерском классе. Она сказала, что у нее есть труппа актеров и чердак в Сохо. Они собираются ставить «Кошку». Она вспомнила сцену, в которой я играла на уроке, и... О Боже, не могу поверить! Я только что со встречи с ней. На следующей неделе начинаются репетиции. Денег, конечно, нет, и это не то, что привлечет важных и влиятельных людей, но по крайней мере это роль! Я снова буду играть!

Начались репетиции. Флер не видела Кисси целыми днями, а когда видела, подруга была замкнута и необщительна. Никакие красавчики больше не появлялись в квартире, Флер даже сделала ей замечание.

— Я коплю сексуальную энергию, — ответила она.

В день премьеры Флер нервничала сильнее Кисси. Она не могла себе представить, как ее маленький пушистый шарик станет играть тяжеловесную роль Мэгги. Вдруг ей не понравится игра Кисси: что она тогда ей скажет? Она убедилась, что Кисси тонко чувствует и соврать ей невозможно.

Грузовой лифт поднял ее на чердак с облезлыми трубами. Самодельная сцена была пуста, на ней стояла одна большая железная кровать. Флер попыталась убедить себя, что кровать именно то, что надо Кисси, а сама села на железный стульчик. Через несколько минут собралось много молодых мужчин в джинсах, похожих на безработных актеров и художников. Флер разочарованно заметила, что нет ни одного режиссера-постановщика, ни агента по набору актеров, хотя она лично обзвонила человек двадцать и пригласила их. Не слишком хороший знак, подумала она мрачно, для того, кто хочет открыть собственное агентство.

— Так вы подруга невесты или жениха? — наклонился к ней мужчина из следующего ряда.

— А... невесты, — ответила она.

— Ага, я так и подумал. Эй, а мне нравятся ваши волосы.

— Спасибо.

Волосы у Флер были ниже плеч, достаточно длинные, чтобы можно было иногда зачесывать их наверх, но это привлекало больше внимания, чем ей хотелось. Флер иногда подумывала, не подрезать ли их, но никак не могла заставить себя.

— А не удастся ли мне их когда-нибудь нарисовать? — спросил он. — Я рисую акриловыми красками, получаются сумасшедшие вещи.

— Не думаю.

Он откинулся назад: вероятно, привык к отказам.

— В общем-то холодный прием.

Пьеса началась. За сценой раздался шум душа. Флер набрала воздуха и стиснула кулаки так сильно, что ногти впились в ладони. Вышла Кисси. Она была в старинном кружевном платье, ее акцент был сильным, как аромат летнего жасмина. Она вылезла из платья, по-кошачьи потянулась, царапая воздух коготками. Мужчина, сидевший рядом с Флер, заерзал на стуле.

Два часа подряд Флер сидела совершенно очарованная, а Кисси расхаживала, шипела, царапалась, сообщая всем о сексуальной неудовлетворенности Мэгги. Ее эротизм был отчаянный, голос дешевый, как тальк из дешевого магазина или секс на заднем сиденье машины. Ничего подобного Флер не доводилось видеть. Все происходящее на сцене шло из самого нутра Кисси Сью Кристи. К тому времени, когда пьеса закончилась, Флер наконец поняла, в чем проблема подруги. Если даже она, Флер, не воспринимает ее серьезной актрисой, как она может убедить режиссеров?

Флер пробилась сквозь толпу, окружившую Кисси.

— Ты была невероятна! Я никогда ничего подобного не видела.

— Знаю, — захохотала Кисси. — А теперь пойдем, и, пока я буду переодеваться, ты расскажешь, какая я была замечательная.

Флер пошла за Кисси в самодельную артистическую уборную, где ее представили другим актрисам. Она поболтала со всеми, а потом села на стул рядом с туалетным столиком Кисси и еще раз повторила, какая она невероятная.

— Все одетые? — спросил мужской голос из-за двери. — Мне надо забрать костюмы.

— Мишель, только я осталась! — крикнула Кисси. — Так что входи. Я кое с кем хочу тебя познакомить. Флер, помнишь, я говорила тебе о замечательном дизайнере, который будет делать одежду для самых красивых? Флер Савагар... Мишель Антон.

Казалось, мир замер, все остановилось, как будто крутили фильм, а проектор сломался. Он был в старомодной лиловой атласной рубашке и в шерстяных свободных брюках на подтяжках. Немногим выше, чем когда она видела его в последний раз. Может быть, сейчас в нем пять футов и шесть дюймов. Блестящие светлые волосы спускались волнами к подбородку. Узкоплечий, узкогрудый, с нежными чертами лица. Она отвела взгляд. Ей было больно видеть этот налет голубизны...

— Привет, Флер.

Он сделал несколько шагов в ее сторону, но не протянул руку. Она отметила утомленную грацию, свидетельство аристократической крови или давних больших денег. Да, он двигался как Алексей.

Прошло несколько минут, прежде чем Кисси уловила что-то непонятное. Она посмотрела на одного, потом на другого.

— Вы знакомы?

Мишель Антон кивнул.

Флер пришла в себя и изобразила приятную улыбку. Ей уже не семнадцать, и она не собиралась перед каждым обнаруживать свои чувства.

— В общем-то Мишель — это мой брат Майкл.

— О Боже! — Взгляд Кисси заметался между ними. — Что мне надо сделать? Заиграть на органе?

Майкл засунул руку в карман брюк.

— А как насчет нескольких нот на чем-нибудь попроще?

Флер не понравилась его враждебность. Это у нее есть право злиться на него.

— Ты знал, что я в Нью-Йорке? — спросила она.

— Знал.

Ей хотелось быть сдержанной, разумной при встрече с ним. Но она не могла. Схватив сумочку, Флер ткнулась носом в щеку Кисси и выбежала из уборной.

Кисси догнала ее почти на улице.

— Флер, подожди. Боже, извини. Я понятия не имела.

— Все в порядке, Кисси. Просто это шок. Вот и все.

— Флер, Мишель действительно... Он действительно замечательный парень.

Флер повернулась к ней.

— И ты считаешь, что я ужасная, да?

— Конечно, нет. Я думаю, вам надо получше узнать друг друга, прежде чем ты вычеркнешь его из своей жизни.

Флер увидела такси и остановила его.

— Иди к своим, Магнолия. Выпей за меня. Я поеду домой спать.

В ту ночь она долго не могла заснуть.

В следующие несколько недель она собиралась забыть о Майкле. Однажды вечером Флер шла по Пятьдесят пятой улице в западной части города и изучала номера над дверями. Было почти семь часов, все магазины были закрыты. Хорошо, иначе ей было бы не пробраться по этой улице.

Она нашла нужный номер, и ей стало ясно, что брат не был слишком удачливым бизнесменом. Хороший адрес, но фасад не производил должного впечатления. Окна слишком малы и плохо освещены. Но в них была выставлена самая красивая одежда, которую Флер когда-либо доводилось видеть.

Кисси сказала, что работы Майкла замечательные, но подруге было свойственно преувеличивать, поэтому Флер не отнеслась серьезно к ее словам. Особенно после того, как Кисси намекнула, что лучше бы Флер подружиться с Майклом. Рассмотрев платья, Флер поняла, что похвалы Кисси были совершенно справедливыми.

Он явно был противником моды, делавшей женщин похожими на мужчин.

В маленькой витрине бутика были выставлены четыре прелестных женственных платья, вызывавших в памяти и картины Ренессанса, и мюзиклы Басби Беркли. Глядя на шелка и джерси, на красиво уложенный крепдешин, Флер пыталась вспомнить, сколько времени она уже не носит платьев и блузок. Она давно не покупала себе ничего, кроме губной помады и тампаксов. Все деньги она вкладывала в рыночные бумаги.

За весной пришло лето, а за летом осень. Кисси примкнула к другой большой труппе, которая, к несчастью, выступала исключительно в Нью-Джерси. Флер отметила свое двадцатипятилетие, уговорила Паркера повысить ей зарплату и вложила деньги в какао.

Она теряла чаще, чем выигрывала, но скоро поняла, что на рынке это нормальное явление. Когда на ее долю выпадали удачи, они приносили много. Питер дал ей хороший совет. Флер быстро училась на собственных ошибках, и ее исходные шесть тысяч скоро превратились в тридцать пять. К сожалению, чем больше денег она делала, тем труднее было расставаться с ними и вкладывать в рискованные предприятия. Но тридцать пять тысяч долларов для нее были так же бесполезны, как и шесть тысяч.

Зима была в разгаре. Флер больше не рассчитывала на Питера и сама принимала решения. Говядина поднялась в цене. Свинина упала. Она увлеклась медью и сделала почти двадцать тысяч долларов за шесть недель. У нее начались боли в желудке, но Флер продолжала, а когда получала деньги, то все до последнего цента бросала на рынок.

Первого июня, через полтора года после того, как Флер начала делать деньги, она оставила работу у Паркера, продала все, что у нее было, и вложила всю сумму в «Чейз Манхэттен» на тридцатидневный депозит. Итак, через восемнадцать месяцев Флер имела девяносто три тысячи долларов, боли в желудке и у нее часто немели кончики пальцев. Она начала подыскивать офис и через три недели подписала контракт на аренду четырехэтажного дома.

Когда она входила в дом, раздался телефонный звонок. Решив, что это Кисси, с которой они планировали встретиться вечером в галерее, а потом вместе поужинать, она кинула сумочку на кресло и сняла трубку.

— Привет.

— Здравствуй, детка.

Услышав ласковый знакомый голос, она сильнее стиснула трубку и заставила себя медленно вздохнуть. Этого голоса она не слышала пять лет.

— Что тебе надо, Алексей?

— И никакого обмена любезностями?

— У тебя минута. Потом я вешаю трубку.

Он тяжело вздохнул.

— Ну хорошо, дорогая. Я звоню тебе, чтобы поздравить с недавней финансовой победой. Довольно отчаянный шаг. Но когда успех в кармане, его никто не оспаривает. Насколько я знаю, ты сегодня подписала контракт на трехлетнюю аренду дома.

Она похолодела.

— Откуда ты знаешь?

— Я говорил тебе раньше, дорогая. Моя обязанность — все знать о людях, о которых я забочусь.

— Ты совершенно не заботишься обо мне, — холодно сказала она. — Не играй со мной ни в какие игры, Алексей.

— Наоборот, я очень забочусь о тебе. Я долго этого ждал, дорогая. Надеюсь, ты меня не разочаруешь.

— Чего ты долго ждал? О чем ты говоришь?

— Охраняй свою мечту, дорогая. Охраняй ее лучше, чем я свою.

Глава 23

Флер уперлась каблуками в перила помоста и наблюдала, как клонится трава от дуновения ветра, как меняется ее цвет. Она радовалась, что приехала сюда. Ей нравился дом из стекла, дранки и солнечных коллекторов, обращенных в сторону пляжа на этом фешенебельном Лонг-Айленде в городке Куок. Кисси долго уговаривала ее провести праздник 4 Июля на побережье, а она отказывалась. Потом из-за жары и от мысли, что это у нее последняя возможность хоть немного отдохнуть, передумала. Ей хотелось выключить маленький проигрыватель, постоянно шуршавший в голове: с него несся голос Алексея. *Охраняй свою мечту.* Тонкое предупреждение. Флер без труда поняла, о чем он. Все эти годы Алексей желал отомстить за свой «роял». Теперь он угрожал ее агентству.

Она вспомнила, как долго ее не отпускало чувство, что он может возникнуть в любой момент и утащить ее обратно в дом на рю де ла Бьенфезанс. Она представляла, как он запрет ее в пристройке со свисающим с потолка парашютом. Она помнила об отвратительной похоти Алексея...

Шел год за годом, ничего не происходило, и Флер перестала беспокоиться. Но после телефонного звонка все в секунду переменилось.

Она старалась отвлечь себя, воображая свой новый дом. Всю последнюю неделю она встречалась с декоратором, который осматривал интерьер дома, где должно было располагаться агентство «Флер Савагар и коллеги, менеджмент для знаменитостей».

Декоратор остался доволен. Передняя часть трех этажей будет служить офисом, решил он, а задняя — жилищем Флер. Немного поспорив, художник согласился следовать ее указаниям и пообещал, что она сможет переехать в середине августа. До этого времени Флер предстояло нанять сотрудников и подписать договоры с клиентами.

Флер подсчитала, что, если не случится ничего непредвиденного и удача повернется к ней лицом, она продержится на плаву до февраля. Но потом, понимала она, придется рассчитывать только на себя: денег, отложенных на черный день, не будет. Она знала: для того чтобы ее бизнес окреп и встал на ноги, нужен год. Но года в запасе у нее нет, поэтому требуется работать с утроенной энергией и не тратить время и силы на беспокойство из-за Алексея. Единственное, что ей надо, — быть постоянно начеку.

Она говорила себе, что ничего не упустит. С тех пор как она изложила Паркеру концепцию «агентства для избранных», Флер знала, что это великая идея. Она решила не ограничиваться музыкантами и актерами. Она займется художниками и писателями, спортсменами: всеми, у кого есть потенциал и кто хочет подняться на самый верх.

У нее уже были три хороших клиента. «Раф Харбор» («Бурная гавань») — группа, созданная Саймоном Кэйлом, когда «Неон Линкс» окончательно выдохлась. Еще Оливия Крейгтон, вырванная из жадных лап Бада Шоу, и Кисси. Конечно, на них долго не продержаться, но у всех троих большие возможности.

Подумав о Кисси, Флер нахмурилась и сдвинула солнечные очки на лоб. Ничего, кроме роли Ирины в студийной постановке «Вишневого сада» на Си-би-эс, Флер не смогла ей найти после «Кошки на раскаленной крыше». Подруга снова перестала ходить на пробы. В последнее время у нее появилось слишком много мужчин, и каждый новый поклонник оказывался мускулистее и глупее предыдущего. Флер винила себя. Кисси нужно показать. А она до сих пор никак не могла это устроить. Не слишком хороший результат для человека, который должен успеть проявить себя до февраля.

Флер вспомнила о хозяине дома, в который они приехали на выходные. Чарли Кинкэннон поддерживал студийную труппу, ставившую «Вишневый сад». И отчаянно надеялся пополнить коллекцию «красавчиков» Кисси. Он был невысокий, очень умный, и Флер сомневалась, что когда-нибудь он станет чьим-то соперником. Жаль, думала она, потому что Чарли, на ее взгляд, гораздо больше подходил Кисси, чем всякие «красавцы мужчины» с мощной мускулатурой, с которыми она имела дело.

Дверь внутреннего дворика открылась у нее за спиной, и Флер обернулась. Вышла подруга, одетая для вечеринки в нечто «конфетное»: полосатое и розово-голубое. Серебряные серьги-сердечки свисали до плеч. Сквозь кудряшки Кисси пропустила ленточку. Розовые босоножки на плоской подошве были отделаны бисером на пальцах. Она показалась Флер похожей на семилетнюю грудастую девочку.

Кисси потягивала кокосовый сок через испачканную помадой соломинку.

— Сейчас восемь, и гости этого, как-его-там-зовут, начинают собираться. Не хочешь переодеться?

Флер критически изучила свои белые шорты, натянутые прямо на купальник. Горчичное пятно на них повторяло очертания штата Айдахо. Конечно, их надо сменить и что-то сделать с волосами, собранными в простой хвост. Но вместо этого она зевнула и потянулась к бокалу Кисси.

— Лучше я пойду в душ. И знаешь, перестань называть Чарльза как-его-там-зовут. Чарли Кинкэннон очень хороший человек.

Кисси сморщила нос.

— Ну и забери его себе.

— Может, и стоит. Он мне нравится. Кисси, он правда мне нравится. Он не ест бананы и не пялится на небоскребы, как другие твои поклонники.

— Очень остроумно, Флеринда. Я дарю его тебе. — Кисси снова потянула напиток. — Он похож на одного знакомого баптистского священника. Тот хотел меня спасти и одновременно боялся, что если спасет, то я перестану распутничать.

— Я не могу этого выносить! — воскликнула Флер. — Если у тебя неодолимая потребность изображать из себя секс-бомбу, делай это на сцене: там ты хоть заработаешь нам денег!

— Ты говоришь как настоящий кровопийца. Из тебя получится великий агент. Между прочим, все незанятые куски мужской плоти, которые тебя увидели, уже жаждут познакомиться.

Флер отмахнулась. Послушать Кисси, так все мужчины в мире хотят Флер Савагар.

Во дворике появились новые гости. Она нехотя поднялась, отряхнула песок с ноги, отпила еще глоток из бокала Кисси и пошла внутрь.

Дом был обставлен, как и положено на Лонг-Айленде: с шиком. На выложенном плитками полу была расставлена японская мебель, ничего не говорившая о личности хозяина. Чарльз сидел на диване, не обращая внимания на гостей, угрюмо уставившись в рюмку с чем-то похожим на коньяк.

— Ты можешь уделить мне минуту, Флер? — спросил он.

— Конечно.

Она села рядом с ним. Чарли Кинкэннон напоминал ей и внешне, и по темпераменту героев Дастина Хоффмана: мужчин, которые, несмотря на свои деньги, умудрялись быть немного не в ладу с остальным миром.

— Что-то случилось?

Он серьезно посмотрел на нее.

— Меня, конечно, смущает, что я веду себя как подросток, Флер, но как ты думаешь, каковы мои шансы с Кисси?

— Ну, в общем-то трудно сказать.

— Другими словами, никаких?

Флер с радостью задушила бы в то мгновение свою подругу.

— Пойми, Чарли, дело не в тебе. Сейчас у Кисси трудный период, она занимается саморазрушением. Она не видит в мужчине человека.

Он обдумал ее слова. Потом сказал:

— Интересная перемена ролей с точки зрения социологии. Но не слишком утешительная. Я понимаю, я не очень хорош как сексуальный объект, но прежде женщины не обращали на это внимания из-за моего богатства.

Такое заявление мог сделать только Чарли Кинкэннон, подумала Флер. За это он ей и нравился. Она вдруг решила протянуть ему руку помощи.

— Чарли, кроме Саймона, которого в общем-то можно не брать в расчет, ты единственный мужчина в жизни Кисси, который понимает, как она умна. Ты сумеешь привлечь ее внимание, если сосредоточишься на ее мозгах, а не на теле.

Чарли с упреком посмотрел на Флер.

— Я не хотел бы показаться шовинистом, Флер, но игнорировать тело Кисси очень трудно. Особенно тому, у кого с сексом все в порядке.

Она сочувственно улыбнулась.

— Извини, но это единственное, что я могла бы тебе посоветовать.

Потом она услышала знакомый голос и подняла голову. Майкл, разодетый в мадрасский блейзер, желтую сетчатую майку и шорты, вышел из кухни в гостиную. Все удовольствие от уик-энда сразу улетучилось.

После их встречи они раза два натыкались друг на друга, холодно кивали, но даже после этого она чувствовала себя раздраженной и настроение портилось на несколько часов. Почему она не догадалась, что если у Чарли собирается компания Кисси, то и он там будет? Она внимательно посмотрела на его спутника, мускулистого молодого человека с темными волосами, которые все время падали на глаза. Танцор, решила она, увидев, как его ноги замерли в первой позиции.

Дом был полон гостей, а Флер так и не переоделась. Она быстро извинилась перед Чарли и, выскользнув за дверь, пошла в сторону пляжа. Выплывшая на небо луна освещала пенистые гребни волн, но Флер никак не могла заставить себя любоваться чудесной картиной. Ну зачем появился Майкл? Еще несколько минут назад она с удовольствием думала о вечеринке. Чарли Кинкэннон финансировал много пьес, шедших не на Бродвее, так что, кроме членов труппы Кисси, наверняка будут и другие люди. Значит, если вернуться, то, потягивая коктейль через соломинку вместе с Кисси, можно завести новые знакомства.

Когда ноги вдавились в прохладный мокрый песок, Флер вдруг поняла, что пришло время вести себя иначе. Деньги закончатся, а вместе с ними и ее бизнес. Засунув руки в карманы шортиков, Флер повернула к дому.

Она размышляла о Кисси и Чарли, когда вдруг из-за дюны, примерно в пятидесяти ярдах от нее, появился человек. Он наблюдал, как она приближается. Вокруг тихо, пляж пустынный, они совершенно одни. Флер насторожилась. Мужской силуэт выделялся на фоне ночного неба; человек был гораздо выше ее, и если придется сцепиться с ним, ей не справиться. Он напряженно наблюдал за ней, не скрывая своего интереса. Флер посмотрела в сторону дома — тот был слишком далеко; если звать на помощь, никто не услышит. А разве ей понадобится помощь? От жизни в Нью-Йорке она совсем свихнулась. Может, это кто-то из гостей Чарли тоже ушел с вечеринки? Но Флер прибавила шагу, держась поближе к воде. Краем глаза она видела лохматую голову, похожую на голову Чарльза Мэнсона, с еще более лохматыми усами. Фраза «Беспорядочное бегство» молнией пронеслась в голове.

Мужчина пошевелился, и каждый мускул Флер напрягся. Наконец незнакомец отшвырнул банку с пивом, которую держал в руке, и направился к ней длинными быстрыми шагами.

Свихнулась она от жизни в Нью-Йорке или нет, но больше Флер ждать не могла. Она рванула мимо него.

Она дышала так громко, что ничего больше не слышала. Потом расслышала глухие удары за спиной и поняла, что он бежит за ней. Сердце колотилось в груди; Флер понимала, что сможет оторваться: она хорошо накачала мышцы, только надо бежать чуть быстрее обычного. Да, чуть быстрее, и все.

Она старалась держаться ближе к воде, где песок был плотнее. И не спускала глаз с дома, который казался до ужаса далеким. Может ли она рискнуть и бежать прямо к дюнам? А если она утонет в песке и потеряет скорость? Она же опытная бегунья, ему не догнать ее. Рано или поздно он выдохнется.

Но он не выдыхался. Он держался.

От страха ей стало трудно дышать, она не могла обрести ритм, легкие жгло огнем. Изнасилование.

Слово билось в голове и не отпускало. Что она читала про это? Она вспомнила: надо попытаться отговорить. Но она не сможет произнести ни слова, у нее сбилось дыхание. Она читала, что, если разговор не поможет, надо попытаться вызвать у насильника отвращение к себе: пустить слюну или вызвать рвоту. Это нетрудно. Но что она скажет потом остальным? Я у него вызвала такое отвращение, что насильник меня не захотел? Боже, да о чем это она? Она сошла с ума! Она спятила!

Почему он не отстанет?

Вместо того чтобы отстать, мужчина приближался.

— Отстань от меня! — крикнула Флер, но слова скомкались, превратившись в непонятный набор звуков.

Он что-то кричал. Близко. Почти в ухо. Она не слышала, что он кричал. Не хотела слышать. Потом ощутила что-то на плече. Что это было на плече? Внезапно Флер повернулась и упала на песок, он вместе с ней; его рука ударила ее в плечо, а тело прижало ее тело. И тут она поняла, что она слышала. Одно слово. «Цветик»!

Грудь тяжело поднималась под его тяжестью, когда Флер пыталась продохнуть, на зубах скрипел песок. Она собрала остатки сил и, сжав кулак, ударила его по спине. Раздалось резкое злое восклицание, но он перестал давить так сильно; концы его волос коснулись ее щеки, когда он приподнялся над ней на руках. Она почувствовала на лице его дыхание и снова ударила.

Удар заставил его еще отодвинуться, и Флер поднялась на колени, молотя его кулаками куда попало — в руку, в шею — и каждый удар сопровождая сдавленными рыданиями.

Вдруг он прижал ее к себе и стиснул так крепко, что чуть не выдавил из нее весь воздух.

— Перестань, Цветик. Это я, Джейк.

— Я понимаю, что это ты. Ты, сволочь! — задыхаясь ругалась она, втиснутая в его майку. — Отпусти!

— Не отпущу, пока не успокоишься.

— Я спокойна.

— Нет, не спокойна.

— Спокойна.

— Повтори.

— Сукин сын!

Она снова стала бороться.

— Отпусти меня, ты, сукин...

— Я не отпущу тебя, пока не успокоишься. Если ты меня снова ударишь, я тоже тебя ударю. А я не хочу.

— Черт побери, Джейк!

— Так что?

— Ты, сволочь!

— Если ты меня еще раз ударишь, клянусь Богом, я тебя собью с ног.

Он сказал это так серьезно, что Флер осела на песок.

Опустившись рядом, Джейк подвернул под себя одну ногу и смотрел на Флер откровенно враждебно. Спутанные лохматые волосы падали на плечи, усы скрывали весь рот, кроме невозможной пухлой нижней губы. В майке, не доходившей до талии, в выцветших каштановых шортах, он казался неряшливым, как и прежде. Но раньше в таком наряде было что-то располагающее, а теперь ничего подобного о виде Джейка Коранды сказать было нельзя.

— Почему не признался, что это ты? — выкрикнула Флер.

— Да мне в голову не пришло, что ты меня не узнаешь.

— Ты похож на Чарльза Мэнсона! — Она с трудом поднялась.

Нет, не так она мечтала с ним встретиться. Усыпанная бриллиантами, под руку с каким-нибудь европейским принцем, пользующимся дурной славой, она выходит из казино в Монте-Карло... И он смотрит на нее... А не в белых шортах с горчичным пятном в форме штата Айдахо и конским хвостом на резинке.

Джейк тоже медленно поднялся.

— Я снимаюсь в новом фильме про Калибра. Герой слепнет, и я должен учиться стрелять на звук. Это чушь, но поможет заработать еще несколько миллионов.

— Сколько женщин ты насилуешь в этом фильме?

— А какое это имеет значение? Жалеешь, что тебя нет среди них?

Она со всхлипом втянула воздух. Он злится на нее. Ах, как хотелось бы Флер пойти рядом с ним по песку, но она не собиралась поддаться искушению. Его взгляд был откровенно оскорбительным. Джейк оглядел ее всю, заставив вспомнить про нейлоновый купальник, прилипший к груди, но она выдержала его взгляд. Глаза Джейка опустились ниже.

— Эти шикарные ноги трудятся без устали, да? — Вопрос прозвучал не как комплимент. Он подошел и прикоснулся к ее плечу. — Как часто мы так проводим уик-энд?

— Прекрати. — Флер дернулась.

— Ты знаешь, что меня обманули?

В голове что-то взорвалось. Ей показалось, она снова стоит под проливным дождем на лужайке перед домом Джонни Гая Келли, заканчивая тот разговор.

— Ты действительно сволочь, — прошептала Флер. — Ты использовал меня, чтобы доделать свою картину. Глупую, наивную девчонку, не желавшую раздеваться. Ты постарался. Правда? Осчастливил меня, чтобы все отнять. Не подумал про это, когда получал «Оскара», Джейк?

Он схватил ее за руку.

— Ты жертва своей матери. Я тут ни при чем. Не забывай об этом. Не вали ее вину на меня. Из-за вас я испортил лучший кусок жизни.

Она не вникала в его слова. Единственное, о чем она думала, — как вырваться от Джейка Коранды.

— Я думаю, тебе лучше убрать от нее руки, — раздался голос из-за дюны. Они оба повернулись и увидели тонкую фигуру, приближавшуюся к ним.

— Это частные владения, и как насчет того, чтобы не лезть не в свое дело? — спросил Джейк, но пальцы разжал.

К ним подошел Майкл:

— Флер, пошли домой.

Она посмотрела на лицо брата и поняла, что он явился как защитник. Она еще раз прокрутила в уме это слово. Защитник...

На голову меньше ее, не слишком сильный, в мадрасском блейзере и сетчатой майке, с прядями светлых волос, которые ветер размазывал по щекам, Майкл бросал вызов человеку с бандитским взглядом.

— Почему бы тебе не убрать свою задницу туда, откуда ты ее принес? — протянул Джейк. — Если, конечно, не хочешь получить пинка.

Это походило на реплику из самого худшего фильма Коранды, и Флер чуть не остановила эту дикую сцену. Она могла бы. Она понимала, что должна положить ей конец. Но она этого не сделала. Майкл — ее защитник... Она не позволит Джейку обидеть его, но ей надо посмотреть, насколько далеко брат готов пойти ради нее.

Лицо Майкла не дрогнуло.

— Я буду счастлив уйти, — сказал он. — Но только вместе с Флер.

— И не рассчитывай.

Майкл засунул руки в карманы, понимая, что ему не хватит физических сил, чтобы отнять Флер у Джейка, и приготовился переждать.

Флер увидела смущение на лице Джейка; это было не то, к чему он привык.

— Твой друг? — спросил он, переводя взгляд с Майкла на нее.

— Мой брат. Мишель Ан...

— Я Майкл Савагар.

Джейк внимательно посмотрел на обоих, потом медленно отпустил Флер.

— Я взял за правило не находиться в том месте, где больше одного представителя Савагаров. Увидимся позже, Флер.

И он ушел вниз по пляжу.

Флер смотрела на Майкла, оба молчали. Потом двинулись к дюнам, а когда дошли до них, брат взял ее за руку и помог перелезть. Она остановилась.

— Майкл, почему ты это сделал? Джейк мог разломить тебя пополам.

— Ты моя сестра, — просто ответил он. — А я мужчина. Это мой долг.

Алексей ответил бы так же. Но он никогда бы не смог придумать красивую одежду, которую она видела в витрине бутика.

— Мы можем куда-нибудь поехать поговорить? — спросила она.

— Я бы очень хотел.

Они молча доехали до придорожного ресторана, где голос Уилли Нелсона несся из проигрывателя. Официантка подала им сырых моллюсков с французским жареным картофелем и пиво.

— Извини, что я вела себя как последняя сволочь, — сказала Флер. — Даже не могу объяснить...

— Забудь об этом.

Майкл откинулся на спинку поцарапанной деревянной скамейки и закурил. От неоновой вывески за окном его волосы поголубели. Флер вздрогнула, но ей все равно хотелось объясниться с ним. Она рассказала Майклу немного о монастыре, о том, что это за чувство — быть брошенной. Когда она закончила, он долго молчал, потом рассказал о себе. О школе, о гомосексуализме, об Алексее. Обо всем он говорил с изрядной долей цинизма, кроме любви к бабушке. Флер узнала, что Соланж оставила ему деньги, на которые он делает свой бизнес. Когда брат договорил, она раскрыла ему тайну Белинды и Эррола Флинна. Майкл закурил другую сигарету, помолчал, а потом произнес то, чего она никак не ожидала.

— Я хочу делать одежду для тебя. Я всегда хотел.

Наутро Флер проснулась поздно и приняла душ, который так и не смогла принять накануне вечером. Несколько минут ушло на прическу, потом она надела бикини цвета морской волны и пляжный халат. В гостиной никого не было, но в окно она увидела Чарли, Майкла и нескольких гостей, отдыхавших с кофе и воскресными газетами. Флер улыбнулась, увидев, как сегодня одет Майкл. Бермуды и изумрудно-зеленая рубашка.

Флер пошла на кухню, налила кофе, размышляя о Майкле, который, кажется, готов был взять на себя заботу о ней, хотя она не давала ему никакого повода.

Вечером после возвращения они постояли на ступенях перед домом и обнялись.

— А как насчет того, чтобы сделать два кофе?

Обернувшись, Флер увидела на пороге Джейка.

Майкл рассказал ей, что ее встреча с Джейком Корандой на пляже не была каким-то невероятным стечением обстоятельств. Он был одним из гостей Чарли и, услышав, что Флер Савагар тоже приглашена, пошел ее искать.

— Сам себе делай.

Джейк посмотрел на нее, потом взял желтую кружку. Краем глаза Флер заметила, что сегодня он в чистой майке и выцветших плавках. Она могла поклясться, что в тех же самых, в которых он купался у них в бассейне пять лет назад, когда Белинда позвала его на барбекю. Флер обычно пила черный кофе, но тут, чтобы занять себя, принялась сыпать в чашку сахар и наливать сливки, давая себе несколько лишних секунд, чтобы успокоиться. Ей было важно заставить Джейка понять, что теперь он имеет дело не с девятнадцатилетней безмозглой девицей, вроде «группи», которые ублажают артистов.

Он потянулся к кофейнику, и его рука невольно коснулась Флер. Она почувствовала запах мыла и мятной зубной пасты.

— Я не хотел тебя пугать вчера, — сказал он спокойно. — Я был не совсем трезвый. В последнее время моя жизнь складывается не лучшим образом. Извини, Цветик.

Она отодвинулась от него подальше и скрестила руки на груди.

— Наверное, довольно трудно быть несчастным с твоими миллионами, Джейк. Так что я, пожалуй, приберегу жалость для жертв землетрясения.

— Замечательно, — тихо проговорил он.

— А чего ты ожидал? Я не люблю грубого обращения. Театр Махо меня больше не волнует.

Джейк облокотился об стол и отпил кофе.

— В смысле?

— Сам догадайся.

— А ты стала жестче за эти годы, не так ли, детка?

— Еще бы. Конечно.

— Ты ведь неплохо получилась в «Затмении». Гораздо лучше, чем я ожидал.

— Боже, спасибо, — с сарказмом поблагодарила Флер.

— Пойдешь со мной на пляж?

— Нет.

— Да перестань, — сказал он. — Боишься, что я буду кусаться или что не буду?

— Видит Бог, Коранда...

— Ну смелей...

Она выругалась неподобающе для леди и грохнула кружкой об стол.

Джейк ухмыльнулся. Дерзко и нагло, как прежде.

Они вышли в боковую дверь, чтобы не показаться на глаза сидящим во дворике, и долго молчали. Флер сняла пляжные тапки, почувствовав в них песок, а Джейк наклонился и поднял ракушку.

— Мне нравится твой брат, — сказал он. Ветер трепал его волосы, то откидывая назад, то снова швыряя в лицо. — Сегодня утром мы с ним поговорили. Хороший парень.

Флер не хотела, чтобы Джейк был вежливым и милым, пытаясь растопить лед прошлых обид пригоршней обыденных слов.

— Достаточно хороший, чтобы быть модельером? — спросила она саркастически.

— Что ты, черт побери, хочешь этим сказать?

— Я не хочу, чтобы ты опекал Майкла.

Он недовольно посмотрел на Флер:

— Да пошла ты, мадам...

Отвернулся и пошел прочь.

Он не остановился, но замедлил шаг, чтобы Флер могла догнать его. И поступил правильно. Она бы ни за что не побежала за ним. Но Флер поняла, что утратила свою позицию и что придется завоевать ее снова.

— Извини, — сказала она, — я мало спала.

Он шлепнулся на песок.

— Ну ладно, допустим, у нас счет один-один.

— Нет уж.

— Хорошо, Цветик, давай разберемся. Давай проанализируем. Начало, конец, середину, чтобы все отбросить и начать по новой.

Флер посмотрела на отца с сыном, запускавших неподалеку желтохвостого китайского змея.

— Какой смысл? — спросила она. — Зачем двум взрослым людям обсуждать потерю девственности девятнадцатилетней девушки? Сейчас век сексуальной свободы, Джейк. После тебя у меня было много мужчин, — солгала она. — Ничего особенного.

— Да? — Он сощурился и посмотрел на солнце. — Почему ты тогда бросила карьеру, которая тебе давала большие деньги? И почему после «Затмения» я ничего не смог написать?

Она почувствовала удовлетворение.

— Правда?

— Ты же больше ни разу не видела в списках обладателей Пулитцеровской премии моего имени? Так ведь?

— Ты совсем не пишешь? — спросила она, садясь рядом с ним на песок.

— Застопорилось. — Он швырнул раковину в воду. — Знаешь что, детка, я здорово писал до того, как вы с мамой так преуспели.

— Ты меня осуждаешь?

— Я не люблю, когда за мной охотятся.

— Уже второй раз ты пытаешься изображать передо мной страдальца. Мне это не нравится.

— Говоря бессмертными словами Рэтта Батлера*...

— Не умничай, — резко перебила Флер.

— О'кей. Будем говорить откровенно. То, что произошло тогда между нами, в выходные, не имело никакого отношения к фильму. И ты это, черт побери, прекрасно знаешь. — Джейк посмотрел на воду. — Я думаю, тебе понадобилась удобная причина, чтобы убежать к отцу.

Флер пришла в ярость.

— Правда? Тогда вот что скажи мне, Джейк. Если ты не чувствуешь никакой вины, почему тогда тебя заклинило? Я не могу залезть в твои мозги, но не так трудно догадаться.

— Да ничего ты не понимаешь.

---

* Главный мужской персонаж романа Маргарет Митчелл «Унесенные ветром».

— Хорошо. Забудь «Затмение». Давай посмотрим в лицо факту. Я была ребенком, который по-детски влюбился, а ты взрослым мужчиной. Кто должен взять на себя ответственность в этом случае? Совершенно ясно.

Джейк вскочил на ноги, осыпав ее песком.

— Я когда-нибудь претендовал на роль святого? Не вываливай на меня свои детские правила. Девятнадцать лет и твоя внешность... Да какой к черту ребенок?

Джейк сдернул с себя майку и побежал к воде. Он с разбега нырнул и поплыл. Флер не спускала с него глаз, желая увериться, что он не тонет. Большой мужчина, кинозвезда. Сволочь. Ей стало приятно, что она вывела его из себя. Но почему он так смотрел на нее? Что в ней теперешней не так?

Когда он вышел из воды, Флер встала, расстегнула халат, позволила ему упасть на песок. Под платьем было бикини апельсинового цвета, и она уж постаралась, чтобы он увидел его. Не говоря ни слова, она прошла мимо Джейка к воде идеальной походкой: след в след, когда одна нога ступает в след другой, отчего бедра ритмично покачиваются. Флер подошла к воде, встала в профиль к Джейку, подняла руки, поправила выбившуюся прядку волос, осторожно потянулась, приподнялась на цыпочки; при этом ноги стали казаться еще длиннее. Она следила за ним краешком глаза. Он наблюдал за ней. Хорошо. Пускай теперь умирает от сожаления.

Флер окунулась, поплавала несколько минут и вышла. Джейк держал ее халатик на коленях. Она наклонилась за ним, но Джейк ухмыльнулся и отодвинулся.

— Ну прекрати, Цветик. — Он не отдавал халат. — Целых три месяца я имел дело только с лошадьми.

— Спасибо за комплимент, — насмешливо поблагодарила Флер. — Теперь я знаю, что выгляжу лучше лошади.

Как только эти слова сорвались с языка, ей захотелось лягнуть себя. Она решила не бороться с Джейком из-за халата. Случайно, выпрямляясь, она потеряла равновесие и, слегка покачнувшись, задела грудью его руку.

Он уперся локтем в песок и с ухмылкой смотрел на нее, с глупой мужской ухмылкой, с какой студенты-второкурсники заглядывают в раздевалку.

Она ответила ему спокойным взглядом, а потом просто ушла. Улыбка Джейка исчезла, когда она повернулась спиной и направилась к дому. Он почувствовал себя так, как будто его ударили в живот. Он не думал, что ему когда-нибудь доведется увидеть нечто более прекрасное, чем девятнадцатилетняя девушка, разрушившая его жизнь. Но сейчас Джейк Коранда понял, что ошибался. Та девушка и в сравнение не шла с женщиной, уходившей от него. Тогда было чисто сексуальное влечение, объяснил он себе, оно прошло еще шесть лет назад. Но даже будучи неопытным ребенком, она сумела выбить его из колеи. А теперь, когда она стала похожа на мечту каждого мужчины, над ним нависла угроза посерьезнее. Казалось ли ему или так было на самом деле, но она виляла своим маленьким задом над сногсшибательными ногами чуть больше, чем надо. Он пожалел, что не отдал ей халат: тогда бы не пришлось мучиться, наблюдая за ее телом, перечеркнутым апельсиновым бикини наверху и внизу. Он съел бы, он сожрал бы это бикини в три укуса.

Явная похоть.

Отправляясь к воде охладиться, Джейк взглянул на мужчину, запускавшего с ребенком змея, желая убедиться, что его не узнали. Еще бы, того занимало совсем другое. Увидев Цветика, он чуть не упустил змея и теперь шел к воде, чтобы лучше рассмотреть ее. С ней всегда так было. Мужчины оторопело останавливались, когда она проходила мимо них, не замечая реакции, которую вызывала. Этот гадкий утенок долго не заглядывал в зеркало и не понимал, что он давно уже превратился в лебедя.

Джейк вернулся на прежнее место. От пляжного халата пахло цветком, но он не мог понять, каким именно. Точно так же от нее пахло вчера вечером, когда она боролась с ним. Конечно, он вел себя омерзительно, а она мужественно сопротивлялась. Она всегда умела это делать. В том-то и заключалась проблема. Как прекрасно у него шли дела до ее появления в его жизни. Появившись, она сокрушила стены, которыми он себя окружил. Он боялся писать, опасаясь, что, если снова попробует, рухнет все остальное.

Но если дело только в похоти, нашептывал ему внутренний голос, то чего ты так волнуешься насчет стен? Почему каждый раз, когда ты на нее взглянешь, у тебя мутится в голове? Ответь на это, ты же гений.

Глава 24

Больше Флер не видела Джейка. Он пришел с пляжа вскоре после нее и уехал не прощаясь. Вернувшись в город, она ловила себя на том, что вздрагивает от каждого телефонного звонка, ожидая услышать в трубке голос Джейка. Она уже приготовилась послать его ко всем чертям. Темные эротические сны мучили ее по ночам, и когда Флер просыпалась, ее тело было влажным от пота. Надо найти любовника. Больше нельзя так жить, изнывая от жажды прикосновения, отказывая телу в естественном желании. Ну почему она не может, как другие женщины, позволить себе случайный секс? Она попала в западню, она зажата между строгими принципами морали и телом, сгоравшим от чувственного жара...

И Флер окунулась в работу.

— Майкл, я просмотрела твои бухгалтерские книги, они в полном беспорядке.

Флер уселась на стул с прямой спинкой, наблюдая, как Майкл запирает свой бутик. Поначалу они с братом выдумывали разные предлоги, чтобы поговорить. Он позвонил ей и спросил, не попала ли она в пробку, возвращаясь в Нью-Йорк. Потом она попросила его совета, что из одежды купить ей на день рождения Кисси. Наконец они отбросили все хитрости и стали открыто наслаждаться обществом друг друга.

Она только вернулась со встречи с художником, который занимался ее домом; джинсы были в свежих опилках. Она смахнула их и с упреком посмотрела на Майкла.

— Ну как ты можешь держать в таком беспорядке свои финансовые дела? Неудивительно, что ты теряешь столько денег.

Майкл выключил свет в передней части бутика и вернулся к Флер.

— Я художник, а не бизнесмен, поэтому и нанял тебя.

— Да, ты мой свежайший клиент, — улыбнулась она. — Я очень рада заняться тобой, Майкл. Правда. Твои модели самые красивые, которые этот город когда-нибудь видел. И единственное, что мне надо сделать, — заставить людей захотеть их купить. — Она нарисовала в воздухе хрустальный шар. — Я вижу славу, деньги, — предсказывала она тоном гадалки, — и блестящее ведение твоих дел. — А потом, подумав, добавила: — Я вижу нового любовника.

Майкл встал у нее за спиной и вытащил заколки из волос.

— Сосредоточься на славе и деньгах, а любовников оставь в покое. Я знаю, тебе не нравится Дэймон, но он...

— Он же нытик. Видит Бог, ты выбираешь мужчин еще хуже Кисси. Ее красавчики просто тупые, а твои еще и неврастеники.

Дэймон был темноволосым танцором, с которым Майкл приезжал к Чарли. Флер не скрывала, что, по ее мнению, Майкл мог бы найти что-то получше.

— Дай-ка мне твою щетку, — попросил он. — Ты похожа на Бетт Дэвис. А при виде этих джинсов у меня разливается желчь. Правда, Флер, я не могу больше спокойно смотреть, как ты одеваешься. Я покажу тебе...

— Давай-ка поскорее кончай с волосами. Мне надо встретиться с Кисси, я забежала пригласить тебя на завтрашний ужин с нами у меня в доме.

Он вставил последнюю заколку.

— В доме? Но ты еще не переехала. Не думаешь ли ты, что для званого ужина не хватает кое-чего. Стен, мебели...

— Это не официальный ужин.

Флер вскочила, поцеловала его и убежала. Она не нервничала насчет предстоящего вечера. Она приготовилась сделать им одно заявление и хотела придать ему некоторую официальность. Чтобы самой себе не позволить уклониться от обещанного.

— Никто не спутает это с «Ля Гринуэй», — весело сказал Майкл, усаживаясь на складной стульчик возле стола, сооруженного

Флер из двух козел для побелки и нескольких листов фанеры. Очень скоро это место станет центром ее офиса.

Кисси многозначительно посмотрела на Майкла, одетого в греческую крестьянскую рубаху.

— Тебя не пустят в «Ля Гринуэй», так что успокойся. — Она оглядела строительный мусор. — На твоем месте, Флеринда, я бы не спешила переезжать. Тут полный беспорядок.

— Художник поклялся могилой матери, что я сюда перееду в середине августа. Тогда я смогу начать в сентябре. — Флер выудила кусочек цыпленка и сочную устрицу из бумажной коробки. — Кисси, ты подумай и переезжай ко мне. Если хочешь уединенности, занимай пристройку. Там вдвое больше места, чем у тебя в квартире. Кухня новая, сантехника новая, у тебя будет отдельный вход, и я не смогу каждый раз цокать языком, видя твоих поклонников.

— Спасибо, Флеринда. Но мне нравится моя квартира. И потом, я тебе уже говорила, переезды меня сводят с ума. Я ни за что на это не пойду без суровой необходимости.

Флер хорошо знала, что, несмотря на все насмешки насчет денег Флер, добытых на бирже, Кисси никогда не прикасалась к тому, чего не заработала сама.

Кисси промокнула рот бумажной салфеткой.

— К чему все эти тайны, Флеринда? Ты говорила, что хотела нам с Майклом сделать какое-то заявление?

Флер указала на вино:

— Наливай. У меня есть тост.

— «Божоле» с китайской едой? Ты даешь, Флер.

— Не критикуй, а наливай.

Бокалы были полны, и Флер подняла свой.

— Сегодня, — сказала Флер, — мы пьем за моих самых любимых клиентов и за гения, который собирается поднять вас к сияющим вершинам. — Она чокнулась и отпила.

В тот вечер, когда они с Майклом беседовали в придорожном ресторане, у нее возникла одна идея, но понадобилось время убедить себя, что она готова эту идею осуществить. Сегодня Флер была уверена более, чем когда-то, хотя все равно не до конца. Ей надо продержаться до февраля, а значит, пройти и через это.

Поставив стакан, она посмотрела на брата.

— Майкл, почему ты никогда не выставляешь свои работы? Он пожал плечами.

— У меня был один вернисаж. Но он обошелся очень дорого и ничего не дал. Мои вещи не похожи на вещи с Седьмой авеню.

Флер посмотрела на Кисси:

— А у тебя нет возможности показать себя в ролях, в которых ты хороша, потому что не можешь добиться пробы, так?

Кисси кивнула и подхватила устрицу.

Флер продолжала. На тарелке остывала еда.

— Что вам обоим нужно для того, чтобы сдвинуть карьеру? Витрина. Я наконец поняла, как это сделать. Немного удачи, необходимое паблисити, и благодаря вам обоим я заработаю кучу денег. Итак, кто из нас троих лучше всего может привлечь внимание средств массовой информации?

— Ладно, не мели ерунды, — проворчала Кисси, — ты, конечно.

Флер покачала головой.

— В Нью-Йорке я почти два года — и тишина. Им не нужна Флер Савагар, им нужна Блестящая Девочка. — Она показала им вечернюю газету, сложенную колонкой сплетен вверх.

Кисси начала читать вслух:

«Вот загадка для всех, кто следит за жизнью знаменитостей. Прошел слух, что суперзвезду Джейка Коранду видели гуляющим по пляжу во время уик-энда четвертого июля не с кем иным, как с Блестящей Девочкой Флер Савагар. Коранда, решивший отдохнуть после съемок последнего фильма про Калибра «Глаза, которые не видят», был приглашен, как и Блестящая Девочка, в загородный дом миллионера-фармацевта Чарльза Кинкэннона. Говорят, они не спускали глаз друг с друга. Пока нет никаких комментариев ни из офиса Коранды, ни от вечно исчезающей Блестящей Девочки, которая в последние годы спокойно делает себе имя в Нью-Йорке как талантливый агент по продвижению знаменитостей».

Кисси подняла глаза от статьи и потрясенно проговорила:

— Извини, Флеринда, но это ужасно. Если Абрамс вцепится, то уже не отпустит. Не знаю, кто ей рассказал, но...

— Это моих рук дело.

Они потрясенно уставились на нее.

— Может, ты постараешься объяснить нам причины? — попросил Майкл.

Флер набрала в грудь воздуха и подняла бокал.

— Вытаскивай все модели, которые ты припас для меня, Майкл. Блестящая Девочка возвращается.

Боль переносить труднее, когда не можешь напиться. К такому выводу пришла Белинда, покончившая со спиртным. Она сунула кассету в магнитофон, нажала кнопку. Голос Барбары Стрейзанд заполнил комнату. Она пела «Какими мы были». Белинда швырнула газету, легла на спину, откинулась на атласные подушки, и дала волю слезам.

Все мятежники уже ушли в мир иной. Первым был Джимми, погибший по дороге в Салинос. Потом Сэл Минео в жестоком убийстве, а теперь Натали Вуд. Три ведущих актера из фильма «Мятежник поневоле». Все они умерли раньше срока, и она боялась, что станет следующей.

Они с Натали были почти ровесницами, и ее смерть испугала Белинду, потому что та тоже любила Джимми.

Он подтрунивал над ней на съемках, как над ребенком, забавлялся ее чувствами. Дрянной парень Джимми Дин. А теперь Натали мертва.

Смерть пугала Белинду, но все же она тайно хранила таблетки на дне старой ювелирной шкатулки вместе с давнишним подарком Эррола Флинна, дешевой безделушкой. Если бы она наверняка знала о существовании рая, она бы быстро решила, использовать их или нет. Она думала, что не сможет продолжать жить так, как сейчас, хотя глубоко в душе Белинды теплился оптимизм и он подсказывал, что все может обернуться к лучшему. Алексей тоже смертен.

Белинда очень скучала без своего ребенка. Алексей обещал засадить жену в лечебницу для хронических алкоголиков, если она попытается связаться с Флер. И хотя Белинда не позволяла себе и капли алкоголя вот уже два года, она по-прежнему боялась исполнения угрозы.

Алексей не выходил из дома, но Белинда его почти не видела. Он вел все дела в комнатах на первом этаже. Его помощники в темных костюмах, с мрачными лицами проходили мимо нее по коридорам, как мимо пустого места. Почти никто не говорил с ней. Дни и ночи смешались. Бесконечная вереница позади и такая же впереди. Казалось, вот-вот придет мысль, что жить дальше нет причин.

В прежние дни все было по-другому. Когда она входила в бальный зал или в ресторан под руку с Алексеем, она становилась самой важной дамой. Все искали возможности поговорить с ней, узнать ее мнение, осыпали комплиментами, восхищались красотой. Но теперь Алексей никуда с ней не ходил; Белинда стала невидимкой в толпе и больше не принимала приглашений.

Она вспомнила жизнь в Калифорнии, когда была матерью Блестящей Девочки. Она была полна энергии, сияла, все, к чему она прикасалась, становилось особенным. Лучшие дни ее жизни...

Песня закончилась. Белинда отодвинула газету с известием о смерти Натали Вуд и подошла к магнитофону. Снова нажала кнопку, и песня полилась сначала. Музыка помешала услышать стук двери; Белинда и не заметила, что вошел Алексей.

Он почти месяц не входил к ней, и она пожалела, что встречает его непричесанная, с красными от слез глазами.

— Я... я плохо выгляжу, — сказала Белинда, нервно теребя полы халата.

— Но, как всегда, красивая, — ответил Алексей. — Приведи себя в порядок ради меня, дорогая. Я подожду.

Именно это делало его особенно опасным. Не страшная жестокость придавала ему силу, а невероятная нежность.

Пока он устраивался в самом удобном кресле, Белинда забрала все, что ей надо, и скользнула в ванную. Вернувшись, она увидела, что он выключил лампы, оставив одну, и лежит в постели. Тусклый свет скрывал морщины и нездоровый оттенок кожи, как и «гусиные лапки» в уголках ее глаз.

Подойдя к нему, Белинда вспомнила их первую брачную ночь. Он был в халате приятного золотистого оттенка, как сейчас, а она в такой же ночной рубашке. Но сейчас ногти на ногах не были покрыты лаком, лицо не тронуто косметикой, а волосы перехвачены ленточкой.

Она легла на кровать, и он закатал ей ночную рубашку до пояса. Она плотно сжала ноги, пока он гладил ее. Потом Алексей медленно стянул с нее трусики, и когда ткнулся ей в колени, она заверещала, будто от испуга, а он наградил ее глубокой лаской, которую она так любила. Она снова попыталась сжать ноги, чтобы угодить ему, но он принялся целовать ее бедра, и она медленно закрыла глаза. Это было частью их негласного договора. Теперь, когда любовницы-подростки уже не были доступны Алексею, она играла перед ним роль девочки, а он позволял ей закрывать глаза и представлять кого угодно: Джейка Коранду, Флинна... Джеймса Дина.

Обычно он уходил сразу, когда все кончалось, но на этот раз спокойно лежал; его грудь блестела от пота.

— С тобой все в порядке? — спросила Белинда.

— Не дашь ли ты мне халат, дорогая? Там в кармане таблетки.

Она быстро принесла халат и отвернулась, когда он вынул пузырек с таблетками. У нее не было иллюзий насчет его болезни. Но вместо слабости он, кажется, обретал силу. С армией помощников, выполняющих его приказы, он становился совершенно неуязвимым.

Белинда пошла в ванную принять душ, а когда вернулась, с удивлением увидела его в кресле. Он потягивал что-то из рюмки.

— Вон виски. — Он указал рюмкой на графинчик на серебряном подносе.

Как это жестоко с его стороны! И это после нежности! Вот так всегда, больше двадцати пяти лет.

— Ты ведь знаешь, я больше не пью.

— Да ладно, дорогая. Не стоит мне врать. Думаешь, я не знаю о пустых бутылках, которые горничная находит на дне корзин для бумаг?

Никаких пустых бутылок не было. Это был его способ угрожать ей, чтобы заставить подчиняться. Она вспомнила фотографии клиники, которые он ей показывал. Отвратительные серые здания в глухой части Швейцарских Альп.

— Что ты от меня хочешь, Алексей?

— Ты же глупая женщина. Ты это знаешь? Глупая и беспомощная. Не могу вообразить, что я когда-то любил тебя. — Кожа на виске Алексея задергалась. — Я тебя отсылаю, — резко бросил он.

Холод пробрал ее до костей. Белинда подумала об отвратительных серых зданиях, которые, как огромные камни-валуны, лежали в снегу. Потом о таблетках на дне старинной шкатулки для украшений. Все мятежники уже умерли.

Алексей положил ногу на ногу и отпил из рюмки.

— Ты наводишь на меня уныние. Я не хочу тебя больше видеть.

Смерть от таблеток будет безболезненной. Гораздо легче, чем смерть Натали, когда соленые воды сомкнулись над ней, или смерть Джимми. Она может лечь в кровать и спокойно заснуть.

Тяжелый взгляд русских глаз Алексея Савагара резанул ее, как лезвием ножа.

— Я отправляю тебя в Нью-Йорк, — сообщил он. — Что ты там будешь делать, меня больше не волнует.

РЕБЕНОК ВОСКРЕС

Теперь я законная добыча.

Эррол Флинн
Грехи мои тяжкие

Глава 25

Черное бархатное платье сидело на ней замечательно. Вырез под горло, оголенные руки, разрез на юбке. Она сначала хотела разделить волосы на прямой пробор и сзади собрать в узел, как у испанок — исполнительниц фламенко, но Майкл не позволил.

— Твоя грива — это торговая марка Блестящей Девочки. На этот раз ты должна их распустить.

Кисси просунула голову в спальню:

— Лимузин ждет.

— Пожелай мне удачи, — попросила Флер.

— Не торопись.

Кисси выхватила сумочку у подруги из рук и повернула Флер к зеркалу.

— Посмотри на себя, Флеринда.

— Да ладно, Кисси, у меня нет времени...

— Перестань смущаться и посмотри.

Флер посмотрела. Платье было красивое. Вместо того чтобы скрыть ее рост, Майкл решил его подчеркнуть гибким силуэтом, диагональным кроем юбки и черным воланом по косой из тонкой ткани; через воздушную пену просвечивали длинные красивые ноги.

Она медленно подняла глаза. То же лицо девятнадцатилетней девочки, но как будто совсем другое. В нем есть характер, зрелость. Она рассмотрела отдельные детали. Широко расставленные зеленые глаза, брови как нарисованные и большой рот. А потом внезапно все части соединились, и лицо показалось Флер ее собственным.

Она быстро отвернулась.

— Косметика дает отличный результат, — сказала она.

Кисси почувствовала разочарование.

— Ты никогда себя не видишь.

— Не глупи.

Она выхватила сумочку и кинулась вниз по лестнице к лимузину. Перед тем как сесть, она подняла глаза к окну, где стояли Майкл и Кисси, и одарила их самой яркой из своих улыбок. Блестящая Девочка возвращалась.

Вот о чем она не подумала, так это о Белинде...

Аделаида Абрамс медленно отпустила ее руку и кивнула в сторону входа в галерею Орлани. Там стояла Белинда, завернутая в золотистые соболя, красивая, как бабочка. Когда мать проходила сквозь толпу гостей, Флер пыталась справиться с чувствами, закипевшими внутри. Она поняла, что в этом и заключался риск, от которого она не застрахована. Она глубоко вдохнула, потом еще раз. Никто не должен видеть, что внутри у нее все раскололось на тысячи холодных льдинок.

Белинда протянула одну руку, а другую прижала к лифу платья, будто под ним было что-то спрятано.

— Дорогая, люди смотрят, — сказала мать, — ну хотя бы для вида.

— Я больше не заигрываю с толпой.

Флер отвернулась и пошла прочь. Она уходила от запаха «Шалимар», от едва наметившихся морщинок, которые, как жилки на осеннем листе, собрались в уголках глаз Белинды.

По пути она заученно улыбалась, перекидывалась словами со знакомыми. Она даже умудрилась дать короткое интервью репортеру «Харпер». Но все время Флер спрашивала себя: почему это произошло именно сегодня? Шесть лет Белинда не тревожила ее. Почему именно сегодняшний вечер выбрала она, чтобы появиться в жизни дочери? Меньше чем через полчаса должны приехать Кисси и Майкл. Ради них и устроен этот вечер. Присутствие Белинды могло все испортить.

— Флер Савагар? — Молодой человек в униформе оливково-зеленого цвета посыльного стоял перед ней. Она кивнула, и он протянул ей длинную цветочную коробку. — Мужчина у двери попросил передать ее вам.

Она потянулась к черной вечерней сумочке, вышитой бисером, за чаевыми, потом приняла коробку. Аделаида Абрамс возникла перед ней словно по мановению волшебной палочки.

— Обожатель?

— Не знаю.

Флер сняла крышку и отвернула упаковочную бумагу. В коробке лежало несколько дюжин белых роз на длинных стеблях... Ее взгляд обежал галерею и остановился на Белинде. Флер медленно вынула розы из коробки.

Когда Белинда увидела, что держит дочь, пальцы ее взметнулись к горлу, плечи поникли. Она молча постояла, а потом, что-то сказав своим собеседникам, выбежала из галереи.

Аделаида засуетилась вокруг коробки.

— Карточки нет, — сообщила она.

— Я знаю, от кого они, — ответила Флер, и глаза ее устремились на дверь, за которой только что исчезла мать.

— Его инициалы, должно быть, «Дж.К.». Не так ли?

Флер попыталась изобразить яркую фальшивую улыбку.

— Ну правда, Аделаида, тайные поклонники и должны оставаться тайными. Особенно те, которые так упорно охраняют свою частную жизнь.

— Ты хорошая девочка, Флер, твой единственный недостаток в том, что ты слишком часто исчезаешь. — Аделаида хитровато подмигнула и удалилась.

Флер положила розы обратно в коробку. Пусть Аделаида думает, что они от Джейка. Он уже взрослый и сам о себе позаботится. Кроме того, это в сто раз лучше, чем если она узнает, что на самом деле их прислал Алексей Савагар.

Она ожидала чего-то подобного с тех пор, как он позвонил. Запах роз был липкий, он проникал в нос и в горло, ей становилось трудно дышать. Она закрыла цветы крышкой и положила коробку на скамейку. Как бы ей хотелось их выбросить в ближайший мусорный бак, но подобный жест наверняка не ускользнул бы от внимания Аделаиды Абрамс. Что означали эти розы для Белинды? Почему она ушла из галереи, увидев их? Алексей отправил ей послание. В чем его смысл? Еще одно предупреждение?

Появление Майкла и Кисси отвлекло ее от тревожных мыслей. Майкл был в белом фраке, а Кисси в розово-серебристом прогулочном платье. Она повисла у него на руке, женственная, беспомощная, с губками, сложенными так, будто она готовилась произнести: «буп-бупи-буп». Ничего удивительного, подумала Флер, что режиссеры пробуют ее только на роли секс-бомб.

Флер, здороваясь, коснулась щеки каждого, прошептав в ухо Майклу про Белинду, которая только что ушла. Отстранившись, она с сочувствием посмотрела на брата. Он недавно принял решение не прятаться под чужим именем.

Появление Кисси и Майкла и то, как их приветствовала Флер, привлекло к ним всеобщее внимание. Первым к ним подбежал представитель «Женской одежды на каждый день», и Флер представила обоих. Майкл изображал абсолютное безразличие и скуку, а куколка Кисси, утонувшая в розово-серебристой пене, — взволнованность. Когда они закончили с этим журналом, потом с «Харпер», потом с Аделаидой Абрамс, все трое медленно прошлись по залу, останавливаясь поболтать со знакомыми. Майкл держался отстраненно, Кисси трещала как сорока, а Флер изображала из себя греческий хор, представляя их.

— Я рада, что вам нравится мое платье. Его автор — мой брат. Талантливый, верно? Я изо всех сил стараюсь заставить его всерьез отнестись к своему дару.

На вопрос о том, кто такая Кисси, Флер отвечала с улыбкой:

— Правда замечательная? Майкл автор и ее платья. Что она делает? Да ничего особенного. Немножко играет, но это больше для развлечения.

Пока женщины смотрели то на черное бархатное платье Флер, то на платьице Кисси, она, понизив голос, говорила:

— Столько женщин одолевает его просьбами работать на них, но он сейчас занят только туалетами Кисси. Между нами, я надеюсь положить этому конец.

Большинство присутствующих были слишком хорошо воспитаны, чтобы задавать те же вопросы, что и Аделаида. Но все-таки некоторые спросили о появлении Белинды. Флер отвечала как можно односложнее и сразу меняла тему. Она рассказывала о новом агентстве, заранее звала некоторых на вечеринку по случаю официального открытия. Известный кардиохирург пригласил ее поужинать с ним завтра вечером. Флер глубоко вздохнула, но приняла приглашение. Этот выход позволит ей показать другое платье Майкла. Из шелка цвета ириса и синего, очень облегающее.

К полуночи она валилась с ног. Когда Флер села наконец на заднее сиденье лимузина, Майкл взял ее за руку.

— Ты не должна делать этого, Флер.

— Знаю, не должна. Но это то, что необходимо. Пришло время научиться жить такой, какая я есть. А значит, быть и Блестящей Девочкой тоже. Но я не ожидала, что столько привидений выскочит во время моего воскрешения.

Когда лимузин отъезжал от тротуара, она вспомнила о розах, забытых на скамейке в задней части галереи Орлани. И вдруг она поняла, что хотел сказать ей Алексей, посылая их. Что Белинда — это его рук дело. Он удерживал ее на расстоянии от Флер, а теперь позволил снова войти в жизнь дочери.

Через неделю начались телефонные звонки. Обычно они раздавались ночью, между одиннадцатью и двумя. Если отвечала Кисси, трубку немедленно вешали, а если Флер, то связь не прерывалась. До слуха Флер доносились отдаленные звуки сирены, приглушенная музыка. Барбара Стрейзанд, Нил Даймонд, Саймон и Гарфанкл. Но звонивший никогда не произносил ни слова.

Сначала Флер не обращала внимания на звонки, но потом стала постепенно убеждаться, что это Белинда. Очевидных доказательств, вроде запаха «Шалимар», не было, он не мог дойти по телефону. Но она все равно чувствовала. Она молчала, просто вешала трубку, но звонки начинали раздражать. Каждый раз, заворачивая за угол, она ждала, что прямо на нее выскочит Белинда. Теперь, когда мать уже появилась, Флер понимала, насколько вероятна такая возможность.

Флер и Кисси, одетые в прекрасные платья Майкла, сделали себя неотъемлемой частью жизни Нью-Йорка. Они ходили на ленч в Орсини или заглядывали в «Дэвид Вебб», чтобы взять восемнадцатикаратовую безделушку, которую позже возвращали как не совсем подошедшую. В «Хелен Арпелз» они покупали вечерние «лодочки» и танцевали до зари в «Клубе-А» или «Реджин», демонстрируя шелковые платья, пышные, как морская пена, изящную маленькую синюю кофточку, присобранную в боковом шве, вечернее платье с блестящими вставками красного помидорного цвета. В общем, довольно скоро все, кто хоть немного интересовался модой, захотели платья Майкла Савагара. Как и предсказывала Флер, когда женщины обнаруживали, что не могут их заполучить, им хотелось еще больше.

Иногда Флер и Кисси брали с собой Майкла, но чаще всего они ходили одни, чтобы поболтать о нем.

— Бабушка испортила его деньгами, которые ему оставила. — Флер вздыхала, демонстрируя платье из шелка с копией лилий Моне. — Человек, которому не надо зарабатывать на жизнь, становится ленивым.

На той же неделе, несколькими днями позже, Флер, разглядывая новый безумно дорогой кейс, который не могла себе позволить, доверилась обожающей сплетни жене наследника магазина:

— Он боится, что коммерция помешает его творчеству. Разумеется, он работает над чем-то вроде летней коллекции, и у меня на этот счет есть кое-какие планы...

Кисси была менее скромной.

— Я почти уверена, что он втайне готовит какую-то коллекцию, — рассказывала она всем. А потом, складывая губки бантиком, с нежностью проводила рукой по юбке. — Я не думаю, что он поступает правильно, не доверяя мне, самому близкому другу. Я же могу хранить секреты не хуже других.

Пока они распускали слухи о его идеализме и пренебрежении к коммерческому успеху, Майкл работал по шестнадцать часов в сутки, тщательно готовя весеннюю коллекцию, на которую пошли остатки денег от наследства Соланж Савагар. Тем временем магазин на пятьдесят пятой улице закрылся на переоборудование. Флер наняла людей, чтобы они переделали витрину с образцами, обновили фасад, укрепили табличку с именем Майкла

Савагара, написанным на серебристо-жемчужном фоне смелыми красными буквами.

К ней вернулось ощущение, знакомое по работе на гастролях с группой «Линкс», когда она пыталась выкроить для сна хотя бы четыре часа. Каждую свободную от роли светской красавицы минуту Флер возвращалась в свой новый дом и, лавируя между художниками и рабочими, клеившими обои, отвечала на телефонные звонки, бегала на встречи, пытаясь убедить всех в Нью-Йорке, что ее агентство надежнее всех обеспечивает успех.

— Ты должна сбавить обороты, — заявила Кисси. — Нельзя крутиться на такой скорости, а то свалишься.

— Я сбавлю темп только после февраля. Сейчас не могу, Кисси. Слишком много поставлено на карту.

— Тебе лучше знать, для чего ты себя так заводишь, Флер Савагар.

Флер отмахнулась от подруги и понеслась на очередную встречу. После дюжин интервью она наняла двух помощников. Уилла О'Кива, веселого рыжеволосого мужчину из Северной Дакоты, опытного журналиста и талантливого агента, и Дэвида Бенниса, седоволосого человека профессорского облика, знатока бизнеса и финансов, который должен был придать агентству особую надежность. У Флер пока не было достаточно клиентов, чтобы занять делом обоих, но вместе с элегантными офисами и красивой одеждой они стали частью фасада, подтверждавшего успех ее дела. Успех, которого, Флер знала, она обязательно добьется.

— Сегодня снова есть что почитать в газетах, — сообщил Уилл, обходя испачканную краской тряпку. — Не думаю, что ты обрадуешься. Кое-кто хорошенько поработал...

Флер не надо было спрашивать, о чем он. Она не видела Белинду после того вечера в галерее Орлани, но Аделаида хорошо знала свое дело. В последние несколько месяцев она напечатала не одну заметку с одними и теми же героями.

«Белинда Савагар провела вчерашний день в мужском магазине Ива Сен-Лорана, помогая сердцееду Шону Хауэллу выбрать новый комплект шелковых рубашек. Интересно, что ее муженек, французский промышленник Алексей Савагар, может сказать насчет всего этого?»

«Шон Хауэлл уютно устроился с Белиндой Савагар в уголке
известной таверны. Кто говорит, что не бывает настоящей любви с
мая по декабрь? Шон и Белинда опровергают подобное утверждение. Никаких известий от Блестящей Девочки Флер Савагар, хотя
некогда они с Шоном тоже были героями колонки новостей».

Флер пробежала глазами новую статью Аделаиды.

«Белинду Савагар и ее постоянного спутника Шона Хауэлла в
эти дни видели с кем угодно, но только не с Флер Савагар. Заста-
ревшая вражда умирает с трудом. Может быть, Блестящей Девочке
и ее маме стоит наладить отношения к Рождеству? Мир на земле,
девочки».

Флер скомкала газету и швырнула в корзину.

Армия декораторов и рабочих оставила дом буквально за пять
дней до приема. Придирчиво изучив результат их деятельности,
Флер с облегчением вздохнула: ожидание стоило того. Дом был
точно такой, каким она хотела его видеть. Передняя часть, предназ-
наченная для офиса, невероятно яркая, даже кричащая, пахла не
только свежей краской, но и хорошими деньгами. Смерть клиенту!
Флер улыбнулась.

Кабинеты были отделаны в светлых, почти белых тонах, дорогая кожаная мебель отливала перламутром, мягкий черно-голубой
ковер убегал под плинтуса, несколько предметов бледно-лилового
цвета непременно должны были притянуть к себе взгляд каждого,
кто переступит порог.

Приемная и кабинет Флер располагались внизу, остальные сотрудники устраивались выше, на балконе. Балкон ограничивался
трубчатыми перилами, словно палуба мощного океанского лайнера;
художник позаботился даже о черных декоративных колоннах с
желтыми ригелями, подчеркивая сходство с морским судном. На
балкон вела лестница, прихотливо изогнутая; ступеньки ее покрывал
уютный ковер. Казалось, сейчас появится великолепная парочка танцо-
ров, Фред Астор и Джинджер Роджерс, которые своей невероятной походкой спустятся вниз.

Флер вошла в свой кабинет и принялась выдвигать ящики стола
с крышкой из белого мрамора, заполняя их самыми разными вещами. Поскольку офис еще несколько дней был закрыт для клиентов,

она пришла в джинсах и оранжевой спортивной майке с длинными рукавами и веселым Микки-Маусом на груди. Так велел ей одеться Майкл. Флер уже закончила с одним ящиком и взялась за другой, когда в кабинет просунулась голова Уилла О'Кива.

— У нас серьезная проблема, Флер. Вчера мне позвонила Оливия Крейгтон и раскричалась, что не получила официального приглашения на открытие. Я послал другое без всякой задней мысли, а тут вдруг звонит Аделаида Абрамс точно с такой же претензией. Флер, я все проверил. Наших приглашений не получил никто.

— Да как это может быть! Смешно! — воскликнула она, вытирая руки о джинсы. — Их давным-давно отправили. Ты знаешь не хуже меня.

— Видимо, не отправили, — вздохнул Уилл. — Они лежали в открытой коробке на столе секретарши. Когда она вернулась после ленча, их уже не было. Она не удивилась, решив, что я их отправил. К несчастью, она не спросила меня и не проверила.

Ни слова не говоря, Флер опустилась в новое кожаное кресло у стола и попыталась сосредоточиться. Что делать?

— Хочешь, я всех обзвоню? — спросил Уилл. — Объясню и приглашу гостей по телефону. А может, передвинем дату? Осталось всего ничего, только четыре дня. Ужасно мало. Как ты думаешь, Флер?

Но Флер уже решила и покачала головой:

— Никаких телефонных звонков. Никаких объяснений. Приготовь новые приглашения и сегодня же лично вручи каждому с цветами от Рональдо Майя. Да, придется выложить кучу денег, но ничего не поделаешь. Начинать бизнес с подобных объяснений — значит расписаться в собственной несостоятельности. — Уилл уже собрался выйти из кабинета, когда Флер снова окликнула его: — Уилл, проверь, пожалуйста, все остальное. Давай убедимся, что никаких других промахов мы не допустили.

Помощник вернулся очень быстро, она даже не успела закончить возиться со вторым ящиком. Уилл еще не открыл рот, как Флер поняла по его виду, что ничего радостного он ей не сообщит.

— Я только что говорил с фирмой, которая должна была накрыть банкетные столы. Несколько недель назад кто-то отменил наш заказ. На эту дату у них уже другой клиент. Представляешь?

Флер представляла. Голова ее работала напряженно. Ну что ж, нет безвыходных ситуаций, сказала она себе, и весь остаток дня закупала еду, которую можно было приготовить очень быстро и вовремя накрыть столы. Следующие четыре дня Флер ежесекундно ожидала новых неприятностей. Их не произошло, но она уже не могла заставить себя расслабиться и к моменту начала приема по случаю открытия агентства почувствовала, что ее нервы сплелись в один тугой, болезненный узел.

Пообещав Уиллу вернуться через час, Флер проскользнула мимо людей, накрывавших столы длинными белыми скатертями, и вышла прогуляться. А когда вернулась, Уилл встретил ее прямо на пороге в испачканной сажей одежде и с черными руками. Флер поняла, что несчастье, которого она так напряженно ждала, случилось.

— Флер, у нас был пожар.

Живот подвело, как бывает от внезапного страха.

— Кто-нибудь пострадал? Насколько серьезный пожар?

— Мы подоспели вовремя, как только почувствовали запах из цоколя. Сразу сбили пламя в задней части коридора. Хватило двух огнетушителей, так что никто не пострадал и никаких серьезных повреждений нет. Но могли быть, сама понимаешь.

— Ты в порядке? Где Дэвид?

— С нами все нормально. Он чистит перышки.

— Слава Богу.

— Флер... — Уилл замялся. — Я думаю, тебе стоит кое-что увидеть.

Она спустилась за ним в цоколь дома, пытаясь не думать, как близко была к катастрофе. А если бы пожар разгорелся при полном съезде гостей? Она постаралась отмахнуться от ужасной мысли и сосредоточиться на том, что ей показывал Уилл. Окно, расположенное прямо над кучей обгоревшего строительного мусора, было разбито чем-то тяжелым.

Флер подошла ближе.

— Окно разбито снаружи, — проговорила она тихо, отодвигая носком кроссовки стекло, усыпавшее пол.

Уилл кивнул.

— Утром я спускался сюда, все было в полном порядке. Флер, у нас внизу не было никакого горючего. Ничего такого, что могло бы вспыхнуть. Наверное, какие-нибудь хулиганы разбили окно и что-то бросили.

Пять часов дня не время для хулиганов, подумала Флер и вздохнула.

— Открой внизу все окна, — велела она, — а я пойду наверх и там наведу порядок.

Через час все головешки были вынесены из цоколя, дом благоухал духами «Опиум», перебивавшими остатки дымного запаха. Больше она ничего не смогла придумать. Когда Уилл надел пальто, отправляясь переодеваться к приему, Флер задержала его.

— Я очень благодарна вам с Дэвидом, — сказала она. — И очень рада, что никто из вас не пострадал.

— Да пустяки, — улыбнулся Уилл, застегивая последнюю пуговицу. Он уже повернулся к двери, когда внезапно вспомнил: — О, чуть не забыл обрадовать. Кто-то прислал тебе цветы, я поставил их в воду. Визитной карточки не было.

Она и не нужна была Флер. Цветы стояли в высокой желтой вазе в центре ее стола. Все сразу стало ясно.

Дюжина белых роз.

Глава 26

Несмотря на поздно разосланные приглашения, на пожар, на хлопоты с едой для банкета, на то, что Флер была придавлена всем происшедшим, прием, казалось, проходил успешно.

Она взяла с подноса, который держал официант, бокал шампанского «Дом Периньон» и принялась пить маленькими глотками, изучая гостей. Хорошенькая смесь, усмехнулась она про себя, но известных лиц достаточно много, чтобы репортеры и фотографы, приглашенные Уиллом, были счастливы. Дина Мерилл беседовала с Гэй Талес. Кисси притворялась, будто внимает Оливии Крейгтон, а сама поедала взглядом Джима Палмера, появившегося в дверях.

Майкл, после того как Флер назначила дату показа его весенней коллекции, стал очень сосредоточенным. Она наблюдала, как брат пересекает комнату, на ходу кивая Саймону. Эти двое только что познакомились, но, казалось, не обратили друг на друга особого внимания.

Сегодня Флер надела серовато-бежевое платье с длинными рукавами, украшенное коричневато-золотистыми маками, вышитыми продолговатым бисером. Как велел Майкл, она собрала волосы на затылке в пучок и украсила его заколками, похожими на расписные китайские палочки.

Кисси подошла к ней, не сводя глаз с Джима Палмера.

— Я выполнила свой долг, но больше ни минуты не вынесу эту Оливию Крейгтон. Она говорит только о своей новой роли в «Бухте дракона». Представляешь, у нее там всего два эпизода, а она тарахтит так, будто ей обломилась главная роль!

— Я так и думала, — кивнула Флер. — Именно поэтому я и взяла ее в клиенты. Сейчас мыльные оперы очень популярны, Кисси. Вечерами женщины не отрываются от экрана, когда крутят сериалы. А Оливия очень хороша для телевидения. Я думаю, она может стать второй Джоан Коллинз.

Это были не просто слова. Недавно Флер проходила через отдел телевизоров в «Блумингдэйле», а на экранах крутился рекламный ролик с участием Оливии Крейгтон. Пожилые покупательницы замирали, забывая, куда и зачем направлялись, и не отрываясь смотрели на Оливию. Флер, наблюдая за их реакцией, поняла, что их притягивает. Не содержание ролика, не красоты Флориды, к которым старались привлечь внимание создатели ролика. Нет, их влекла сама Оливия, немолодая, но все еще красивая женщина, ее манеры, улыбка. Взгляд Оливии посылал безмолвное послание, которое точно принимало их подсознание: для вас не все еще в прошлом, вы способны многое испытать, почувствовать, еще многого достигнуть... Почти месяц билась Флер, убеждая режиссеров прислушаться к ее словам и посмотреть на Оливию Крейгтон иначе. В конце концов настойчивость Флер вознаградилась, и она заключила краткосрочный контракт для Оливии. Деньги очень скромные, но дело не только в них.

Джим Палмер исчез в стайке женщин, а Кисси внимательно посмотрела на Флер.

— Ты знаешь, что сегодня выглядишь невероятно, Флер? Мне даже страшно.

— Что ты хочешь этим сказать?

— Ну, ты похожа на героиню-соперницу в любовных романах. Утонченная красавица блондинка, которая пытается зацапать любимого мужчину у розовощекой героини.

— О, у меня слишком короткие коготки, — покачала головой Флер, но втайне осталась довольна замечанием подруги. Красавице блондинке, конечно, не пристало беспокоиться о житейских мелочах, например, о том, что Алексей Савагар пытается ее погубить.

Она рассказала Кисси и Майклу про пожар, но ни словом не обмолвилась о розах. Зачем? Ни брат, ни подруга все равно ничего не смогут сделать или чем-то помочь. Флер не хотела их волновать. Алексей затеял с ней игру в кошки-мышки в тот момент, когда Белинда появилась в галерее Орлани. Пропажа приглашений на вечеринку стала первым напоминанием о том, как сильно он хочет отомстить Флер. А сегодня днем он снова подтвердил серьезность своих намерений.

Кисси ткнула ее в бок, заставляя обратить внимание на гостей.

— Видела Майкла и Саймона? — спросила она. — Они даже не обратили никакого внимания друг на друга. Надо же настолько не разбираться в мужчинах! А ведь оба очень сильно выделяются из толпы.

Действительно, огромный бритоголовый Саймон, самый заметный мужчина из гостей, казалось, поговорил уже с каждым, кроме Майкла. А за тем весь вечер, как тень, следовал Дэймон.

— Саймон и Майкл так хороши, — продолжала Кисси, — что у меня невероятное искушение их свести. Ну просто нет никаких сил удержаться. — Ее глаза блестели.

— Это не наше дело, — покачала головой Флер.

— Ты абсолютно права.

— Майкл не вмешивается в мою личную жизнь, и я тоже не собираюсь.

— Какая хорошая сестра.

Дэймон что-то сказал Майклу, и тот засмеялся. Флер наклонилась к уху Кисси:

— А как насчет интимного ужина?

— С восторгом. Да, а разве ты не говорила мне, что пригласила Чарли Кинкэннона? Или мне показалось? — Кисси пыталась говорить небрежным тоном, но Флер невозможно было обмануть.

— Ага.

— Ну и как? Ты думаешь, он собирается прийти?

— Даже не знаю. Хочешь, спрошу Уилла?

— Да не надо, мне это не так уж важно.

— Неужели?

Кисси пожала плечами.

— Я думаю, он или гомик, или что-то у него не в порядке...

Флер подняла бровь. Кисси прекрасно известно, что Чарли Кинкэннон никакой не гомик. Что за игру затеяла ее подруга сама с собой?

— Я слышала, что он встречается с Кристи Бринкли, — небрежно бросила Флер. Конечно, нехорошо так поступать с лучшей подругой, но это случай особенный. Цель оправдывает средства. Чарли Кинкэннон слишком здорово подходит Кисси, не важно, понимает это ее подруга или нет.

— Кристи Бринкли! Да она же на целый фут выше его!

— За ученым фасадом Чарли Кинкэннона скрывается весьма самоуверенный мужчина, дорогая. Не думаю, что его когда-нибудь беспокоила собственная внешность.

— О Боже, я лично никогда не считала Кристи привлекательной, — хмыкнула Кисси.

Флер, совершенно серьезно глядя на подругу, кивнула:

— Страшна как черт.

— Ты думаешь, я это заслужила, да?

— Да, Божья кара, Магнолия.

Кисси старательно придумывала, что бы поязвительнее выпалить в ответ, но в этот момент Уилл помахал Флер, приглашая подойти к репортерам. Она быстро обняла Кисси и отправилась позировать перед камерами, отвечать на вопросы об агентстве и о грядущей выставке работ Майкла. Закончив, она направилась к подруге, но вдруг за спиной раздался мужской голос. Это был голос Шона Хауэлла.

— Привет, великолепная! — Он наклонился к ней, но коснулся не щеки, а поцеловал прямо в губы. Флер ощутила, как его язык прижался к ее нижней губе, прежде чем она успела отпрянуть. — Ты не против, что к тебе ввалились двое неприглашенных?

— Слишком поздно быть против. — Флер снова заметила, как сильно не подходит Шону лицо мальчика-подростка: ни сейчас, в двадцать девять лет, ни раньше, в двадцать два. Она слышала, что он, как ни старался, не сумел сделать карьеру. Шон задолжал Главному налоговому управлению четверть миллиона долларов и постоянно искал работу.

— Эй, это же настоящий бизнес, да? — Он водил рукой по ее спине, как парнишка-старшеклассник, желающий проверить, есть ли на девочке лифчик. — Я слышал, ты подбираешь клиентов, а мне как раз нужен новый агент. Может, сговоримся?

— Не думаю. — Флер уже хотела отправиться дальше, пройти мимо него, как вдруг до нее дошел смысл сказанных им слов. — Слушай, Шон, ты говорил о паре вторгшихся без приглашения. А еще-то кто? — Задавая вопрос, она уже со страхом догадалась об ответе, но всем сердцем надеялась на ошибку. Господи, как ей сейчас хотелось ошибиться!

— У тебя в офисе сидит Белинда. Она попросила меня сказать, что ждет тебя.

Только не сегодня, подумала Флер. Хватит на сегодня! Внезапно ей захотелось убежать с собственного праздника. Но разве она могла поддаться подобной слабости?

Белинда стояла спиной к двери, рассматривая литографию Луизы Невельсон, которую Флер купила на доход, полученный от продажи палладия в марте. Стоило Флер увидеть аккуратную прямую спину матери, как слезы обожгли глаза, а острая тоска пронзила сердце. Она вспомнила, как бросалась в объятия Белинды, появлявшейся перед воротами монастыря, как утыкалась лицом в теплый изгиб ее шеи. Белинда была защитницей от монахинь, она говорила, что Флер самый замечательный в мире ребенок...

— Извини, детка, — тихо сказала Белинда, продолжая глядеть на литографию Невельсон. — Я понимаю, ты не хотела меня видеть на своем празднике.

Флер быстро выдвинула кресло и села за стол, желая защититься от нахлынувших болезненных чувств, которые принуждали ее кинуться через комнату и обнять ту, которая когда-то заботилась о ней больше всех на свете.

— Зачем ты пришла?

Белинда повернулась.

— Я пыталась заставить себя не приходить. Удержаться и не приходить.

Мать была в голубоватом костюме, украшенном белой норкой, в атласных туфельках на французском каблучке с бледно-голубыми ленточками, завязанными вокруг щиколоток. Туфли слишком молодежные для женщины сорока пяти лет, но на Белинде они выглядели прекрасно.

— С того вечера в галерее Орлани, когда я увидела розы, я пыталась держаться подальше от тебя, дорогая, но ничего не могла поделать с собой.

— Что эти розы означают, Белинда? Что они такое для тебя?

Белинда повозилась с замочком на вечерней сумочке, открыла ее и достала сигарету.

— Не надо было разбивать тот «роял», — выдохнула мать, вынимая золотую зажигалку и неуверенными пальцами высекая огонь. — Алексей люто возненавидел тебя.

— Ну и что? — Флер посмотрела в стол, кляня себя за дрожь в голосе. — Он ведь не мой отец.

В комнате воцарилось молчание.

— Я хотела тебе рассказать, — тихо проговорила Белинда. — О, Флер, сколько раз я собиралась открыть тебе правду о твоем настоящем отце. — Уставившись невидящим взглядом в одну точку, Белинда продолжила: — Мы жили с ним вместе три месяца в «Саду Аллаха». Эррол Флинн был величайшей звездой, Флер. Негаснущей звездой. Он бессмертный. Как ты на него похожа.

Флер стукнула ладонью по крышке стола.

— Как ты могла лгать! Все эти годы! Почему ты не сказала мне правду, а вместо этого заставляла мучиться вопросом: почему отец отослал меня из дома, почему я ему не нужна?

— Я не хотела причинить тебе боль, детка.

— Причинить боль? Да твоя ложь гораздо больнее правды. Я постоянно думала, что сама виновата, если Алексей изгнал меня из семьи. Неужели ты не понимаешь?

— Но, детка, если бы я сказала правду, ты возненавидела бы меня.

Мать казалась хрупкой и беспомощной, у Флер не было сил смотреть на нее. Она встала из кресла, с трудом пытаясь овладеть собой.

— Объясни мне про розы. Скажи, зачем Алексей послал тебя ко мне. Он ведь тебя послал, да?

Белинда тихо, нервно рассмеялась.

— Он считает, что мое присутствие навредит тебе. Глупо, да? Я сама не понимала этого, пока не увидела розы в галерее Орлани. А там я догадалась, чего он хотел, отсылая меня в Нью-Йорк. Он хотел, чтобы я пришла к тебе, поэтому я и старалась держаться подальше.

— До сегодняшнего вечера.

— Я старалась изо всех сил. Я больше не могла выдержать. Мне надо понять, можем ли мы начать все сначала. Я так скучаю по тебе, девочка.

Флер молча, напряженно смотрела на Белинду, пока та постепенно не сникла.

— Тогда я пойду, — сказала мать, направляясь к двери. — Будь осторожна с Алексеем и помни, я все-таки люблю тебя. Я не хотела тебе зла.

Флер потерла виски. Белинда так ничего и не поняла, хотя прошло столько времени. По щекам Флер потекли слезы.

— Ты сводничала.

Белинда смутилась.

— Но ведь то был не просто мужчина, а Джейк Коранда. Я бы никогда не отдала тебя другому.

Белинда поколебалась секунду-другую и выскользнула за дверь.

Вечер оказался удачным. К тому времени, когда ушли последние гости, Флер почувствовала себя совершенно выдохшейся. Она открыла дверь в жилую часть дома. Из ивовых плетеных корзин пахло эвкалиптом; никаких других ароматов ее счет в банке не позволял. Пока. В гостиной Флер включила свет и повалилась на потертую кушетку, накрытую красивым шотландским пледом с каймой. Тишина и покой в комнате помогли ей немного расслабиться.

Она смотрела в окно, доставшееся ей от старой текстильной фабрики в Новой Англии, на облетевший садик. Даже зимой он умилял переплетением голых веток, похожих на кружева, вечнозелеными кустами и яркими оранжевыми ягодками пироканты, взбирающейся по высоким кирпичным стенам.

Флер попыталась представить себе эту совершенно пустую комнату в будущем. Дорогая, темного ореха мебель, восточные ковры превратят ее в уютное, надежное убежище от показной пышности офиса. Она поставит здесь мягкие кресла, кушетки, обитые темнозеленой тканью, старинные столики с не менее старыми медными лампами.

Выключив свет, освещавший сад и гостиную, Флер взобралась по лестнице в спальню, расстегнула молнию на платье и вышла из него, оставшись в лифчике и трусиках, обшитых кружевами. По голому деревянному полу она прошла к встроенному шкафу. Смешно, но в этом чуланчике висели самые красивые наряды во всем Нью-Йорке. В спальне стоял подержанный комод с облупившейся рыжей крышкой, скрипучее кресло и двуспальная кровать без изголовья. Включив свет, она заморгала, потому что ей померещилось совершенно невероятное. Но через секунду Флер поняла, что ей не померещилось, что это правда... Она испуганно вскрикнула.

На ее кровати спал Джейк.

— Это ты, Цветик? — спросил он сонным голосом.

Флер сердито вскрикнула, уронила платье и бросилась к кровати.

— Что ты делаешь в моей спальне? Вон отсюда, Коранда! Как ты сюда пробрался? Клянусь...

— Твоя секретарша увидела меня в коридоре и впустила сюда до того, как сама ушла с приема. Она считает меня лучшим актером, чем Бобби де Ниро.

— Ты ничуть не лучше! Единственное, что ты умеешь делать, — это рычать и щуриться! Я хочу, чтобы ты убирался отсюда! Это мой дом. Ты не имеешь права влезать сюда! Дешевка! Ты используешь свое лживое очарование, чтобы охмурить мою секретаршу! — Флер понимала, что несет чепуху, но это было лучше, чем топать ногами или чем-нибудь швыряться. Кстати, ей очень хотелось запустить в него чем-нибудь тяжелым. Ну почему сегодня? Почему все это *сегодня*? В один день? Почему бы неприятностям не распределиться по разным дням недели? Может, против нее существует заговор? Они все когда-нибудь оставят ее в покое? Почему этот Джейк...

Он потянулся, щелкнул выключателем рядом с кроватью, и ее тело, которое отказывалось пробуждаться перед другими мужчинами, вдруг все напряглось. Только не теперь! Но оказалось слишком поздно. Желание пронзило Флер насквозь, тело окатила теплая волна. У Джейка Коранды сегодня не было усов, его волосы были аккуратно причесаны, но все равно он походил на того, которого она видела в последний раз на берегу океана. Грубый, мужественный и невероятно желанный. Флер вдруг поймала его внимательный взгляд, которым он рассматривал ее, и внезапно до нее дошло, что она стоит перед ним в очень открытом лифчике и тончайших трусиках.

— У тебя все нижнее белье вроде этого?

— Не твое дело.

Джейк сел и скинул ноги с кровати.

— Может, наденешь халат? Какой-нибудь фланелевый, с ароматом жирного жареного бекона.

— Нет.

Флер сказала себе, что Джейк Коранда вторгся сюда сам и она не собирается подчиняться его желаниям. Она посмотрела на твердую линию сжатых губ, и ей стало ясно, что он так же плохо владеет собой, как и она.

— Ты злишься потому, что меня не было на твоем приеме? Извини, но такие игры не для меня. Я об этом сказал твоему сотруднику по телефону. Но очень хорошо, что ты меня пригласила.

Она чуть не завопила от злости. Джейка не было ни в одном списке приглашенных. Уилл явно перешел грань, она с ним поговорит как следует завтра утром. Схватив халат со стула возле кровати, Флер засунула руки в рукава.

Джейк притворно вздохнул и, посмотрев ей в лицо, спросил:

— Уже слишком поздно, да? Я снова насчет запаха *жареного бекона*. — Он втянул носом воздух, словно ощущая желанный аромат.

— Забудь об этом. Лучше скажи, чего ты хочешь.

Вот так и надо, похвалила себя Флер, изображай и дальше холодную красавицу блондинку, не позволяй ему увидеть, как ты потрясена. Пусть он говорит и делает что угодно.

Джейк поднялся.

— У меня к тебе деловое предложение. Но, насколько я понимаю, сегодня ты не в настроении разговаривать со мной. Ладно, утром можешь приготовить мне завтрак.

Деловое предложение. Флер ощутила разочарование. Черт бы его побрал! Почему он думает, что вот так просто может вернуться в ее жизнь? Она повернулась к нему и стала вынимать заколки из волос.

— Что за предложение? — поинтересовалась Флер.

Джейк наблюдал, как светлый блестящий каскад обрушился на плечи Флер и накрыл их. Она тряхнула головой и запустила пальцы в волосы, поправляя их.

— Утром, — сказал он, скользнув взглядом по открытой нежной шее. — Где мне устроиться на ночь?

— В отеле.

Джейк снова сел на кровать.

— Спасибо. Но вот тут гораздо лучше. Какой отличный жесткий матрас...

— Нет! — Она вдруг испугалась; ей уже не хотелось ссориться с ним. — В конце коридора есть комната, там стоит кровать, она тебе немного коротковата, но потом не говори, что я не предупреждала тебя.

Джейк поднялся.

— Ты уверена, что хочешь остаться здесь одна?

— Да что ты! Я просто не дождусь, когда наконец для разнообразия окажусь одна в постели. — Боже! Что заставило ее сказать такое?

Джейк с напряженным лицом направился к двери.

— Извини, что нарушил твои привычки.

Флер пошла в ванную, включила душ. Горячая вода потекла по телу, отвлекая от смешных позывов плоти. Флер стала думать о деловом предложении, которое приготовил ей Джейк. Интересно, о чем он собирается поговорить с ней утром? Неужели возможно, что он попросит ее стать его агентом? При одной мысли о том, что это могло означать для ее агентства, сердце Флер взволнованно забилось. Она попыталась убедить себя, что на это нечего надеяться. Такая звезда, как Джейк Коранда, никогда не обратится в новую фирму лишь потому, что ее хозяйка была когда-то его любовницей.

Может быть, у него возникло чувство вины? Может быть, он собирается позволить ей представлять его, желая залечить раны, нанесенные ей в прошлом? Флер взяла мыло и подумала о том, как это глупо звучит. У Джейка не заметно никаких признаков угрызения совести. Казалось даже, он ее за что-то осуждает. Так что за общее дело могло быть у них? Флер ополоснулась и снова подумала: вот если бы имя Джейка Коранды оказалось в списке ее клиентов, слух об этом распространился бы, как пожар, и все, хоть что-то собой представляющие, устремились бы к ней! Она набрала бы магическую дюжину и закрыла бы для других двери своего самого выдающегося агентства в городе.

Флер прикрыла глаза. Тогда она могла бы добиться всего, о чем мечтала. Агентство Флер Савагар станет образцовой фирмой по управлению делами знаменитостей. Самая храбрая, самая быстрая, самая сильная...

Она проснулась в девять утра, и в свете дня ночные видения показались абсолютно глупыми. Невероятно, но она снова позволила себе унестись на крыльях мечты, усмехнулась она... Как глупо. Из кухни пахло свежим кофе. Флер надела самый старый спортивный серый костюм, завязала хвост на затылке. Она уже почти вышла из спальни, но вернулась и легонько прошлась по губам помадой и сделала несколько взмахов кисточкой, придавая щекам румянец. Волосы торчали во все стороны. Она вдруг решила переодеться. Надела свободные брюки угольно-черного цвета и мягкий серый свитер. Очень старый свитер, напомнила себе Флер.

Джейк сидел за столом на кухне и пил кофе, вытянув перед собой ноги. Она прошла мимо него к холодильнику и налила себе стакан апельсинового сока.

— Я сделаю тосты, если ты приготовишь яйца.

— Ты уверена, что справишься? — поинтересовался он. — Насколько я помню, кулинария не самая сильная твоя сторона.

Она пропустила слова Джейка мимо ушей и стала вынимать из шкафа тарелки, сковородку, потом яйца из холодильника, потом грейпфрут. Флер взяла нож и разрезала его пополам.

— Но только не мудри, — сказал он, подходя к плите и принимаясь разбивать яйца в миску.

— У тебя какой-то особый творческий замысел?

— Нет, но я не хочу класть грейпфрут на сковородку или поджаривать его в оливковом масле, ничего такого. Еда должна быть естественной.

— Можешь не волноваться, с твоим грейпфрутом я ничего не буду делать.

Они сели друг против друга, и внезапно Флер эта сцена показалась невероятно уютной, домашней, воскресной. Она испугалась так, что боялась проглотить кусочек, хотя уже положила его в рот.

— Я думала, у тебя в городе какая-нибудь шикарная квартира, — быстро проговорила она.

— Да, но очень многие люди мне там мешают. Я никак не могу с ними справиться. Я решил исчезнуть. В общем-то об этом я и хотел с тобой поговорить.

— О-о?

Флер задержала дыхание, собираясь выслушать Джейка. В голове вспыхнуло предупреждение об осторожности и необходимости сохранять дистанцию, если он намерен предложить какое-то общее дело. Ей не нужны сейчас никакие осложнения, а Джейк мог их создать. На нее уже столько всего навалилось, ничего больше ей не надо.

— Я вот подумал, что можно сделать с твоей мансардой.

— С моей мансардой? — Флер не могла поверить своим ушам.

— Я попросил твою секретаршу показать мне ее вчера вечером. Хорошее место, уединенное, изолированное, а мне именно такое и нужно, чтобы спрятаться и поработать.

Все надежды Флер рухнули. Ей хотелось перепрыгнуть через стол и задушить Джейка Коранду. Она нужна ему не как агент, а как хозяйка, у которой он хотел арендовать мансарду!

Швырнув салфетку, Флер закричала:

— Ты сумасшедший, да? Скажи мне, с чего ты взял, что я могу даже подумать о чем-то подобном? Ты настолько привык, что люди целуют землю, по которой ты ступаешь? Неужели и впрямь думаешь, что я позволю тебе жить в моем доме?! — Она вскочила и показала ему на дверь. — Убирайся отсюда, Коранда! Мне надоело тебя видеть! Мне надоело тебя слушать! Мне надоело все, что с тобой связано!

Он закинул руки за голову и сцепил пальцы.

— Это следует понимать как отказ?

— Не остри! По-моему, я совершенно ясно все сказала. Я...

— Позволь мне все-таки договорить, прежде чем примешь решение. В общем-то одна мысль, которую я собираюсь высказать, тебя может заинтересовать.

— Да Боже мой! Коранда! Если ты собираешься предложить мне деньги...

Джейк поднял руку.

— Сядь, Цветик. Вчера вечером я говорил тебе про деловое предложение, которое надо обсудить. А теперь пей кофе и внимательно слушай.

Флер села, но к кофе не притронулась.

— Я должен снова начать писать, — сказал Джейк. — Если я не прорву блокаду сейчас, то уже никогда этого не сделаю. Я дал себе шесть месяцев. Я не буду играть, стану только писать. Я хочу, чтобы ты стала моим агентом.

Флер пыталась унять волнение и дрожь. Джейк — ее клиент. Так все-таки она оказалась права! Трудновато было изображать холодного профессионала, но она старалась изо всех сил.

— Я была бы рада тебя представлять. Думаю, ты понимаешь, что я смогла бы облегчить тебе жизнь. — Она откинулась на стуле и выложила перед ним факты, как поступала всегда, предлагая услуги своего агентства. — Насколько тебе известно, у меня несколько клиентов на полном обслуживании. Это значит, я смогу вести все твои дела, весь твой бизнес, юридические вопросы, переговоры о фильмах...

Джейк перебил ее:

— Мои люди давно и хорошо со всем справляются. Я не собираюсь давать им отставку.

Флер почувствовала себя похожей на шарик, из которого только что выпустили воздух. Гнев снова вернулся к ней.

— Тогда что именно ты мне предлагаешь?

— Я хочу, чтобы ты имела дело только с тем, что я пишу. Чтобы ты стала моим литературным агентом.

Флер посмотрела на него.

— Великое дело.

— Ты внесешь мое имя в список клиентов. Так чем ты рискуешь? Всего лишь небольшим кусочком недвижимости.

— Джейк, но за шесть лет ты не создал никакого литературного шедевра. Твое имя как писателя ничего не принесет моему агентству, разве что насмешки.

— Детка, но ведь в блокаде я оказался из-за тебя. И тебе придется помочь мне прорвать эту блокаду. Предоставить территорию.

Флер взяла свою тарелку и понесла к раковине. Вставив затычку в слив, она спросила, не оборачиваясь:

— Почему ты без конца твердишь это? Почему без конца обвиняешь меня?

— Как я уже говорил, до твоего появления в моей жизни я прекрасно писал.

— Это не ответ, сам понимаешь.

Она услышала скрип его стула и шаги за спиной.

— Возможно, это весь ответ, который ты можешь получить на данный момент, — напряженным голосом проговорил Джейк.

Флер с трудом сумела скрыть свое огорчение.

— И как же, ты думаешь, я должна помочь тебе прорвать блокаду? Лежа на спине?

— Пытаешься выдать желаемое за действительное?

Флер до боли в суставах стиснула ручку сковородки.

— Ты сволочь!

Он схватил ее за плечи, повернул к себе и сердито посмотрел на нее.

— Ты сама все хорошо понимаешь.

— Нет.

— Мне нужна помощь. Неужели так трудно осознать это? Я хочу избавиться от всего плохого, что случилось той весной, когда мы снимали «Затмение».

— А почему тебе так важно писать? Разве тебе нужны деньги? Тебе совершенно незачем сидеть за письменным столом.

— Мое дело — писать. — Джейк стиснул плечи Флер. — Игра приносит мне удовлетворение и деньги. Я богат. Но свободно дышать я могу только тогда, когда пишу.

Он произнес это с вызовом, словно подобное признание каким-то образом компрометировало его.

Прежний, совсем прежний Джейк, подумала Флер. Чуточку приоткроется, а потом снова закроется крепко-накрепко, прежде чем она успеет что-то рассмотреть. Флер вздохнула.

— Слушай, — сказал он, опустив руки, — я не собираюсь сидеть у тебя в кармане. Мне просто нужно уединение. Я хочу сделать то, что хочу. Не надо объяснять тебе, что, если я смогу писать, дела твоего агентства быстро пойдут в гору, ты очень преуспеешь в своем бизнесе.

Они почти поругались, но в конце концов Флер сдалась. Почему бы не попробовать воспользоваться шансом? Флер понимала, что, соглашаясь на предложение Джейка, рискует не только своим сердцем. Слух об их сделке разнесется очень быстро; люди узнают, что Флер Савагар взялась представлять писателя, давно ничего не пишущего, станут говорить, мол, Коранда позволил ей использовать свое имя из-за того, что они когда-то спали вместе, но не доверяет ей настолько, чтобы разрешить управлять его делами в кино. Всем было известно, что его писательская карьера переживает мрачные времена. Флер вдруг пожалела о публикации тех статеек в газетах, за которые ныне предстоит расплачиваться. Она усердно потрудилась над своим имиджем уверенного и знающего профессионала, но теперь она предстанет перед всеми как женщина, делающая свой бизнес в спальне.

Что нужно, чтобы Джейк Коранда снова начал писать?

А если она и впрямь поможет ему прорвать блокаду и сподвигнет на написание новой пьесы? Если он вдруг снова станет писать, тогда ей уже не придется волноваться о слухах или думать о феврале. Игра стоит свеч, и она сыграет в нее. Флер запрещала себе думать о личной цене, о цене своего сердца, которую ей придется заплатить за то, что снова связалась с мужчиной, обладающим даром и умением разрушать любые барьеры, которые она пыталась возвести, защищаясь от него.

* * *

Слухи пошли, но они не имели никакого отношения к Джейку Коранде. Однажды утром, в понедельник, через два дня после того, как они с Джейком заключили сделку, Флер узнала об этом. Она уже выходила из офиса, отправляясь на встречу с бразильским футболистом, спортивной звездой, которого она надеялась сделать клиентом агентства, когда ей позвонил один знакомый вице-президент.

— Недавно, Флер, я услышал о тебе кое-что. Я думаю, тебе стоит узнать, — сообщил он. — Кто-то упорно и настойчиво напоминает людям о контрактах, которые ты много лет назад нарушила.

Она попыталась изобразить, будто новость ничуть не расстроила ее.

— Нашли о чем сплетничать. Такое старье...

— Но когда ты начинаешь свой бизнес, важно все...

Флер не надо было объяснять, чем грозят ей подобные слухи. Если в прежние времена она могла сделать такое, то где гарантия, что ничего подобного не повторится? Но почему это всплывает сейчас, через столько лет? Казалось, кто-то нарочно... Ее осенило: конечно, нарочно. Алексей сделал свой следующий шаг.

Спортивная звезда на ленч не пришла. Флер без труда догадалась о причине. Она вернулась в офис в тот момент, когда раздался звонок Оливии Крейгтон. Неделю назад она послала Флер дюжину старинных фужеров баккара в знак благодарности за подписание с ней контракта на «Бухту дракона». Сейчас голос Оливии звучал встревоженно.

— Я слышала о тебе какие-то ужасные рассказы, — призналась она. — Конечно, я уверена, что это неправда. Ты знаешь, я тебя обожаю, но после того, что случилось с бедняжкой Дорис Дэй и со всеми ее деньгами, сама понимаешь, приходится быть очень осторожной. Мне так неуютно...

— Ну конечно, понятно. Любой может заволноваться, — согласилась Флер.

Немного подумав, она назначила дату встречи Оливии с Дэвидом Беннисом. Завтра, за ленчем. С кожаными нашлепками на локтях и ароматной трубкой в зубах, он излучал уверенность и стабильность как никто другой. Она не знала, кто мог бы с ним сравниться, и очень надеялась, что он сумеет успокоить Оливию. Однако, взбираясь по лестнице в кабинет Дэвида, расположенный на балконе, она почувствовала закипающий в ней гнев.

В тот вечер Флер уже взялась за трубку, чтобы позвонить Алексею, но потом передумала. Ну и что, если она обвинит его в том, что он распускает сплетни? Лучше всего удивить врага, отбивая его нападки. Может, такая манера борьбы хоть немного выведет Алексея из равновесия?

Она откинулась в кресле и заставила себя думать. К тому времени, когда слухи о нарушенных контрактах умрут, появятся новые. Связанные, например, с Джейком. И уже без всякого участия Алексея. Флер могла себе представить его радость, которая, не следует забывать, не помешает ему обдумать следующий коварный шаг. Очень скоро Алексей догадается, как невероятно важна ей коллекция Майкла. Успех показа слишком много значит для ее профессиональной репутации. А провал... В общем, не стоит идти к гадалке, чтобы вычислить следующий шаг Алексея Савагара. Флер поняла, она больше не может откладывать разговор с Майклом. Надо рассказать ему все.

Флер нашла его на втором этаже в «Астории», где уставшие швеи-итальянки делали последние стежки. Майкл побледнел от напряжения, глаза ввалились. Брат торопился, и вполне понятно, что Флер не хотелось волновать его.

— Ах какая сволочь! — воскликнул он, дослушав до конца. — Что же нам теперь делать, Флер? Как его остановить?

— Не нам, — поправила она брата, сделав ударение на слове «нам». — Я отвечаю за показ, так что предоставь все мне. Я нанимаю круглосуточную охрану для коллекции и для бутика. Но думаю, он начнет охоту за образцами.

Майкл казался совершенно больным.

— Ты действительно думаешь, что Алексей попытается уничтожить мои образцы? Мою работу?

— Даже не сомневаюсь, Майкл, — тихо призналась Флер. — Именно таким образом он может нанести наибольший урон. Не исключено, что он попытается поджечь зал в отеле, где будет происходить демонстрация коллекции. Я просто уверена, его следующим шагом станет попытка погубить образцы.

Майкл поправил шарф от платья из белого кашемира, которое он недавно придумал для Флер. Для этого ему пришлось потянуться к шее Флер; теперь сестра носила туфли только на высоких каблуках. Он сам убедил ее, что каблуки должны стать безусловной деталью любого делового костюма сестры, и она очень скоро поняла, что высокий рост дает ей преимущества и, как ни странно, помогает в делах: она становится еще более заметной.

— Алексей не остановится, — сказал Майкл. — Если мы отразим этот натиск, он придумает что-то новое. Сама знаешь.

— Да, знаю. — Флер пожала плечами. — Но мне ничего не остается, кроме как терпеть, противостоять и надеяться, что когда-нибудь ему надоест. Больше я ничего не смогу сделать.

Джейк поселился в мансарде, и по ночам, засыпая, Флер слышала его шаги. Иногда до нее доносился звук бегущей из крана струи или воды, спускаемой в туалете. Но очень скоро Флер поняла, что стука пишущей машинки она не слышит. Тишина бесила. Еще бы, ее опасения очень скоро подтвердились: слух о ее сделке с Корандой перекрыл все ужасные россказни о нарушенных ею некогда контрактах. Реакция на слухи не заставила себя ждать. Бродвейский актер и певица, уже готовые подписать контракт с ее агентством, передумали. День ото дня Оливия Крейгтон все больше капризничала. Всякий раз, входя в дом, Флер испытывала огромное напряжение. Помимо собственной воли она прислушивалась, не раздастся ли треск пишущей машинки. Она с трудом удерживалась от желания побежать вверх по лестнице и наорать на своего жильца. Она не могла заставить человека писать. И не знала, как его вдохновить на это.

В соответствии с теорией, что физические упражнения помогают человеку жить, подбадривают и уж по крайней мере способны помочь утром подняться из постели, Флер начала оставлять Джейку записки под дверью, приглашая присоединиться к ее ежедневным пробежкам. Однажды октябрьским утром, за несколько дней до показа коллекции Майкла, она вышла на улицу и увидела, что Джейк сидит на ступеньке и ждет ее. Он был в сером спортивном свитере, в синих тренировочных брюках и потрепанных «адидасах». Он посмотрел на нее, и нижняя губа расплылась в улыбке.

Сердце Флер подпрыгнуло; снова почувствовав себя точно так, как в девятнадцать лет, она быстро перемахнула через три ступеньки и побежала. Джейк засмеялся и пустился за ней.

— Что, думаешь догнать меня, ковбой? — бросила она через плечо.

— Не встречал еще женщину, которой под силу перегнать меня!

— Ты уверен? По-моему, в последнее время ты слишком обленился.

— Три раза в неделю днем играю в баскетбол с кучкой черных ребятишек, они зовут меня «мистер». И знаешь, это нелегко.

— Удивляюсь, что ты можешь заниматься этим в твоем-то возрасте.

— А кто тебе сказал, что могу? В коленках стреляет, прыгать нет сил, я обычно выхожу из игры до конца третьей четверти. Они со мной возятся только из-за формы. Я их всех одел. Понятно?

Они перебежали через улицу и оказались в парке. Флер подумала, до чего же ей нравится, когда Джейк вот так подсмеивается над собой. Если бы ее спросили, что в нем ей нравится больше всего, она бы ответила: на первом месте его тело, а на втором — юмор. Что еще? Мужественность. Лицо. Боже, как ей нравится лицо Джейка Коранды! Внезапно Флер разозлилась на себя. А как насчет двойной морали? Тоже нравится? Может, ей по душе предательство? Это ведь он, тот самый Джейк Коранда, поднял ее на вершину горы и сбросил оттуда без всякой жалости.

— Я что-то не слышу стука пишущей машинки у себя над головой, — резко бросила она.

— А ты когда-нибудь слышала о карандашах?

Она вспомнила библиотеку в его доме в Калифорнии, пол, заброшенный листами бумаги, и не поверила ему.

— Я слышала о карандашах, Коранда. Очень полезная вещь для тех, кто горит желанием заполнить словами чистые листы бумаги.

— Не подталкивай меня, Цветик. Хорошо?

Флер умолкла. Она почувствовала, что больше не стоит пытаться. Пока. Только пока. Если Джейк думает, что она позволит ему разрушить все, на что положено столько сил, то его ждет хороший сюрприз. Она должна понять, как его заставить писать. Внезапно Флер решила пригласить его на воскресный ужин, который они с Кисси собирались устроить, чтобы познакомить Майкла и Саймона. Может быть, в обществе симпатичных людей Джейк немножко расслабится.

— Извини, Цветик, но официальные ужины не для меня.

— Да это не официальный. Гости сами готовят еду. Просто будут Майкл, Саймон Кэйл и Кисси. Я приглашала и Чарли Кинкэннона, но его не будет в городе.

— Неужели кого-то могут звать Кисси? — Джейк удивленно вскинул брови.

— Значит, ты не познакомился с ней в гостях у Чарли. А она, между прочим, моя лучшая подруга. Хотя, — Флер поколебалась, — отправиться с ней вдвоем в темную комнату было бы весьма опрометчиво.

Джейк отметил про себя это интересное замечание — ведь Флер назвала ее лучшей подругой — и попросил ее объяснить. Но она сказала, что у нее полно дел, и припустила быстрее.

Они бежали молча, потом Джейк заглянул ей в лицо.

— Из моего офиса мне прислали кучу вырезок. Оказывается, не так давно мы с тобой были очень популярны в колонке сплетен в Нью-Йорке.

Флер попыталась как можно небрежнее бросить:

— Ты только что услышал? Ты разве не читаешь газеты, Коранда?

— Ну, первую страницу и спорт. Больше там нет ничего стоящего.

Она оступилась на лужице, покрытой льдом.

— Как же ты можешь жить, не читая газет?

— А почему мне кажется, что ты пытаешься сменить тему разговора? — Джейк схватил Флер за руку, останавливая. Он изучающе смотрел на нее, его грудь тяжело вздымалась. Наконец Джейк помотал головой, лицо стало совершенно другим.

— Черт побери, не могу поверить! Так это ты запустила те статейки, да? Значит, они вышли из твоего офиса!

Флер хотела солгать, но потом решила, что не стоит. Она подняла подбородок, не позволяя ему думать, что он запугал ее.

— Тогда мне нужно было паблисити. Больше ничего такого не случится.

— Ты же знаешь, как я отношусь к своей личной жизни!

— Знаю.

— Я не люблю эти дешевые трюки.

— Смешно, — резко ответила она. — А я думала, ты их просто выдумываешь.

Он упер руки в бока.

— Что с тобой? Ты так сильно хочешь успеха? Неужели деньги настолько важны для тебя? Ты готова ради них на все?

— Очень трогательно слышать. Особенно от человека, у которого пять миллионов.

Челюсть Джейка окаменела.

— Тебе хочется этих денег? Может, выписать чек? Сколько я должен выписать, чтобы мое имя больше не трепали газеты?

— Да пошел ты к черту! Я говорю тебе, я очень сожалею.

— На самом деле ты ничуть не сожалеешь.

— Ну что ж, хорошо. Да, не сожалею. Ты прав.

Джейк внимательно посмотрел на Флер, потом покачал головой и сказал:

— Знаешь, ты гораздо больше мне нравилась, когда была ребенком.

И она осталась на дороге одна, глядя ему вслед. Он уходил от нее. Все дальше и дальше.

«Ну конечно, — думала Флер, — я тебе больше нравилась тогда. Я была ребенком, а ты мог меня дергать за ниточки, как куклу. Одним взглядом заставлять таять. Я забывала обо всем, кроме того, как сильно хочу тебя. А теперь я выросла. Я совершенно взрослая. И сейчас...»

Сейчас все было ужасно плохо.

Глава 27

В субботу Флер ходила за покупками для званого ужина. Убрав купленные продукты, она поставила янтарные хризантемы в центр стола, положила в холодильник несколько бутылок мексиканского пива, хотя и не ожидала, что Джейк придет. Его не было слышно с того утра, когда они вместе бегали, и Флер подумала, что он вернулся в свою квартиру, а может, даже уехал из города. Да ему-то что? Это ей надо волноваться насчет всяких слухов, намеков, потому что банковское сальдо день ото дня опускается все ниже.

К ее удивлению, Джейк пришел самый первый. Он постучался в дверь ровно в девять. Про последнюю ссору он не вспоминал, она тоже не заикалась о ней. Они поболтали, потом он обвел взглядом ее шерстяные цвета слоновой кости брюки и пепельно-розовую шелковую блузку.

— А ты когда-нибудь выглядишь плохо? — спросил он, подавая ей завернутый в подарочную бумагу пакет.

Флер развернула и обнаружила книгу «Кулинарные радости».

— Несносный Коранда, — пробормотала Флер и повернулась, чтобы положить книгу. Она глубоко дышала, уговаривая себя, что не стоит обманываться: просто сегодня вечером король экрана, кинозвезда снизошел до того, чтобы явиться к ней в гости.

— Гм, — вздохнул он. — Возможно, ты права. Совершенно несносный.

Она услышала, как он подошел к ней сзади, почувствовала запах свежей рубашки и зубной пасты. Флер вздрогнула, когда он приподнял ее волосы.

— Что ты...

— Да успокойся, что ты вздрагиваешь.

Джейк коснулся ее шеи чуть ниже воротника блузки, и тут же что-то маленькое, холодное скользнуло между грудями. Флер посмотрела и увидела золотой раструб цветочка — вьюнка, покрытого голубой и зеленой эмалью, с маленькими бриллиантиками, изображавшими капельки росы. Он свисал с золотой цепочки, которую сзади застегивал Джейк.

Она взяла цветочек в руку и повернулась к нему. Лицо Джейка было невероятно нежным, и, как прежде, к горлу подступил комок. Они стояли и смотрели друг на друга; казалось, настоящее исчезло, а время, когда им было так легко друг с другом, вернулось.

— Красивая вещица, Джейк. Ты не должен был...

— Это вьюнок. Он раскрывается утром. Я заметил, что утро не самое лучшее время суток для тебя. Может, он тебя порадует.

— Так мило с твоей стороны...

— Да ладно, великое дело, — бросил Джейк и разрушил всю нежность мгновения. Потом повернулся, хлопнул дверью и направился в кухню.

Вьюнок выскользнул из пальцев Флер. Почему она позволила себе снова потерять бдительность? Ну почему!

— Никаких ароматных запахов! Едой совершенно не пахнет! — крикнул Джейк из кухни. — Что бы это значило? А?

— Еще повар не явился, — ответила Флер.

И тут же раздался звонок. Она открыла дверь и впустила Майкла.

— Я принес свои ножи, — объявил брат, сразу же отправляясь на кухню и ставя на стол сумку с продуктами. — И замечательный чеснок, который продается только в одном-единственном месте. А ты сходила на рыбный рынок? Купила устриц, как я просил?

— Да, да, сэр.

Флер заметила, какое усталое лицо у Майкла, и порадовалась, что решила устроить для него эту вечеринку.

Вскоре пришел Саймон, она представила его. К счастью, он видел почти все фильмы про Калибра, и ему было о чем поговорить с Корандой. Саймон едва заметил Майкла, стоявшего у кухонной стойки и выкладывавшего покупки. Майкл был слишком занят, перечисляя Флер список неудач, которые, по его убеждению, способны уничтожить его коллекцию, и не обращал внимания на Саймона. Подавая брату доску для резки, Флер подумала, что все получается не так, как она планировала.

Потом появилась Кисси.

— Извини за опоздание, — сказала она, когда Флер открыла дверь. — Но позвонил Чарли из Чикаго и поймал меня прямо на пороге.

— Поздравляю, дела идут в гору.

Кисси вошла на кухню с мрачным лицом.

— Знаешь, я совсем потерялась. Это все равно, что... — И тут она увидела Джейка, облокотившегося о стойку...

Флер представила их друг другу. Джейк посмотрел на Кисси сверху вниз, и его лицо расплылось в улыбке. Яркая маленькая Кисси походила на детсадовский завтрак. А она закинула голову и смотрела вверх; глаза ее стали совсем круглые и выпуклые, красные

карамельные губки раскрылись. Флер почувствовала, как что-то вроде
змеи сворачивается у нее внутри, что-то отвратительное, ужасное.
Будто ей снова тринадцать лет, она выше всех ростом, неотесанная,
неуклюжая, с локтями в синяках, с перевязанными коленками и с
лицом, слишком большим для хрупкого туловища.

Кисси улыбнулась сладкой, завлекающей улыбкой «как-тебя-
зовут-морячок?». Грудь Джейка мгновенно выпятилась по-петуши-
ному. Губы их двигались, но Флер понимала только, что они
разговаривают, но о чем — понять не могла. Она видела лишь лицо
Джейка со смешной улыбкой от уха до уха, как у подростка, и лицо
Кисси, с сюсюкающей улыбкой и глазами тинейджера. А потом
Кисси повернулась к ней, прошептала какую-то глупость насчет
того, что она хочет взять у нее почитать книгу, и потащила Флер за
руку в другую комнату.

Приведя подругу в спальню, Кисси закрыла дверь и привалилась к ней спиной, зажмурив глаза.

— Тот самый, — вздохнула она, — и хорош и знаменит.

— У него зуб кривой, — резко бросила Флер.

— Ну, я думаю, остальное не кривое.

— Что ты хочешь сказать?

Кисси медленно открыла глаза.

— Я хочу сказать, что тебе лучше избавиться от щенячьего выра-
жения на лице, и немедленно. Или, клянусь Богом, Флеринда, я пойду
вниз на кухню и заберу все тарелки, которые тебе одолжила.

— Не понимаю, про что ты говоришь.

Кисси негодующе посмотрела на Флер.

— Я готова покончить с тобой навсегда. Ты только что отметила двадцатишестилетие. Ты уже достаточно взрослая, чтобы лучше
себя знать. — Кисси открыла дверь и вышла из спальни.

За исключением Флер, все, казалось, прекрасно проводили время. Майкл приготовил устриц в соусе, Кисси и Саймон сделали
салат, Джейк изображал умелого бармена. Сначала Майкл и Саймон не обращали внимания друг на друга, но потом горячо заспорили о достоинствах блюд из бобов и кукурузных початков. Незаметно
они перешли к обсуждению достоинств любимых ресторанов и договорились вместе пойти в не очень людные места, о которых оба

слышали и которые специализировались на дичи. Кисси попыталась перехватить взгляд Флер, чтобы поздравить ее, но та притворилась, что ничего не замечает. Тогда Кисси сосредоточилась на Джейке. Эта пара вела себя так, будто сто лет знакома, смеялась над самыми дурацкими шутками. Почему бы им не отправиться сразу в постель, не тратя времени на ерунду, подумала Флер.

Когда пришло время для десерта, она вынула торт, ею самой приготовленный: совершенно необыкновенный, с ореховой, кремовой и шоколадной прослойкой. Она много времени потратила на него, и торт получился слегка кривоватый, но зато невероятно вкусный: все без устали нахваливали его. Сама Флер едва сумела проглотить кусочек.

Потом все направились в гостиную, пить ирландский кофе. Кисси уселась на кушетку, а Флер опустилась на пол, на подушки, чувствуя себя никчемной, никому не нужной и совершенно несчастной. Что с ней происходит? Разве не она сама хотела, чтобы все было так, как есть? Любой вошедший сюда никогда бы не поверил, что Джейк попросил ее представлять его по каким-то скрытым причинам. Как жаль, что нельзя пригласить в гостиную весь город! Все слухи о них с Корандой умерли бы через тридцать секунд.

Флер с трудом проглотила кусочек торта, но он застрял где-то внутри болезненным комочком. Она подняла глаза и увидела лицо Кисси. Ее лучшая подруга, не сводившая с нее глаз, сочувственно улыбнулась, и Флер вдруг поняла, что надо делать.

Она потащила Кисси к себе в спальню, в то время как мужчины заспорили о пяти лучших рок-н-ролльных группах.

— Прости, — сказала Флер, — я вела себя как ненормальная, сама не знаю почему. Кисси, больше всего на свете мне сейчас нужно, чтобы ты была рядом со мной. Знаешь, я почти потеряла Оливию, моими клиентами хотят стать люди, с которыми я не собираюсь иметь дело. А он ничего не пишет... Совершенно ничего. Ни строчки за столько времени...

— Флер Савагар, твои глаза позеленели от дикой ревности. Я думаю, тебе давно пора как следует разобраться в своих чувствах к такому шикарному куску мужского тела, который сейчас сидит в гостиной.

— Все мои чувства к нему объясняются застарелой привычкой и расстроенными гормонами. Больше ничем. Извини, Кисси, я вела себя по отношению к тебе ужасно. Прости.

— Придется простить. Признаюсь, то же самое я чувствую, глядя на вас с Чарли.

— На нас с Чарли?! Да ты что! Никогда не поверю.

Кисси вздохнула.

— Ты ему так нравишься. Я понимаю, что моя внешность не может соревноваться с твоей. Когда вы с ним разговариваете, мне просто невыносимо плохо.

Флер не знала, смеяться ей или плакать.

— Да, пожалуй, я не единственная, кто слишком плохо знает себя. — Она быстро обняла Кисси и посмотрела на часы. — Сегодня вечером по телевизору крутят «Мясника Кэссиди». Если я не путаю время, мы можем немного посмотреть, а потом вернуться в гостиную. Думаю, они даже не заметят нашего отсутствия. Мы ведь можем себе это позволить?

— Еще бы.

Кисси подошла к черно-белому маленькому телевизору на туалетном столике и включила.

— До чего мне нравится Рэдфорд! Как ты думаешь, мы не слишком стары для обожания актеров?

— Пожалуй.

Сначала они не смотрели фильм, болтали о Майкле и Саймоне, а на экране бандиты занимались своим делом, грабили и убивали, а потом герой в исполнении Пола Ньюмена и усатый Малыш Санданс, которого играл Роберт Рэдфорд, отдыхали на балконе дома терпимости. Наконец подруги умолкли, наблюдая за волнующей сценой. Учительница Этта Плэйс поднялась по ступенькам к себе домой и включила свет.

Она расстегнула верхние пуговицы блузки, закрыла дверь. По пути в спальню сняла блузку и повесила в шкаф. Внезапно увидев точеные черты Малыша Санданса, угрожающе уставившегося на нее через комнату, она закричала.

— Иди-ка сюда, госпожа учительница, — прохрипел он. — Продолжай, что начала.

Ее глаза в ужасе расширились, а он медленно поднял пистолет и направил на нее.

— Вот так, давай, не спорь.

Учительница, поколебавшись, расстегнула длинную нижнюю юбку, вышла из нее, скромно прижимая к себе, пытаясь скрыть отделанные кружевами трусики от глаз бандита.

— Распусти волосы, — приказал он.

Этта подчинилась. Уронив юбку, она потянулась к волосам и вытащила заколки.

— Встряхни волосами.

Ни одна женщина не стала бы спорить с этим бандитом под дулом пистолета. Учительница выполняла все, что он требовал. Сандансу больше не надо было приказывать, он просто щелкнул курком, приготовившись, и пальцы Этты медленно двинулись по длинному ряду пуговиц корсета.

Санданс двинулся к ней, расстегивая ремень, на котором висел пистолет, потом снял его. Подойдя к женщине, встал прямо перед ней и засунул руку под тонкую белую ткань.

— Ты знаешь, чего я хочу? — спросила Этта.

— Чего?

— Чтобы ты оказался там как раз вовремя!

Когда Этта обхватила Рэдфорда за шею, Флер встала и выключила телевизор. Вздохнула.

— Трудно поверить, что это написал мужчина. Правда?

Кисси посмотрела на погасший экран.

— Уильям Голдмен — хороший сценарист, но у меня такое чувство, что, когда он пошел принять душ, его жена написала эту сцену. Боже мой, чего бы я только не дала...

— Гм... Да, самые настоящие сексуальные фантазии, выпущенные женщиной на волю. Она мечтает о грубом сексе, о насилии и требует этого от своего любовника, которого так хорошо знает. Женщинам хочется иметь настоящих мужчин, но они перевелись.

Джейк, которого они не видели, стоял за слегка приоткрытой дверью. Он не собирался подслушивать, но весь вечер Флер была такой странной и они с Кисси исчезли из гостиной так давно, что он решил проверить, в чем дело. Проверил. И пожалел. Разговор, который они вели, был не для ушей мужчины. Да чего в конце концов хотят эти женщины? На людях бесконечная риторика о том, что мужчина должен тонко чувствовать, о равноправии, а наедине, по секрету, — пожалуйста! Они почти заходятся от оргазма, когда мужчина ведет себя, как пещерный житель. О Боже!

Джейк не хотел себе признаваться, что он испытал ревность. Разве не он одна из самых кассовых приманок последнего десятилетия? Он, Джейк Коранда, живет прямо над головой Флер Савагар, но кажется, для нее он не более чем объект для оттачивания своего ехидства. Джейк подумал: а приходится ли Рэдфорду мириться с подобной чепухой? Если под солнцем существует справедливость, то Рэдфорду тоже доводилось сидеть перед телевизором у себя дома, в Сандансе, штат Юта, и наблюдать, как его жена истекает слезами перед экраном, на котором Калибр занимается любовью со страстью пещерного мужчины. Эта мысль немного успокоила Джейка Коранду, и он отошел от двери. Во всяком случае, вздохнул он, сейчас не самые лучшие времена для мужчин.

Утром Джейк вышел побегать с Флер. Они топали по дорожкам парка в полном молчании. А когда вернулись, Флер неожиданно для себя пригласила его на завтрак, и он так резко отказался, что она обиделась.

— Извини, — сказала она, — я знаю, ты ужасно занят в последнее время, ты без устали стучишь на машинке, я понимаю, сколько на это уходит сил.

— Да заткнись ты.

— Джейк, ты хоть пытаешься писать? Может, ты обманываешь самого себя, не желая смотреть фактам в лицо?

— Фактам!

Он рывком расстегнул молнию на спортивной куртке.

— Если хочешь знать, я пишу каждый день.

По взгляду, которым его одарила Флер, он понял, что она не верит ни одному его слову.

Нахмурившись, Джейк прошел мимо нее в дом.

Она медленно приняла душ. Потом надела джинсы, любимый вязаный свитер. Она чувствовала, как с каждой минутой нарастает злость. Она слишком надеялась на успех коллекции Майкла и ни на что больше не обращала внимания. Но если Джейк Коранда, с которым она заключила сделку, не начнет писать и не выполнит своих обязательств, она окажется некомпетентной дурой.

В десять часов Флер толкнула дверь в коридор, прошлась взад-вперед, потом отперла дверь, ведущую в мансарду. Она поднялась по лестнице, постучала, но никто не ответил. Поколебавшись секунду-другую, она вставила ключ в замок.

Большая мансарда освещалась естественным светом, проникавшим сквозь стеклянную крышу и через маленькие прямоугольные окна. С тех пор как к ней переехал Джейк, Флер здесь ни разу не была. Она увидела, что он привез кое-какую мебель. В мансарде стояли несколько кресел, длинная кушетка в форме буквы «Г», рабочий стол с местом для машинки, которая там и стояла; на столе лежала нераспечатанная пачка бумаги.

Джейк сидел на столе, задрав ноги, и лениво перебрасывал баскетбольный мяч из одной руки в другую.

— Не помню, чтобы я тебя приглашал. — Он пожал плечами.

— Ты и не приглашал.

— Я сказал, что буду занят. Я не люблю, когда вторгаются во время моей работы.

— Я и не мечтала помешать творческому процессу. Притворись, что меня здесь нет.

Флер прошла на маленькую кухню, завернула за стойку, открыла дверцы шкафчика и нашла кофе. Потом стала наливать воду в кофейник.

— Уходи, Флер. Я не хочу, чтобы ты была здесь.

— А я и не собираюсь оставаться. Но сначала мы проведем с тобой небольшое деловое совещание.

— Я не в настроении. — Он снова перебросил мяч.

Она включила кофейник, подошла к столу и села в кресло.

— Каникулы окончены, Джейк, — сказала она. — Подписав контракт с моим агентством, ты сделал меня своим боссом. А я не люблю старый валежник, я не люблю, когда меня тащат вниз. Все в городе считают, что ты подписал со мной контракт только потому, что мы с тобой спим. Конец слухам может положить только новая пьеса Коранды.

— Тогда разорви контракт.

— Перестань ныть.

Она выбила из рук Джейка мяч; он перелетел через комнату и стукнулся о стену.

Его лицо стало тяжелым; добродушный, остроумный Джейк Коранда исчез, и Флер оказалась лицом к лицу с его известным героем.

— Убирайся отсюда! — заорал он. — Это не твое, черт побери, дело!

Флер даже не пошевелилась.

— Тебе надо наконец решить, чье это дело. Сперва ты мне говоришь, что тебя заклинило из-за меня. А теперь ты орешь, что это не мое дело. Не сходится, Джейк!

— Не торопи меня! Не подталкивай! — Он спрыгнул на пол, выпрямился, схватил ее за руку и поволок к двери. — Сейчас же, немедленно убирайся отсюда!

И вдруг Флер рассвирепела. Не из-за внезапной грубости, не из-за отношения к агентству, а потому что он попусту тратит свой замечательный талант, разменивается на ерунду и не делает главного: не пишет пьесу.

— Ах какой прекрасный драматург! Как ты устал, дорогой! Да на этой машинке слой пыли толщиной в дюйм!

— Я еще не готов сесть за машинку. — Джейк оттолкнул Флер, пересек комнату, схватил пиджак, висевший у двери, и надел его.

— В чем дело, Джейк?

Он засунул руки в карманы, а Флер потянулась к нераспечатанной пачке бумаги на столе, разорвала обертку, вынула лист и заправила его в машинку.

— В конце-то концов можно вставить в машинку лист бумаги? Смотри, готово. Это совсем нетрудно! — Она шлепнулась в кресло и включила машинку. Электрический моторчик зажужжал, машинка ожила. — А теперь смотри, как это делается. Действие первое. Сцена первая. — Флер тыкала пальцами в клавиши. — Так, с чего начнем, Джейк? Как выглядит сцена?

— Ты проклятая сучка!

— Ты... проклятая сучка, — повторила она, набирая слова. — Хорошо. Начало есть. Типичный диалог Коранды. Суровый, реалистичный, женоненавистнический. Что дальше?

— Прекрати, Флер.

— Прекрати... Флер. Неудачное имя. Слишком знакомое. Лучше бы найти другое.

— Прекрати. — Рука Джейка тяжело опустилась на ее руки, зажав клавиши; пальцам стало больно. — Для тебя все это шуточки, правда? Тебе все это кажется чертовски забавным, да?

Флер подняла голову, взглянула и не увидела героя фильмов. На нее смотрел сам Джейк, у которого в глазах застыло выражение боли. Ей вдруг сделалось невыносимо стыдно за себя. Она перевернула руку ладонью вверх под его рукой, порывисто наклонилась и коснулась губами костяшек его пальцев.

— Нет, не смешно, — сказала она тихо.

Джейк встал. Она почувствовала его руку на своих волосах. Потом услышала его шаги, скрип дверцы кухонного шкафчика, звяканье посуды, бульканье кофе. Медленно она вытащила лист бумаги из машинки. Пальцы ее тряслись, когда Джейк подошел к столу с кружкой. Флер вставила новый лист.

— Что ты делаешь? — спросил он.

Она судорожно вздохнула.

— Сегодня ты начинаешь писать. Больше я не позволю тебе откладывать. Вот так.

— Наша сделка расторгнута, Флер. Я выезжаю из мансарды.

— Мне все равно, куда ты уезжаешь. У меня с тобой контракт. Вот и все.

— Ты действительно превратилась в первоклассную, жадную до денег суку. Так ведь? Тебя не волнует никто и ничто, кроме вонючего агентства.

— Ты сегодня начинаешь писать, — повторила она, не желая объясняться с ним.

Джейк встал у нее за спиной, опустил на стол кружку с кофе и положил руки ей на плечи.

— Я так не думаю.

Флер не двинулась, даже когда он поднял волосы и прижался губами к шее за ухом. Его дыхание грело кожу, от прикосновения губ Джейка ожили все ее чувства. Она позволила себе расслабиться, на миг. На один-единственный миг. Что в этом плохого?

Она закрыла глаза, больше не противясь ощущениям, которые он в ней вызывал. Руки Джейка двинулись по свитеру, потом скользнули под него, дотронулись до кожи, поднялись, пройдясь по ребрам, к кружевному лифчику. Джейк погладил сквозь шелк ее соски. Он дышал неровно и часто. Быстрые пальцы расстегнули лифчик спереди и сдвинули чашечки.

Где-то в глубине сознания билась мысль, что все происходит не так, но когда Флер ощутила его руки под свитером, а потом на голой груди, она не могла ни о чем думать: лишь наслаждалась горячей волной, разлившейся по телу. Он прижал ее плечи к спинке кресла так, что ее нагие груди вздернулись, и принялся пощипывать и ласкать соски. Наклонившись, он ухватил губами мочку уха, потом прижался ртом к шее Флер. Конечно, Джейк Коранда был мастером соблазнения, он переходил от одной эротической зоны к другой, словно действовал по сексуальному учебнику. Вдруг Флер поняла, что ее покупают.

— Нет! — Оттолкнув руки Джейка, она вскочила с кресла, одернула свитер, а когда повернулась к нему, в глазах стояли слезы. — Ты настоящий ублюдок, Коранда. Ты знаешь это? Настоящий ублюдок! Чистейший! На все двадцать четыре карата! Неужели ты этим собираешься заткнуть мне рот?

Джейк стоял, уставившись в одну точку поверх ее головы.

— Я не знаю, о чем ты говоришь.

— Черта с два не знаешь! — Она была в ярости на него и на себя за то, что так легко сдалась.

Его рука снова вцепилась в ее руку и потащила к двери.

— Ты злоупотребила моим гостеприимством, детка, теперь проваливай.

— Не прикасайся ко мне! — Флер пыталась вырваться, но он держал ее слишком крепко, взгляд был холодным и враждебным. — Круг замкнулся. Не так ли? Ты так долго играл своего героя, что он овладел тобой. Неужели ты не понимаешь, Коранда, что все хорошее в тебе съедено им? Ты не можешь больше писать пьесы! Я заметила, ты даже не можешь больше делать свои вшивые фильмы.

— Заткнись! — Он взялся за ручку двери.

— Ах какой суровый. Ах какой суровый господин. — Флер разочарованно отвернулась и ударила его в бок.

Он отпустил ее руку. От удивления, догадалась Флер, а не от боли. Воспользовавшись секундной победой, она кинулась обратно в кресло, положила трясущиеся руки на клавиши машинки. Пальцы так дрожали, что едва слушались ее.

— Действие первое, сцена первая, черт бы тебя побрал!

— Ты сумасшедшая! — заорал Джейк. — Ты спятила!

— Давай, ты ведь знаешь, о чем пьеса! Давай начнем.

— Это не пьеса! — Он внезапно навис над ней, лицо исказилось такой яростью, что она поморщилась. — Это книга! — воскликнул он. — Я должен написать книгу! Книгу о Вьетнаме.

Она глубоко вдохнула и покачала головой.

— Военная книга. Как раз во вкусе твоего героя. Да? — Голос ее стал совершенно спокойным.

— Но какая же ты все-таки сучка. Ты ведь ни черта в этом не смыслишь.

Боль, прозвучавшая в его голосе, ударила ее, как пощечина. Флер стало стыдно. Неожиданно потянувшись, она ласково положила руку на его пальцы.

— Извини, ты прав. Я ничего в этом не смыслю. Объясни.

Он отдернул руку.

— Ты не была там и никогда не поймешь.

— Но ты один из лучших писателей в стране. Сделай так, чтобы я поняла.

Он молча повернулся к ней спиной, в мансарде повисла звенящая тишина. Только далекий звук полицейской сирены и шум проезжавшего мимо грузовика напоминали о том, что оба еще живы.

— Невозможно... — проговорил он словно самому себе. — Ты в каждом должен видеть врага.

Он говорил спокойным голосом, владел собой, но казалось, он сейчас не здесь, а где-то очень далеко.

Джейк повернулся и посмотрел на Флер, словно желая убедиться, что до нее дошло. Она легонько кивнула и снова положила пальцы на клавиши.

— Ты идешь на рисовую плантацию, — продолжал он. — Видишь двух малышей, четырех и пяти лет. Потом понимаешь, что один из них бросает в тебя гранату. Черт. Так что это за война?

Словно в оцепенении, Флер начала печатать, надеясь, что поступает правильно. Казалось, он не слышал стука машинки.

— Деревня была оплотом Вьетконга, — продолжал Джейк, — партизаны стоили нам многих солдат. Некоторых замучили и изувечили, из тех, что были нашими товарищами... Парни, которых мы начали узнавать. Мы должны были войти в деревню и уничтожить ее. Все гражданские люди знали правила — Боже мой, не может быть, чтобы они их не знали. Если не виноват — не убегай. Половина роты была пьяной или под кайфом. Только поэтому все вышло так, как вышло. — Джейк судорожно глотнул воздух. — Нас подняли на взлетно-посадочную полосу, и как только полоса освободилась, начался артобстрел. Когда все прояснилось, мы вошли в деревню. Крестьяне сбились в центре. Они не убегали, они знали правила... Но некоторых все равно убили... Маленькая девочка... На ней была рваная рубашка, не прикрывавшая живот, с маленькими желтыми утятами. Когда все было кончено и деревня горела, кто-то включил радио Вооруженных сил Вьетнама, и Отис Реддинг пел «Сидя на пристани бухты», а над животом девочки летали мухи.

Впервые с тех пор, как Джейк начал говорить, он обратил внимание на то, что она делает.

— Ты кусок насчет музыки написала? Музыка — это очень важно. Все, кто был во Вьетнаме, помнят музыку.

— Я... я не знаю. Ты говоришь слишком быстро.

— Давай тогда я.

Он оттолкнул ее, вырвал из машинки страницу и вставил новую. Потряс головой, словно проясняя мозги, и принялся печатать.

Флер подошла к дивану и опустилась на него, чувствуя себя опустошенной и словно высохшей до дна. Из нее будто выжали все соки. Она оцепенела. Картина, которую нарисовал Джейк, встала перед глазами. Деревня, крестьяне, девочка, рубашка с желтыми утятами. Почти час она словно в оцепенении наблюдала, как он бьет по клавишам и тихо ругается. На лбу у Джейка выступил пот, хотя в комнате было прохладно. Он не отрывал глаз от страниц, которые двигались, будто по мановению волшебной палочки. Все время, пока он работал, Флер пыталась понять его боль. Если то, что с ним произошло во Вьетнаме, отняло у него способность писать, почему он утверждает, что она виновата? Но единственный, кто мог ответить на ее вопрос, — это Джейк. А он даже не заметил, когда она тихо вышла из комнаты.

Остаток дня она готовилась к показу коллекции Майкла, потом решила пойти поужинать с Кисси. Вернувшись перед полуночью, она услышала над головой треск пишущей машинки. Флер отправилась на кухню и сделала себе бутерброд. На этот раз она не стала стучать в дверь мансарды, а открыла ее своим ключом.

Он сгорбился над машинкой, лицо покрылось морщинами от усталости. Кружки кофе, некоторые наполовину недопитые, стояли на столе, повсюду были раскиданы листы бумаги. Он заворчал, когда она поставила поднос и стала собирать чашки, чтобы отнести их в раковину и помыть. Флер сполоснула кофейник и снова включила, желая подготовить все на случай, если Джейк снова захочет кофе. Занимаясь делами, она думала о массовом убийстве, которое он описывал. Возможно ли, чтобы Джейк оказался способным на... Она торопливо отбросила некстати пришедшую мысль.

Через несколько дней Флер позвонил Дик Спано.

— Мне надо найти Джейка.

— Он мне не звонит, — ответила она, что в общем-то было почти правдой.

— Если вдруг позвонит, милая, дай ему знать, что мы его ищем.

— Вряд ли он мне позвонит, Дик.

В тот вечер Флер поднялась в мансарду и рассказала Джейку о звонке. Он смотрел на нее красными глазами; щеки и подбородок покрылись щетиной; казалось, он не спал за последние дни ни минуты. В первый раз она поймала себя на мысли о том, надо ли было заставлять его писать. Флер усомнилась, права ли она.

— Я не хочу ни с кем говорить. — Он покачал головой. — Помоги мне, ладно? Избавь от всех.

Флер согласилась, но подумала, что это будет непросто.

К середине следующей недели она сумела ответеться от его агента с западного побережья, от менеджера Джейка, от всех секретарей. Но когда поняла, что люди искренне беспокоятся об исчезновении Джейка Коранды, она решила позвонить Дику Спано.

— Есть известия о Джейке, — сообщила она. — С ним все в порядке. Он снова начал писать, поэтому на время скрылся от всех.

— Это нехорошо, дорогая. У меня к нему неотложное дело. Я должен поговорить с ним. Скажи, где он.

Флер колебалась недолго.

— Я думаю, он в Мексике. Джейк не сказал, где именно там.

Дик выругался и прошелся насчет характера Коранды. Потом вывалил на нее длинный список того, что она ему должна сказать, если он снова позвонит. Флер все записала и засунула лист в дальний ящик стола.

Октябрь сменился ноябрем под приглушенный стук пишущей машинки. Флер лежала без сна, прислушиваясь. В темноте она беспокоилась о Джейке, о своем агентстве, о коллекции Майкла, на которую так много было поставлено. И о себе. Утром она вставала рано, совершала пробежку, прежде чем одеться и выйти в офис. Они с Джейком редко разговаривали; у нее вошло в привычку заглядывать к нему каждый вечер, и через некоторое время стало трудно понять, кто из них выглядит более измученным.

Накануне показа моделей Майкла она осталась в отеле, кидаясь то к плотникам, то к техникам, которые устанавливали подиум. Она всех сводила с ума своими требованиями насчет пропусков и охраны в дверях. Даже Кисси потеряла терпение. Но Флер не обращала внимания. У Алексея оставалось меньше суток, но на этот раз он не застанет ее врасплох, Флер дала себе слово. Она дважды звонила Майклу на фабрику, желая убедиться, что все охранники на месте.

Когда Флер Савагар выходила из отеля в тот вечер, ей показалось, что до нее донесся всеобщий вздох облегчения.

Уилли Бонэдюс рыгнул и потянулся в карман формы за жвачкой «Тамс». Ему нравился ее вкус, иногда он жевал одну за другой без передышки. Жвачка помогала коротать время в ожидании сменщика. Он работал здесь уже целый месяц, нынешняя ночь была последней. Уилли думал, что охранять кучу барахла — в общем-то довольно бестолковое занятие, но, поскольку ему платили, он относился к делу серьезно.

В смене их было четверо, так что местечко это, говорил он себе, запечатано крепче, чем барабан. Уилли сидел за передней дверью внутри старой фабрики «Астория», а его напарник Энди — в задней части; еще два молодых парня сторожили у дверей цеха на втором этаже, где эти платья были заперты. Утром охрана из дневной смены должна была сопроводить грузовики с платьями в отель. На этом работе конец.

Уилли откинулся на спинку стула и взял номер «Дэйли ньюс». Пару лет назад он охранял Рэгги Джексона. Вот это была работенка! Просто блеск. Было что рассказать мужу сестры, который приезжал ужинать по воскресеньям. Они сидели у телевизора, смотрели, как играет команда «Гигантов», и трепались. Он любил поговорить о Рэгги Джексоне, как здорово он его охраняет. Да, это тебе не куча тряпья. Уилли Бонэдюс ритмично двигал челюстями и листал газету. Когда он углубился в спортивную страницу, старенький апельсиново-оранжевый грузовичок с надписью «Буллдог Электроникс» проехал мимо фабрики. Уилли не заметил его.

Водитель свернул в переулок, даже не взглянув на фабрику. Ему и не надо было. Всю последнюю неделю он проезжал здесь каждый вечер, на разных машинах. Он точно знал, что увидит. Один тип — ему, конечно, не известно имя Уилли Бонэдюса — сидит за входной дверью, задний вход тоже под охраной; знал он и о запертой комнате на втором этаже, о дневной смене, которая появится через несколько часов, и о том, что фабрика по ночам слабо освещена. Ему была важна лишь эта, последняя информация.

На другой стороне улицы, напротив фабрики, стоял склад, заброшенный несколько лет назад. Висячий ржавый замок на его двери легко поддался челюстям кусачек. Мужчина вернулся к грузовику, вытащил ящик с инструментами, очень тяжелый, но он привык к его весу. Затем спокойно прошел внутрь склада, включил фонарик и, освещая себе путь, направился в переднюю часть здания. Фонарик раздражал его. Свет то расплывался неряшливым пятном, то концентрировался, в зависимости от того, куда он направлял его луч.

Его специальность — свет, чистые, тонкие, как карандаш, лучи. Они не расплывались бесформенными лужами, как у этого фонарика.

На приготовления у него ушел почти час. Обычно ему требовалось гораздо меньше времени, но пришлось подправить оборудование, установить мощный видоискатель, а это непросто. Он, конечно, не имел ничего против, он любил трудности, тем более если их преодоление хорошо оплачивалось.

Закончив устанавливать приборы, мужчина вытер руки о тряпку, принесенную с собой, потом процарапал кружок на грязном окне склада. Он не торопился, тщательно наводя фокус видоискателя. Он без труда нашел датчики, он видел их яснее, чем если бы стоял в центре комнаты на втором этаже. Приготовившись, включил лазер, направляя чистый рубиново-красный луч на самый дальний датчик. Он плавится при температуре 160 градусов, и лазер невероятно быстро сделал свое дело. Мужчина перевел его на следующий датчик. Через несколько минут все датчики были расплавлены, автоматическая противопожарная система сработала, и потоки воды обрушились на вешалки с платьями.

Довольный собой, мужчина собрал инструменты в ящик и покинул склад.

ФЛЕР

Что ты знаешь о себе, Флинн?

Эррол Флинн
Грехи мои тяжкие

Глава 28

Телефонный звонок службы безопасности разбудил Флер в четыре часа утра. Она выслушала пространные объяснения и сказала:

— Моего брата не будите.

Потом положила трубку, повернулась на живот и натянула одеяло на голову.

Едва ей снова удалось заснуть, как позвонили в дверь. Прищурившись и взглянув на часы, она подумала, что если в шесть утра явился цветочник с белыми розами, то ей наплевать, она не пойдет с ним объясняться. Звонок прекратился, а через несколько минут снова затрещал. Флер засунула голову под подушку, пытаясь уснуть, но внезапно чья-то рука резко сдернула ее с головы. Флер закричала и рывком села в постели.

Над ней стоял Джейк, одетый в джинсы и спортивную куртку на молнии, под которой виднелось голое тело. Волосы лохматые, лицо небритое, глаза пустые, но в глубине их затаилась какая-то мысль.

— Что с тобой случилось? — завопил он. — Где ты была? Почему не отвечала на звонок?

Флер выхватила у него подушку и ткнула ею Джейка в живот.

— Да сейчас шесть утра! — закричала она. — Ты меня испугал.

— В шесть утра ты обычно бегаешь. Где ты была?

— В постели!

— А чем ты недовольна? Откуда мне знать, что ты спишь? — Он засунул руки в карманы. — Когда я выглянул в окно и тебя не увидел, я подумал, что-то случилось.

Флер отбросила одеяло, пытаясь посмотреть на факты трезво. Этот день нельзя больше откладывать. Джейк не притворился, что он совсем не заметил ее оголившееся бедро. Она потянулась, чтобы выключить кнопку электрического одеяла; потом зажгла свет, ставя при этом ноги так, чтобы вытянуть носки. Несмотря ни на что, ни на какие проблемы и трудности, она думала только о том, как предстать перед Джейком Корандой в самом лучшем свете.

Флер встала, не глядя на него, с полным отвращением к себе. Да как она может думать о сексе в такое время? Но что делать, если она думает об этом с того самого момента, как Джейк снова ворвался в ее жизнь. Если она хочет лечь с ним в постель, надо взять и прямо сказать ему. А не унижаться, играя в старые женские игры. Может, ей начать коллекционировать мужчин, как Кисси? Перепробовать всех привлекательных, которые попадутся на пути? Никаких условностей, привязанностей, просто хороший грязный секс. Начать надо прямо сейчас, с Джейка Коранды! Разве не в этом настоящая свобода? Женщины не должны больше играть в свои дурацкие игры!

Выдавливая зубную пасту на щетку, Флер решила, как поведет себя, вернувшись в спальню. Точно так, как обыкновенный агрессивный мужчина, увидевший хорошенькую женщину. Она посмотрит Джейку прямо в глаза и скажет, чего хочет. Она хочет... Но тут Флер заколебалась. А какие слова она найдет для этого? «Пойдем в постель»? Слишком плоско и невыразительно. «Займемся любовью»? Слишком многозначительно. «Совокупляться» — грубо. «Трахаться» — просто ужасно.

Она пыталась придумать что-то. Она не собиралась отказываться от задуманного только из-за отсутствия точного слова. Как поступил бы мужчина, опытный соблазнитель? Например, Джейк Коранда? А почему, кстати, ему бы это сейчас не сделать? Флер прополоскала рот и вернула щетку на место. Он показался ей таким злым. Может, он ее вовсе и не хочет, пытается избежать трудностей, которые могут возникнуть?

Флер велела себе вернуться в спальню и поцеловать Джейка. Она встанет перед ним, обнимет, прикоснется губами, а потом природа возьмет свое.

Она выскользнула из ночной рубашки, надела халат на голое тело, завернулась в него, глубоко вздохнула и открыла дверь.

Джейк ушел.

На самом деле он никуда не уходил. Он просто вышел на кухню, и Флер не подозревала об этом, пока не надела джинсы, носки и старый лыжный свитер. Он же, оторвав глаза от яиц, которые разбивал на сковородку, казался выше обычного; плечи распирали свитер по швам, отчего Джейк выглядел ужасно агрессивно настроенным. Флер поняла, ей не надо проявлять инициативу, делать первый шаг. Если он действительно хочет ее, он справится сам. Все очень просто. Внезапно ее осенила другая мысль, и она спросила его:

— Как ты вошел? Я знаю, двери были заперты, я проверила вчера перед сном.

— Ты хочешь омлет или глазунью?

— Джейк...

— Слушай, Цветик, я не самый лучший в мире повар, правда? И я не могу говорить и готовить одновременно. Ты, между прочим, могла бы помочь, вместо того чтобы стоять, как королева.

Типичная мужская манера нападать, подумала Флер, но не одернула его. Никто из них никуда сейчас не спешил. Наконец они накрыли на стол.

— Ты опять добрался до моей секретарши, да? — спросила Флер. — Ты сделал дубликат с ее ключа!

Джейк ковырял вилкой в тарелке.

— Ну, признайся, другого способа нет, ключ есть у секретарши, у меня и у Майкла. Ну как еще...

Он перестал жевать и посмотрел на нее.

— Ключ дал твой брат, — сказал Джейк. — В тот вечер, когда ты устроила званый ужин. Он мне рассказал о вашем отце. Майкл беспокоится о тебе, Цветик. Я тоже не могу сказать, что меня все это не волнует, поэтому, когда ты утром не вышла на пробежку и не отвечала на звонок в дверь...

Флер швырнула вилку.

— Алексей ничего мне не сделает. Физически. Майкл должен это знать. Его игра заключается в другом. Он хочет, чтобы я жила, страдая. И вообще, это никого из вас не касается. Разве тебе мало своих проблем?

— Мне это не нравится, Цветик.

— Я сама не пляшу от радости. Но пока не вижу способа положить этому конец.

Они молча ели, потом Джейк спросил Флер, всегда ли она ходит на работу в джинсах и кроссовках.

— Я должна сопровождать упаковочные клети в отель, — сказала она. — За мной заедут через час. Поэтому я и хотела выспаться. Сегодня у меня очень тяжелый день. Кроме того, я не могу выйти из дома, пока все это здесь.

Джейк указал на узкие деревянные клети, занимавшие большую часть кухни.

— Может, скажешь, что в них? Или я должен сам догадаться?

— Это коллекция Майкла, — пояснила Флер. — Образцы.

И Флер рассказала Джейку о фабрике, о звонке в четыре утра.

— Охранники не могут понять, каким образом включилась противопожарная система, кто ее вывел из строя. Но все платья на складе оказались мокрыми.

Джейк кивнул в сторону клетей.

— Мне показалось, ты говорила, что платья в них.

— Да, конечно. На фабрике висит просто тряпье.

Она встала и попыталась ощутить удовлетворение оттого, что перехитрила Алексея. Но ей никак не удавалось. Флер понимала: пора снова начинать волноваться, Алексей Савагар должен сделать следующий шаг.

— Если ты меня извинишь, я позвоню Майклу, а то он поедет на фабрику и его хватит сердечный приступ.

— Погоди минутку, — остановил ее Джейк. — А ты разве не сказала ему, что все перевезла сюда?

— Это не его забота, Джейк. Я изрубила «бугатти», за мной охотится Алексей. А Майклу и так хватает причин для волнения.

Джейк впал в ярость.

— А если бы отец послал сюда одного из своих бандитов, что бы ты тогда делала? Можешь ты мне сказать или нет?

— А зачем ему посылать сюда? Фабрика кишела охранниками. Как он мог заподозрить, что образцы здесь?

— Ты знаешь, в чем твоя проблема? Ты не думаешь!

Джейк резко встал, и Флер заметила, что карман его куртки глухо ударился о край стола. Он засунул руку внутрь, и Флер впервые обратила внимание, что правый край куртки свисает ниже левого. Может, она не задумалась бы о причине, если бы Джейк не взглянул на нее быстро и обеспокоенно, прежде чем взять тарелку и понести ее к раковине.

Флер положила телефонную трубку на место.

— Что у тебя в кармане?

— Не важно.

Она почувствовала, как у нее заныл позвоночник.

— Я хочу знать.

— Отстань, ладно?

— Скажи, Джейк.

Сначала она подумала, что он собирается уйти. Потом он пожал плечами.

— Двадцать второй, автоматический.

Флер удивленно посмотрела на Джейка:

— Что?

— Пистолет.

— Ты спятил?! Как ты можешь приносить сюда оружие? Боже мой! Это же не Вьетнам и не съемки фильма. Это мой дом!

Джейк отмахнулся от нее:

— Твой отец не в игрушки с тобой играет, я понятия не имел, что увижу, когда сегодня спускался сюда.

Он выдержал ее взгляд; ему показалось, что сейчас она видит его в образе экранного героя.

Флер отвернулась, внезапно вспомнив о массовых убийствах, о девочке в рубашке с желтыми утятами. О том, чего она не могла выносить.

Джейк молча вышел, но через двадцать минут вернулся, одетый в теплую куртку и вельветовые брюки. Уже появились белые розы, и Флер стало ясно, что Алексей не подозревает о провале его плана. Но Джейку это было не важно. Он прервал ее разговор с братом. Выдернув у Флер из рук трубку, проворчал в нее:

— Майкл, я отправляюсь на грузовике с Чудо-Женщиной. А потом уже давайте, ребята, без меня.

Джейк не отходил от Флер, пока разгружали грузовик; он стоял на углу, надвинув бейсбольную кепку на глаза, изо всех сил стараясь не привлекать внимания, остаться незаметным. Но разве мог на это рассчитывать Джейк Коранда? Очень скоро его кто-то узнал, и поклонники быстро окружили своего кумира. Они совали клочки бумаги, квитанции из химчистки, и Джейк покорно раздавал автографы. Флер знала, как люто ненавидит все это Коранда, но он терпел, придавленный бременем славы, пока она не вошла в отель вслед за клетями с платьями. Когда она вышла поблагодарить Джейка, он уже испарился.

За кулисами царил хаос. Майкл чуть не впал в истерику, обнаружив, что некоторые платья помяты. Флер с трудом сохраняла спокойствие, заставляла себя улыбаться и излучать уверенность. Слишком много зависело от нескольких ближайших часов. Несмотря на большой интерес к работам Майкла, они решили продемонстрировать коллекцию всего два раза. Один раз днем и один раз поздно вечером.

Как и положено, для каждой из моделей предназначили отдельный закуток, где все вещи были разложены в том порядке, в каком она должна надевать их; там же были все необходимые аксессуары. Обычно такие закутки оборудовались накануне показа. Но Флер не собиралась выпускать платья из-под охраны, поэтому все пришлось делать второпях и в последнюю минуту искать недостающие аксессуары. С обувью вышла неразбериха, едва не обернувшаяся настоящей паникой. Сколько мрачных взглядов было брошено в сторону Флер! Но как бы то ни было, дело двигалось, телевизионщики устанавливали оборудование, чтобы снять на видеокамеру коллекцию Майкла Савагара и разослать кассеты в лавки, магазинчики, универмаги.

Наконец, когда все было готово и вовремя, Флер переоделась в платье, привезенное с собой. Пришлось долго повозиться с молнией, потому что пальцы дрожали. Она выбрала одно из первых платьев Майкла, придуманных для нее. Только увидев платье, Флер сразу же решила оставить его на сегодня. Ярко-красное, с двумя разрезами: один начинался от шеи и убегал ниже груди, другой шел снизу и до колена. Бабочки, обшитые бисером, украшали плечи, и такие же, но чуть поменьше, красовались на носках атласных туфель на высоких каблуках.

Появилась бледная, напряженная Кисси.

— Это ужасная идея, Флер. Не понимаю, почему ты думаешь, что она сработает? Должно быть, у меня простуда, а может, даже и температура.

— Просто нервы, Кисси. Тебя трясет от напряжения. Несколько раз поглубже вдохни, и все пройдет.

— Нервы? Да у меня все нутро словно клюют грифы.

Флер, рассмеявшись, заботливо и очень осторожно обняла Кисси, опасаясь что-нибудь помять.

— Ну что, Магнолия, ни пуха ни пера.

Флер вышла из-за кулис и смешалась с толпой. Она говорила с десятками людей, с репортерами, позировала фотографам; кончики ее пальцев совершенно онемели от нервного напряжения. Она взяла маленький позолоченный стул возле подиума и сжала руку Чарли Кинкэннона.

Он наклонился к ней, шепча:

— Я слышал разговоры, Флер. Дизайнерам не нравится твой брат, они называют его работы вычурными и претенциозными.

— Это значит только одно, Чарли: они чертовски ревнуют. В его вещах женщины похожи на женщин.

Да, хотелось бы ей на самом деле чувствовать такую уверенность, с которой она произнесла эти слова! Но правда заключалась в том, что любой новый дизайнер, смело отважившийся на показ коллекции, как Майкл, подвергал себя опасности. Его можно было разбить в пух и прах: для этого существовали мощные средства в очень закрытом, кастовом мире моды. Майкл ступал на территорию, уже и без того слишком перенаселенную.

Она посмотрела через зал на репортершу из журнала «Повседневная одежда для женщин» и заметила, какое злое у нее лицо.

Флер вдруг поняла, что имела в виду Кисси, когда говорила про грифов.

Зазвучала печальная музыка в ритме блюза, и Флер снова заволновалась, но уже о другом. Сложные театральные постановки, вроде той, которую она придумала для показа моделей Майкла, вышли из моды; теперь демонстрации проходили просто: подиум, манекенщицы, платья.

Снова они как бы плыли против течения. На этот раз по ее вине. Это была ее идея. Она уговорила Майкла согласиться.

Понемногу разговоры стихли, музыка зазвучала громче. Свет в зале потускнел, на сцене за подиумом зажглись огни. За прозрачным сероватым занавесом, похожим на дымку, был экран. На сцене стоял уличный фонарь, торчали пальмовые ветки, валялись сломанные жалюзи и металлические перила. Глядя на все это, зрители должны были мысленно перенестись в новоорлеанский дворик, во влажную летнюю ночь.

Появились модели в дымчатых платьях. Тонкая ткань облегала грудь, локти, колени; они казались утрированно острыми, как на рисунках Томаса Харта Бентона. Они принимали невероятные позы: откидывали назад голову, тянули руку к пальмовым листьям-веерам и замирали, наклоняясь, словно ветви плакучей ивы так, что волосы спускались до пола. Зрители зашептались, украдкой оглядываясь по сторонам, желая увидеть реакцию других. Но было совершенно ясно, что никто не решится обнародовать собственное впечатление, пока не станет ясно, к чему все это.

Вдруг одна фигура отделилась от остальных и вышла в лужицу голубого света. Моргая, она смотрела на зрителей, будто пытаясь понять, можно ли довериться этим людям, потом заговорила. Она говорила о потерянной плантации, о Стэнли Ковальски, этом недоноске, за которого ее дорогая сестра вышла замуж. Голос звучал взволнованно и устало, лицо казалось измученным. Наконец девушка умолкла и протянула к собравшимся руку, словно умоляя понять ее. В зале наступила звенящая тишина, потом снова зазвучал блюз, как бы прогоняя девушку назад, к теням.

После ошарашенного молчания раздались робкие аплодисменты, потом все более энергичные. Зрители узнали монолог Бланш Дюбуа*, Кисси прекрасно исполнила его. Флер почувствовала, как Чарльз с облегчением расслабился.

— Она понравилась им, да? — прошептал он.

Флер кивнула и задержала дыхание. Если бы им так же понравились работы Майкла! Как бы хорошо Кисси ни исполнила свою роль, в конце концов не это главное. Здесь важнее всего мода.

Музыка стала более быстрой. Модели одна за другой разрушали свои статичные позы, оживали и выходили из-за прозрачного занавеса на подиум. Все были одеты в легчайшие летние платья, вызывавшие в памяти ароматы цветов, южные жаркие вечера, старые трамваи под названием «Желание». Линии платьев мягкие, женственные, без всякой вычурности, специально скроенные для женщин, уставших походить на мужчин. Ничего подобного Нью-Йорк не видел уже много лет.

Флер прислушивалась к бормотанию вокруг себя, к скрипу перьев в блокнотах, шепоту. Аплодисменты за первые несколько вещей были вежливыми, потом, по мере того как одно платье сменяло другое, они становились увереннее. Красота, придуманная и воплощенная Майклом, постепенно доходила до людей; аплодисменты становились громче, энергичнее, пока наконец не переросли в общий гул, охвативший большой зал. Флер почувствовала, как ее пальцы свело судорогой, и догадалась, что впилась ими в колено Чарли.

Когда последняя модель удалилась с подиума, Чарли длинно выдохнул.

— За эти пятнадцать минут, кажется, я прожил целую жизнь.

Флер надела на лицо холодную уверенную улыбку и присоединилась к аплодисментам.

— Только одну, — прошептала она ему.

Были показаны еще две живые картины; вторая имела даже больший успех, чем первая. Дождливый влажный лес из «Ночи Игуаны» послужил декорацией для второго монолога Кисси. Потом на подиум высыпали девушки в разноцветных ярких ситцевых повседневных платьицах. И наконец Кисси изобразила потрясающую кошку Мэгги на фоне силуэта обширного изголовья медной кровати. Эта сцена стала прологом для показа экзотической коллекции пла-

---

* Героиня пьесы Теннесси Уильямса «Трамвай "Желание"».

тьев, украшенных перьями и бисером, вечерних туалетов, пробуждавших сладкие декадентские воспоминания. На сей раз зрители не просто аплодировали, они делали это стоя.

Показ закончился. Флер, глядя, как Майкл и Кисси кланяются, думала, что отныне для брата и подруги начнется совершенно другая жизнь. Обнимая Чарли Кинкэннона, она поняла, что и у нее уже не будет прежней жизни. Теперь можно не волноваться о приближающемся феврале. Что ж, она сделала доброе дело, она помогла Кисси и Майклу продемонстрировать свой талант обществу. Кисси — в благодарность за искреннюю дружбу, а Майклу — как извинение за многолетнюю и, по большому счету, беспричинную ненависть. Совершенно неоправданную.

Зрители покидали свои места, подходили к Флер. Непонятно почему, она вдруг обернулась и увидела Джейка Коранду, стоявшего у самой двери. Он восхищенно поднял оба больших пальца.

Следующие несколько дней телефон в офисе Флер разрывался. «Повседневная одежда для женщин» поместил материал о коллекции Майкла под названием «Новая женственность». Журналисты, пишущие на темы моды, выстраивались в очередь, чтобы узнать о его планах на будущее. Майкл спокойно перенес пресс-конференцию, организованную Флер, а потом увез сестру на ужин в таверну. Они сидели у стеклянной стены Хрустального зала и улыбались друг другу, глядя поверх меню.

— У этих Савагаров не так уж плохо идут дела, так ведь, старшая сестричка?

— Совсем неплохо, младший братик.

Они смущенно улыбнулись, а потом Майкл принялся изучать меню.

— Я думаю, мы закажем заливную индейку, — сказал он.

— Ничего не стану есть с крыльями.

— Тогда холодную осетрину.

— А теплое филе?

— Ну правда, Флер, у тебя вкус как у коккер-спаниэля. — Он драматично вздохнул. — Я думаю, мы пойдем на компромисс и остановимся на телятине.

С того вечера, когда они ели устриц с жареной картошкой в придорожном ресторане, у них вошло в привычку заказывать одинаковую еду. Но перед этим минут десять они спорили, выбирая блюда, хотя вкусы их не слишком разнились. Однажды, когда Флер по рассеянности сразу согласилась на закуску, предложенную Майклом, он показался таким обиженным, что она поклялась никогда больше не совершать подобной ошибки. Не желая его разочаровывать, она продолжила спор:

— Я не буду есть корову, так что забудь о телятине.

— А как насчет каплуна?

Майкл покачал головой и заметил:

— Чересчур утонченно. Может, мясо молодого барашка?

— Ой, они такие хорошенькие! — воскликнула она. — Свиные отбивные!

Майкл содрогнулся.

— Каплун, — заявила Флер. И со смехом коснулась рукава его поплиновой куртки-сафари, которую он надел с рубашкой цвета бургундского вина, с французским военным свитером и галстуком швейцарской армии. — Я люблю тебя, Майкл. Очень. Все забываю тебе сказать.

— Я тоже. Даже еще больше. — Он умолк, потом наклонил голову набок так, что волосы коснулись плеча. — А тебя не раздражает, что я гомик?

— Надеюсь, ты спрашиваешь не потому, что я предложила каплуна.

Он улыбнулся.

— Нет, просто совпадение.

— Будь у меня волшебная палочка, — сказала она, — я с ее помощью кое-что изменила бы. Как бы я хотела видеть тебя счастливым с кем-то, кто мог бы подарить мне целую армию племянниц и племянников. Но поскольку это не грозит, я хочу, чтобы ты был в надежных отношениях с человеком, достойным тебя.

— С кем-то вроде Саймона Кэйла?

— Ну раз уж ты упомянул...

Майкл опустил меню и печально посмотрел на Флер.

— Ничего не выйдет, Флер. Я знаю, ты бы хотела, но не получится.

Она смутилась.

— Слушай, Майкл, давай забудем об этом. Я переступила черту. Это не мое дело.

Он улыбнулся.

— Да, не твое. Но ты меня любишь, ты обо мне заботишься. Как же мне всегда хотелось, чтобы наконец кто-то любил меня независимо от того, счастлив я или нет, удачлив или нет.

— Осторожно, Майкл, а то я подумаю, что ты даешь мне право вмешиваться в твою жизнь.

— Ну, я рискну. — Он хотел было скрестить руки на груди, но передумал.

Флер заметила, что он нервничает.

— Саймон — особый человек, — сказал Майкл, — между нами крепнет дружба, которая важна для обоих. Как у вас с Кисси. Но это все, что между нами может быть. Замечательная дружба. Саймон сильный, и я сильный. Мы оба независимые и самодостаточные. Саймон, знаешь ли, по-настоящему ни в ком не нуждается.

— А для тебя очень важно быть нужным? Да?

Майкл кивнул.

— Я знаю, тебе не нравится Дэймон. Ты права, он может быть эгоистичным, он не самый лучший из тех, кого я встречал. Но он меня любит, Флер. Я нужен ему.

Флер пыталась справиться с разочарованием.

— Нельзя сказать, что у Дэймона плохой вкус.

Майкл весело улыбнулся.

— Я заметил в списке закусок зобную железу. Как ты смотришь на это сладкое мясо?

В городе заговорили не только об успехе Майкла, пронесся слух о таланте Кисси. Четыре продюсера сразу захотели пригласить ее на пробу. Кроме того, Флер обратила внимание, что несколько человек, упорно обходивших ее стороной, нашли время позвонить ей. Неужели дни, когда она была парией, закончились? Да, но скорее всего до тех пор, пока Алексей не предпримет новый шаг, думала Флер.

В течение нескольких недель она занималась Кисси. Флер составила расписание ее проб в кино и на телевидении. К Дню благодарения суматоха улеглась и Кисси подписала контракт на «Пятое июля». Теперь ей предстояло лететь в Лондон, чтобы попробоваться на роль в высокобюджетном приключенческом фильме, **который**, Флер была убеждена, сделает ей имя. Они обе были **слишком заняты** и могли себе позволить лишь разговоры по телефону **или торопливый** совместный ленч. Только в пятницу, поздно вечером, **они** наконец договорились посидеть как следует. Кисси появилась в **дверях** с пиццей и большой бутылкой «Тэб».

— Давай скорее снимай телефонную трубку.

— Уже.

Флер поставила кассету с «Иглз»* и пошла на кухню за бокалами. Кисси разделывала пиццу на новом кофейном столике в гостиной.

— Ну прямо как в старые добрые времена, Флеринда! — крикнула она, стараясь перекрыть звуки музыки. — С той только разницей, что теперь мы богатые и известные. Может, нам уже следует перейти на белугу? Хотя не понимаю, как можно променять всеамериканскую пиццу с перцем на рыбу.

— Мы будем пить «Тэб» из баккара. И мы соединим два лучших из миров!

Флер появилась на верху лестницы с двумя наполненными льдом бокалами и пачкой салфеток.

— Ты думаешь, мы лицемерки, что пьем это с пиццей? Мы ведь можем позволить себе все что угодно.

— Ладно, ты философствуй, Флеринда, а я пока поем. С самого завтрака во рту не было ни крошки.

Кисси впилась в кусок пиццы, только что вынутый из коробки, и сыр лентой потянулся изо рта.

— Вряд ли когда-нибудь я была такой счастливой, как сейчас, — жуя, бормотала она.

— Боже мой, до чего же ты любишь пиццу.

— Я не про пиццу. — Кисси еще раз надкусила. На этот раз она прожевала, прежде чем заговорить. — Я про пьесу, про кино, вообще про все. Боб Фосс вчера со мной поздоровался совсем не так, как раньше. Тогда он говорил: «Эй, детка, привет!» А теперь: «Привет, Кисси». Боб Фосс! Боже мой! — Кисси то и дело откусывала пиццу и вываливала на Флер события последних недель.

---

* Популярная американская рок-группа.

Слушая рассказ подруги о первых неделях репетиций и ее невероятно противоречивые оценки собственной игры, Флер испытывала настоящее удовольствие. Несмотря на яркий талант Кисси, ничего такого не случилось бы без ее участия. Внезапно перед глазами Флер вспыхнуло лицо Белинды. Удовольствие сразу исчезло, и она подумала: неужели мать испытывала похожие чувства по отношению к ней самой?

Они заговорили о фильме, в котором Кисси собиралась сниматься в Лондоне. Подруга нервничала и поэтому стала расспрашивать Флер о ее опыте с «Затмением». Наконец они добрались до Джейка.

— Что-то ты о нем почти ничего не говоришь в последнее время, — начала Кисси.

Флер пожала плечами.

— Я его почти не вижу. Он много работает, а когда я поднимаюсь в мансарду проверить, как он там, он на меня даже не смотрит.

— Значит, если сказать по-другому, вы с ним не спите.

— Боже мой, Кисси, в отношениях между мужчиной и женщиной есть кое-что еще, кроме секса.

— Ах, оставь, Флеринда, ты сейчас говоришь с лучшей подругой.

— Не стану тебе врать, Кисси, он мне все еще нравится. Может быть, он всегда мне будет нравиться. Но это ничего не меняет. Один раз я уже обожглась и снова не хочу. Он мне не подходит.

— Ты уверена?

— В конце концов он был любовником моей матери!

— А это не твое дело. Белинда, может, немного испорченная женщина, но красивая и соблазнительная. Она понравилась Джейку. Вы же не были его любовницами одновременно? Чем бы они с Белиндой ни занимались в постели, это тебя не касается. Ясно?

— Она должна была понять, какие чувства я к нему испытываю! — воскликнула Флер. — Но она все равно прыгнула к нему в постель.

— А он-то при чем? — Кисси подвернула под себя ноги на кушетке. — Слушай, ты все еще веришь в ту чепуху насчет Джейка, что он соблазнил тебя лишь ради спасения своего фильма? Я видела его всего несколько раз, но даже мне ясно: это не в его стиле. Уверена, у него есть недостатки, но среди них нет слепого тщеславия.

— Да, у него есть недостатки, верно. Он очень непорядочный человек в том, что касается чувств.

— С чего ты взяла?

— Он не подпускает близко к себе. Немножко приоткроется, а потом будто накрепко захлопывает дверь. Это хорошо для дружбы, но для любви очень тяжело.

Кисси положила корочку от пиццы, которую только что подняла, собираясь отправить в рот, и уставилась на подругу. Флер почувствовала, что к лицу прилила жаркая волна.

— Я рассуждала вообще, Кисси. Ради Бога, не подумай, что о себе самой. Я не влюблена в него, Кисси. Конечно, мне многое в нем нравится. Он умный, интересный, с ним мне не надо притворяться. Понимаешь, для меня быть с Джейком — все равно что быть с тобой.

— Только не так безопасно.

— Да, не так безопасно.

Они помолчали. Потом Флер сказала:

— Я не могу позволить его себе. В моей жизни было слишком много нечестных и непостоянных людей, мне не нужен еще один. Я никогда не прошу о любви. С меня хватит на три жизни. Я горжусь тем, что у меня есть, Кисси. Я сама себя сделала. И никого не прошу меня любить.

— Ну конечно, не просишь.

Кисси видела, как взволнована Флер, и, сжалившись, сменила тему разговора. Они поболтали о неврозе Оливии Крейгтон, обсудили, что из одежды Кисси стоит взять в Лондон. Наконец Флер показалось, что Кисси больше не может терпеть: от нее исходило возбуждение, которое она старательно подавляла. Вдруг до Флер дошло, что за весь вечер с губ подруги ни разу не слетело имя Чарли Кинкэннона.

— Давай, Кисси, выкладывай. Тебе же не терпится мне рассказать. Так что приступай.

— Что выкладывать? Ну какая ты грубая, Флер.

— Ну давай, краса южной ночи, не ходи вокруг да около. В чем дело? Это связано с Чарли, да?

Кисси колебалась.

— Гм... Ну, в общем-то я тебе ничего не сказала, потому что
боялась, что ты воспримешь это как очередную глупость. — Она
принялась накручивать локон на палец, а потом посмотрела на Флер,
ожидая ее реакции.

— Кисси, нам утром в понедельник надо быть на работе. Как
насчет того, чтобы успеть рассказать до конца уик-энда?

— В общем-то, — поспешно сказала Кисси, — думаю, я влюбилась.

— А почему ты думаешь, что я назову подобное признание
глупостью?

— Если вспомнить мое прошлое, разве Чарли подходящий мне
партнер?

Флер улыбнулась.

— Скажу тебе, что я всегда считала вас с Чарли прекрасной
парой. Ты сама никогда не соглашалась со мной.

Теперь, когда Кисси сообщила новость, она торопилась выложить свои ощущения, пока не струсила.

— Я чувствую себя такой дурой, Флеринда. Он самый прекрасный человек на свете, но я слишком давно не встречала мужчину, который хотел бы от меня чего-то другого, кроме секса... Я
даже не знаю, как вести себя с ним. Я пыталась его соблазнить, а
ему нравилось разговаривать. О Кьеркегоре*, о дадаизме**, бог
знает о чем. И слушать — тоже не важно что. Он никогда не прояв-
ляет превосходства в беседе на любую тему, он не выступает, как
другие, передо мной, он искренне хочет услышать мое мнение. Он
будто вызывает меня на соревнование. Чем больше мы говорим, тем
больше я проникаюсь уважением к себе: какая я умная на самом-то
деле! — В глазах Кисси заблестели слезы. — Флер, это такое
приятное ощущение.

Флер почувствовала, что у нее тоже защипало глаза.

— Ой, Магнолия, как я за тебя рада! Чарли особенный человек. И ты тоже.

— Смешно, сперва я думала, как бы заманить его в постель.
Там уж моя территория. Я говорила, что у меня болят мышцы,
просила потереть спину, а когда он подходил к двери, я стояла

* Датский философ.
** Одно из направлений в искусстве XX века.

полуодетая. Но что бы я ни делала, казалось, он ничего не замечает. Потом, когда я стала забывать, что его надо соблазнять, я стала просто получать удовольствие от его общества. Я поняла, что он вовсе не так уж равнодушен к моим чарам, как притворяется. Но он долго продержался.

Глядя на мечтательное выражение лица Кисси, Флер ухмыльнулась.

— Зная Чарли Кинкэннона, могу поклясться, именно этого от него и стоило ожидать.

Кисси улыбнулась.

— Я не позволяла ему дотронуться до себя.

— Ты шутишь?

— Флер, оказывается, так приятно, когда за тобой ухаживают. Потом, две недели назад, он явился ночью после репетиции ко мне в квартиру. Начал целовать, мне ужасно нравилось, но я испугалась. А вдруг я его разочарую? По его лицу я поняла, что ему известны мои чувства. Он понимающе улыбнулся и вдруг заявил, что мы должны поиграть в «скрэббл»*.

— В эту детскую игру! — Флер почувствовала разочарование в Чарли.

— Ну, не совсем уж в детскую. Со стриптизом.

Молодец, Чарли, похвалила его про себя Флер. А потом поинтересовалась:

— А как в нее играют?

— Да очень просто. Если твой противник выигрывает двадцать очков, то ты должна снять один из предметов одежды. Знаешь, Флер, как бы ни хотелось пойти в кровать, мне действительно очень понравилось с ним сражаться. Из меня вышел неплохой игрок. Я не собиралась проигрывать. — Кисси сделала драматический жест рукой. — Я начала здорово, со слов *бандит* и *чибис*.

— Впечатляет.

— Потом нанесла ему удар между глаз *сывороткой* и *жаргоном*.

— Ты, конечно, сбила ему дыхание.

— Да. Напрочь. Но он ответил хорошо. *Челюстью* на мой *жаргон*. И *сургучом* на *чибиса*. Но все равно было ясно, что мы

---

* Популярная американская игра в «слова», типа кроссворда.

еще не в одной лиге. Я никогда не хватаюсь за слова из трех букв, пока меня не припрут к стене. Но когда я выдала очередное словечко, он остался в трусах и одном носке. А на мне была еще нижняя юбка и кое-что под ней. — Она нахмурилась. — Тогда-то все и произошло.

— Я уже просто не могу терпеть. От предчувствий.

— Он ударил в ответ словом *квайд*.

— Но такого слова нет.

— О, есть. Это вождь североафриканского племени. Хотя вообще-то только игроки международного класса и любители кроссвордов его знают.

— Ну и?

— Ты что, не понимаешь? Этот сукин сын стал меня торопить.

— Боже мой.

— Ну, в общем... короче говоря, он выдал *зебу* по горизонтали, запер словом *злотый* по вертикали. И моя *куропатка* после этого выглядела жалко. Но самое ужасное ожидало впереди.

— Не представляю, как мне выдержать напряжение.

— *Флокс*. Вот что он выдал. Мне пришел конец.

— Вот черт.

Глава 29

Вместо того чтобы наслаждаться успехами, Флер еще больше работала, доводя себя и всех вокруг до изнеможения. Безусловно, после успеха коллекции Майкла на нее обрушилась лавина предложений. Почувствовав себя довольно уверенно, Флер начала отказывать клиентам, хотя до магической цифры двенадцать, которую она определила себе в начале как цель, еще не дошла. Первый альбом «Бурной бухты» должен был выйти через несколько недель; похоже, его ждал успех. Состоялась премьера пьесы Кисси. Отзывы были восторженными, а заказов на интервью оказалось больше, чем она успела бы дать до отъезда в Лондон. Флер вдруг поняла, что сейчас у нее есть почти все, что она хотела. Алексей ничего не предпринимал против нее после попытки испортить коллекцию Майкла, старые сплетни о нарушенных контрактах заглохли, но слухи о ее связи с Джейком ходили. Правда, деловые успехи смягчали боль, причиняемую ими. В общем и целом дела в агентстве шли лучше, чем Флер могла ожидать, так почему же она не чувствовала себя счастливой? Она уходила от ответа, ныряя в работу с головой.

Как-то ночью в пятницу, после Нового года, Флер что-то разбудило, и она разволновалась.

— Все в порядке, Цветик, — прошептал тихий голос. — Просто это я.

Занавески, опущенные перед сном, были раздвинуты, и комнату освещал свет уличных фонарей. В кресле у кровати, вытянув длинные ноги, сидел Джейк, рукава его рубашки были закатаны по локоть.

— Что ты тут делаешь? — спросила Флер.

— Сторожу твой сон. — Голос звучал мягко, как темнота ночи, заполнившая комнату. — Свет фонарей окрашивает твои волосы. Помнишь, как мы заворачивались в них, когда занимались любовью?

Ее сердце часто забилось, кровь быстрее побежала по телу.

— Помню.

— Я не хотел тебя обидеть, Цветик. Просто ты попала под перекрестный огонь.

Она не хотела думать о прошлом. Только о настоящем.

— Это было так давно. Сейчас я не такая наивная.

Она ответила резче, чем хотела, и в его голосе появилось раздражение.

— Если ты собираешься заставить меня поверить, будто делаешь карьеру с помощью неразборчивых связей, то напрасно. Твоя спальня кажется слишком пустой в последнее время.

Зачем он говорит это сейчас? Почему не может быть мягким и нежным? Ей захотелось наказать его.

— Ты думаешь, я приведу сюда мужчину, когда ты живешь у меня над головой? Всегда можно пойти к нему. Сам понимаешь.

— Да неужели?

Джейк скрестил руки на груди, и Флер поняла, что он не поверил ни единому слову. Он медленно поднялся из кресла и стал расстегивать рубашку.

— Ну если ты все делаешь бесплатно, я думаю, теперь моя очередь.

Флер резко села.

— Я не делаю это бесплатно. Ты знаешь. Я вообще этого не делаю. И потом, тебя это не касается. Ты что? Что ты делаешь?

Джейк снимал рубашку.

— Это должно было случиться между нами еще несколько месяцев назад. Но у тебя не хватило характера попросить.

— У меня? С каких это пор женщина должна просить?

Его рука потянулась к джинсам.

— Остановись, Джейк.

— Поскольку ты меня как-то обвинила в том, что я собираюсь избавиться от литературной немоты с помощью твоего тела, давай, приступай. — Он расстегнул молнию, и Флер увидела голый живот Джейка. Он взялся за пояс джинсов. — Зная, как работают твои мозги, я не смел прикоснуться к тебе до окончания книги. Теперь ты меня не можешь ни в чем обвинить. Книга закончена, давай прекратим играть в прятки.

Она хотела его. Боже, как она его хотела! Даже осознавая, что все происходит не так. До ужаса не так. Все чувства сплелись в один тугой клубок. Намотались друг на друга, как нитки. Не распутать. Книга закончена, мелькнула внезапная мысль, что это значит для агентства? А, все равно, ей все равно. Сейчас ей важен только его взгляд и то, что за ним кроется. Больше ничего.

— Застегни свои штаны, ковбой, — спокойно сказала Флер. — Сначала нам надо поговорить.

— Ничего такого нам не надо, черт побери. — Он скинул туфли, потом отбросил одеяло и посмотрел на голубоватую ночную рубашку, задравшуюся на бедрах.

— Джейк, прекрати. Ты смешон.

— Замолчи, — пробормотал он, стаскивая джинсы вместе с трусами. — Просто помолчи, ладно?

Прежде чем она поняла, что происходит, он уже стоял совершенно голый и тянул ее за рубашку.

— Нет! — Она на четвереньках поползла по кровати подальше от него. — Нет, Джейк! Сначала я хочу поговорить.

— Мы можем поговорить и потом.

Он сжал в кулаке ночную рубашку, не пуская Флер.

— Скажи мне, что случилось. Ты должен со мной поговорить.

— Ничего я не должен! — воскликнул он с напряженным от злости лицом.

— Я не занимаюсь сексом ради развлечения! — крикнула Флер. Неожиданно он стукнул кулаком в стену у нее над головой.

— А как насчет секса из милосердия? Ты занимаешься сексом из милосердия? Если да, то я, черт побери, как раз первый в этом нуждаюсь.

Сердце Флер развалилось на куски от *его* боли, которую он не смог скрыть.

— О Джейк...

Но ставни снова захлопнулись.

— Забудь об этом. — Джейк схватил с пола джинсы, засунул ноги в штанины. — Просто забудь. Забудь, что я вообще приходил сюда. — Он схватил рубашку и направился к двери.

— Джейк, погоди!

Она бежала за ним, ночная рубашка летела следом, а он убегал по лестнице в гостиную.

— Ну погоди, минутку! Давай поговорим!

— Знаешь, что можешь сделать со своими разговорами? — И Джейк захлопнул за собой дверь.

Флер влетела в пустую гостиную, чувствуя себя потерянной и виноватой. Виноватой? А почему виноватой? Разве он не вел себя как дикарь? Или она должна была разрешить ему залезть к ней в постель и воспользоваться ее телом для удобства?

Она слышала его тяжелые шаги по ступенькам, что вели в мансарду, вспомнила напряженное тело, глубокие тени под глазами и отчаяние, исходившее от него. Не думая, что делает, Флер побежала в прихожую, поднялась по ступенькам в мансарду. Дверь была заперта.

— Открой!

Тишина. Флер принялась колотить ладонью по деревянным створкам двери.

— Я говорю тебе, Джейк, открой дверь.

— Уходи.

— Если ты не откроешь, я ее сломаю.

Она услышала грубый смех.

— Прости, Скарлетт, но Рэтту надо как следует выспаться.

Флер тихо выругалась и побежала за ключом. К тому времени, когда она открыла дверь, ее всю трясло.

Джейк сидел на неразобранной кровати, привалившись к изголовью, с бутылкой пива, прижатой к голой груди, в незастегнутых джинсах.

— Ты когда-нибудь слышала о правах жильцов? — поинтересовался он враждебным, колючим, как сухой лед, голосом.

— У тебя нет договора об аренде, — твердо заявила Флер.

Она перешагнула через валявшуюся на полу рубашку Джейка, подошла к краю кровати и посмотрела на него, пытаясь понять, что за мысли у него в голове. Но все, что она увидела, — это резкие складки усталости, залегшие вокруг рта, и отчаяние, еще глубже отпечатавшееся в тенях под глазами. Наконец она сказала:

— Если кому-то и нужно милосердие, так это мне. Уже давно, Джейк Коранда.

Его лицо напряглось. Флер поняла, что он не собирается облегчить ситуацию, в которой они оба оказались. Он приоткрыл ей собственную жажду, теперь, полагал он, пришла ее очередь. Он глотнул пива, уставившись на Флер так, будто это была не она, а таракан, ползущий по полу.

— Может, какой бедняга-недотепа и взял бы тебя к себе в постель, если бы ты не была такой вредной.

Флер стиснула зубы, ей сейчас хотелось только облегчить страдания Джейка. Значит, придется потерпеть.

— Дело не в том, что мне не хватает предложений, — очень спокойно сообщила Флер.

— Не сомневаюсь! — прорычал Джейк. — Дай-ка угадаю. Это, конечно, городские мальчишки на машинах «БМВ».

— И такие тоже.

— Много?

Господи, подумала она, ну почему бы просто не признаться, что она нужна ему? Ведь нет ничего плохого в том, когда один человек нужен другому. Зачем протаскивать их через эти муки?

— Дюжины. — Ответила она. — Сотни.

— Уж конечно, — фыркнул Джейк.

— Я же легенда. Ты разве не знаешь?

Он отпил еще пива и вытер рот рукой.

— Теперь ты хочешь, чтобы я облегчил твои муки, воскресил тебя после сексуальных разочарований. Короче, сыграл роль жеребца.

Да, у него явно нет совести. Флер подумала: ну как он может смотреть ей в глаза и пороть такую чушь?

— У тебя нет никакого занятия получше? — поинтересовалась она.

Он пожал плечами и откинул ногой одеяло.

— Думаю, нет. Давай-ка, снимай ночную рубашку.

— Уж нет, ковбой. Если хочешь, чтобы я оказалась без нее, сам снимай. А пока стаскивай с себя свои джинсы, дай посмотреть, что там у тебя есть.

— Что у меня есть?

— Ну конечно, вредина. Считай, это проба.

Джейк не мог заставить себя улыбнуться, и Флер поняла, в каком он сейчас состоянии. Он на грани краха.

— Ну ладно, — сказала она и, не дав ему ответить, принялась через голову стягивать с себя рубашку. Бретелька запуталась в волосах, и Флер стояла голая, пытаясь дрожащими пальцами освободить волосы. Но ничего не получалось, они запутывались еще больше.

— Наклонись, — ласково проговорил Джейк.

Флер подчинилась. Она притворялась, что сосредоточилась на бретельке, не желая видеть его взгляда. Она чувствовала, как Джейк смотрит на нее. Он взял ее за руку и потянул на постель. Матрас прогнулся, ее оголенное бедро коснулось его трусов.

— Ну вот, — сказал он, освободив рубашку. — Теперь все в порядке.

И больше ничего. Он даже не попытался прикоснуться к ней. Флер сидела спиной к Джейку, напряженная, скрестив на коленях руки, не зная, как поступить дальше. Казалось, он понял ее состояние. Она почувствовала, как матрас закачался — это Джейк вылезал из джинсов. Ну почему все это должно происходить именно так? Неуклюже, с трудом. Может, он даже не собирается ее поцеловать? Просто завалит на спину и возьмет? Раз, два, приятно было познакомиться, детка, пока. Черт побери, на него это похоже. Он все такой же сукин сын. Он играет ее чувствами. И отказывается говорить с ней, только оскорбляет!

— Цветик? — Он коснулся ее плеча.

Флер резко повернулась.

— Не буду заниматься сексом, если ты меня не поцелуешь! Я серьезно, Джейк. Если ты меня не поцелуешь, можешь убираться к черту!

Джейк заморгал.

— Ты не можешь помолчать хотя бы одну минуту... — Он взял ее за шею и притянул к груди. — Просто помолчи, хорошо? — попросил он. — Ты нужна мне, Цветик. Ты мне очень нужна. — И Джейк поцеловал ее глубоким, сладким поцелуем.

И Флер поплыла по волнам наслаждения, купаясь в поцелуе, вкушая его и не желая, чтобы он прекращался. Джейк взял ее за волосы, повалил на спину и прижал к матрасу всей тяжестью большого тела. Поцелуй вдруг стал другим, он утратил сладость, в нем появился привкус мрачного отчаяния. Флер неровно дышала, выгибала спину, приподнималась навстречу его бедрам. Джейк взмок от пота, его пот смешивался с ее, его руки летали над ней. Казалось, они везде, грубые и сильные: на груди, на талии, на бедрах, на ягодицах; он уже толкался в нее.

Она могла бы его остановить, но не делала этого. Ей было страшно за него и за себя. Глубоко в груди обиды прошедших лет пылали, как огненный шар. Флер обняла Джейка за плечи и на его страстный порыв отвечала своим собственным.

— Люби меня, Джейк, пожалуйста, люби меня, — шептала она.

Пальцы Джейка впились в мягкие бедра Флер, он раздвинул ее ноги и внезапным сильным ударом глубоко вошел. Она вскрикнула, а он стиснул руками ее голову, приник к нежному рту в отчаянном поцелуе. Ей показалось, что она возносится на небеса на невероятной волне сладости и наслаждения, но Джейк не останавливался; его язык не покидал горячего рта Флер, сильные пальцы ерошили длинные волосы, он двигался все сильнее и быстрее. Наконец раздался его хриплый крик.

Закончив, он сразу отвалился от Флер. Она лежала рядом с ним и смотрела в потолок. Ей было страшно. Итак, он написал свою книгу. С мрачным отчаянием он занимался с ней любовью, молча, не говоря ни слова. Флер не могла избавиться от чувства, что Джейк прощается с ней. Собственные слова, произнесенные в агонии любовной страсти, вдруг вспыхнули у нее в голове. *Люби меня, Джейк. Пожалуйста, люби меня.* Она похолодела.

Они продолжали лежать рядом, но даже руками не касались друг друга.

— Цветик?

Флер не открывала глаза, притворяясь, что задремала. Под закрытыми веками она видела выжженный солнцем белый песок, пустынный и безлюдный. Смешно. У нее столько всего. Работа, дружба с Майклом...

— Цветик, я хочу поговорить с тобой.

Она повернулась к нему спиной и зарылась лицом в подушку. А теперь *он* хочет поговорить с ней. Теперь, когда все кончилось. Голова болела, во рту стало сухо, как в безводной пустыне, которая ей только что привиделась. Джейк коснулся ее плеча.

— Черт побери! — воскликнул он. — Я знаю, что ты не спишь!

Матрас скрипнул, и она почувствовала, что он встает с кровати.

— Чего ты хочешь? — спросила Флер.

Раздался щелчок, и вспыхнул свет. Она повернулась к Джейку лицом. Он стоял возле кровати совершенно голый и смотрел на нее в упор. Потом спросил:

— У тебя есть дела? Что-то неотложное? Ты можешь все бросить и уехать на выходные?

Так, подумала Флер, Джейк хочет разыграть финальную сцену. Великое прощание. Она смотрела на него с едва скрываемым гневом.

— А что? Ты приглашаешь меня на свидание? Хочешь, чтобы я пошла с тобой в кино? Дай-ка я залезу под подушку и посмотрю свое расписание на ближайшие дни.

Он сердито посмотрел на Флер.

— Ты всегда вот так поступаешь со мной. Стоит задать серьезный вопрос, как я получаю от тебя пощечину. Мне надоел твой сарказм.

Флер не нашлась что ответить. Как будто кто-то сдвинул комнату под невероятным углом и она стала выглядеть совершенно по-новому. Ее невозможно было узнать, и это раздражало Флер. Ей захотелось бросить Джейку вызов.

— Это не я так с тобой поступаю, а ты со мной.

— Хорошо, забудь. Просто забудь, и все. Я ничего не говорил тебе. Поняла?

— Видишь, все, как я сказала. Ты снова идешь на попятную.

— Черт побери, сейчас же шагай вниз и собирай вещи. Через полчаса отправляемся.

Через два часа Джейк Коранда и Флер Савагар летели на самолете бог знает куда. Джейк спал в кресле, сидя рядом с Флер. Какой же ужасный душевный изъян заставил ее влюбиться в мужчину, не способного ответить любовью на любовь?

Флер закрыла глаза, но сон не шел. Нельзя отмахнуться от правды. Да, она любит Джейка Коранду. Она влюбилась в него давно, еще в девятнадцать лет. И до сих пор не смогла разлюбить. Он единственный на земле мужчина, рожденный для нее, предназначенный ей. Забавно, но Джейк, который постоянно запирался от нее, закрывал двери в свою душу, захлопывал ставни, чтобы она не могла подглядеть в окно, был частью ее самой. Нет, не частью, а лучшей половиной. Флер всегда казалось странным выражение «лучшая половина». Но Джейк был именно ею. И одновременно худшей. Он ничего не давал Флер. Каждый раз, когда они были вместе, он эмоционально будоражил ее, а потом отстранялся, словно оставлял у ворот монастыря, а сам уезжал. Он не говорил с ней ни о чем важном для него самого. Ни о войне, ни о первом браке, ни о Белинде, ни о том, что между ними произошло на съемках «Затмения». Он постоянно осыпал ее упреками, обвинял, высмеивал и быстро отскакивал, как только она подходила слишком близко. Если быть честной с самой собой, вздохнула Флер, она делала с ним то же самое. Но у нее есть на то причина. Она защищала себя. А что же защищать ему?

В семь утра по калифорнийскому времени они приземлились в Санта-Барбаре, хотя Флер и не знала, что это Санта-Барбара, пока они не вышли на бетонную площадку и она не увидела надпись. Джейк поднял воротник кожаной куртки, то ли спасаясь от утренней прохлады, то ли от хищных глаз поклонников, шнырявших вокруг. В одной руке он нес кейс, а другой взял Флер за локоть и повел к стоянке машин, к темно-бордовому «ягуару». Открыв дверцу, Джейк кинул на заднее сиденье кейс и сумку с вещами.

— Почему бы тебе не поспать немного в дороге? — спросил он, садясь за руль.

Его дом из стекла и бетона, одним боком прилепившийся к склону, был таким же, как прежде. Прекрасное место для великого прощания, для финальной сцены, которую им предстояло сыграть.

— Возвращение на место преступления, Джейк?

Он подъехал к самому входу и выключил зажигание.

— Я не знаю, что именно ты называешь преступлением. Нам надо успокоить кое-какие призраки прошлого. Я думаю, здесь самое подходящее место.

Флер так и не смогла заснуть ни в машине, ни в самолете. Теперь она чувствовала себя невероятно уставшей, испуганной, но не могла удержаться от саркастического ответа.

— А почему бы тогда нам не найти пивнушку? Поскольку мы имеем дело с потерей невинности, пивнушка — куда более подходящее место.

Не обращая внимания на ее колкости, Джейк вынимал вещи из машины. Флер вспомнила, как он винил ее за постоянные насмешки, и пожалела, что не промолчала.

Она приняла душ, надела купальник и, завернувшись в теплый халат, вышла попробовать воду в бассейне. Опустила в него ногу и, так как вода оказалась достаточно теплой для января, сбросила халат, нырнула, вытянулась во всю длину и, широко взмахнув руками, поплыла. Но внутреннее напряжение не отпускало. Она вышла, завернулась в большое купальное полотенце и легла в шезлонг, погреться на солнце. Она мгновенно заснула.

Разбудившая Флер невысокая мексиканка, блестя передним золотым зубом, объявила ей, что очень скоро будет готов ужин.

Флер потянулась в шезлонге, потом встала и пошла в дом переодеться. Она не воспользовалась большой ванной комнатой, где они
с Джейком когда-то занимались любовью, а выбрала меньшую, предназначенную для гостей. Приняв душ после купания и уложив волосы, Флер почувствовала себя гораздо увереннее. Она надела
свободные шерстяные брюки цвета слоновой кости и лимонно-зеленоватого цвета блузку с открытой шеей. Перед тем как войти в
гостиную, Флер повесила на шею цепочку с вьюнком, подаренную
Джейком, но сам вьюнок спрятала под блузку, не желая показывать
Коранде, что носит его подарок.

Он был чисто выбрит и выглядел почти респектабельно в серых
брюках в рубчик и в сером свитере, но усталые складки вокруг рта
не исчезли. Когда они сели за стол и начали есть, Флер ощутила
напряжение, исходившее от него. Поданный ужин оказался совершенно кошмарным. Они почти не говорили, но Флер поняла: кульминация близко, все должно произойти сегодня. Ее словно обдало
холодом от этого предчувствия. Флер была уверена, что счастливых
концов не бывает.

Наконец экономка принесла кофейник и со стуком поставила
его на стол, тем самым выразив протест против несправедливого
пренебрежения ее кулинарным искусством. Когда за женщиной закрылась дверь, Джейк встал и исчез в комнате. Он вернулся быстро, неся объемистую папку. Флер уставилась сначала на папку,
потом на Джейка.

— Ты действительно закончил книгу?

Он кивнул и сказал:

— Я ненадолго выйду, а ты почитай.

Флер осторожно взяла папку.

— А ты... — начала она, — ты уверен, что хочешь, чтобы я
почитала? Я знаю, я сама втянула тебя в это дело. Может, я была
не права. Я...

— Только в мое отсутствие никому не продавай права на создание сериала. — Джейк попытался улыбнуться, но не смог. — Книга эта написана только для тебя, Цветик, больше ни для кого.

Флер проводила его взглядом, чувствуя, как изнутри к горлу
подступает тошнота. Почти три месяца Джейк изводил себя этой

рукописью, предназначенной только ей одной. Рукопись не может быть опубликована. Неужели там все настолько личное? Или слишком много разоблачений? В голове Флер снова всплыл образ девочки в рубашке с желтыми утятами.

Она взяла чашку с кофе, подошла к окну и посмотрела на сиреневый вечер, пытаясь загнать поглубже внутрь ужасные подозрения, закравшиеся в душу с тех пор, как Джейк рассказал о той деревне. Он написал о массовых убийствах дважды. Сначала в сценарии «Затмения», а теперь на страницах, лежащих в этой папке. Она подумала о двух лицах Джейка Коранды. Как бы ей хотелось, чтобы у него было только одно лицо: открытое, ясное, при взгляде на которое становились бы понятны его мысли и чувства. Лицо добродушного ковбоя, не способного никому причинить боль.

Не скоро Флер заставила себя вернуться к столу и вынуть рукопись. Наконец она села у окна, включила свет и принялась читать.

Джейк в это время вел мяч мимо стены гаража к баскетбольной корзине; кожаные подошвы туфель заскользили, когда он сделал бросок; мяч не попал в корзину, а ударился о край. Мелькнула мысль, что надо бы вернуться и переобуться, но он отбросил ее. Он не мог смотреть, как Флер читает рукопись.

Его старый, шестьдесят восьмого года, «шевроле-пикап» стоял в гараже. Он вспомнил, что в машине валялась забытая кем-то пачка «Уинстона». Джейк не курил с детства, но сейчас, сунув под мышку баскетбольный мяч, он вынул сигарету, обошел гараж и остановился у стены, оттораживавшей дом от склона холма. Джейк сел на землю, привалился спиной к грубым камням и пожалел, что у него нет с собой упаковки мексиканского пива. Как бы пригодились ему шесть маленьких баночек! Но он не собирался идти в дом за пивом, не в силах еще раз увидеть на ее лице выражение разочарования.

Закрыв глаза, Джейк стал думать, как еще можно положить конец их отношениям. Боль нарастала слишком резко, и он попытался прислушаться к шуму воображаемой толпы. Представил себя в центре двора в «Филадельфии Спектрум»*, в форме 76-й бригады с номером шесть на груди. *Док... Док... Док...* Он попытался вызвать в голове нужные образы, но они расплывались. Тогда он

---

* Спортивный зал.

встал, погасил сигарету и обошел гараж, направляясь с мячом к баскетбольной корзине. Джейк снова начал закидывать мяч, как будто он Джулиус Ирвинг, и делал это нарочито медленно, надеясь, что такой темп поможет ему взлететь и воспарить. *Док...*

Но все напрасно, ничего не помогало. Вместо шума толпы в ушах звучали обрывки музыки.

В доме отчетливо тикали часы; страницы рукописи, медленно планируя, падали на пол возле кресла, в котором сидела Флер. Заколки выпали из прически, волосы рассыпались; аккуратно выглаженные брюки помялись. Дочитав до конца, до последней страницы, она поняла, что снова плачет...

«И теперь, когда я думаю о Вьетнаме, я все еще вспоминаю музыку, которая там всегда звучала. Отис... «Стоунз»*... Уилсон Пикетт. Но чаще всего на ум приходят «Криденс Клиервотер»** и их «Луна», поднимающаяся над этой проклятой землей. Они играли, когда меня грузили в самолет в Сайгоне, чтобы отправить домой. Тогда, набрав полные легкие воздуха, пропитанного муссонным дождем и наркотиками, я понял, что эта Луна проглотила меня с потрохами. Теперь, пятнадцать лет спустя, я чувствую то же самое».

Глава 30

Флер нашла Джейка Коранду у стены. Он сидел на голой земле в полной темноте, привалившись спиной к холодным камням и держа на коленях баскетбольный мяч; вокруг валялись окурки. Казалось, он прошел через пекло ада. Впрочем, разве это сравнение было так уж далеко от истины?

---

* «Rolling Stones» — «Роллинг Стоунз» — известнейшая английская рок-группа, образовавшаяся в начале 60-х гг.
** «Creedense Clearwater Revival» — «Криденс» — легендарная американская рок-группа, выпустившая несколько золотых пластинок. В числе «хитов» — песня «Bad Moon Rising», которую упоминает Джейк Коранда в своей книге.

Флер опустилась рядом с ним на колени, и когда он посмотрел на нее, его лицо снова походило на дом с закрытыми накрепко ставнями. Джейк боялся жалости Флер. Она почувствовала, как слезы выжигают ей глаза.

— Ну ты и напугал меня, — сказала она, — своими разговорами про массовые убийства, про девочку в рубашке с желтыми утятами. Я представляла себе, как ты стираешь с лица земли деревни с невинными людьми. Я решила, что ты намеренно убил ее. Как ты меня напугал, Джейк Коранда. Я уже боялась, что нельзя верить своим собственным чувствам по отношению к тебе. Я думала, ты был участником отвратительных массовых убийств.

— Так и есть. Вся эта проклятая война была не чем иным, как массовым убийством невинных людей.

— Может быть, если прибегнуть к метафоре. Но я человек, мыслящий реально.

— Тогда ты должна испытать облегчение от открывшейся правды, — с горечью сказал Джейк. — Ты ведь узнала, что Джон Уэйн закончил свою карьеру в психиатрической палате, напичканный торазином. Потому что он не сумел выдержать накала.

Так вот в чем дело. Вот секрет, мучивший Джейка столько лет. Вот причина, по которой он воздвиг вокруг себя непреодолимые стены. Он боялся позволить миру обнаружить, что он *сломался*. Флер вытерла щеки рукавом блузки.

— Но ты не Джон Уэйн, приятель. Ты был мальчиком из Кливленда, которому двадцать один год и у которого очень мало шансов в жизни. Но в то время ты успел слишком много повидать.

— Я был в шоке, Цветик. Неужели ты не понимаешь? Я выл волком в потолок.

— Правильно. Ты ведь не можешь писать тонкие пьесы, заглядывать прямо в человеческую душу и ждать, что тебя не будет раздирать от людских страданий, свидетелем которых ты являешься.

— Но многие ребята видели то же, что и я. И они не испытали такого потрясения.

— Ты не «многие ребята».

Флер потянулась к нему, но он встал и отвернулся.

— Я, кажется, сумел разбудить в тебе материнские инстинкты. Я прав? — с горечью спросил Джейк. — Тебе стало жаль меня. Поверь, я не хотел.

Флер встала, но на этот раз не совершила ошибки и не прикоснулась к нему. Сейчас она этого и не хотела.

— Почему ты злишься на меня? Давая мне читать книгу, неужели ты не ожидал, что я как-то отреагирую на нее? Это ведь не твои дурацкие фильмы про Калибра. Нет, Джейк. Должна тебе сказать, я ненавижу их. Мне противно смотреть, как ты стреляешь в людей и бьешь их по голове. Мне больше нравится, когда ты лежишь, свернувшись на узкой койке в госпитале, и внутри тебя все вопит, потому что лучшему другу оторвало ноги в минной ловушке. Твоя боль заставляет меня плакать, Джейк, страдать вместе с тобой. Если тебя это не устраивает, тогда зачем ты дал мне прочитать?

— Ты ничего не поняла! — заорал он и ушел.

Флер завернула за угол дома и подошла к бассейну. Сняв туфли, одежду, она стояла, дрожа от холода, в лифчике и трусиках и смотрела на огни, расплывавшиеся и качавшиеся под водой. Она нырнула, едва не задохнувшись от холода, и поплыла в глубокий конец бассейна. Там она перевернулась на спину и стала просто лежать.

Она не злилась на Джейка за то, что он снова закрылся от нее, ушел в себя. Да и как можно было злиться после всего прочитанного? Флер чувствовала невероятную жалость к тому мальчику, каким был Джейк. Мальчику, росшему без ласки матери, слишком уставшей и сердитой на несправедливость жизни, чтобы найти в себе силы дать что-то собственному ребенку. Он искал отца в мужчинах из соседних баров; иногда находил, иногда нет. Колледж ничего не дал его утонченному уму. Там Джейк научился только кидать мяч в корзину.

Плавая в холодном бассейне, Флер размышляла о его женитьбе на Лиз. Еще долго после того, как все кончилось, он любил эту женщину. Флер вздохнула: до чего похоже на Джейка. В отличие от нее он с трудом позволял себе любить кого-то, но если позволял, ему трудно было освободиться потом от своего чувства. Ошеломленный болью от предательства любимой женщины, он записался добровольцем, пытаясь отвлечься от болезненного чувства с помощью войны, смерти, наркотиков.

Джейку было все равно, останется он жив или нет. Флер испугало его безрассудство и отсутствие чувства самосохранения. А потом, поняв, что он не может от себя убежать, он сломался. Несмотря на долгие месяцы, проведенные в госпитале, он так и не оправился. Лежа в воде, глядя на ночное небо, Флер вдруг поняла причину.

— Вода слишком холодная. Тебе лучше выйти. — Джейк стоял у края бассейна с оранжевым полотенцем в одной руке и с бутылкой пива в другой. Он не казался особенно дружелюбным, но и не был настроен враждебно.

— Я еще не готова.

Джейк пожал плечами, пошел к стулу и сел.

— Почему ты говорил, Джейк, что перестал писать из-за меня?

— Потому что я писал без всяких усилий до того, как тебя встретил, — хрипло сказал он. — До твоего появления все шло превосходно.

— Может, у тебя есть какие-то объяснения всему этому?

— Есть.

— Расскажешь?

— Не хочу.

Флер горько рассмеялась.

— Тогда я тебе скажу, почему ты не мог писать. Я штурмовала крепость. Ломала стены. Ты построил их очень толстыми, но забавная девятнадцатилетняя девочка, пожиравшая тебя глазами, разбирала эти стены быстрее, чем ты успевал возводить их снова. Ты не знал, что предпринять, ты боялся до смерти, что, как только по стенам будет сделан первый выстрел, тебе уже не восстановить их.

— Смешно. Ты все осложняешь. Я не мог писать после твоего ухода из-за чувства собственной вины. Вот и все. Ты заставила меня испытать чувство вины.

— Нет. — Флер резко опустила ноги и пошевелила ими в воде. Горло больно перехватило. — Ты не чувствовал никакой вины. Ты не мог испытывать ее, потому что для этого не было причин. Ты занялся со мной любовью, потому что хотел меня. Потому что даже немножко любил. — Флер боролась со слезами, не позволяя им вылиться. — Да, Джейк, я не придумала это.

— Ничего ты не знаешь про мои чувства.

Флер поплыла к мелкому концу бассейна и встала; ее трясло. Мокрый лифчик холодил грудь, вьюнок на цепочке прилип к коже; она вдруг увидела все так ясно, что сама удивилась — почему она не могла понять раньше?

— В «Затмении», Джейк, ты слишком раскрылся, а тут появилась я, и все твои предупреждающие сигналы отключились. Ты перестал писать, потому что не хотел открываться еще больше. Ты не хотел позволить людям узнать, что крепкий парень на экране, которого ты играешь, на самом деле совсем не ты.

— Ты говоришь как чертова сучка. Ты это знаешь?

Зубы Флер стучали от холода, и фразы получались отрывистыми.

— Иногда ты подшучиваешь над своим экранным образом. Ты будто подмигиваешь. Мол, мы знаем, что это всего лишь игра, ребята. Но я еще тот мужчина. На самом деле.

— Это все чушь.

Она вскарабкалась по ступенькам из бассейна; на воздухе мокрое тело задрожало еще сильнее.

— Ты не Калибр! Калибр — это твои фантазии, ты бы хотел таким быть. Эмоционально мертвым, бесчувственным человеком, который никогда не испытывает боли. Человеком, который неуязвим.

— То, что ты говоришь, — дерьмо! Ты меня слышишь?! — Бутылка с пивом ударилась о стол.

Флер ухватилась за перила лесенки, ежась от холода. Грудь стиснула боль.

— Калибр — это даже не половина тебя. Распад твоей личности ничего для меня не значит. Понял? *Не значит ничего!*

— Тебя переполняет дерьмовая жалость ко мне.

Флер больше не могла сдерживаться. Она дала слезам волю, и те потоком полились по щекам.

— Если ты хочешь излечиться, Джейк, иди и читай свою собственную книгу...

— Неверующая! Дура!

— Прочти свою книгу и попытайся испытать хоть какое-то сочувствие к бедному храброму мальчику с обнаженными нервами.

Он вскочил со стула с перекошенным, белым от ярости лицом.

— Ты идиотка! Ты ничего не поняла! Господи, до чего же ты глупа! Ты пустышка! Ты не видишь ничего у себя под носом! Тупица, это же очевидно! Эта книга не о жалости!

— Читай свою книгу!

Флер бросилась к Джейку и отчаянно впилась пальцами ему в руки, желая заставить его увидеть правду.

— Прочитай о мальчике, у которого не было во всем мире ни одного человека, которому было бы до него дело.

— Ну почему ты не можешь понять? — кричал Джейк, встряхивая ее. — Эта книга не о жалости, она об отвращении. — Он пнул стул, попавшийся на пути, и столкнул его в бассейн. — *Ты должна была почувствовать такое отвращение, чтобы тебе захотелось уйти из моей проклятой жизни!*

Когда он умчался в дом, ворота монастыря в тысячный раз захлопнулись. Джейк ушел, как все они уходили, снова оставив ее с напряженными до предела нервами, озябшую, одинокую, пытающуюся понять, почему она решилась поверить, что все может быть по-другому. Флер опустилась на бетон, дрожа и рыдая, как ребенок. Ее всхлипывания в ночной тишине смешивались со скрипом старых кедров на ветру, и было трудно поверить, что это звучит человеческий голос. Онемев от холода, Флер подползла к оранжевому полотенцу, завернулась в него, потом легла, положив голову на мятую одежду, и плакала до тех пор, пока силы совсем не покинули ее.

Джейк стоял у окна темной гостиной и смотрел на Флер, скрючившуюся на краю бассейна. Сердце ныло, чувствуя ее боль, и что-то быстрое, острое, как кошачьи когти, рвануло по глазам. Но он не пошел к ней. Он не разрешит себе подойти к ней. Он отдал ей книгу, которую написал только для нее, потому что хотел, чтобы она поняла: он не может ей предложить все, что хотел бы и чего она, безусловно, заслуживает. Но Флер отвергла стыд его нервного расстройства, как если бы это было ничто. Она все слишком упростила, обмазав ужас того, что произошло с ним, псевдопсихоаналитическим дерьмом.

Флер сказала, что его расстройство ничего не значит для нее. Он помнил ту вечеринку, когда пошел ее искать, а они с Кисси смотрели фильм по телевизору. Какое лицемерие с ее стороны! Он помнил чушь, которую она несла про сильную руку Рэдфорда. Боже. Рэдфорд никогда бы не кончил на узкой железной койке, свернувшись в позу эмбриона. Док тоже никогда бы не сломался. И Калибр тоже. Как же она могла полюбить человека, способного вот так бесславно кончиться?

Джейк отвернулся от окна. Он пожалел, что привез сюда Флер и снова вернул в свою жизнь, пожалел, что так сильно любит ее. Если бы он извлек хоть какой-то урок из своих взаимоотношений с Лиз, он бы понял, что не создан для любви. Любовь делала его ранимым, а с него уже хватит. Почему она не может это понять? Он слабый. *Слабый.* Другие ребята не ломаются, а он...

Тут Джейк впервые обратил внимание на листы рукописи, разбросанные вокруг кресла, в котором сидела она и читала. Он представил ее красивое сосредоточенное лицо и то, как она подвернула под себя длинные ноги. Джейк подошел к креслу, опустился на колени и стал собирать страницы. Сейчас он разожжет огонь в камине и бросит туда рукопись, прежде чем пойдет спать. Эти листы бумаги — как боевые гранаты; он не мог позволить себе расслабиться, пока не покончит с ними. Потому что, если кто-то еще прочтет их, ему ничего не останется, как пустить себе пулю в лоб.

Сложив рукопись в аккуратную стопку на кресле, в котором недавно сидела Флер, Джейк пошел к окну. Она затихла. Казалось, Флер спит. Он вернулся к креслу; его взгляд упал на верхнюю страницу. Он поднял ее, изучил качество печати, заметил, что не оставил полей, еще какие-то технические мелочи, потом начал читать...

Глава первая

Весь Вьетнам был сплошной минной ловушкой. С этим фактом мы быстро смирились. Пачка сигарет, зажигалка, шоколадные батончики — все это могло взорваться прямо в лицо. Но, увидев тело ребенка рядом с дорогой на Куангчи, мы никак не ожидали, что и оно — минная ловушка. Это уже было за пределами понимания...

* * *

Очень быстро Флер поняла, что находится в спальне. Среди ночи к бассейну вышел Джейк и унес ее в дом. Флер ударилась головой о дверь, когда Джейк пытался внести ее; он выругался. Она что-то пробормотала насчет Батлера, уткнувшись ему в свитер, а он заметил, что Скарлетт О'Хара не была ростом шесть футов, и посоветовал ей воздержаться от сравнений. Но в голосе Джейка Флер не услышала прежней враждебности. Напротив, в нем звучала нежность. Как это похоже на него — такие быстрые перемены в настроении. Она закрыла глаза, не желая смотреть на него, пока он укладывал ее в постель. Рассказывая о Джейке Кисси, Флер говорила о его эмоциональной нечестности и была права. Он как Алексей. То сама сладость, то наносит грубый удар в самое сердце. Она так устала за свою жизнь от всего этого, так хотела поскорее положить конец своим мучениям. Боль от того, что она любит мужчину, который играет ею, как баскетбольным мячом, была ужасной, нестерпимой.

Флер вспоминала ненавистные слова, брошенные ей Джейком накануне вечером. Они были как сплошная дымовая завеса, с помощью которой он отторагивался от того, на что не хотел смотреть. Он как ребенок, который набрасывается с кулаками на самую легкую мишень. Но она больше не будет служить мишенью.

Джейк спал на диване, слегка приоткрыв рот. Одна нога свисала прямо на страницы рукописи, разбросанные на полу. Очень тихо Флер взяла сумку с вещами и, стараясь не разбудить его, поискала ключи от «ягуара». Они нашлись под его кошельком на бюро в спальне.

Машина завелась сразу же. Флер вырулила на дорожку; в глаза ударило солнце, когда она развернулась в направлении к востоку. Глаза опухли от слез, было трудно смотреть. Она полезла в сумочку за солнечными очками.

Дорога была крутой и неровной, и Флер ехала медленно, стараясь не повредить машину. Черт бы побрал Джейка и его стремление отгородиться от мира. Он наверняка постарался, чтобы подъезд к дому был непреодолимым ни для кого, кроме кроликов. Глупое стремление к уединенности. Она посмотрела на спидометр и не сразу поняла, что он показывает; потом догадалась, что это слезы застилают глаза. Десять миль в час. Пешком она могла бы идти быстрее.

Флер посмотрела в зеркало заднего вида, и что-то в нем привлекло ее внимание. За машиной бежал Джейк. Из-под свитера торчал скомканный конец рубашки, волосы стояли торчком. Он походил на человека, готового совершить убийство. Джейк что-то кричал, но слов было не разобрать. Может, он орал, как обычно. Флер нажала на педаль газа, быстро вписалась в поворот и почувствовала, как дно машины попало в выбоину. Она попыталась крутануть руль резко вправо, но «ягуар» лишь покачнулся. Прежде чем она выправила машину, переднее колесо нависло над канавой с правой стороны дороги.

Флер выключила зажигание, положила руки на руль, ожидая Джейка и его гнева. Или Джейка и его острых шпилек. Или Джейка и какой-то дымовой завесы, которую он в очередной раз раскинет между ними. Почему он не может отпустить ее? Почему не может облегчить ей уход?

Дверь рывком открылась, но Флер не пошевелилась. Она лишь услышала его дыхание, тяжелое, неровное, как и у нее самой. Такое же, как вечером четвертого июля на безлюдном пляже Лонг-Айленда. Из носа у Флер текло; она шмыгнула, потом подумала, черт с ним, не важно, и высморкалась в рукав свитера.

— Ты забыла свой кулон. — Голос его был на тон выше обычного, но не сердитый. Она удивилась, почему он все время кашляет. — Я хотел, чтобы цветочек был с тобой. — Вьюнок пурпурный, именно так звучал ботанический термин, опустился на колени Флер. Она ощутила его тепло, просачивавшееся сквозь ткань брюк. Вещичка нагрелась в руке Джейка, пока он бежал за ней.

Флер продолжала держать руки на руле.

— Спасибо.

— Ведь я... я придумал его специально для тебя. Мой знакомый парень сделал. Я нарисовал ему эскиз карандашом.

— Красивый, — сказала она, будто получала подарок в первый раз.

Флер слышала, как шуршал гравий под ногами у Джейка, но не поднимала на него глаз.

— Я не хочу, чтобы ты уходила, Цветик. То, что было вчера вечером... — Гравий снова заскрипел, Джейк откашлялся и сказал: — Слышишь, прости, ладно?

Из носа по-прежнему текло, слезы капали на губы.

— Я больше так не могу, — сказала Флер надтреснутым голосом. — Отпусти меня.

Последовала долгая пауза. Тишину нарушало только неровное дыхание обоих. Она слышала, как Джейк оперся руками о капот машины.

— Я прочитал книгу. Ты оказалась права. Я был слишком долго заперт в себе. Глубоко внутри. Я боялся. Но когда я пошел за тобой к бассейну вчера ночью, я понял, что гораздо больше боюсь потерять тебя, чем всего того, что со мной случилось пятнадцать лет назад.

Наконец она повернула голову и попыталась посмотреть на него сквозь слезы, но Джейк отвернулся и Флер не встретилась с ним взглядом. Она сняла солнечные очки, снова услышала, как он откашливается, и вдруг поняла: она не одна плачет.

— Джейк.

— Черт побери, не смотри на меня.

Она отвернулась, а потом вдруг его руки оказались на ее руках. Они вынули ее из машины, прижали к груди так крепко, что она не могла дышать.

— Не бросай меня, Цветик, — говорил он, задыхаясь. — Я так долго был один... Всю жизнь. Боже мой, не оставляй меня. Ради Бога. Я так тебя люблю.

Флер поняла, как он нуждается в ней. Она наконец получила то, что хотела. Джейка Коранду с его неприкрытыми чувствами. Все защитные барьеры исчезли, сломались, рассыпались в прах. Джейк позволил ей увидеть то, чего не позволял видеть никогда и никому. Это разбило ее сердце.

Она повернула голову, принялась губами слизывать его слезы и глотать их. Она успокаивала его ласковыми прикосновениями. Она должна была снова собрать его из кусков, чтобы он стал таким же цельным, как она. Разве что сама Флер уже не была целой. Сейчас он сильный. Он смог посмотреть на себя и увидеть свою собственную сущность, а у нее никогда не хватало на это мужества. Она не могла глядеть на себя даже в зеркало.

— Все в порядке, ковбой, все в порядке. Я люблю тебя. Только больше не прячься от меня. Я этого не вынесу. Я все могу вынести, только не это.

Наконец он отодвинулся и посмотрел на Флер. Глаза его покраснели. В них не было никакой дерзости.

— А ты, сколько времени ты собираешься от меня прятаться? Когда ты меня впустишь к себе?

— Я не понимаю... — Флер умолкла и приникла щекой к его подбородку.

Флер подумала о дымовой завесе Джейка и поняла, что ее собственная ничем не отличается от его. Всю жизнь она пыталась определить себе цену как личности через мнение других. Белинды, Алексея, монашенок в монастыре. Потом пыталась сделать это с помощью своего бизнеса. Конечно, она хотела, чтобы ее агентство преуспевало, но если бы ее планы с треском провалились, это совсем не значило бы, что она как личность превратилась бы в ничтожество. Она такая же жертва, как и Джейк.

Попытайся посочувствовать тому ребенку, каким ты был когда-то, говорила она ему. А не пора ли и ей сделать то же самое по отношению к девочке, какой она была давным-давно?

— Джейк.

Он что-то бормотал ей в шею.

— Ты должен мне помочь.

Он привлек Флер к себе. Они стояли и целовались, пока совсем не потеряли счет времени. Когда они наконец оторвались друг от друга, он посмотрел ей в глаза и сказал:

— Я люблю тебя, Цветик. Давай вытащим машину и поедем к воде. Я очень хочу посмотреть на океан. Я обниму тебя, прижму к себе и расскажу все то, что давно хочу рассказать. Я думаю, и у тебя есть что рассказать мне.

Она подумала о монастыре и Алексее, о Белинде, об Эрроле Флинне, о годах, прожитых во Франции, о собственных притязаниях. И кивнула.

Они без особого труда вытащили «ягуар» на дорогу. Джейк сел за руль и медленно направил машину вниз. Ее рука лежала у него на бедре. Он взял ладонь Флер и нежно поцеловал кончики пальцев. Флер улыбнулась и убрала руку. Открыв сумочку, она вынула зеркальце и принялась изучать собственное лицо. Непривычное дело смущало ее, но она не отвернулась, как поступала много лет подряд. Вместо этого Флер старалась рассмотреть черты своего лица скорее сердцем, чем глазами.

Лицо — часть ее. Может, оно слишком велико для нее, не соответствует личным представлениям Флер о красоте. Но в глазах светился ум, большой рот был готов к улыбке. В общем, хорошее лицо. Ее лицо. Ничего плохого в нем нет.

— Джейк?

— Гм.

— А я ничего, да?

Он посмотрел на нее и улыбнулся. С губ готова была сорваться очередная шпилька, потому что вопрос был невероятно глупый. Но, увидев выражение ее лица, он очень серьезно сказал:

— Я думаю, ты самая красивая женщина из тех, которых мне доводилось видеть в своей жизни.

Флер вздохнула, села поудобнее; довольная улыбка заиграла на ее губах...

«Ягуар» выехал с гравийной дороги на шоссе, убегавшее за поворот. Несколько минут они ехали молча.

Из дальних кустов на дорогу вырулил мотоцикл. Водитель приподнял шлем, огляделся и, подпрыгивая на колдобинах, направился к дому Джейка Коранды.

Глава 31

Через неделю Флер сидела в кресле самолета и смотрела, как городок Санта-Барбара остается все ниже. Вместе с большим куском ее сердца.

— Мы должны привыкнуть к расставанию, — сказала она Джейку вечером, накануне отлета. — Надо принять это как неизбежную часть нашей жизни.

— Но это не значит, что я буду плясать от восторга, — прикусив зубами мочку ее уха, прошептал Джейк. — А знаешь, у тебя такая ма-аленькая родинка справа от...

Она улыбнулась при этом воспоминании. Еще три недели, максимум четыре, Джейк закончит свои дела и вернется в Нью-Йорк. Он засядет за новую пьесу. Флер вспомнила о том дне, когда, дрожа от холода, они вернулись после прогулки по берегу океана. Джейк разжег огонь в камине, они уселись рядом, раздевшись догола, завернулись в теплый плед и совершили церемонию сожжения рукописи. Огонь съедал страницу за страницей, и было видно, как напряжение отпускает Джейка.

— Я думаю, теперь я смогу все это забыть.

— Но не забывай уж слишком, — сказала Флер, — все-таки это часть тебя. Как ни странно, возможно, лучшая часть.

Он взял кочергу и поворошил некоторые ускользнувшие от пламени страницы, возвращая их ему. Он ничего не ответил на замечание Флер. А она не стала настаивать. Джейку нужно время. Оно им обоим нужно. Но сейчас хорошо уже и то, что он готов писать и может говорить с ней о своем прошлом.

Их счастье казалось почти радужным. Нежно и страстно они любили друг друга. Это наполняло обоих удивительным чувством. Он заговорил о браке, но у Флер в голове сразу зажегся предупреждающий желтый сигнал.

— Это что-то новое, — сказала она, — давай не будем торопиться. Нужно время, чтобы научиться быть вместе. Никто из нас не выдержит, если все обернется неудачей. Мы с тобой оба очень уязвимы. Давай посмотрим, как мы справимся с расставанием, с карьерой, с другими проблемами, которые у каждого из нас есть.

— Боже, Цветик, ты говоришь как аналитик. Я думал, все женщины романтичны. А как же импульсы, страсти?

— Они в Лас-Вегасе, для Энгельберта Хампердинка.

— Ну, ты чересчур дерзка. — Джейк наклонился и прикусил ее нижнюю губу. — Только одно может излечить...

О чем ему не сказала Флер, так это о том, что она должна быть абсолютно уверена, что выходит замуж за него, а не за вариант Калибра, сидящего в Коранде.

Ей захотелось поехать покататься верхом. Она еще лежала в постели в одной майке, когда он вышел из ванной, обернув бедра полотенцем.

— Здесь негде покататься как следует.

— Что ты хочешь сказать? В трех милях отсюда конюшня, вчера вечером мы проезжали мимо. Слушай, Джейк, поехали, я уже несколько месяцев не садилась на лошадь.

Он взял джинсы и, что было ему совершенно несвойственно, принялся сосредоточенно изучать их.

— А почему бы тебе не поехать одной? Мне надо немного поработать. Хоть денек. А то я все время куда-то мотаюсь...

— Ну, без тебя мне неинтересно.

— Но ты же сама говорила: надо привыкать к расставанию.

Джейк шагнул вперед, споткнулся о кроссовки Флер. Она внимательно посмотрела на него. Джейк явно нервничал, и у нее вдруг возникло ужасное подозрение.

— Сколько вестернов ты сделал?

— Не знаю.

— Ну подсчитай.

— Семь... Восемь. Не знаю.

Он, казалось, уже застеснялся предстать перед ней без полотенца. Подхватив джинсы и трусы, Джейк направился обратно в ванну.

— А не десять? — весело крикнула она вслед.

— Да, может. Пожалуй.

Флер услышала, как он открыл кран, потом раздался шум спускаемой воды, и наконец он появился. Голая грудь, джинсы не застегнуты, изо рта торчит зубная щетка, на губах пенится зубная паста.

Флер вежливо улыбнулась.

— Так десять вестернов, говоришь?

Он дернул молнию, застегивая джинсы.

— Ага.

— Значит, ты долго просидел в седле.

— Чертова молния.

Она задумчиво покачала головой:

— Очень много времени провел в седле.

— Я думаю, она испортилась.

— Ну-ка скажи мне честно: ты всегда боялся лошадей или стал бояться недавно?

Джейк резко вскинул голову.

— А, верно, — хмыкнул он.

Флер молча усмехнулась.

— Ты боишься лошадей?

Ни слова в ответ. Джейк еще раз дернул молнию.

— Много ты знаешь.

Он готов был оторвать чертову молнию. На лице появилось воинственное выражение. Флер подумала, что он просто пытается спрятать обиду. Ее улыбка из сладкой превратилась в сахарную. Джейк опустил голову.

— Ну я бы не сказал, что именно боюсь... — пробормотал он.

— А как бы ты выразился точнее? — воркующим голосом поинтересовалась Флер.

— Просто мы с тобой не любим их одинаково сильно.

Она расхохоталась и повалилась на спину.

— Ты боишься лошадей! Калибр боится лошадей! О Боже! Ты теперь мой вечный раб. Я буду тебя шантажировать до конца жизни. Почесать ли мне спинку, приготовить ли ужин, заняться ли эксцентричным сексом...

Похоже, Джейк обиделся.

— Зато я люблю собак.

— Наверное, маленьких.

Джейк не отрицал.

В тот момент она почти готова была ему сказать, что согласна выйти за него замуж.

Успех порождает успех. Эта мысль не раз приходила в голову Флер Савагар в течение нескольких следующих недель. Она провела переговоры с Оливией Крейгтон насчет очередного контракта на «Бухту дракона», утроив доход актрисы за эпизод в кино. Потом она взяла себе десятого клиента — молодого многообещающего актера из Голливуда. Хотя теперь это не имело особого значения: все, к чему бы она ни прикасалась, превращалось в золото. Альбом «Бурной бухты» стал настоящим открытием, из Англии поступали хорошие отзывы об игре Кисси, и в довершение всего у себя дома она обнаружила послание такого содержания: «Уезжаю завтра днем. Позвоню после медового месяца. Чарли только что рассказал мне, как он богат на самом деле. А я не такая уж великая любовница».

Флер со смехом откинулась на спинку кресла. Ну конечно, Кисси — не великая любовница!

Она говорила с Джейком два раза в день. Он звонил ей, как только просыпался, а она ему — перед сном. Они с нетерпением ждали момента, когда смогут рассказать друг другу о днях, проведенных порознь, когда снова окажутся вместе. Эти разговоры — а Флер сообщала Джейку обо всем с потрясающей педантичностью, отчего тот едва не скрипел зубами, — были хороши для их новых отношений. Физический контакт был невозможен, значит, они должны учиться общению на расстоянии.

Он говорил ей: кончай молоть чепуху и скажи, какого цвета трусы на тебе сегодня.

Позднее Флер удивлялась: почему она не насторожилась, видя, что все идет слишком хорошо? Однажды она вернулась домой в начале десятого после вечеринки, устроенной по случаю воссоединения Майкла и Дэймона под одной крышей. Флер уже вылезла из платья и повесила его в шкаф, когда зазвонил телефон. Она улыбнулась, поднимая трубку, и, понизив голос до хрипловатого шепота, сказала:

— Ты думаешь, я забыла тебя, милый мальчик?

— Флер? О Боже, детка, ты должна мне помочь. Пожалуйста. Детка...

Пальцы Флер стиснули трубку.

— Белинда?

— Не позволяй ему это сделать, детка. Я знаю, ты меня любишь, пожалуйста, не позволяй ему это сделать.

— Где ты?

— В Париже. Я... я думала, что избавилась от него. Но я должна была бы знать... — Голос стал приглушенным, мать разрыдалась.

Флер хрипло сказала:

— Белинда. Потом можешь устраивать истерику. Но скажи сначала, в чем дело.

— Он послал за мной в Нью-Йорк своих людей. Они ждали меня в квартире, когда я вчера пришла домой. Их было двое, они заставили меня ехать с ними. Флер, детка, они собираются увезти меня в Швейцарию, в лечебницу. Я знаю. Он хочет меня там запереть. Он грозит уже несколько лет. Но сейчас...

Вдруг раздался щелчок, и разговор прервался.

Флер опустилась на край кровати, все еще сжимая трубку. Минуты текли, а она все уговаривала себя, что ничего не должна своей матери, ничем ей не обязана. Белинда по своей воле решила остаться замужем за Алексеем. Она давно могла бы развестись, но была не в силах лишиться ореола, окружавшего Алексея. Поэтому, что бы ни случилось с Белиндой, она сама во всем виновата. Но она...

Она ее мать.

Флер положила трубку и заставила себя сделать то, чего давно избегала: проанализировать собственные отношения с матерью. Она вспоминала о времени, проведенном вместе; годы проходили перед ее глазами, как страницы рукописи Джейка. Она увидела то, чего не замечала раньше. Она увидела мать такой, какой та была на самом деле. Слабой, легкомысленной женщиной, желавшей иметь в жизни все самое лучшее, но совершенно не понимавшей, что значит жить самостоятельно. Она ясно увидела любовь матери к ней, Флер. Эгоистичную, опутанную условностями, связанную с разными ухищрениями, но тем не менее — любовь. Настолько искреннюю, что Белинда никак не могла взять в толк, почему Флер сомневается в этом.

Флер сказала Джейку, что слишком поздно вернулась с вечеринки от Майкла и поэтому не позвонила сразу. Потом она заказала билет на ближайший рейс в Париж. Самолет отправляется за три часа до того, как Джейк попытается позвонить ей утром. Она оставит секретарше записку, что ей пришлось неожиданно лететь в Лондон, и позвонит Джейку сразу, как только сможет. Потом она придумает, как выиграть несколько дней. Меньше всего Флер хотелось, чтобы Джейк Коранда появился в Париже с пистолетом двадцать второго калибра и ухудшил ситуацию, которая и без того не предвещала ничего хорошего. Укладывая вещи в чемодан, Флер понимала, что все будет плохо. Она не сомневалась: Алексей снова использует Белинду как приманку.

Дом на рю де ля Бьенфезанс выглядел серым и молчаливым в парижских сумерках. Он казался таким же недружелюбным, каким она его запомнила. Флер смотрела в окно лимузина и вспоминала, как впервые увидела этот дом. Она была так испугана, так волновалась о том, хорошо ли одета, так боялась встретиться с отцом и тревожилась за мать. Но похоже, теперь кое-что изменилось. По крайней мере на сей раз она не беспокоилась об одежде.

Флер была в плаще из атласа и бархата, под которым было надето новое платье от Майкла: бархатное, узкое, винного цвета, с плотно облегающими рукавами, с глубоким разрезом на лифе, расшитом тончайшим бисером цвета бургундского. У платья был неровный подол — отличительный знак Майкла. С одной стороны оно доходило до колена, а с другой — до середины икры. Флер забрала волосы наверх, причесавшись тщательнее обычного; гранатовые серьги поблескивали сквозь локоны. В семнадцать лет Флер считала очень умным появиться на пороге дома Алексея в брюках и блузоне, но в двадцать шесть она думала по-другому.

Молодой человек в тройке, явно не слуга, открыл дверь. Может, это один из тех, кто ездил за Белиндой в Нью-Йорк? Флер решила, что он очень похож на гробовщика, видимо, окончил Гарвард и имеет степень по экономике. Но французский акцент разрушал впечатление.

— Добрый вечер, мадемуазель Савагар. Отец ждет вас.

Конечно, он ее ждет. Но Флер собиралась поступить совершенно иначе. Войдя в дом и подавая молодому человеку свой плащ, она сказала:

— Я бы хотела увидеть свою мать.

— Сюда, пожалуйста.

Флер пошла за ним в гостиную, немного удивившись легкости, с которой он согласился выполнить ее желание. Но войдя в комнату, увидела, что она пустая и холодная. Флер не смогла сдержать нервную дрожь, заметив на камине белые розы.

— Ужин будут готов немедленно, — сообщил гробовщик. — Не хотите ли сначала выпить? Может быть, шампанское?

— Я бы хотела увидеть свою мать.

Он повернулся, точно ничего не слышал, и исчез за дверью. Она обняла себя за плечи и пожалела, что здесь слишком темно. Горело всего несколько ламп, очень тусклых. Они отбрасывали тени на фрески потолка, искажая их. Ее снова охватила дрожь.

Хватит, приказала себе Флер. Она толкнула закрытую гробовщиком дверь и вышла в коридор, направляясь мимо больших гобеленов к лестнице. Каблучки лодочек стучали по мрамору пола. Флер высоко держала голову на случай, если невидимые глаза следят за ней.

Когда она поднялась наверх, ей преградил путь другой молодой человек с аккуратно зачесанными волосами, в темном костюме. Он застыл перед ней, как колонна.

— Вы заблудились, мадемуазель.

Это был не вопрос, а утверждение.

Флер поняла, что совершила первую ошибку, и, сделав себе замечание, с вызывающим видом, но сохраняя достоинство, вернулась обратно в гостиную. Гробовщик ждал ее, чтобы отвести в столовую, где огромный, красного дерева стол был украшен другим букетом белых роз. Стол был очень тщательно сервирован хрусталем и дорогим фарфором всего на одну персону. Стало понятно, чего добивался Алексей: хотел заставить ее почувствовать себя как можно более беспомощной. Он объявил войну нервов. Флер повернулась к гробовщику:

— Надеюсь, еда так же хорошо приготовлена, как и накрыт стол. Я проголодалась.

Она почувствовала удовлетворение, заметив удивление, скользнувшее по его лицу, прежде чем он кивнул и, извинившись, вышел. Кто эти люди? В темных костюмах и с официальными манерами. Где Белинда? И где Алексей?

Появился слуга в ливрее, первый слуга, которого она увидела, войдя в дом. Флер сидела в полном одиночестве в бархатном платье винного цвета в конце длинного стола, гранаты и бисер поблескивали в пламени свечей. Она сосредоточилась на ужине, внешне совершенно спокойная. Потом попросила добавки суфле из каштанов.

Она тянула время, заказав вторую чашку чая, потом рюмку бренди, которое не собиралась пить. Алексей как угодно мог играть свою роль, но он не мог диктовать, как играть ей. Когда она держала в руке бокал с бренди, вошел гробовщик.

— Если мадемуазель пойдет со мной...

Флер отпила глоток и потянулась к сумочке за компактной пудрой и губной помадой. Гробовщик не был обучен манерам слуги и проявлял заметное нетерпение.

— Ваш отец ждет вас, мадемуазель.

— Вы меня не поняли, — сказала она. — Я приехала сюда встретиться с матерью. Если я не могу это сделать, я немедленно уезжаю. Не будет никаких дел с мистером Савагаром, пока я не встречусь с матерью.

Это явно не было предусмотрено. Он поколебался, потом кивнул.

— Очень хорошо. Я отведу вас к ней.

— Я сама найду дорогу.

Флер вышла в коридор, потом поднялась наверх по лестнице. Мужчина, которого она уже видела, появился на площадке, но на этот раз он не попытался остановить ее, и Флер прошла мимо него, как мимо пустого места.

Почти семь лет Флер не была в доме на рю де ля Бьенфезанс. Там ничего не изменилось. Мадонны пятнадцатого века в позолоченных рамах по-прежнему возводили очи к небесам. Персидские ковры скрадывали звуки шагов, и казалось, она никогда здесь не проходила. В этом доме время измерялось веками, десятилетия были ничем. Их просто не замечали.

Шагая по роскошно убранным коридорам, Флер думала о доме, в каком хотела бы жить с Джейком. Он будет большой и безалаберный, с постоянно хлопающими дверями, с дощатым скрипучим полом, с перилами, на которых будут кататься дети. Дом, в котором время станет измеряться шумными десятилетиями. Она вдруг увидела себя в субботнее утро на верхней площадке лестницы и услышала свой голос:

— Тише, дети. Папа еще спит.

Папа... Ей показалось, она заглянула за зеркало. Никогда Флер не думала про Джейка в этой роли, в роли отца ее детей... Их детей... Они будут беситься, он будет на них орать, чего никогда не делал Алексей. Джейк будет обнимать и целовать их, а если понадобится защитить их, он станет сражаться с целым миром.

Флер думала: а почему она колеблется? Разве не хотела она больше всего на свете выйти замуж за Джейка? Если замужество означает, что ей придется принять его двойственную натуру, что ж, она готова. Она достаточно много знает о нем, теперь ему нелегко отгородиться от нее. Да и сама Флер не такой уж подарок. Она не собирается отказываться от карьеры, ничто не заставит ее по-настоящему увлечься домашним хозяйством. Кроме того, не он один умеет кричать на других. Она вдруг испытала чувство невероятного облегчения, такого сильного и неожиданного, что колени задрожали и сразу ослабели. На земле нет другого мужчины, которому она доверила бы стать отцом своих детей. Сегодня же ночью она позвонит Джейку и скажет ему об этом.

Флер остановилась у двери Белинды и заставила себя отбросить мечты о Джейке, о шумной ораве детей и постучать в дверь. Прошло некоторое время, прежде чем она услышала движение внутри. Дверь приоткрылась, и в щели появилось лицо Белинды. Голос матери был хриплым, как если бы она долго молчала.

— Детка, это правда ты? — Белинда откинула светлый локон, упавший на лицо, а потом рука ее взметнулась к щеке, трепеща, словно пойманная птица. — Я... я в таком беспорядке, детка, я не думала, что...

— Ты не думала, что я приеду?

— Я не хотела даже надеяться. Я знаю, я не должна была тебя просить...

— Ты собираешься меня впустить?

Белинда вдруг поняла, что загородила дорогу Флер, и отступила. Закрыв дверь, Флер почувствовала исходящий от матери запах сигарет, а не «Шалимар», и вспомнила о яркой райской птице, прилетавшей на красивом автомобиле в монастырь, приносившей с собой сладкий аромат, мгновенно забивавший привычные запахи пыли, мела, горький запах бесполезных молитв.

Лицо Белинды было почти без косметики, остались только следы голубых теней на веках и в морщинках вокруг глаз. Лицо матери казалось совершенно бесцветным на фоне шафранового шелка мятого китайского халата. Флер заметила пятно на лифе и обвисший карман, словно отягощенный тяжелыми зажигалками. Рука Белинды снова взметнулась к щеке.

— Дай-ка я пойду умоюсь. Мне всегда нравилось выглядеть красивой перед тобой. Я хотела, чтобы ты думала, какая я красивая.

Флер поймала мать за руку, маленькую, как у ребенка.

— Я и сейчас так думаю. Перестань суетиться, сядь в кресло и расскажи, что случилось.

Белинда подчинилась Флер, как послушное дитя подчиняется силе. Она рассказала дочери об угрозах Алексея поместить ее в лечебницу, несмотря на то что она давно капли в рот не берет.

— Это словно меч, нависший над моей головой. Пока я ему угождаю, он оставляет меня в покое, а если нет, угрожает мне.

Белинда полезла в карман халата, вытащила сигареты и зажигалку.

— Ему не понравилось, как сложились наши с тобой отношения в Нью-Йорке. Он думал, я буду навязываться тебе, смущать тебя. А вышло, что я смутила его.

— С Шоном?

Белинда кивнула:

— Шон бросил меня ради женщины постарше. Знаешь об этом? Смешно, правда? Алексей закрыл все мои счета, а та женщина богатая.

— Белинда, Шон Хауэлл кретин.

— Но он звезда, детка. Дело времени, он снова возьмет свое. — Она посмотрела на Флер с упреком. — Ты ведь могла бы ему помочь. Сама знаешь. Теперь ты крупный агент, почему бы тебе не позаботиться о старом друге?

Флер заметила упрек во взгляде матери и стала ждать, когда его место займет виноватое выражение. Но ничего подобного. Вместо этого Флер вдруг осознала, что она сама, как неразумный ребенок, стоит перед матерью, еле сдерживающей свое раздражение.

— Да, я могла бы ему помочь, — сказала Флер, — но я не хотела. Не думаю, что он обладает талантом.

Белинда закурила, выдохнула и сложила губы в трубочку.

— Это не слишком справедливо, Флер. Я тебя не понимаю.

Флер вдруг услышала в словах матери эхо детского голоса. *Это несправедливо, мама, ты несправедлива!* Она пожала плечами.

— А жизнь не всегда справедлива. Мы просто должны стараться делать то, что можем.

Белинда еще раз затянулась, потом окинула взглядом платье Флер.

— Майкл, да?

Флер кивнула.

— Красивое. Никогда не думала, что он окажется таким талантливым. Весь Нью-Йорк только о нем и говорит. — Глаза ее мстительно сощурились, и Флер поняла: сейчас ее готовы наказать за отказ помочь Шону. — Я виделась с Майклом. Он не рассказывал тебе? Такой красивый мальчик. Все говорят, он похож на меня.

Флер почувствовала прилив жалости. Майкл не рассказывал ей об этом визите. Но она могла себе представить его реакцию.

— Мы прекрасно провели время, — с вызовом сообщила Белинда. — Он сказал, что собирается представить меня всем своим знаменитым друзьям и заняться моим гардеробом. — Снова Флер услышала детский голосок. *И ты не можешь играть с нами.*

— Я рада, что вы наконец поладили. Майкл особенный человек.

Больше Белинда не могла держаться, ее лицо приняло смущенное выражение. Она подалась вперед в кресле, ероша левой рукой волосы.

— Он смотрел на меня точно так, как Алексей. Будто я какоето насекомое. Только ты, Флер, одна-единственная, понимала меня когда-то. Почему все так осложняют мне жизнь? — *Я не виновата, мама. Меня никто не любит! Но я не виновата!*

— Может, тебе было бы легче не встречаться с Майклом?

— Он ненавидит меня еще сильнее, чем Алексей. Почему Алексей хочет меня запереть в лечебнице, детка?

Флер положила руку на плечо матери.

— То, что сейчас делает Алексей, не имеет к тебе никакого отношения. Он использовал тебя как приманку, чтобы заставить меня приехать сюда. Он хочет свести старые счеты.

Белинда вскинула голову, и все ее недовольство исчезло.

— Боже мой! Почему я про это не подумала? Ну конечно! — Она резко встала. — Ты должна немедленно уехать. Алексей опасен. Я не хочу позволить ему причинить тебе вред. Дай-ка подумать минутку.

Флер сидела на краю постели Белинды и смотрела, как мать расхаживает по ковру, одной рукой постоянно убирая с лица волосы, другой держа сигарету и пытаясь придумать, как защитить своего ребенка... Вдруг Флер поняла нечто, чего не могла понять раньше. Все так просто! Когда матери стареют, а дочери становятся взрослыми, их роли мало чем отличаются. Границы размываются. *Теперь моя очередь быть мамой. Нет. Твоя — быть ребенком. Нет, я хочу быть мамой.*

Время, когда она, Флер, была дочерью Белинды, безвозвратно ушло. Белинда больше не влияет на то, как Флер смотрит на мир или на себя. Она понимала, надо быть доброй и защитить свою мать, не позволив ей догадаться, какие они на самом деле разные.

Она встала.

— Я возвращаюсь в отель. Мне надо немного поспать. Я приду к тебе утром. Попытайся не волноваться.

Она хотела сказать Белинде, что заберет ее с собой, но заподозрила, что гробовщик и его коллеги не допустят этого, а она не могла ослаблять свои позиции спором с ними, поскольку ей его все равно не выиграть. Она не собиралась говорить матери, что перед уходом намерена предстать перед Алексеем.

Белинда быстро и с каким-то отчаянием обняла Флер.

— Не возвращайся сюда, детка. Мне надо было догадаться, что именно *тебя* он намеревался заманить. Со мной все будет в порядке. Пожалуйста, не возвращайся.

Флер заглянула в глаза матери и увидела, что она говорит совершенно искренне.

— Не беспокойся, — сказала она, обнимая мать, — со мной ничего не случится. Все будет хорошо.

Она отпустила Белинду и пошла искать гробовщика. Он стоял у подножия лестницы.

— Сейчас я встречусь с господином Савагаром, — сказала Флер.

— Очень жаль, мадемуазель, но вам придется подождать. Господин Савагар, ваш отец, еще не готов принять вас. — Он указал на кресло в стиле рококо, стоявшее перед дверью библиотеки.

Итак, война нервов продолжалась. У Флер не было другого выбора, кроме как ждать, тем самым отдавая пальму первенства Алексею. Но едва гробовщик исчез, Флер прошла в гостиную, сорвала головку расцветшей розы из тех, что стояли в вазе на камине, и засунула в глубокий вырез лифа. Роза, словно бархатная, белела на темно-красном фоне. Она пахла тяжело и сладко. Флер вышла из салона и вернулась к дверям библиотеки, неся с собой этот запах.

Она немного постояла, но ей не удалось окончательно подавить нервную дрожь. Присутствие Алексея, казалось, просачивалось даже сквозь тяжелые панели. Он вцеплялся в нее, прилипал, как удушающий запах розы. Алексей ждал по другую сторону двери, злобный, неуверенный в себе, отсчитывая очередную тягостную минуту затеянной им войны нервов. Флер медленно повернула ручку.

В углу горела лампа, свет в комнате был тусклый. Но Флер хватало света, чтобы разглядеть человека, которого она помнила бодрым и энергичным. Теперь, казалось, он совершенно усох. Алексей Савагар сидел в кресле за столом; правая рука покоилась на его полированной крышке, левая — на колене. Как всегда, он был в элегантном темном костюме с безукоризненно скроенными лацканами; платиновая булавка скалывала воротник шелковой рубашки. Но все вещи, казалось, были ему великоваты. Между шеей и рубашкой можно было засунуть два пальца, ощущалась свобода и в плечах. Флер не разрешила себе сосредоточиваться на признаках болезни Алексея, потому что даже в полутьме комнаты она видела русский прищур ничего не упускающих глаз. Он оглядел ее с головы до ног, его взгляд задержался на лице, на волосах, на платье, потом замер на розе в низком вырезе.

— Ты должна была бы быть моей, — сказал он.

Глава 32

— Я хотела быть твоей, — ответила Флер, — но ты не позволил.

— Ты незаконнорожденная. Нечистая кровь.

— Ну как же мне такое забыть. — Она подошла ближе к столу, желая получше разглядеть лицо Алексея. — Ирландская кровь Флинна для тебя слишком грубая, варварская. — Флер с удовлетворением увидела, как он напрягся. — Еще бы, одного из его предков повесили за кражу овец. Разве это не дурная кровь? Это постоянное пьянство, беспорядочные связи, — она намеренно сделала паузу, — его юные девочки...

Рука, лежавшая на крышке стола, сама собой сжалась в кулак.

— Ты глупа, если пытаешься играть со мной в игры, в которых не сможешь одержать победу.

— Давай прекратим. Перестань терроризировать Белинду.

— А если я скажу тебе, что намерен поместить твою мать в специальное учреждение? Запереть в санатории для хронических алкоголиков?

— Я думаю, это будет трудновато, если учесть, что она больше не пьет.

Алексей хихикнул:

— Как ты еще наивна. Ничего нет трудного, когда есть деньги.

День выдался тяжелый, Флер чувствовала, что от усталости у нее начинает болеть голова. Ей хотелось вернуться в отель, позвонить Джейку и снова почувствовать, что жизнь имеет какой-то смысл.

— Ты действительно полагаешь, что я стану сидеть и наблюдать, как ты это делаешь? Да я буду кричать так долго и так громко, что услышит весь мир!

— Ну конечно, будешь. Не знаю, почему Белинда никогда этого не понимала. Поэтому сначала мне надо заставить замолчать тебя. Что невозможно без варварских методов, но к ним прибегать нельзя.

Флер вспомнила о Джейке с его пистолетом и тяжелыми кулаками. Да он кажется гораздо более цивилизованным, чем этот старик. Она села в кресло напротив Алексея и пожалела, что тусклый свет не позволяет увидеть отчетливо выражение его лица.

— Не слишком серьезная проблема, да? Особенно если учесть, что на самом деле ты никогда не собирался запереть Белинду.

— Ты становишься достойным оппонентом. Такой в общем-то ты была с самого начала. Я ожидал, что ты раскроешь пожар в подвале. Это было просто. Но вот с платьями ты поступила достаточно умно.

— Когда тебя очень долго окружают гремучие змеи, ты набираешься мудрости и опыта. А теперь скажи мне, чего ты хочешь.

— В какую настоящую американку ты превратилась. Сразу за дело. Без всякого уважения к нюансам. Должно быть, на тебя повлияли шикарные друзья, с которыми ты водишь компанию.

Флер почувствовала, как внутри у нее все похолодело. О ком он? О Кисси, о Майкле? Джейк... Ее охватила тревога. Джейк должен остаться в стороне, его надо спрятать от безжалостного, расчетливого Алексея. Должно быть, он знал, что Джейк жил у нее в мансарде, возможно, ему известно и о ее поездке к нему. Но он никак не мог знать, насколько глубоки ее чувства к Джейку, как необходимо ей во что бы то ни стало сохранить их в глубокой тайне.

Она закинула ногу на ногу и пошла в контратаку.

— Вообще-то я довольна своими друзьями, — заявила Флер, — особенно братом. Ты в нем ошибся, знаешь ли. У Майкла замечательный талант, его ждет блестящая карьера. Он, конечно, не бизнесмен, но так уж вышло, что у меня оказались деловые способности, и я стараюсь сделать все, чтобы он заработал нам обоим много денег.

— Модельер, — презрительно сказал Алексей. — Да как он может задирать нос?

Она рассмеялась.

— Поверь мне, весь город охотится за ним, люди чувствуют себя польщенными, оказавшись рядом с Майклом. Он, кстати, очень похож на тебя. У него твоя походка, твои манеры, даже твоя привычка смотреть на человека, который ему не нравится: сощурившись, приподняв одну бровь, пока тот, на кого он смотрит, не начинает съеживаться. Но он очень человечный, чего не скажешь о тебе, и поэтому гораздо более интересный, чем его отец.

— Майкл — гомик!

— Ты что, кроме этого ничего не можешь заметить, да? Бедный Алексей, когда-нибудь, наверное, я смогу тебя пожалеть.

Она услышала резкий вздох Алексея и заставила себя выдержать его пристальный взгляд.

— Ты когда-нибудь испытывала угрызения совести за то, что сделала? — резко спросил он. — Ты когда-нибудь пожалела, что разрушила предмет столь прекрасный?

Флер немного подумала.

— «Бугатти» был действительно произведением искусства. Я вовсе не горжусь тем, что разбила его. Но ты спрашиваешь не об этом, да? Ты хочешь узнать, сожалею ли я. — Флер сжала руки, лежавшие на подоле платья; бисеринки впились в кожу. Алексей слегка подался вперед в кресле, она услышала легкий скрип кожи.

— Никогда, — сказала она. — Ни одной секунды я не жалела.

— Сука! — резко бросил он.

— Ты сделал себя императором своей собственной империи. Человеком над законом. Выше закона. Точно так, как Белинда возносила кинозвезд. «Он звезда, детка, он не должен следовать правилам, каким следуют все остальные». Я росла под этот аккомпанемент. Знаешь, это неверно. Никто не может быть выше закона. Все должны следовать правилам. Люди, которые не следуют им, достойны наказания. То, что ты сделал со мной, ужасно. Я наказала тебя. Цивилизованные люди должны защищать себя от варваров. Иначе они теряют собственное достоинство. Ты можешь бороться со мной сколько хочешь, Алексей. Можешь угрожать Белинде, пытаться разрушить мое дело, но ты никогда не заставишь меня пожалеть о сделанном. Я думаю, что выросла достаточно сильной, и тебе не погубить меня. Но если я что-то не так рассчитала и ты сумеешь разрушить мое дело — пусть. Но я *не сожалею* о сделанном, и я готова принять последствия. Власти надо мной у тебя нет.

Флер показалось, что кожа на кресле вздохнула, когда Алексей уселся поглубже.

— Я пообещал разрушить твою мечту, дорогая. Именно это я намерен сделать. Наконец мы сравняем счет.

— Ты блефуешь. Нет ничего такого, чем ты можешь причинить мне боль.

— Я никогда не блефую. — Алексей швырнул через стол маленький конверт.

Флер взглянула на него, прежде чем взять. Он был достаточно тяжелый на вид.

— Подарочек на память, — заметил он с усмешкой.

Ей показалось, сердце у нее подскочило к горлу. Она открыла конверт, и из него на колени выпал кусочек металла. Выдавленные на нем буквы были хорошо видны. «Бугатти». Эмблема в красном овале.

Флер посмотрела на Алексея и увидела, как он еще что-то передает ей через стол. В тусклом свете она не сразу рассмотрела, что это.

— Мечту за мечту, дорогая.

Она почувствовала внутреннюю дрожь, когда взяла американскую газету, датированную тем же днем. Заголовок кинулся ей в глаза. «Результаты обследования свидетельствуют о нервном расстройстве нового Коранды».

— Нет! — Флер замотала головой, прогоняя отвратительные слова.

Алексей прочитал ее мысли, он пролез в самую глубину души, наверное, он использовал черную магию.

— Боже мой... Нет...

«Тридцатишестилетний актер и драматург Джейк Коранда, завоевавший популярность исполнением роли ковбоя-вероотступника Калибра, страдал нервным расстройством осенью шестьдесят восьмого года, когда служил в американской армии во Вьетнаме. Флер Савагар, литературный агент актера и его недавняя пассия, только что выпустила пресс-релиз, в котором сообщила, что Коранда был госпитализирован в момент тягчайшего стресса, связанного со смертью друга. Согласно сообщению Савагар, детали душевного расстройства актера будут описаны в его новой автобиографии. «Джейк честно излагает свои эмоциональные и физиологические проблемы, —

говорит Савагар, — я уверена, публика проявит к нему уважение за честность и отнесется к его ужасному опыту с сочувствием».

Статья была длинной, но Флер не могла дальше читать. Были в газете и фотографии: на одной — Джейк в роли Калибра, на другой — они во время утренней пробежки в парке, на третьей — она одна с подписью: «Блестящая Девочка играет как агент звезд с хорошим счетом».

Она положила на стол газету и медленно встала. Овал «Бугатти» упал на ковер.

— Я терпел семь лет, — прошептал Алексей. — Отныне счет сравнялся. Ты тоже потеряла то, о чем больше всего волновалась. Твоей настоящей мечтой был вовсе не бизнес. Не агентство. Не так ли, дорогая?

Слезы блеснули в глазах Флер, а сердце, казалось, превратилось в маленький кусочек плоти, который никогда уже не будет пульсировать жизнью. Она-то думала, что Алексей охотится за ее агентством. Но он, оказывается, прекрасно разобрался во всем. Может быть, он даже раньше ее самой понял, что главное в ее жизни — это Джейк Коранда. Он для нее и хлеб, и вода. Да, именно Джейк был ее мечтой.

Но она отказывалась уступать Алексею победу. Она все еще хотела бороться и доказать свое главное утверждение: правила одинаковы для всех.

— Джейк никогда не поверит, — сказала Флер очень тихо, почти шепотом, но спокойно. Но это было то спокойствие, какое возникает в воронке торнадо.

— Он из тех мужчин, которые привыкли к предательству женщин, — ответил Алексей. — Он поверит.

— Как ты это сделал? Книги нет. Мы ее вместе уничтожили.

— Насколько я понимаю, там вовремя оказался человек со специальной камерой. Такое уже давно возможно.

— Ты лжешь. Джейк никогда не выпускал рукопись из рук. — И вдруг она вспомнила. Выпускал. Когда бежал за ней, когда они гуляли по берегу океана. — В статье использованы ложные факты. Джейк поймет. Он знает, я на такое не способна. Ничего подобного я не могла бы сделать с ним.

— Факты не имеют особого значения, когда один человек предает другого. Я это знаю лучше всех. Коранде известно, как важно для тебя твое дело. Ты ведь использовала его имя для паблисити. Раньше. Почему бы ему не поверить, что ты способна на повторение пройденного?

Каждое слово Алексея было правдой. Но Флер не позволит себе думать об этом сейчас.

— Ты проиграл, — заявила она. — Ты недооцениваешь Джейка, как и меня. — Она быстро протянула руку — так быстро, что Алексей не мог предупредить ее жеста, — и включила настольную лампу.

С криком он взмахнул рукой и скинул лампу на пол. Она завертелась как сумасшедшая, разбрасывая свет и тени. Флер пристально уставилась на Алексея и быстро поняла, в чем дело. Он поднял руку, желая закрыть половину лица. Но она уже увидела...

Тот, кто не знал его хорошо, никогда бы ничего не заметил. Левая сторона лица была чуть-чуть опущена, но если бы он не повернулся правой стороной и нельзя было бы сравнить, даже она ничего бы не увидела. Как и лишнюю складку кожи под глазом. Немного отекла щека, немного опущен угол рта. Другой человек с такими недостатками и не вспоминал бы о них. Но для гордеца Алексея Савагара, одержимого идеей совершенства, даже столь незначительный изъян в собственной внешности был невыносим. Флер поняла и ощутила даже какую-то жалость. Но быстро отмахнулась от нее.

— Сейчас твое лицо так же отвратительно, как твоя душа, — сказала она.

— *Сука! Дрянь!*

Алексей пытался ударить по лампе, но левая сторона тела была не так подвижна, как правая. От неловкого удара луч света качающейся лампы прошелся по его лицу.

— Ты совершил фатальную ошибку, — сказала она. — Тебе не дано понять, как мы с Джейком любим друг друга. У тебя, Алексей, нет сердца. Тобой движет лишь одно-единственное желание: властвовать. Если бы ты хоть что-то понимал в любви и доверии, ты бы догадался: все твои заговоры ничего не стоят. Они бесполезны и бессмысленны. Джейк доверяет мне и никогда не поверит газетной писанине.

— Нет! — воскликнул он. — Я победил тебя! — Больная половина лица начала дергаться, и Флер заметила в глазах Алексея проблеск сомнения.

— Ты проиграл, — бросила она, потом отвернулась от него и вышла из библиотеки.

Флер прошла по коридору к выходу, толкнула дверь и оказалась в холодной январской ночи. Лимузина не было — судя по всему Алексей собирался оставить ее здесь, — но Флер и в голову не пришло вернуться в этот серый дом. Она пошла по дорожке к воротам, которые выходили на улицу, и слезы медленно текли по щекам. Каждое слово, которое она говорила Алексею, было ложью. Он добрался до самого уязвимого, он все рассчитал абсолютно верно. Именно *этого* Джейк никогда ей не простит. Она могла попытаться ему объяснить. Может, он даже поверил бы, что это дело рук ее отца, но все равно Джейк осуждал бы ее. Мечта за мечту. Алексей победил ее.

Алексей Савагар стоял у окна, побелевшими пальцами правой руки вцепившись в край занавески, и наблюдал за высокой прямой фигурой, уходившей по дорожке все дальше и дальше. Фигура уменьшалась, потом совсем растворилась в темноте. Была холодная ночь, но даже без пальто Флер не ежилась от холода, не обнимала себя руками. Как будто совсем не мерзла.

Она была невероятной.

Голые ветки старых каштанов перекрещивались у нее над головой, и Алексей вдруг вспомнил эти деревья в полном цвету и то, как много лет назад другая женщина уходила по той же дорожке, осыпанная белым цветочным снегом. Ни одна из этих женщин не оказалась достойной его, подумал он. Обе предали его. Но несмотря на это, он их любил... Обеих.

Ощущение беспредельной пустоты переполнило его. Семь лет он был одержим Флер, и вот все кончилось. Теперь нет ясной цели, так чем ему заполнить свои дни? Помощники прекрасно обучены и превосходно ведут дела. Из-за лица, ставшего отвратительным после удара, он не мог больше появляться на публике. Алексей почувствовал тупую боль в левом плече и принялся разминать его рукой. Она шла так прямо и гордо, крошечные искорки вспыхивали на платье, когда на бисеринки падал свет фар проносившихся мимо машин. Он видел, как она подняла руку и что-то бросила под ноги. Слишком далеко, чтобы рассмотреть, но Алексей догадался, что она выбросила. Белую розу.

И вот тогда боль ударила его.

Белинда, измученная беспокойством за Флер, нашла Алексея на полу под окном. Он лежал в коме.

— Алексей.

Она опустилась рядом с ним на колени, тихо окликая его по имени. Она знала, что его люди где-то поблизости, а ей не полагалось заходить к нему.

— Б... Б... Белинда. — Голос Алексея был совершенно чужим, не похожим на его обычный голос. Каким-то хриплым и гортанным.

Она подняла голову мужа, положила себе на колено, сдвинув шафрановый халат, потом сдавленно вскрикнула, увидев, как сильно перекосилось его лицо.

— О, Алексей, — простонала Белинда, прижимая его к себе. — Что с тобой случилось?

— Помоги мне. Помоги...

Страдание в голосе мужа ужаснуло ее. У нее вдруг возникло неодолимое желание ударить его по запястью и приказать: прекрати сию же минуту! Она ощутила на бедре сырость, увидела, что это слюна вытекает у него изо рта и уже пропитала ее халат. Тогда Белинда решила, что это уж слишком. Ей захотелось вернуться к себе в комнату, к любимым пластинкам и журналам; она с трудом удержалась, чтобы не вскочить и не выбежать из библиотеки. Вместо этого Белинда заставила себя подумать о Флер и осталась.

Алексей пошевелил губами, прежде чем сумел выдавить какие-то слова.

— Позови на помощь. Мне... нужна помощь.

— Тише... Береги свои силы. Ничего не говори.

— Пожалуйста...

— Отдыхай, мой дорогой.

Его пиджак немного раскрылся, один лацкан завернулся. Они были женаты двадцать шесть лет, но она никогда не видела, чтобы его костюм был в таком беспорядке. Она поправила лацканы.

— П... п... помоги мне.

Белинда откинулась немного назад, чтобы заглянуть ему в лицо.

— Попытайся не разговаривать, мой дорогой. Я тебя не оставлю. Я буду вот так держать тебя, пока уже больше не понадоблюсь.

Она увидела страх в его глазах. Сначала вспыхнула только искра понимания, потом она разгорелась. Белинда поняла, что он наконец обо всем догадался. Она гладила его жидкие волосы кончиками дрожащих пальцев.

— Бедный ребенок, — говорила она. — Бедный, бедный ребенок. Я любила тебя, ты знаешь. Ты единственный, кто по-настоящему меня понимал. Если бы только ты не отнял у меня моего ребенка.

— Не... не делай этого. Я прошу тебя.

Правая щека Алексея напряглась. Он попытался поднять руку, но не сумел и сдался. Белинда видела, как посинели его губы, она слушала его прерывистое дыхание.

Страдания Алексея Савагара были совершенно ужасны. Белинда пыталась придумать, как их облегчить. Наконец она распахнула халат и прижала его лицо к своей обнаженной груди, как будто он был младенцем, которого надо накормить. Алексей затих. Белинда посмотрела на его лицо, лицо человека, сформировавшего ее жизнь, и две слезинки повисли на ресницах несравненных гиацинтово-синих глаз.

Джейк чувствовал себя так, будто из его легких выпустили весь воздух. Мяч просвистел мимо него и ударился в пустые скамейки для зрителей, но он даже не заметил. Шум игры, шедшей у него за спиной, куда-то исчез. Он почувствовал, как холод проникает сквозь пропитанный потом свитер, пробирает до самых костей. Он с трудом попытался набрать воздуха.

— Джейк, мне очень жаль. — Секретарша с бледным лицом **стоя**ла на краю двора, от озабоченности ее лицо сморщилось. —

Я... я понимала, что вы захотите немедленно увидеть, поэтому принесла прямо сюда. Телефоны разрываются, надо сделать какое-то заявление...

Он скомкал газету и кинулся мимо секретарши к деревянным поцарапанным дверям с проволочной сеткой над стеклом. Его дыхание эхом отскакивало от облупившихся оштукатуренных стен, когда он бежал по ступенькам в пустую раздевалку. Джейк натянул рубашку, засунул ноги в джинсы и выбежал из старого кирпичного здания, где он играл в баскетбол уже десять лет подряд. Двери с грохотом захлопнулись за ним, и Джейк понял, что никогда больше не вернется сюда.

Покрышки «ягуара» взвизгнули, когда он рванул со стоянки. У него возникла идиотская идея скупить весь тираж газеты. Весь, до последнего экземпляра. Он разошлет самолеты по всей стране. По всему миру. Скупит газеты в каждом магазине и в каждом киоске. И сожжет. И...

Он вспомнил день, когда вернулся домой и обнаружил Лиз. Тогда он мог дать волю кулакам. Ударить в лицо того ублюдка и бить его, пока костяшки пальцев не запачкались кровью. Джейк помнил, как Лиз цеплялась за его ноги, хваталась руками, как за столб. Она кричала, просила простить, а тот ублюдок лежал на полу, покрытом линолеумом, со спущенными до колен штанами. Но даже тогда все было не настолько плохо, как сейчас. Тогда он мог направить свой гнев на конкретную цель.

Пот стекал со лба, заливая глаза. Джейк заморгал. Боже мой. Сколько раз он будет оказываться в дураках? Он написал для нее книгу. Он вывернулся наизнанку... Она уже разрушила его жизнь шесть лет назад. И этот жестокий урок ничему его не научил. Он снова вернул ее в свою жизнь.

Джейк еще крепче вцепился в руль. Он представил себе, как она лежит на полу у его ног и обнимает их, ее лицо залито слезами, она молит о прощении. А он тянет ее за волосы, бьет, бьет что есть сил и убивает.

Потом он почувствовал знакомый металлический вкус во рту. Вкус страха. Холодного металлического страха.

Глава 33

Белинда уставилась на открытый чемодан, лежавший на кровати Флер, как будто впервые в жизни увидела столь странный предмет.

— Но ты не можешь меня оставить сейчас, детка. Ты нужна мне.

Флер проверила в сумочке билет на самолет и подумала: как хорошо, что Белинда не знает, куда она летит.

— Мы говорили об этом сто раз. Прошло две недели со времени похорон, у меня больше нет времени. Кроме того, ты прекрасно с собой справляешься. На самом деле я тебе не нужна.

— Неправда. Мне бы никогда не одолеть этих дел без тебя. Ты знаешь, я заболеваю от любой юридической чепухи. У меня голова идет кругом. Это не по мне, дорогая.

Флер сдерживалась с трудом. Осталось несколько минут...

— Я и не ждала от тебя подвигов, поэтому обо всем позаботилась. Сотрудники Алексея теперь будут работать на тебя, они станут делать все, что ты им скажешь. В Нью-Йорке все проблемы я сама улажу. Так что тебе совершенно не о чем волноваться, Белинда.

Мать в сотый раз надула губы: безжалостная Флер поступала так, как хотела.

— Все неправильно. Я ненавижу этот дом. Я больше не могу здесь провести ни одной ночи.

— Тогда переезжай в отель.

— Ты очень холодная, Флер. Ты хоть замечаешь? Ты стала невероятно холодна со мной.

— Белинда, ты взрослая женщина с правом свободного выбора. Твои годовые доходы позволяют поселиться где угодно. Не хочешь жить здесь — переезжай. В сотый раз я предлагаю тебе пойти и купить квартиру. Или устроиться в отеле. Ты от всего отказываешься.

— Ну хорошо. Я передумала. Давай пойдем завтра.

— Извини, но завтра меня здесь уже не будет.

— Но детка! — На этот раз Белинда завопила. — Я не привыкла быть одна.

Зная склонность Белинды к знаменитым мужчинам, Флер сомневалась, что мать долго пробудет в одиночестве. Но эту мысль она предпочла оставить при себе.

— Ты со всем прекрасно справишься, — повторила она, запирая замки чемодана. — Помни, что я тебе говорила. Некоторое время я буду занята и не смогу звонить каждый день. Дэвид Беннис выполнит любую твою просьбу, Белинда. Обращайся к нему в любое время. Слышишь меня?

Глаза Белинды наполнились слезами.

— Не могу поверить, что ты покидаешь меня, Флер. После всего, что я для тебя сделала.

Флер быстро обняла мать.

— У тебя все будет замечательно.

По дороге в аэропорт Флер заставляла себя расслабиться, но напряжение не отпускало. Все заботы, связанные со смертью Алексея, пали полностью на нее.

— Обширный инфаркт, — сказали доктора после того, как один из помощников Алексея обнаружил его на полу у окна.

Это случилось вскоре после ее ухода. Флер подумала, что, вероятно, Алексей стоял и наблюдал за ней. Следил, как она уходила в ночь. Она не чувствовала ни торжества, ни боли по поводу его смерти. Только огромное, невероятное чувство облегчения. Было от чего испытать его: отныне из ее жизни исчезла давящая сила.

Хотя Майкл звонил почти ежедневно, поддерживал морально, он отказался прилететь даже на похороны.

— Я не могу, Флер, — сказал он. — Я знаю, что я трус, что у меня кишка тонка. Но я просто не вынесу коровьего взгляда Белинды.

«А почему ты думаешь, что я все вынесу?» — хотелось ей спросить брата. Но, понимая его чувства, она промолчала. Впрочем, может, это даже к лучшему. У нее и так ушло много сил на то, чтобы со всем справиться. Не хватало еще осложнений в отношениях Майкла и Белинды. Возникли проблемы между помощниками Алексея и матерью. Они не привыкли подчиняться приказам женщины, поэтому пришлось дать им понять, что они рискуют потерять работу. Белинда звонила дочери из-за каждого пустяка, лишая Флер последних сил. Поэтому она решила на некоторое время уехать на Миконос. А потом уже вернуться в Нью-Йорк. Ей надо было прийти в себя, ее измучило постоянное ожидание телефонного звонка, которого до сих пор не было. Чувство унижения, испытанное при разговоре с секретаршей Джейка, нахлынуло на Флер с новой силой.

Бесстрастный деловой голос на другом конце провода всякий раз повторял одно и то же:

— Мне жаль, мисс Савагар, но он не отвечает на звонки. Нет, никакого послания вам нет.

Флер пыталась соединиться с домом Джейка в Калифорнии, но ей сообщили, что телефон отключен. Не отвечала и нью-йоркская квартира. После стольких неудач Флер снова позвонила секретарше, умоляла соединить с ним. Через три дня в сердцах она обвинила женщину в том, что та не сообщает Джейку Коранде о ее звонках.

После нескольких секунд ледяного молчания произошел взрыв, и секретарша закричала:

— Разве вы еще мало навредили ему? Джейк приказал мне не соединять его с вами. Я выполняю этот приказ. Вы унизили его. Репортеры гоняются за Джейком стаями. Почему бы вам не осознать, что произошло, и никогда больше не беспокоить его? У него нет желания говорить с вами.

Это случилось десять дней назад. Флер больше не пыталась звонить. Ее лимузин застрял в уличном потоке; невидящим взглядом она скользила по витринам магазинов, но потом подъехал большой автобус и загородил их. Лимузин продвинулся вперед шагов на тридцать, осторожно сманеврировал и встал перед автобусом. В результате Флер оказалась напротив огромного лица Джейка на рекламе фильма «Глаза, которые не видят». Плоские края шляпы затеняли взгляд. Щеки поросли щетиной, к углу рта прилипла мятая маленькая сигара. Хотелось отвести взгляд, но Флер не могла даже повернуть шею. Глядя на это тяжелое лицо, она словно снова оказалась в своих ночных кошмарах. Калибр, не ведающий никаких слабостей и которому никто в мире не нужен. С чего она взяла, что способна его побороть? Разве когданибудь кому-нибудь такое удавалось?

Белый оштукатуренный дом на Миконосе стоял в оливковой роще на пустынной окраине острова. Целыми днями Флер жарилась на солнце, гуляла босиком по океанскому берегу. К вечеру на острове начиналось оживление. Но вместо того чтобы взбодриться, она ощущала себя совершенно онемевшей, как будто из нее до капли вышла жизнь. На Миконосе все было белым, до боли в глазах, а бирюза Эгейского моря казалась настолько яркой, что цвет на ее фоне вообще ничего не значил. Флер поняла, что утратила способность чувствовать. Ей не хотелось есть, она не ощущала боли, наступив голой пяткой на острый край камня. Гуляя вдоль океана, она видела, что волосы развеваются, но не ощущала дуновения ветра на коже и с удивлением спрашивала себя, когда же наконец она выйдет из состояния опустошенности и бесчувственности? Ведь когда-то это должно произойти? Ничто не длится вечно.

Ночью она мучилась воспоминаниями о губах Джейка, о его кривом зубе, о нижней губе, которую она так любила покусывать, занимаясь любовью. Его улыбка. Она фантазировала, как он приходит к ней, обнимает и говорит, что любит ее. Фантазии. Как в детстве про Алексея: что он приедет однажды и заберет ее, увезет домой. Она гнала эти фантазии, смотрела в зеркало и ясно видела себя. Она больше не маленькая девочка и никого не собирается просить о любви. Даже Джейка. Да, горе, свалившееся на нее, придавило, заставило одеревенеть, но не сломало ее. Она не виновата в случившемся. Джейк должен это понять, но он слишком раним, слишком слаб. Именно этого она и боялась. Причина, из-за которой она не выпалила сразу «да!», когда он попросил выйти за него замуж. Он не любил ее настолько, чтобы быть сильным.

Наконец Флер заставила себя смириться с тем, что Миконос не сумел сделать ее спокойной, сильной и уверенной, какой она хотела стать, прилетев сюда. Она реально посмотрела на вещи и поняла, что она давно не занимается бизнесом, что слишком давно взвалила все дела на Дэвида и Уилла. Пора возвращаться в Нью-Йорк. Но Флер тянула еще несколько дней, прежде чем сняла трубку и позвонила Дэвиду, сообщив о своем возвращении.

Обратный путь оказался долгим и утомительным, и когда Флер вышла из самолета в аэропорту Кеннеди, она была совершенно без сил. Шерстяные брюки кололись, прикасаясь к облезшей от загара коже, ее мутило после болтанки над Атлантикой. Из-за легкого мелкого снега и пробки в аэропорту найти такси оказалось труднее обычного. Наконец она поймала машину, но печка в ней не работала, и Флер далеко за полночь вошла к себе в гостиную совершенно замерзшая.

В доме было сыро и почти так же холодно, как в такси. Бросив чемодан, она включила отопление и села на диван, чтобы разуться. Потом стащила с себя брюки и почесала ноги. Не снимая пальто, пошла на кухню, налила стакан воды и кинула две таблетки «Алька-зельцер»*. Пока они растворялись, Флер раскачивалась на пятках в одних носках; от кафельного пола шел холод. Она собиралась лечь в постель, мечтая включить электрическое одеяло и не шевелиться до утра. Но решила сначала принять очень горячий душ, какой только сможет выдержать, и натереть себя лосьоном.

Она все еще ходила в пальто и сняла его только перед тем, как войти в ванную. Потом скинула свитер и нижнее белье, включила душ. Быстро вынув заколки из волос, раздвинула дверцы душа и встала под горячую воду. Через шесть часов она проснется и побежит по парку, как бы плохо себя ни чувствовала. На этот раз она не собиралась рассыпаться на куски. Каждый день она будет выдерживать заданный ритм, пока жизнь не вернется в прежнее русло. Время залечит все. Именно так говорили Белинде пришедшие на похороны Алексея.

Флер досуха вытерлась большим мягким полотенцем, закрыла дверь ванной, оставив маленькую щель, чтобы выпустить пар. Она надела атласную ночную рубашку, отороченную кружевами, что висела на крючке рядом с душем. Она вспомнила, что забыла включить электрическое одеяло, поэтому надела еще и халат. Перепад температуры после Миконоса слишком резкий, подумала Флер. Она снова замерзла, а простыни наверняка холодные как лед.

Перешагнув через кучу снятой одежды, она толкнула дверь ванной, порылась в карманах, нашла поясок и запахнула халат.

Странно. Ей казалось, что она включила свет в спальне. Боже, как холодно! Окна дребезжали от ветра. Почему же печка... И тут она закричала.

— Леди, стой там, где стоишь, и не шевелись.

---

* Тонизирующее средство.

Крик застрял в горле Флер.

Он сидел в кресле, в дальнем конце комнаты; было видно только его лицо в свете, падавшем из открытой двери ванной. Губы его едва шевелились, когда он говорил.

— Делай то, что я прикажу, и тогда никто не пострадает.

Флер отступила назад, потом еще на шаг к ванной, еще на один. Он поднял руку, и она увидела направленное на нее серебристое дуло пистолета.

— Нет, слишком далеко, — сказал он.

Ее сердце подпрыгнуло в горло.

— Пожалуйста...

— Ну давай.

Она не сразу поняла, о чем он. Потом догадалась.

Она быстро разжала мокрые руки, в которых был поясок халата.

— Теперь халат.

Флер не двигалась. Он поднял пистолет и прицелился ей в грудь.

— Ты же сумасшедший, — выдохнула она. — Ты же...

Раздался металлический щелчок.

— Снимай.

Она быстро распахнула халат, он соскользнул с нее. Ткань, падая к ногам, тихо зашуршала.

Он еще приподнял дуло.

— Распусти волосы.

— Боже мой... — Руки ее взялись за заколки. Когда волосы распустились, капли воды упали на оголенные плечи.

— Хорошо. Очень хорошо. А теперь и рубашку.

— Нет... — взмолилась она.

— Сперва опусти бретельки. По одной.

Флер опустила первую, потом остановилась.

— Продолжай. — Он резко взмахнул пистолетом. — Делай что говорят.

— Нет. — Она покачала головой.

Он выпрямился в кресле.

— Что ты сказала?

— Ты слышал.

— Не зли меня, училка.

Флер прижала руки к груди, закрываясь.

«Черт, — подумал Джейк, — а что я теперь должен делать?»

Глава 34

Он положил «кольт» с перламутровой ручкой на стол возле кровати и пошел к ней. Кожа Флер была холодная как лед. Он распахнул парку и прижал Флер к своей фланелевой рубашке.

Она всхлипнула.

— Эй, ты что, плачешь? — Джейк почувствовал, как она кивнула, прижавшись к его щеке. — Прости, дорогая. Я не собирался доводить тебя до слез. Кажется, я неудачно выбрал время, да?

Она покачала головой, не пытаясь выяснить у него, откуда он узнал про ее фантазии.

— Просто мне показалось, что так интереснее. Знаешь, я никак не мог решить, что скажу, когда увижу тебя.

Она заговорила, уткнувшись в рубашку Джейка:

— Ты не можешь доверить Калибру наши проблемы, Джейк. Мы должны решать их сами.

Он приподнял ее подбородок.

— Пора научиться отличать фантазии от реальности. Калибр — киногерой. Я люблю его играть. Он позволяет мне спускать агрессивность. Но он не я. Я ведь тот, кто боится лошадей. Ты забыла?

Флер посмотрела на Джейка.

— Ну давай, а то замерзнешь. — Джейк повел ее к постели, откинул одеяло, а когда Флер залезла под него, он снял парку и ботинки и лег рядом с ней в рубашке и джинсах. — Твоя печка, наверное, испортилась. Здесь холоднее, чем на улице.

Она потянулась, чтобы включить свет.

— Почему ты не отвечал на мои звонки? Я с ума сходила.

— Прости, Цветик. Повсюду была пресса, я чувствовал, что задыхаюсь. Много чего вспомнилось из старого, оно буквально взяло меня за горло. В тот момент я очень злился.

— Ты же понял, что это дело рук Алексея, правда?

— Мне бы хотелось сказать «да», но пара дней ушла на то, чтобы успокоиться и все выяснить. Я до сих пор не понимаю, как ему удалось.

— Он сфотографировал рукопись, когда мы гуляли по берегу океана в тот день. Я нашла негативы после его смерти.

Он резко повернулся к ней.

— Что ты с ними сделала?

— Сожгла, конечно.

— Проклятие!

Флер посмотрела на Джейка, не веря своим ушам.

— Надо было сначала поговорить со мной. Вот и все.

Флер ничего не могла поделать с собой. Она рывком натянула на голову одеяло и закричала. Потом затихла, а Джейк стянул с нее одеяло и опустил ниже подбородка.

— Просто много придется переписывать. — Пухлая нижняя губа Джейка еще сильнее выдалась вперед. — Конечно, ты же не могла ожидать, что я слишком обрадуюсь.

Флер кивнула на «кольт».

— Он заряжен?

— Конечно, нет.

— Слушай, если ты понял, что это Алексей, почему тогда...

Он привлек ее к себе еще ближе и губами зарылся в волосы.

— Ты забыла, как я умею осуждать тебя за все, с чем сам не могу справиться?

— А почему ты все же передумал?

— Кисси скажет тебе, что из-за нее. Она вернулась после медового месяца. Боже, как эта женщина умеет ругаться! Саймон угрожал, что пойдет в газеты и заявит, что я гомик. Майкл меня ударил.

Флер дерзко посмотрела на Джейка, и он поднял руки, сдаваясь.

— Но я не тронул его, видит Бог. — Он снова притянул Флер к себе в объятия. — Даже какой-то кретин по имени Барри Ной наезжал на меня.

— Ты шутишь.

— Бог свидетель. — Он гладил ее по волосам. — Ты хоть имеешь понятие о том, сколько народу тебя любит?

Она снова заплакала. А он продолжал что-то говорить. И ерошить ее волосы.

— Я был в совершенно расстроенных чувствах, когда меня нашла Белинда. Но она знает жизнь, твоя матушка. Она посмотрела на меня своими синими глазами и сказала, что я самая яркая звезда в Голливуде и отталкиваю единственную в мире женщину, которая достаточно хороша для меня. — Он покачал головой. — Слушай, Цветик, но никто, ни один из этих лезущих не в свои дела сукиных сынов не имел понятия, где тебя искать. — Он вздрогнул. — До тех пор, пока Дэвид Беннис не позвонил вчера, я думал, что потерял тебя навсегда. Боже мой. Миконос! Да кто, черт побери, едет сейчас на Миконос? Честное слово, если ты когда-нибудь вот так от меня убежишь...

— Это я-то?

Он так сильно прижал ее к груди, что она подумала: ребра сейчас хрустнут.

— Извини, Цветик. Мне очень жаль, детка. Когда та статья появилась, я был вне себя. Как будто проснулся в каком-то ужасном кошмаре и обнаружил, что это реальность, а не сон. Я почувствовал себя так, словно меня изнасиловали. Все пытались меня достать. Содрать шкуру. Добраться до костей. Пресса — это стая стервятников. Только одного человека я мог во всем винить — тебя. Но пока я обвинял тебя, я так в тебе нуждался, что казалось, умерла часть меня. Тогда-то я совершенно ясно понял: я должен сделать все, чтобы тебя вернуть.

Флер вытерла лицо его фланелевой рубашкой.

— Потом пошли письма. Они слетались ко мне со всей страны. Писали парни, которые были во Вьетнаме и не могли вытравить эту страну из своей души. Они писали про то, что случилось с ними. Учителя, банкиры, мусорщики. Многие ребята не смогли удержаться на работе. Некоторых по ночам мучают кошмары. Кое-кто уверял меня, что Вьетнам был лучшим куском их жизни. Что они снова пошли бы на это. Ребята рассказывали в письмах о разводах, об удачных браках, о детях. Не все из них гладили меня по головке, некоторые писали, что я «увековечиваю миф о сумасшедшем вьетнамском ветеране». Дерьмо. Мы не были сумасшедшие. Мы были кучкой детей, слишком много увидевших. Но, читая письма, я вдруг понял, что у меня есть нечто, что должна увидеть вся страна. Поэтому я собираюсь снова написать свою книгу, Цветик. Я включу в нее эти письма.

— Ты уверен?

— Я устал от жизни в тени, Цветик. Я хочу выйти на солнце, хоть на время. Но без тебя мне не сделать этого.

Она положила ему руки на плечи и уткнулась лицом в шею.

— Ты хоть понимаешь, как сильно я люблю тебя?

— Можно считать, что пора начать разговор о приобретении многоместного фургона и о браке, в котором оба делают карьеру?

Флер закивала.

— И о детях, Джейк. Я хочу детей. Много, много, много карандят.

Он криво ухмыльнулся и сунул обе руки под ее ночную рубашку.

— Прямо сейчас хочешь начать?

Не дожидаясь ответа, Джейк принялся целовать ее. Через несколько минут он отодвинулся.

— Цветик, мне не нравится такой поцелуй.

— Извини.

Флер попыталась перестать стучать зубами, но не смогла.

— Просто я замерзла, я вижу, как изо рта идет пар.

Он застонал и откинул одеяло.

— Ну пошли, тебе придется посветить мне фонариком.

Накинув парку поверх ночной рубашки и натянув на ноги шерстяные носки, Флер направилась за Джейком в подвал. Он опустился на колени на бетонный пол, а она светила ему фонариком. Джейк возился с отопителем. Свободную руку она засунула ему под рубашку и спросила:

— Джейк?

— А?

— А после того как дом нагреется...

— Держи фонарик как следует. Я почти все уже сделал.

— После того как в доме станет тепло, что ты думаешь насчет... Я хочу сказать, не думаешь ли ты, что было бы глупо...

— Все, готово. — Он выпрямился. — Так о чем ты говоришь?

— Что?

— Да ты ведь что-то говорила. Не буду ли я против, если... Она проглотила слюну.

— Ничего. Я забыла.

— Вот обманщица. — Он обнял ее за талию, приподнял и прижал к себе. — Неужели ты не понимаешь, что именно этого я хочу больше всего на свете? — Он коснулся губами мочки уха Флер, потом губы его пробежались по изгибу шеи. Потом по подбородку, и прямо ей в губы Джейк прошептал: — Но тебе придется снова забрать волосы наверх и закрепить заколками...

Эпилог

Белинда смотрела, как тело молодого человека изогнулось аркой и он нырнул в бирюзовую воду бассейна за ее домом в Бель-Эйр. Это был Дориан Бут. Когда он вышел из бассейна, она послала ему воздушный поцелуй.

— Замечательно, дорогой. Я люблю наблюдать за тобой.

Он улыбнулся в ответ, и она заподозрила, что не слишком искренне. Белинда увидела, как его красные маленькие нейлоновые плавки защемились сзади, и подумала: будет хорошо, если купят его экспериментальную пьесу. Если нет, он почувствует себя совершенно несчастным и ей придется успокаивать его. Но если купят, он скорее всего съедет отсюда. Что ж, тоже ничего страшного. Нетрудно найти другого молодого актера, которому понадобится ее помощь.

Она шире раздвинула ноги, подставляя солнцу внутреннюю поверхность бедер, смазанную маслом для загара, и опустила солнечные очки на глаза. Она устала. Нелегко было заснуть после ночного звонка Джейка. Не каждый день ее дочь рожает мальчиков-близнецов. Они давно узнали о двойне, когда сделали исследование. Никакого сюрприза не было, но все-таки ей нелегко было привыкнуть к мысли, что она теперь бабушка еще двоих внуков. Этот факт смущал Белинду. Флер и Джейк женаты три года, и у них уже трое детей. Самое странное, что они не собирались останавливаться. Ее красивая дочь превратилась в племенную кобылу.

Не в первый раз Белинда призналась себе, что Флер ее в общем-то разочаровала. Конечно, сейчас разочарование было не таким сильным, как тогда, когда они жили врозь. По крайней мере теперь Белинда была уверена, что дочь ее любит. Флер посылала ей продуманные подарки, звонила несколько раз в неделю и больше не сторонилась матери.

Белинда пыталась быть справедливой к дочери. В прошлом году та открыла офис на западном побережье, и сегодня все, даже самые отъявленные скептики, видели, что агентство Флер процветает. Ее снимали для «Вог» в новой одежде для беременных, которую смоделировал Майкл. Но всем, у кого есть глаза, было совершенно ясно: Флер не использовала свои возможности. Ее красота пропала понапрасну. Видит Бог, ей незачем сидеть за письменным столом, но зачем хоронить себя на забытой Богом ферме в штате Коннектикут? Ведь можно жить на Манхэттене с Джейком и быть самой видной и яркой парой, за которой все бы ходили по пятам?

Белинда вспомнила свою последнюю поездку на ферму два месяца назад. Это было начало июля, как раз после четвертого. Летняя жара обрушилась на нее, когда она вышла из лимузина с кондиционером и ступила прямо в кучу, сделанную собаками, которых держала Флер. Быстро взглянув на новые лодочки, Белинда поняла, что с ними придется распрощаться. Она позвонила в дверь. Никто не ответил, и она вошла.

В доме было прохладно, из кухни доносились соблазнительные ароматы. Конечно, дом ничуть не походил на тот, в котором должны жить знаменитости. Вместо толстых ярких ковров на деревянном полу лежал плетеный коврик. Баскетбольный мяч закатился в угол прихожей. Рядом стояла медная урна с садовыми цветами и валялось что-то похожее на вечернюю сумочку от Перетти, которую Белинда подарила Флер, но уже со сломанной ручкой; из сумочки торчала пушистая желтая голова какой-то птицы. За перила лестницы завалилась книга, на колышке висел шлем для верховой езды. Белинда не могла поверить, что Джейк позволял Флер ездить верхом на таком позднем сроке беременности.

Пожалев, что она явилась без звонка, Белинда сняла испорченные туфли и пошла босиком вниз по лестнице в столовую. Там лежала рукопись, но у Белинды не было искушения заглянуть в нее, хотя она знала, кое-кто много бы дал за то, чтобы хоть одним глазком посмотреть на новую пьесу Коранды. Несмотря на все награды и известность, сочинения Джейка не очень интересовали ее. А книга о Вьетнаме, принесшая ему вторую Пулитцеровскую премию, была самой мрачной из всех, какие она читала. Белинда осилила только первые две главы, на большее ее не хватило.

Ей все еще нравились его фильмы, хотя он уже редко снимался. В последние три года вышла только одна картина с Калибром, и Флер была вне себя от злости. Они спорили целыми днями, но Джейк стоял на своем. Он говорил, что ему нравится играть этого типа, а она могла бы и потерпеть раз в несколько лет. Флер перестала ездить с ним на съемки и проводила все время с лошадьми.

Когда Белинда собиралась выйти из столовой, она вдруг услышала смех Флер, доносившийся через открытое окно. Она подошла и откинула занавеску.

Ее дочь лежала, положив голову на колени мужа. Оба растянулись под кривым вишневым деревом. Оно ведь может кишеть насекомыми, подумала Белинда, его давно надо было срубить. Флер была в потертых синих шортах для беременных и в рубашке Джейка с расстегнутыми нижними пуговицами на большом животе. Белинде захотелось заплакать. Светлые волосы дочери были зачесаны назад и стянуты эластичной лентой; на загорелой ноге виднелась длинная царапина, а икры были искусаны комарами. Джейк совал жене в рот немытые вишни, а другой рукой гладил по животу.

Флер наклонила голову, и Белинда увидела, как вишневый сок течет у нее по подбородку. Потом рука Джейка скользнула под рубашку и коснулась груди Флер. Он наклонился и поцеловал ее долгим поцелуем. Смущенная Белинда повернулась, чтобы уйти, но тут хлопнула дверца машины и полуденную тишину нарушил пронзительный счастливый крик. Белинда почувствовала, как ее пульс участился. Она увидела Мэг. Мэг...

Флер и Джейк подняли глаза и увидели, что ребенок выбегает из-за угла, бросается к родителям мимо зеленого пластика детского бассейна и кидается прямо на них. Джейк поймал ее, прежде чем девочка успела наткнуться на Флер.

— Ой, птичка моя. Ты хотела ударить маму в животик, чтобы она лопнула.

— Хорошее начало для сексуального образования двухлетней девочки, ковбой, — заметила Флер и заботливо оттянула резиночку трусов Мэг. Потом покачала головой. — Так ты мокрая, детка. Забыла сказать няне, что хочешь на горшок?

Мэг засунула указательный палец в рот и задумалась. Потом повернулась к отцу и улыбнулась самой широкой улыбкой. Тот рассмеялся и, притянув ее к себе, уткнулся носом в мягкую кожу детской шейки.

— Артистка, — улыбнулась Флер и, подавшись вперед, схватила губами дочку за пухлую ляжку, как будто пробовала на вкус ее кожу...

Дориан Бут, оттолкнувшись от доски, прыгнул в бассейн, перевернулся в воздухе, и Белинда возвратилась в реальность, в свой дом в Бель-Эйр. Да, у ее дочери теперь еще двое детей. Когда Белинда лежала на солнце и запах хлорки попадал в нос, она думала, с каким бы презрением отнесся Алексей к подобному. Бедный Алексей. Они оба, конечно, ужасно поступили со своими детьми, но Белинда не любила думать об Алексее, потому что тогда ей пришлось бы вспоминать об ужасной ночи, когда он умирал. Она решила думать о Дориане Буте и о том, купят или нет его пьесу. Потом подумала о Флер, все еще такой красивой. О Мэг... Не слишком хорошее имя для такой красивой девочки: у нее рот отца, глаза матери и блестящие каштановые волосы Эррола Флинна, завивавшиеся возле милого маленького личика. Но вообще-то любое имя, за которым последует «Коранда», будет хорошо смотреться, а кровь проявит себя.

Больше тридцати лет прошло с той ночи, когда Джеймс Дин умер по дороге в Салинас. Белинда потянулась в лучах калифорнийского солнца. В конце концов, несмотря ни на что, она не так плохо устроилась в этом мире.

ↄ

1/08 S